平面图的结构与着色

冯纪先　著

學苑出版社

CONTENTS 目录

平面图的结构与着色

Ⅰ 结　构(Structure)

Ⅱ 着 色(Coloring)

I 结构

Structure

1.01 正则最大平面图

【摘要】对正则的最大平面图的结构和特性作了分析和讨论,对求解正则最大平面图的着色问题构思了几种方法,并给出了一些着色方案,求出了色数。

【关键词】最大平面图;正则图;图着色;色数

On regular maximal plane graphs

Abstract: This paper analyses and explores constructions and properties of regular maximal plane graphs. All regular maximal plane graphs are given. And chromatic number and a kind of coloring of these graphs are solved.

Keywords: maximal plane graph; regular graph; coloring of graph; chromatic number

1 引言

图论的有关文献中,对平面图的性质都有较详细的论述,但对平面图的一种特例——最大平面图,研究较少,对它的某些特殊的性质,未作透彻的研究,有些性质,还有待探索。本文对最大平面图的某些性质作了一些初步探讨,主要是研究正则最大平面图。

2 定义和定理[1-4](证明从略)

定义 1 设图 G 为平面图,若对它不能再加入边,而不失去平面性,则称图 G 为最大平面图(maximal planar graph)。

定义 2 若图 G 的所有点 v_i 的度 $d(v_i)=m$ 均相同,则称图 G 为 m 度正则图(regular graph)。

定义 3 若图 G 有 n 个点(n 阶),而任意两个点之间均有一条边,则称图 G 为 n 阶完全图(complete graph),并记作 K_n。

定理 1 设图 G 为最大平面图,点数(阶数)为 n,边数为 e,则

$$e=\begin{cases}0, & n=1\\ 1, & n=2\\ 3n-6, & n\geqslant 3\end{cases} \tag{1}$$

定理 2 设图 G 为最大平面图,点数(阶数)为 n,度数为 d,则

$$d=\begin{cases}0, & n=1\\ 2, & n=2\\ 6n-12, & n\geqslant 3\end{cases} \tag{2}$$

定理 3 设图 G 为最大平面图,点数(阶数)为 n,区数为 r,则

$$r=\begin{cases}1, & n=1\\ 1, & n=2\\ 2n-4, & n\geqslant 3\end{cases} \tag{3}$$

定理4　当 $n\geqslant 3$ 时,若图 G 是一个最大平面图,则图 G 中的每一个区均为一个三边形 K_3。逆定理亦成立。

定理5　若 m 度正则图的点数(阶数)为 n,则其边数 e 为

$$e=\frac{1}{2}mn,\qquad m\geqslant 0, n\geqslant 1 \tag{4}$$

定理6　n 阶完全图 K_n 的边数 e 为

$$e=\frac{1}{2}n(n-1),\qquad n\geqslant 1 \tag{5}$$

可见,n 阶完全图 K_n 实为 $(n-1)$ 度正则图。

3　正则最大平面图的数目和性质

若要得到可能存在的正则最大平面图(即具有正则性的最大平面图)的数目,那就要求出各种度数的正则最大平面图的点数(阶数)。为此,只需给定正则度数 m,将(1)式和(4)式联立求解,即可得其相应的点数(阶数)n。再应用(1)式、(2)式和(3)式,就可得其相应的边数 e、度数 d 和区数 r。结果如下:

1) 当 $m=0$,则 $e=0$,　　得 $n=1$, $e=0$, $d=0$, $r=1$。

2) 当 $m=1$,则 $e=\frac{1}{2}n=1$,　　得 $n=2$, $e=1$, $d=2$, $r=1$。

3) 当 $m=2$,则 $e=n=3n-6$,　　得 $n=3$, $e=3$, $d=6$, $r=2n-4=2$。

4) 当 $m=3$,则 $e=\frac{3}{2}n=3n-6$,　　得 $n=4$, $e=6$, $d=12$, $r=2n-4=4$。

5) 当 $m=4$,则 $e=2n=3n-6$,　　得 $n=6$, $e=12$, $d=24$, $r=2n-4=8$。

6) 当 $m=5$,则 $e=\frac{5}{2}n=3n-6$,　　得 $n=12$, $e=30$, $d=60$, $r=2n-4=20$。

7) 当 $m=6$,则 $e=3n=3n-6$,　　得 $n=\infty$, $e=\infty$, $d=\infty$, $r=2n-4=\infty$。

8) 当 $m\geqslant 7$,则 $e=mn/2=3n-6$,无解(∵ 从拓扑结构看,n 必须为自然数)。

由上可见,广义地说,正则最大平面图有七种,即 0 度正则最大平面图、1 度正则最大平面图、…、6 度正则最大平面图。不存在 7 度或大于 7 度的正则最大平面图。

图 1 中画出了七种正则最大平面图的拓扑结构,对各个点给以标号,使成标定图。点以小圆圈表示,圈内数字为标号。对第七种正则最大平面图,只画出了部分点、部分边,有的点未给以标号。又,各图都画成规范化的形式,整齐、好看。由于 m 度正则最大平面图的各点的度相同,均为 m,因此从拓扑结构上看,各点是对等的,图形是对称的,这从规范化的图形上很容易看出。

若采用"测地投影法",每一种正则最大平面图都可画在一个球面上,球的半径可任意大小。平面图中的一个三角形区都相应地成为球面上的一个三角形区。但对 6 度正则最大平面图而言,球的半径应是无穷长的,即球体应是无穷大的,那么球面已成为无穷大的平面。

(1) m = 0, n = 1,
e = 0, d = 0, r = 1。

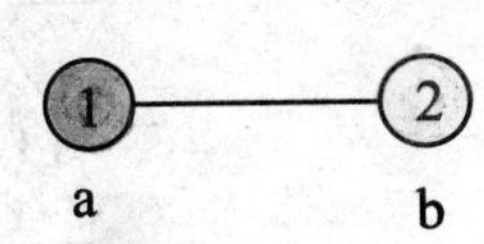

(2) m = 1, n = 2,
e = 1, d = 2, r = 1。

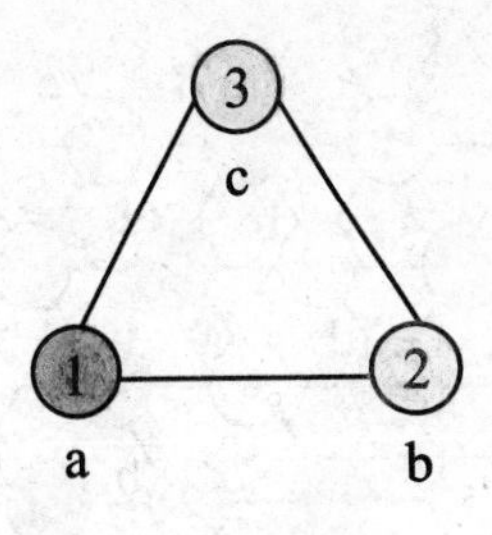

(3) m = 2, n = 3,
e = 3, d = 6, r = 2。

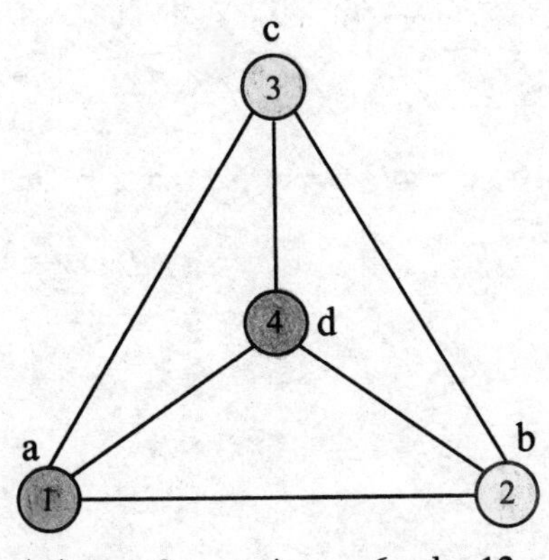

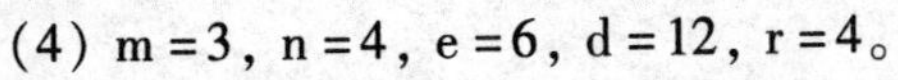
(4) m = 3, n = 4, e = 6, d = 12, r = 4。

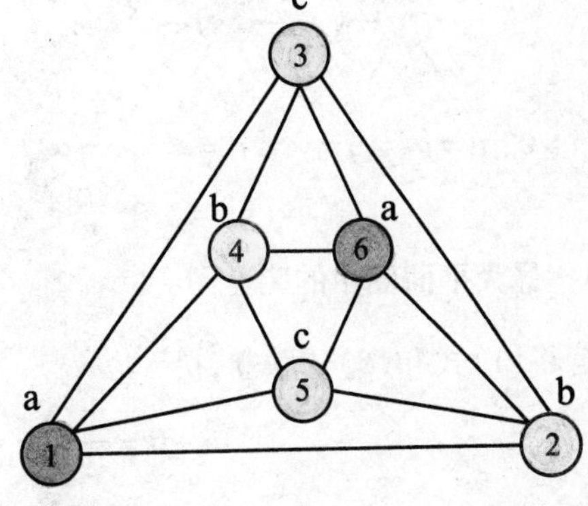

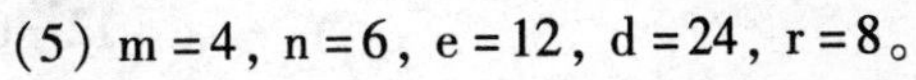
(5) m = 4, n = 6, e = 12, d = 24, r = 8。

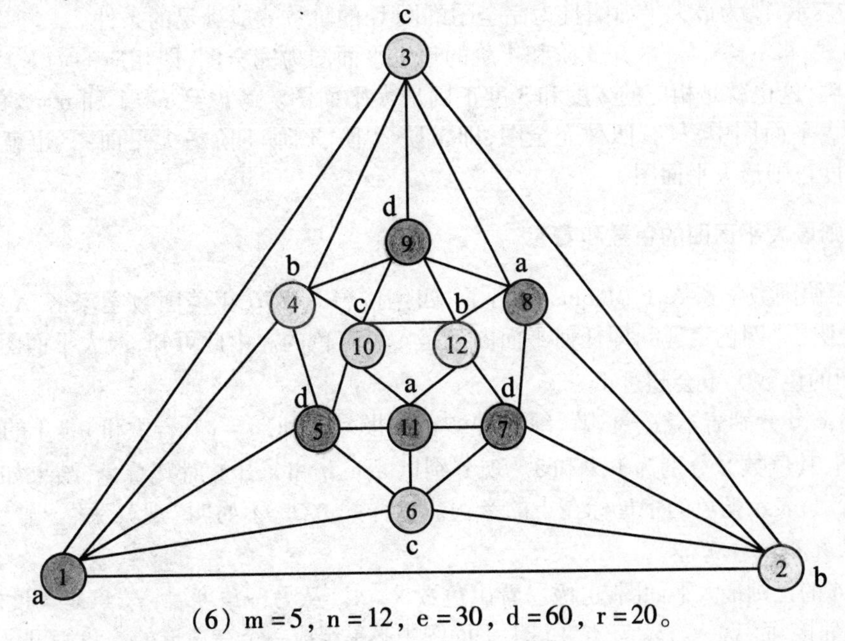

(6) m = 5, n = 12, e = 30, d = 60, r = 20。

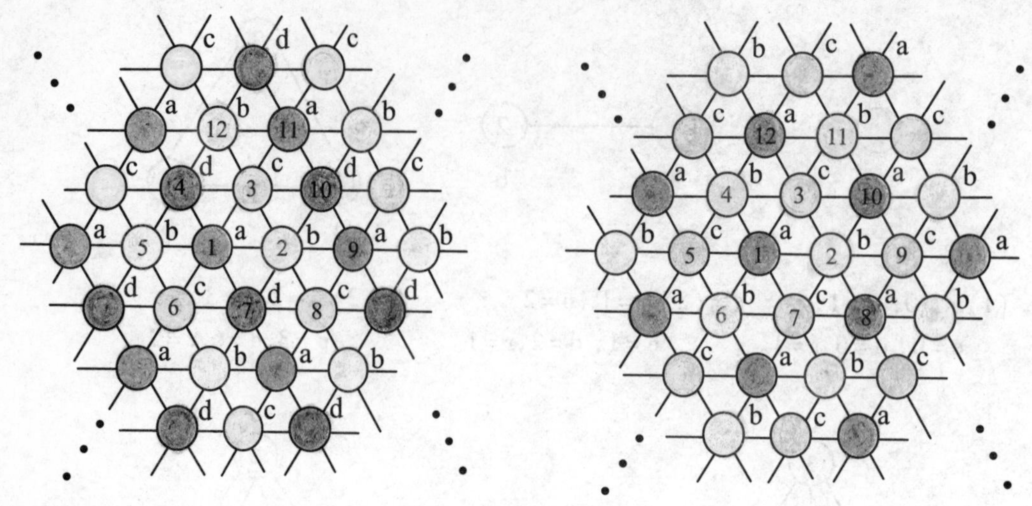

(7) $m=6$, $n=\infty$, $e=\infty$, $d=\infty$, $r=\infty$。　　(8) $m=6$, $n=\infty$, $e=\infty$, $d=\infty$, $r=\infty$。

图1　正则最大平面图

4　最大平面图中的完全图

若将(1)式和(5)式联立,得

$$3n-6=\frac{1}{2}n(n-1),\qquad n\geqslant 3$$

即

$$n^2-7n+12=0,\qquad n\geqslant 3 \tag{6}$$

(6)式表示,既为最大平面图且为完全图的图 G 的阶数 n 应满足的条件。

解(6)式,得 $n=3,4$。故知 3 阶和 4 阶的最大平面图为完全图,即相应的为 K_3 和 K_4。同时,又可看到,这也就是相应的 2 度和 3 度正则最大平面图。考虑到 $n=1$ 和 $n=2$ 的情况,广义地说,最大平面图中,只有四种完全图,即 1 阶、2 阶、3 阶、4 阶最大平面图,也就是 0 度、1 度、2 度、3 度正则最大平面图。

5　正则最大平面图的色数和着色

1840 年德国数学家 A. F. Möbius 提出了“四色猜想”,1976 年美国数学家 K. Appel 和 W. Haken 等证明了“四色定理”,即任何平面图都是 4 可着色的。由此可知,最大平面图以及正则最大平面图的色数 χ 不会超过 4。

设 a、b、c、d 分别表示红、黄、蓝、绿四种颜色。极易看到,$n=1$、$n=2$ 和 $n=3$ 的三种正则最大平面图,其色数 χ 分别为 1、2 和 3。现分别以 a,a、b 和 a、b、c 对其着色,结果如图 1(1)、(2)、(3)所示,表示颜色的字母标在点的旁边。这样的方法,不妨叫“观察法”。显然,此法对极简单的情况才会奏效。

对 $n=4$ 的正则最大平面图,也极易看出色数 $\chi=4$。从另一角度看,V_4 点是 3 度的,与 V_1、V_2、V_3 三点邻接,而 V_1、V_2、V_3 三点在最大平面图中必是组成一个三角形的。我们可设想将 3 度的 V_4 点去掉,这并不影响 V_1、V_2、V_3 三点原来的相互邻接关系,但却将图由 4 阶降为 3 阶。三角形的三个点应分别着不同的三色,即 a、b、c,显然 V_4 就应着第 4 色即 d 色,如图 1(4)所示。这个方法可叫“降阶法”。对具有许多 3 度点的图 G,降阶的作用就较大。尤其是,降阶后若又有了新的 3 度点,又可去掉,继续降阶。像这样多层次的降阶,降阶的作用就更大了[5][6]。

对 4 度 6 阶的正则最大平面图,显然首先可确定三角形的三点 V_1、V_2、V_3 分别着 a、b、c 三色。继之可看到与 V_4 邻接的点中有 V_1、V_3 两点，故 V_4 只能着 a、c 以外的其他颜色，意即在考虑 V_4 的着色时筛掉 a、c 二色，选着 b 色。同理，可对 V_5 和 V_6 分别选着 c 色和 a 色，得一着色方案如图 1(5)所示。这样的方法，不妨叫“筛选法”。通过“筛选法”得知 4 度 6 阶正则最大平面图的色数 χ 为 3。显然“筛选法”是有一定的局限性的，如同“观察法”和“降阶法”一样，不可能解决着色的全部问题。

对 5 度 12 阶的正则最大平面图，首先仍可确定三角形的三个点 V_1、V_2、V_3 分别着 a、b、c 三色，由对等性立即可知，三角形 $V_{10}V_{11}V_{12}$ 的三点应用 a、b、c 三色来着。继之，从图上可看到 V_4 周围的圈 $V_1V_5V_{10}V_9V_3V_1$ 是五点的奇圈，奇圈的着色需 3 色，由此可见 5 度正则最大平面图的色数 χ 将大于 3。同时考虑到正则最大平面图的对等性和对称性，故将 V_5、V_7、V_9 均着 d 色，再考虑到奇圈的着色，V_{10} 着 c 色，V_4 着 b 色。同理，可得到其他点的着色。由此可见 5 度正则最大平面图的色数 χ 为 4，着色方案如图 1(6)所示。这儿，在着色中，分析了图的拓扑结构的特点，因而这样的方法似可称“分析法”。前面 4 度正则最大平面图结构中，一个点周围的圈是偶圈，偶圈可以二色着之，因而使 4 度正则最大平面图的色数 χ 可以为 3。

最后，对 6 度∞阶正则最大平面图，同样地，三角形的三个点必然分别着不同的三色，因而图 1(7)中 V_1、V_2、V_3 三点分别着 a、b、c 三色。从图的结构看，边形成了三种斜度的无穷长平行线，可考虑采用所谓“隔离法”来着色，即每条线上仅用二色，相邻的平行线上则用另二色，这就保证了着色的基本要求——相邻点着异色。考虑到图结构的对等性，故对 V_4、V_7、V_{10} 均着 d 色，由此得到整个图的着色方案，如图 1(7)所示。

然而，若从另一角度看 6 度∞阶正则最大平面图的着色，当 V_1、V_2、V_3 三点分别给予 a、b、c 三色后，以“对每一个菱形的对顶点着同色”这一原则，逐步对所有点由近及远一一着色，就可得如图 1(8)所示的着色方案，可见 6 度∞阶正则最大平面图的色数 χ 为 3。实际上，从该图中可看出，每一个点周围均为 6 点的偶圈，偶圈可以二色着之，因而其色数 χ 可以为 3。此外，基于图是∞阶的(这是一个根本的关键原因)，图 1(8)的着色也可这样来看，无穷长的直线上的各点以 a、b、c 的顺序着色，相邻的平行线上的各点也以 a、b、c 的顺序着色。但需错位，以满足着色的基本要求——相邻点着异色，即得所示着色方案。这样的方法，似可称为“错位法”。

以上用色数 χ 对每一种正则最大平面图给出了一种着色方案，显然对同一正则最大平面图，可能存在着不止一种着色方案。

6 结语

综合前面所得结果，以表 1 表示如下。

表 1 正则最大平面图的特性

正则度数 m	点(阶)数 n	边数 e	度数 d	区数 r	完全图 K_n	色数 χ
0	1	0	0	1	是(K_1)	1
1	2	1	2	1	是(K_2)	2
2	3	3	6	2	是(K_3)	3
3	4	6	12	4	是(K_4)	4
4	6	12	24	8	非	3
5	12	30	60	20	非	4
6	∞	∞	∞	∞	非	3

这儿有一个有趣的现象，所有可能的有限阶正则最大平面图的点数 n，包括了所有“12”的因数。

本文对正则最大平面图的性质作了一定的分析，得到了初步的基本结果，给出了各种正则最大平面图的规范化表达。在求得各种正则最大平面图的色数后，进行了着色，应用了“观察法”、“降阶法”、“筛选法”、“分析法”、“隔离法”、“错位法”等。这些方法，对某些问题提供了解决的思路，但各有一定的局限性。着色问题有待进一步的深入研究。

新浪网“别客的博客”http://blog. sina. com. cn/buickidea 中有其他有关论文，敬请批评、指正。

参考文献

[1] E. 哈拉里著. 图论[M]. 李慰萱，译. 上海：上海科学技术出版社，1980：119 - 134.

[2] 陈树柏，左垲，张良震. 网络图论及其应用[M]. 北京：科学出版社，1982.

[3] 舒贤林，徐志才. 图论基础及应用[M]. 北京：北京邮电学院出版社，1988.

[4] 戴一奇，胡冠章，陈卫. 图论与代数结构[M]. 北京：清华大学出版社，1995.

[5] 冯纪先. 最大平面图着色的“移 3 度点法”[C]//第十五届电路与系统年会论文集. 广州：华南理工大学，1999：254 - 258.（见目录：2.01）

[6] 冯纪先. 最大平面图着色的“移 4 度点法”[C]//第十五届电路与系统年会论文集. 广州：华南理工大学，1999：259 - 263.（见目录：2.02）

1.02 简单完整正则平面图

【摘要】对简单完整正则平面图的结构和特性进行了分析和讨论，找出了简单完整正则平面图的可能的种类。此外，对各种简单完整正则平面图的色数进行了求解，并用不同的方法给出了各个简单完整正则平面图的着色方案。

【关键词】简单图；正则最大平面图；完整正则平面图；色数；图着色

On simple completely regular plane graphs

Abstract: This paper analyses and explores constructions and properties of simple completely regular plane graphs. All simple completely regular plane graphs are given. And chromatic number and a kind of coloring of these graphs are solved.

Keywords: simple graph; regular maximal plane graph; completely regular plane graph; chromatic number; coloring

1 引言

文献[1]中对正则最大平面图的结构和特性作了分析和讨论，得到可能的各种正则最大平面图，并求出了它们的色数，给出了它们的着色方案。正则最大平面图是一种简单完整正则平面图。本文研究了简单完整正则平面图的结构和特性，它们的色数及着色方案。所以，本文的内容包含了文献[1]中的部分内容。

2 定义和定理[1,2]（证明从略）

定义1　设图G无自环，也无并边，则称图G为简单图(Simple graph)。

定义2　设图G为连通平面图，其所有区的周界的长度即周界的边数l均相同，且所有点的度数m也均相同，则称图G为l长m度完整正则平面图(completely regular plane graph)。

既为简单图又为完整正则平面图的图G应称为简单完整正则平面图。为了方便，往往将“简单完整正则平面图”称为“完整正则平面图”。

图G所有区的周长均相同时，每个点的度数不一定相同。如图1所示，图G所有区的周长为3，但图G中既有3度点，又有4度点。图1实为一最大平面图。

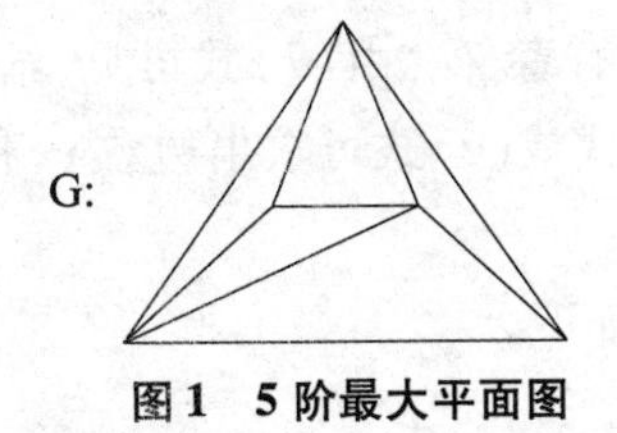

图1　5阶最大平面图

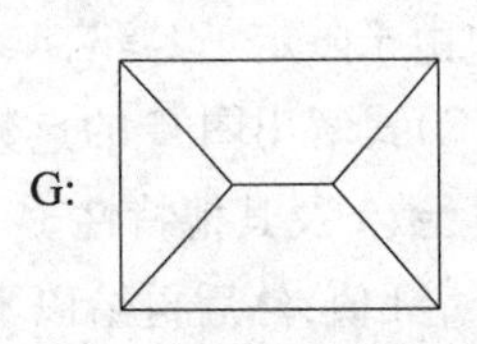

图2　6阶非最大平面图

图 G 所有点的度数均相同时,每个区的周长不一定相同。如图 2 所示,图 G 所有点的度数为 3,但图 G 中既有周长为 3 的区,也有周长为 4 的区。图 2 不是最大平面图。

定理 1　设图 G 为连通平面图,点数(阶数)为 n,区数为 r,边数为 e,则

$$e = n + r - 2, \qquad n \geqslant 1, r \geqslant 1 \tag{1}$$

定理 1 即为 Euler 定理。由(1)式可见,$e \geqslant 0$。由于图 G 是连通的,故 $e \geqslant n - 1$。当图 G 是树 T 时,$r = 1, e = n - 1$。(1)式理解成图 G 的边数 e 取决于图 G 的点数 n 和区数 r。

定理 2　设图 G 为连通平面图,若其所有区的周界的长度即周界的边数 l 均相同,则

$$e = \frac{1}{2} \cdot l \cdot r, \qquad l \geqslant 3, r \geqslant 2 \tag{2}$$

由(2)式可见,$e \geqslant 3$,并可看到,$n \geqslant l$。又因 e 为整数,故 l、r 二者之中,至少有一个为偶数。若考虑到(1)式,且将(1)、(2)两式联立,消去 r,得下述定理 3。

定理 3　设图 G 为连通平面图,若其所有区的周界的长度即周界的边数 l 均相同,则

$$e = \frac{l(n-2)}{l-2}, \qquad l \geqslant 3, n \geqslant l \geqslant 3 \tag{3}$$

(3)式理解成图 G 的边数 e 取决于图 G 的点数 n 和区的周长 l。由(3)式可见,$e \geqslant 3$。(3)式中 l 和 n 的取值范围,是由(1)、(2)式中 l 和 n 的取值范围所决定。

定理 4　设图 G 为连通平面图,若其所有区的周界的长度即周界的边数 l 均相同,则

$$r = 2e/l, \qquad l \geqslant 3, e \geqslant 3 \tag{4}$$

及

$$r = 2(n-2)/(l-2), \qquad l \geqslant 3, n \geqslant l \geqslant 3 \tag{5}$$

(5)式的获得也可视为(2)式与(1)式联立,消去 e 而得。

定理 5　若 m 度正则平面图的点数(阶数)为 n,边数为 e,则

$$e = 1/2 \cdot mn, \qquad m \geqslant 0, n \geqslant 1 \tag{6}$$

由(6)式可见,$e \geqslant 0$。又因 e 为整数,故 m、n 二者之中,至少有一个为偶数。

上面所列出的六个式子中,涉及 5 个参量,即 e、n、r、l、m。对完整正则平面图而言,实际上,它只是要满足六个式子中彼此独立的三个式子,即(1)式、(2)式和(6)式,其余三式(3)、(4)和(5)是导出的。因而,为了解出 e、n 和 r 三个参量的值,必须先设定余下的两个参量 m、l 的值。下面就讨论这个问题并给出求解的结果。

3　完整正则平面图的种类和性质

完整正则平面图中,各点的度数 m 是相同的,故必须满足(6)式,各区的周长 l 也是相同的,故又须满足(2)式,或(3)式。现将(6)式和(3)式联立,消去边数 e,得

$$n = \frac{4l}{2l - ml + 2m}, \qquad l \geqslant 3, m \geqslant 0, n \geqslant l \geqslant 3 \tag{7}$$

(7)式中,由于限定了 $l \geqslant 3, n \geqslant 3$,这就导致 $m \geqslant 2$ 才有意义。由(7)式可见,给定 l、m 的值,就可利用(7)式解出图 G 的点数(阶数)n,再利用(3)式或(6)式可求出边数 e,利用(4)式或(5)式求得区数 r 及其他特性。

我们先给定 l 值,然后再给以不同的 m 值,所得结果如下。

1)$l = 3$,则由(7)式得 $n = \frac{12}{6 - m}$。故得 $m = 2, n = 3,\ e = 3,\ r = 2$

$m=3, n=4, e=6, r=4$

$m=4, n=6, e=12, r=8$

$m=5, n=12, e=30, r=20$

$m=6, n=\infty, e=\infty, r=\infty$

$m\geqslant 7$,无解

$l=3$,意即每个区均为三角形 K_3,当 $n\geqslant 3$ 时,图 G 就是最大平面图,所以这儿所得的结果与文献[1]中所得的结果是一致的。

2)$l=4$,则由(7)式得 $n=\frac{16}{8-2m}$。故得 $m=2, n=4, e=4, r=2$

$m=3, n=8, e=12, r=6$

$m=4, n=\infty, e=\infty, r=\infty$

$m\geqslant 5$,无解

3)$l=5$,则由(7)式得 $n=\frac{20}{10-3m}$。故得 $m=2, n=5, e=5, r=2$

$m=3, n=20, e=30, r=12$

$m\geqslant 4$,无解

4)$l=6$,则由(7)式得 $n=\frac{24}{12-4m}$。故得 $m=2, n=6, e=6, r=2$

$m=3, n=\infty, e=\infty, r=\infty$

$m\geqslant 4$,无解

5)$l=7$,则由(7)式得 $n=\frac{28}{14-5m}$。故得 $m=2, n=7, e=7, r=2$

$m\geqslant 3$,无解

6)$l>7$,设 $l=8$,则由(7)式得 $n=\frac{32}{16-6m}$。可得 $m=2, n=l, e=l, r=2$

$m\geqslant 3$,无解。

可见 $l\geqslant 7$ 的任何值时,有相同的结果。

另一方面,如果我们先给定 m 值,再给以不同的 l 值,情况将如下所述。

1)当 $m=2$,则由(7)式得 $n=l$,由(3)式或(6)式得 $e=l$,由(4)式或(5)式得 $r=2$。

这说明,$m=2$ 时,完整正则平面图实为圈 C_n。又看到,当 $m=2$ 时,$l\geqslant 3$ 的任何值均可。

2)当 $m=3$,则由(7)式得 $n=\frac{4l}{6-l}$,此时 $l\leqslant 6$,即 $l=3$、4、5、6。

3)当 $m=4$,则由(7)式得 $n=\frac{4l}{8-2l}$,此时 $l\leqslant[8/2]=4$,即 $l=3$、4。

4)当 $m=5$,则由(7)式得 $n=\frac{4l}{10-3l}$,此时 $l\leqslant[10/3]=3$,即 $l=3$。

5)当 $m=6$,则由(7)式得 $n=\frac{4l}{12-4l}$,此时 $l\leqslant[12/4]=3$,即 $l=3$。

6）当 m=7，则由（7）式得 $n=\frac{4l}{14-5l}$，此时 $l\leqslant[14/5]=2$，这不是解答，因应 $l\geqslant3$，故无解。

7）当 m>7，也无解。

图 3 中画出了完整正则平面图所有可能的结构，点以小圆圈表示，圈内数字为点的编号。各图都以规范化的形式画出，显现出了图的对称性。

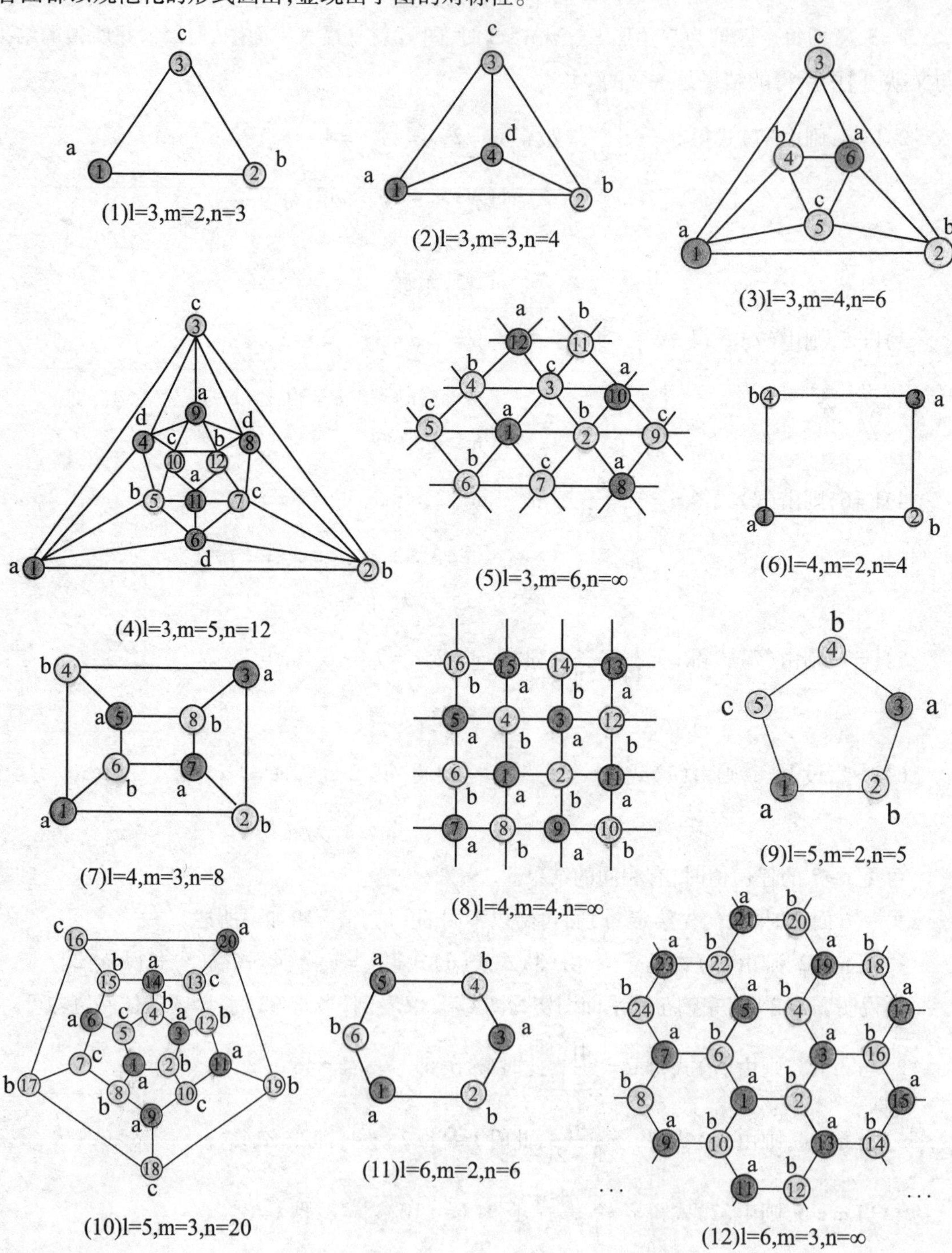

(1)l=3,m=2,n=3

(2)l=3,m=3,n=4

(3)l=3,m=4,n=6

(4)l=3,m=5,n=12

(5)l=3,m=6,n=∞

(6)l=4,m=2,n=4

(7)l=4,m=3,n=8

(8)l=4,m=4,n=∞

(9)l=5,m=2,n=5

(10)l=5,m=3,n=20

(11)l=6,m=2,n=6

(12)l=6,m=3,n=∞

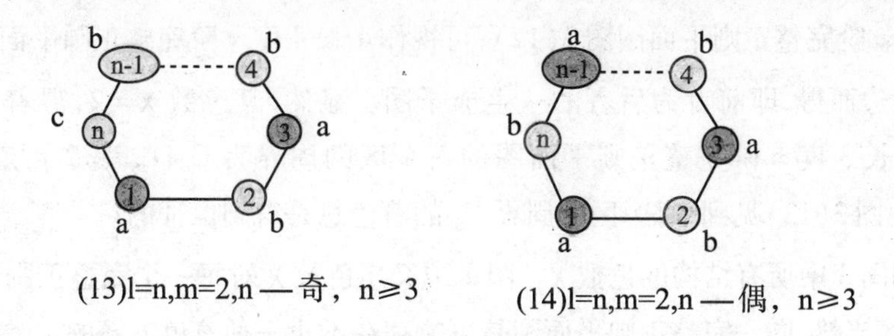

图3　完整正则平面图

由上可见,广义地说,任何 n 阶完整正则平面图都有 n 长 2 度的完整正则平面图,又有三种∞阶的图,即 3 长 6 度完整正则平面图,4 长 4 度完整正则平面图和 6 长 3 度完整正则平面图。此外,还有五种有限图,即 3 长 3 度、3 长 4 度、3 长 5 度、4 长 3 度和 5 长 3 度的完整正则平面图。

4　完整正则平面图的色数和着色

现以 a、b、c 和 d 分别表示红、黄、蓝和绿四种颜色。在图 3 中将颜色标在点的旁边,给出了一种着色方案。根据“四色定理”知任何平面图都是 4 可着色的,故完整正则平面图的色数可小于 4 或等于 4,不会超过 4。现对各个完整正则平面图的色数和着色方案探讨如下。

区周边长 $l=3$ 的完整正则平面图实为正则最大平面图,这在文献[1]中有较详细的讨论,这儿将其探讨的结果移过来,表示在图 3(1)至(5)中。

点的度数 $m=2$ 时,完整正则平面图的区周边长度 l 与图的阶数(点数)n 的数值相同,即 $n=l$,故此时完整正则平面图实为圈 C_n。显然,当 n 为奇数时,C_n 的色数 $\chi=3$,当 n 为偶数时,C_n 的色数 $\chi=2$,如图 3 中(1)、(6)、(9)、(11)、(13)和(14)所示即是。

4 长 3 度 8 阶的完整正则平面图,可视作两个 C_4 套着。C_4 是 2 可着色的,如以 a、b 二色着之,用文献[1]中论及的“错位法”,即可得一着色方案如图 3(7)所示,可见其色数 $\chi=2$。

对 4 长 4 度∞阶的完整正则平面图,从结构看,无穷长的链可二色着色,辟如以 a、b 二色着之,链间采用“错位法”即可得一着色方案如图 3(8)所示,其色数 $\chi=2$。

对 5 长 3 度 20 阶的完整正则平面图,从结构看,由于存在着 C_5,故其色数 χ 必为 $3\leq\chi\leq4$,即要么为 3,要么为 4,两者必居其一。C_5 是一个奇圈,奇圈的色数为 3。可以看出,C_5 的五个点,可划分在三个点集中,但不可能有三个点在同一个点集中,最多两个点在同一点集。余下的三个点则在另两个点集中,两个点在一个点集,另一个点单独在另一个点集。图 3(9)所示为圈 C_5,有五个点 V_1、V_2、V_3、V_4 和 V_5。因为每个点都可以被划分在单独的一个点集中,故可能有的五种点集划分为:(1){1},{2、5},{3、4};(2){2},{3、4},{1、5};(3){3},{1、5},{2、4};(4){4},{1、3},{2、5};(5){5},{1、3},{2、4}。由于图 3(10)的对称性,我们可任选一点,将其单独划分在一个点集中,比如选 V_5,图 3(9)即是。因而在图 3(10)上 V_1、V_3 着 a 色,V_2、V_4 着 b 色,V_5 着 C 色。按这一思想,将与这一 C_5 相邻的五个 C_5 着色,再将最外层的 C_5($V_{16}V_{17}V_{18}V_{19}V_{20}$ V_{16})着色,由此得一 3 色着色方案如图 3(10)所示,可见其色数 $\chi=3$。

6 长 3 度∞阶完整正则平面图图 3(12),可视作 4 长 4 度∞阶完整正则平面图图 3(8)中,间隔地移去横边而得,即前者为后者的一生成子图。显然,其色数 $\chi=2$,得着色方案如图 3(12)所示。6 长 3 度∞阶完整正则平面图的每个区的周界为 C_6,C_6 是 2 可着色的,如图 3(11)所示。由图 3(12)见到,每个区的周界 C_6 的着色总是得到保证的。

以上得到图 3 中所有结构的色数 χ。图 3 中又用色数 χ 对每一个完整正则平面图给出了一种着色方案,当然,同一完整正则平面图是可能存在不止一种着色方案的。

5 结语

综合前面所得结果,完整正则平面图的特性以表 1 表示如下:

表 1 完整正则平面图的特性

区周边数	正则度数	点(阶)数	边数	度数	区数	最大平面图	完全图	色数
l	m	n	e	d	r	G_{Mn}	K_n	χ
3	2	3	3	6	2	是	是(K_3)	3
	3	4	6	12	4	是	是(K_4)	4
	4	6	12	24	8	是	非	3
	5	12	30	60	20	是	非	4
	6	∞	∞	∞	∞	是	非	3
4	2	4	4	8	2	非	非	2
	3	8	12	24	6	非	非	2
	4	∞	∞	∞	∞	非	非	2
5	2	5	5	10	2	非	非	3
	3	20	30	60	12	非	非	3
6	2	6	6	12	2	非	非	2
	3	∞	∞	∞	∞	非	非	2
7	2	7	7	14	2	非	非	3
>7	2	n = l(奇)	n	2n	2	非	非	3
		n = l(偶)	n	2n	2	非	非	2

由表 1 可见,3 长 4 度 6 阶完整正则平面图(区数为 8)与 4 长 3 度 8 阶完整正则平面图(区数为 6)是互对偶图,3 长 5 度 12 阶完整正则平面图(区数为 20)与 5 长 3 度 20 阶完整正则平面图(区数为 12)是互对偶图,而 3 长 3 度 4 阶完整正则平面图(区数为 4)是自对偶图。广义地说,3 长 6 度∞阶完整正则平面图(区数为∞)与 6 长 3 度∞阶完整正则平面图(区数为∞)是互对偶图,而 4 长 4 度∞阶完整正则平面图(区数为∞)是自对偶图。

参考文献

[1]冯纪先. 正则最大平面图[C]//第十二届电工理论年会论文集. 长沙:国防科技大学,1999:222 - 227. (见目录:1.01)

[2]Narsingh Deo. Graph Theory with Applications to Engineering and Computer Science[J]. Prentice - Hall, Inc. ,1974:88 - 99.

1.03 最大外平面图和最大平面图的几个性质

【摘要】对最大外平面图的区数、边数、度数和色数等性质进行了研讨，并对某些结论给出了证明，得到一些有用的结果。进而，将这些结果应用于最大平面图的分析，由此得到最大平面图的一些有意义的性质。此外，对最大外平面图的着色问题进行了探讨，获得"至少有3个点的最大外平面图具有唯一3可着色"的结论，并给出了一种证明。

【关键词】最大外平面图；最大平面图；图着色；唯一k可着色

A few properties of maximal outerplane graph and maximal plane graph

Abstract: In this paper, A few properties (point, edge, region, degree, chromatic number, uniqueness, etc.) of maximal outerplane graph are studied. And a few properties of maximal plane graph are studied too with properties of maximal outerplane graph. Some useful solutions are obtained.

Keywords: maximal outerplane graph; maximal plane graph; coloring of graph; uniquely k - colorable

1 引言

在文献[1]和文献[2]中有外平面图的有关内容。本文首先对外平面图及最大外平面图(maximal outerplane graph)的基本特性进行了分析和讨论，得到一些有用的结果。然后，将这些结果用来对平面图和最大平面图(maximal plane graph)的某些性质作进一步的研究，由此又得到另一些有意义的结果。本文也对最大外平面图的着色问题进行了探讨，求得最大外平面图的色数为3，并证明了最大外平面图为唯一3可着色的。

2 定义

定义1　若平面图G的所有点在同一个区上，一般将这个区选为外部区(无限区)，则称此平面图G为外平面图[1]。当然，也可通过"测地投影"法将外部区(无限区)转化成内部区(有限区)。设外平面图G的阶数(点数)为n，外部区(无限区)的边界也就成为圈C_n。显然，外平面图G的边要么在圈C_n上，要么在圈C_n内。为了方便，本文将圈C_n上的边称为周边，圈C_n内的边称为弦边。通过"测地投影"法，当将外部区(无限区)转化为内部区(有限区)时，外平面图的边，有的在圈C_n上，有的在圈C_n外，此时圈C_n外的边也就称为弦边。

定义2　若外平面图G不能再加上边而不失去外平面性，则称此外平面图G为最大外平面图[1]。

由定义1和定义2可见，外平面图和最大外平面图的外部区(无限区)的边界，即n点圈C_n，是一个生成圈，因而也是一个Hamilton圈，由此可知外平面图和最大外平面图均为Hamilton图。但，平面图和最大平面图不一定是Hamilton图，因为平面图和最大平面图不一定含有

Hamilton 圈[2]。

定义3　若一个最大平面图存在 Hamilton 圈,则称此最大平面图为 Hamilton 最大平面图。显然,不存在 Hamilton 圈的最大平面图为非 Hamilton 最大平面图。

定义4　设图 G 的边数为 e,令 d = 2e,则称 d 为图 G 的度数。显然,d 也为图 G 的所有点的度数之和。

3　最大外平面图的性质

性质3.1　设最大外平面图 G_{MO}有 n 个点,n≥3,那么外平面图为最大外平面图的充要条件为在圈 C_n 内的所有区均为三角形(triangle),也即:最大外平面图为一多边形(边数≥3)的一个三角剖分图(triangulation)。

性质3.2　设最大外平面图 G_{MO}的点数为 n,当 n≥3 时,圈 C_n 外的外部区的区数为 1,圈 C_n 内的内部区的区数为 n - 2。

性质3.3　设最大外平面图 G_{MO}的点数为 n,当 n≥3 时,圈 C_n 外的边数为 0,圈 C_n 上的边数即周边数为 n,圈 C_n 内的边数即弦边数为 n - 3。

性质3.4　最大外平面图 G_{MO}的色数 χ 为 3,且最大外平面图是唯一 3 可着色的。

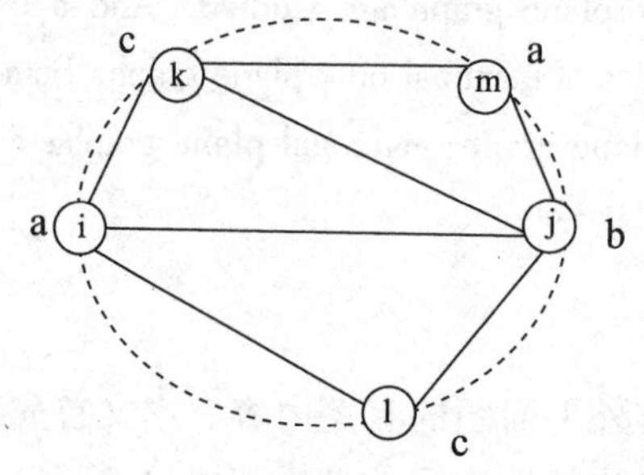

图1　最大外平面图 G_{MO}

证明:最大外平面图是多边形的三角剖分,每个区均为三角形,因而其色数至少为 3,即 χ≥3。

任取一条弦边 ij,其端点为 V_i 和 V_j,如图 1 所示,图中虚线表示圈 C_n,n 为 G_{MO}的点数。这条弦边必和两个三角形关联,譬如与△ ijk 和△ijl 关联。因为 V_i 和 V_j 两点之间已有边相连,所以 V_k 和 V_l 两点之间不可能有边相连,即 V_k 和 V_l 不可能是相邻点。V_i、V_j、V_k 和 V_l 四点均在圈 C_n 上,故在圈 C_n 上 V_k 和 V_l 两点至少被 V_i 和 V_j 两点分隔开。

若 V_i、V_j 和 V_k 三点分别着 a、b 和 c 三色,那么 V_l 点也就可着 c 色,此处相当于一个"菱形"的两个不相邻的顶点可着同色,因此这儿一个"菱形"只需三色。同理,V_m 可着 a 色。

由此类推,最大外平面图的所有点的着色只需三种颜色即可,故最大外平面图的色数 χ = 3。

既然 χ = 3,这就意味着 G_{MO}的所有 n 个点可被划分成三个点集。前已知,任何一条弦边的两端点必被划分在两个不同的点集中,与该弦边关联的两个三角形的两个顶点,将同在第三个点集中。在最大外平面图的拓扑结构一定的前提下,可从一条弦边开始,将各点顺序地划分下去,最后,必得到 n 个点的唯一的三个点集的划分,也就是说最大外平面图是唯一 3 可着色的。证毕。

综上所述,以表 1 表示最大外平面图 G_{MO}的特性。

表 1 最大外平面图 G_{MO}($n\geqslant3$)的特性

	点数 $n\geqslant3$	区数 $r\geqslant2$	边数 $e\geqslant3$	度数 $d\geqslant6$	色数 $\chi=3$
圈 C_n 内	0	$n-2$	$n-3$(弦)	$2n-6$	唯一 3 可着色
圈 C_n 上	$n\geqslant3$	0	n(周)	$2n$	
圈 C_n 外	0	1	0	0	

4 最大平面图的性质

性质 4.1 设 Hamilton 最大平面图 G_M 有 n 个点,$n\geqslant3$,那么在 Hamilton 圈 C_n 内的区数 $r_I=n-2$,Hamilton 圈 C_n 外的区数 $r_E=n-2$。

证明:移去 Hamilton 最大平面图 G_M 的 Hamilton 圈 C_n 外的所有边,得一最大外平面图 G_{MO}。由最大外平面图的性质 3.2 知,Hamilton 圈 C_n 内的区数 $r_I=n-2$。

同理,移去 Hamilton 最大平面图 G_M 的 Hamilton 圈 C_n 内的所有边,继之将圈 C_n 内的这一个区翻转成圈 C_n 外的一个外部区(无限区)得另一最大外平面图 G_{MO}。同样,由最大外平面图的性质 3.2 知,翻转前 Hamilton 圈外的区数 $r_E=n-2$。

Hamilton 最大平面图作为最大平面图,其区数 $r=r_I+r_E=2n-4$。证毕。

性质 4.2 设 Hamilton 最大平面图 G_M 有 n 个点,$n\geqslant3$,那么在 Hamilton 圈 C_n 内的边数 $e_I=n-3$,Hamilton 圈 C_n 外的边数 $e_E=n-3$,Hamilton 圈 C_n 上的边数 $e_C=n$。

证明:去掉 Hamilton 最大平面图 G_M 的 Hamilton 圈 C_n 外的所有边,得一最大外平面图 G_{MO}。由最大外平面图的性质 3.3 知,C_n 上的边数 $e_C=n$,C_n 内的边数 $e_I=n-3$。

以此类推可知,C_n 外的边数 $e_E=n-3$。

Hamilton 最大平面图作为最大平面图,其边数 $e=e_I+e_C+e_E=3n-6$。证毕。

综合性质 4.1 和性质 4.2,以表 2 表示 Hamilton 最大平面图 G_M 的特性。

表 2 Hamilton 最大平面图 G_M($n\geqslant3$)的特性

	点数 $n\geqslant3$	区数 $r=2n-4=r_I+r_E\geqslant2$	边数 $e=3n-6=e_I+e_C+e_E\geqslant3$	度数 $d=6n-12=d_I+d_C+d_E\geqslant6$	色数 $\chi\leqslant4$
圈 C_n 内	0	$r_I=n-2$	$e_I=n-3$(弦)	$d_I=2n-6$	非唯一 4 可着色
圈 C_n 上	$n\geqslant3$	0	$e_C=n$(周)	$d_C=2n$	
圈 C_n 外	0	$r_E=n-2$	$e_E=n-3$(弦)	$d_E=2n-6$	

性质 4.3 设最大平面图 G_M 有 n 个点,$n\geqslant3$。G_M 中有一长度为 p 的圈 C_p,圈 C_p 内有 n_I 个点,圈 C_p 外有 n_E 个点。那么,圈 C_p 内的区数 $r_I=2n_I+p-2$,边数 $e_I=3n_I+p-3$;圈 C_p 外的区数 $r_E=2n_E+p-2$,边数 $e_E=3n_E+p-3$;圈 C_p 上的边数 $e_C=p$。

证明:若最大平面图 G_M 有 n 个点,$n\geqslant3$。则其区数 $r=2n-4$,边数 $e=3n-6$。由此可见最大平面图的阶数增一时,其区数就要增二,边数就要增三。

长度为 p 的圈 C_p 上的点数为 p,故圈 C_p 上的边数 $e_C=p$。

若圈 C_p 内和圈 C_p 外均无点,那么圈 C_p 即为 Hamilton 圈,根据最大平面图(指 Hamilton 最大平面图)的性质 4.1 和性质 4.2 知,圈 C_p 内和圈 C_p 外的区数均为 $p-2$,边数均为 $p-3$。

现圈 C_p 内有 n_I 个点,圈 C_p 外有 n_E 个点,那么圈 C_p 内的区数要增加 $2n_I$,边数要增加 $3n_I$,圈 C_p 外的区数要增加 $2n_E$,边数要增加 $3n_E$。根据 Jardon 曲线定理知,圈 C_p 内的点和圈 C_p 外的点不是相邻点,即它们之间是不可能存在边的。所以圈 C_p 内的点增加的区数和边数均在圈 C_p 内,圈 C_p 外的点增加的区数和边数均在圈 C_p 外。因此圈 C_p 内的区数 $r_I = 2n_I + p - 2$,边数 $e_I = 3n_I + p - 3$;圈 C_p 外的区数 $r_E = 2n_E + p - 2$,边数 $e_E = 3n_E + p - 3$。

G_M 作为最大平面图,点数 $n = n_I + p + n_E$,区数 $r = r_I + r_E = 2(n_I + p + n_E) - 4 = 2n - 4$,边数 $e = e_I + e_C + e_E = 3(n_I + p + n_E) - 6 = 3n - 6$。证毕。

根据性质 4.3,以表 3 表示最大平面图 G_M 的特性

表 3　最大平面图 $G_M(n \geqslant 3)$ 的特性

	点数 $n = n_I + p + n_E \geqslant 3$	区数 $r = 2n - 4 = r_I + r_E \geqslant 2$	边数 $e = 3n - 6 = e_I + e_C + e_E \geqslant 3$	度数 $d = 6n - 12 = d_I + d_C + d_E \geqslant 6$	色数 $\chi \leqslant 4$
圈 C_p 内	$n_I \geqslant 0$	$r_I = p - 2 + 2n_I$	$e_I = p - 3 + 3n_I$(弦)	$d_I = 2p - 6 + 6n_I$	非唯一 4 可着色
圈 C_p 上	$p \geqslant 3$	0	$e_C = p$(周)	$d_C = 2p$	
圈 C_p 外	$n_E \geqslant 0$	$r_E = p - 2 + 2n_E$	$e_E = p - 3 + 3n_E$(弦)	$d_E = 2p - 6 + 6n_E$	

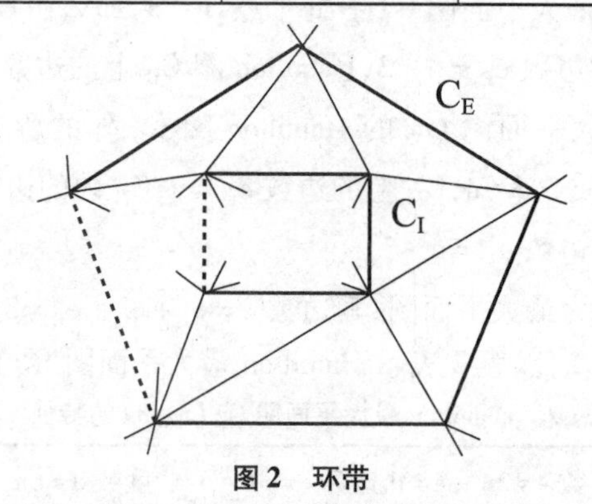

图 2　环带

性质 4.4　设 n 阶最大平面图 G_M 中有两个圈 C_I 和 C_E,圈 C_I 在圈 C_E 内,圈上的边以粗线表示,如图 2 所示。圈 C_I 有 p_I 个点,$p_I \geqslant 3$,圈 C_E 有 p_E 个点,$p_E \geqslant 3$,$n = p_I + p_E$,$n \geqslant 6$。圈 C_I 上的边数(周边数)为 p_I,圈 C_E 上的边数(周边数)为 p_E。C_I 和 C_E 形成一个环带 R,环带 R 中任何边的两个端点分属两个圈,此两圈彼此可称为环圈。在环带 R 中每个区均为三角形,区数为 $p_I + p_E$,边数(弦边数)为 $p_I + p_E$。圈 C_I 内的区数为 $p_I - 2$,边数(弦边数)为 $p_I - 3$,圈 C_E 外的区数为 $p_E - 2$,边数(弦边数)为 $p_E - 3$。

证明:显然,圈 C_I 上有 p_I 条边,圈 C_E 上有 p_E 条边。

在环带 R 内,圈 C_I 上的每条边必关联一个三角形,同样,圈 C_E 上的每条边也关联一个三角形,故环带内的三角形数,即区数为 $p_I + p_E$。在环带 R 内的每个三角形与两条弦边关联,而每条弦边又与两个三角形关联,故环带 R 内的弦边数为 $(2p_I + 2p_E)/2 = p_I + p_E$。

又,根据最大平面图的性质 4.1 和性质 4.2,很容易得知圈 C_I 内的区数为 $p_I - 2$,边数(弦边数)为 $p_I - 3$;圈 C_E 外的区数为 $p_E - 2$,边数(弦边数)为 $p_E - 3$。

n 阶最大平面图 G_M 的区数 $r = (p_I - 2) + (p_I + p_E) + (p_E - 2) = 2(p_I + p_E) - 4 = 2n$

-4,边数 $e=(p_I-3)+p_I+(p_I+p_E)+p_E+(p_E-3)=3(p_I+p_E)-6=3n-6$。证毕。

性质4.5 设最大平面图 G_M 中有两个圈 C_1 和 C_E,各有 p_1 个点和 p_E 个点,$p_1\geqslant3$,$p_E\geqslant3$。圈 C_1 在圈 C_E 内,圈 C_1 内有 n_I 个点,圈 C_1 和圈 C_E 间有 n_R 个点,圈 C_E 外有 n_E 个点,那么圈 C_1 内的区数为 $2n_I+p_1-2$,边数为 $3n_I+p_1-3$,圈 C_1 上的边数为 p_1,圈 C_1 和圈 C_E 间的区数为 $2n_R+p_1+p_E$,边数为 $3n_R+p_1+p_E$,圈 C_E 上的边数为 p_E,圈 C_E 外的区数为 $2n_E+p_E-2$,边数为 $3n_E+p_E-3$。

证明:由于圈 C_1 和圈 C_E 的存在,根据 Jardon 曲线定理,圈 C_1 内的点、圈 C_1 和圈 C_E 间的点、圈 C_E 外的点彼此之间不可能为相邻点。最大平面图中,点数增一,则区数增二,边数增三,因而圈 C_1 内的点增加的区数和边数,均在圈 C_1 内。同理,圈 C_1 和圈 C_E 间的点增加的区数和边数只在圈间内,圈 C_E 外的点增加的区数和边数只在圈 C_E 外。因而,根据最大平面图的性质4.3 和性质4.4,即得性质4.5。

最大平面图 G_M 的点数 $n=n_I+p_1+n_R+p_E+n_E$,区数 $r=(2n_I+p_1-2)+(2n_R+p_1+p_E)+(2n_E+p_E-2)=2(n_I+p_1+n_R+p_E+n_E)-4=2n-4$,边数 $e=(3n_I+p_1-3)+p_I+(3n_R+p_1+p_E)+p_E+(3n_E+p_E-3)=3(n_I+p_1+n_R+p_E+n_E)-6=3n-6$。证毕。

根据性质4.4 和性质4.5,以表4 表示环 R 型最大平面图 G_M 的特性。

表4 环 R 型最大平面图 $G_M(n\geqslant6)$ 的特性

	点数 $n=n_I+p_I+n_R+p_E+n_E\geqslant6$	区数 $r=2n-4=r_I+r_R+r_E\geqslant8$	边数 $e=3n-6=e_I+e_{CI}+e_R+e_{CE}+e_E\geqslant12$	度数 $d=6n-12=d_I+d_{CI}+d_R+d_{CE}+d_E\geqslant24$	色数 $\chi\leqslant4$
圈 C_1 内	$n_I\geqslant0$	$r_I=p_1-2+2n_I$	$e_I=p_1-3+3n_I$(弦)	$d_I=2p_I-6+6n_I$	
圈 C_1 上	$p_1\geqslant3$	0	$e_{CI}=p_1$(周)	$d_{CI}=2p_1$	
环 R 中	$n_R\geqslant0$	$r_R=p_I+p_E+2n_R$	$e_R=p_I+p_E+3n_R$(弦)	$d_R=2p_I+2p_E+6n_R$	非唯一4可着色
圈 C_E 上	$p_E\geqslant3$	0	$e_{CE}=p_E$(周)	$d_{CE}=2p_E$	
圈 C_E 外	$n_E\geqslant0$	$r_E=p_E-2+2n_E$	$e_E=p_E-3+3n_E$(弦)	$d_E=2p_E-6+6n_E$	

性质4.6 设最大平面图 G_M 的色数 $\chi=3$,那么该 G_M 是唯一3 可着色的,且 G_M 中无奇度点。

证明:在最大平面图 G_M 中,任何一条边都和两个三角形关联,由此形成一个"菱形"。这条边的两个端点必着不同的两色。由于 $\chi=3$,那么"菱形"(两个三角形)的两个顶点,必同着第三色,且此二顶点不相邻,即此二顶点之间无边相连,因此此 G_M 无3 度点。故知与一条边有关的,即与一个"菱形"有关的四个点,唯一地被划分在三个点集中。对此 G_M 任何一条边而言,均如此。故 $\chi=3$ 的最大平面图 G_M 是唯一3 可着色的。

在最大平面图 G_M 中,每个点都关联一个圈,r 度点关联圈 C_r。因奇圈的色数为3,故 $\chi=3$ 的最大平面图 G_M 中应无奇度点。证毕。

5 结语

本文分析、讨论了外平面图，主要是最大外平面图的某些性质，譬如区数、边数、度数和色数等，并利用最大外平面图的性质，又分析、讨论了最大平面图的一些性质。作为两个特例，表5给出了考虑三点圈 C_3 时最大平面图 G_M 的特性，表6给出了圈 C_p 内、外各有一个点时最大平面图 G_M 的特性。

表5 最大平面图 G_M 的特性 特例1: $p=3$

	点数 $n=n_I+p+n_E\geqslant 3$	区数 $r=2n-4=r_I+r_E\geqslant 2$	边数 $e=3n-6=e_I+e_C+e_E\geqslant 3$	度数 $d=6n-12=d_I+d_C+d_E\geqslant 6$	色数 $\chi\leqslant 4$
圈 C_p 内	$n_I\geqslant 0$	$r_I=1+2n_I$	$e_I=3n_I$(弦)	$d_I=6n_I$	非唯一4可着色
圈 C_p 上	$p=3$	0	$e_C=3$(周)	$d_C=6$	
圈 C_p 外	$n_E\geqslant 0$	$r_E=1+2n_E$	$e_E=3n_E$(弦)	$d_E=6n_E$	

表6 最大平面图 G_M 的特性 特例2: $n_I=n_E=1$

	点数 $n=n_I+p+n_E\geqslant 5$	区数 $r=2n-4=r_I+r_E\geqslant 6$	边数 $e=3n-6=e_I+e_C+e_E\geqslant 9$	度数 $d=6n-12=d_I+d_C+d_E\geqslant 18$	色数 $\chi\leqslant 4$
圈 C_p 内	$n_I\geqslant 1$	$r_I=p$	$e_I=p$(弦)	$d_I=2p$	非唯一4可着色
圈 C_p 上	$p\geqslant 3$	0	$e_C=p$(周)	$d_C=2p$	
圈 C_p 外	$n_E=1$	$r_E=p$	$e_E=p$(弦)	$d_E=2p$	

参考文献

[1]F. 哈拉里著. 图论[M]. 李慰萱，译. 上海：上海科学技术出版社，1980：123－126.
[2]M. 卡波边柯，J. 莫鲁卓著. 图论的例和反例[M]. 聂祖安，译. 长沙：湖南科学技术出版社，1988：120－121.

1.04 最大平面图的度

【摘要】探讨了点的度、点集的度、图的度和最大平面图的度,以及n阶最大平面图中点的度的分布,得到一些内在的规律和有意义的结果。文中,对最大平面图的度的某些性质给出了证明。

【关键词】最大平面图;点的度;点集的度;图的度

Degree of maximal plane graph

Abstract: This paper studies degree of a point, degree of a point set, degree of a graph, degree of a maximal plane graph, and distribution of degree of point on n - order graph. A few properties of degree of maximal plane graph are proved as well.

Keywords: maximal plane graph; degree of a point; degree of a point set; degree of a graph

1 引言

图论的有关文献中,对图的点的度,给出了一些基本的结果。本文试在这些结果的基础上,对最大平面图的点的度作进一步的研讨,以使对最大平面图有较深入的认识。为了方便,本文先杜撰了"点集的度"和"图的度"的定义,以及"小n图"、"中n图"和"大n图"等几个定义,继之讨论了最大平面图的点的度和图的度的某些性质,并给出了相应的证明。

2 定义和关系式

定义1　点集P中所有点的度数之和,称为"点集P的度数"。图G的所有点的度数之和称为"图G的度数",以d表示。若n点(阶)图G中点v_i的度数以$d(v_i)$表示,i为点的标号,则

$$d=\sum_{i=1}^{n}d(v_i),\qquad d(v_i)\geqslant 0,n\geqslant 1 \tag{1}$$

定义2　若最大平面图G_M的点数(阶数)$n\leqslant 6$,则称该G_M为小n(低阶)最大平面图;若$6<n\leqslant 12$,则称该G_M为中n(中阶)最大平面图;若$n>12$,则称该G_M为大n(高阶)最大平面图。

定义3　若点的度数小于6,则称该点为小度点;若点的度数等于6,则称该点为中度点;若点的度数大于6,则称该点为大度点。

定义4　度数为偶数的点称为偶点。度数为奇数的点称为奇点。

3 图和最大平面图的度的性质

性质1 图G中每条边给该边的两个端点各提供1度,不存在没有边的度,若图G的边数为e,则度数

$$d=2e,\qquad e\geqslant 0 \tag{2}$$

图G的度数d为偶数。

性质2 最大平面图 G_M 的点数(阶数)为n,边数为e,度数为d,则有[1-2]

$$e=\begin{cases}n-1, & n\leqslant 2\\ 3n-6, & n\geqslant 3\end{cases} \tag{3}$$

$$d=\begin{cases}2n-2, & n\leqslant 2\\ 6n-12, & n\geqslant 3\end{cases} \tag{4}$$

可见,$n\geqslant 3$ 时,n点最大平面图 G_M 的度数d为6的倍数。

性质3 图G的所有奇点的个数之和为偶数。

性质4 n点最大平面图 G_M 中,点的度数的最大可能值是 $n-1$。当 $n\geqslant 4$ 时,最大平面图 G_M 中,点的度数的最小可能值是3。

性质5 设 n_i 表示n点(阶)图G中度数为i的点的个数,则

$$n=n_0+n_1+n_2+\cdots+n_i+\cdots,\qquad n\geqslant 1,n\geqslant n_i\geqslant 0 \tag{5}$$

n点(阶)最大平面图 G_M 中,$n=1$ 时,G_M 为一个0度点;$n=2$ 时,G_M 为两个1度点;$n=3$ 时,G_M 为三个2度点;$n=4$ 时,G_M 为四个3度点[1]。因而有下面的性质。

性质6 n点(阶)最大平面图 G_M 是简单的、连通的,故

$$n=\begin{cases}n_0=1, & n=1\\ n_1=2, & n=2\\ n_2=3, & n=3\\ n_3=4, & n=4\\ n_3+n_4+n_5+\cdots+n_i+\cdots+n_{n-2}+n_{n-1}, & n\geqslant 5,n\geqslant n_i\geqslant 0\end{cases} \tag{6}$$

或

$$n=\begin{cases}n_0=1, & n=1\\ n_1=2, & n=2\\ n_2=3, & n=3\\ n_3+n_4+n_5+\cdots+n_i+\cdots+n_{n-2}+n_{n-1}, & n\geqslant 4,n\geqslant n_i\geqslant 0\end{cases} \tag{7}$$

性质7 $n\geqslant 4$ 时,最大平面图 G_M 的度

$$d=3n_3+4n_4+\cdots+in_i+\cdots+(n-2)n_{n-2}+(n-1)n_{n-1},\qquad n\geqslant 4,n\geqslant n_i\geqslant 0 \tag{8}$$

性质8 $n\geqslant 4$ 时,最大平面图 G_M 的度

$$d=6n_3+6n_4+\cdots+6n_i+\cdots+6n_{n-2}+6n_{n-1}-12,\qquad n\geqslant 4,n\geqslant n_i\geqslant 0 \tag{9}$$

证明:将(7)式代入(4)式即得。证毕。

性质 9　$n\geqslant 4$ 时,最大平面图 G_M 有

$$3n_3+2n_4+n_5=n_7+2n_8+\cdots+(i-6)n_i+\cdots+(n-8)n_{n-2}+(n-7)n_{n-1}+12,\quad n\geqslant 4, n\geqslant n_i\geqslant 0 \qquad (10)$$

证明:(8)式与(9)式相减即得。证毕。

可以看到,(10)式左边均为小度点的个数,(10)式右边均为大度点的个数,式中无中度点(6 度点)的个数,此外,(10)式右边尚有一个常数 12。且(4)、(8)、(9)和(10)式实为最大平面图 G_M 的必要条件。

性质 10　当点数(阶数)$n<\infty$ 时,最大平面图 G_M 中总存在等于或小于 5 度的点。

证明:$n=1$、2 时,最大平面图 G_M 的点的度数均小于 5。由(4)式知,当 $n\geqslant 3$ 时,G_M 的度数 $d=6n-12<6n$,可见必有等于或小于 5 度的点存在。由文献[1]知,当 $n=\infty$ 时,有 6 度∞阶正则最大平面图,此图中所有点的度数均为 6。可见,当 $n=\infty$ 时,不一定存在等于或小于 5 度的点。但,$n=\infty$ 时,只要存在等于或小于 5 度的点,必定存在等于或大于 7 度的点。证毕。

性质 11　当 $n=12$、$e=30$ 时,最大平面图 G_M 的度数 $d=5n=60$,当 $n>12$、$e>30$ 时,G_M 中总存在等于或大于 6 度的点。当 $n<12$、$e<30$ 时,G_M 中总存在等于或小于 4 度的点。

证明:由(3)式可知,最大平面图 G_M 的点数 n 和边数 e 之间有一一对应的关系,$n=12$ 时,$e=30$。由(4)式可见,$n\geqslant 3$ 时,$d=6n-12=5n+(n-12)$。显然,$n=12$、$e=30$ 时,$d=5n=60$。又由上式可见,当 $n>12$、$e>30$ 时,$d>5n$,故知 G_M 中总存在等于或大于 6 度的点。当 $n<12$、$e<30$ 时,$d<5n$,则 G_M 中总存在等于或小于 4 度的点。$n=1$、2 时,点的度数均小于 4。证毕。

显然,当 $n\leqslant 12$ 时,G_M 中可能有等于或大于 6 度的点;当 $n\geqslant 12$ 时,G_M 中也可能有等于或小于 4 度的点;$n<12$、$n=12$ 和 $n>12$ 时,G_M 中均可能有 5 度点。

性质 12　当 $n=6$、$e=12$ 时,最大平面图 G_M 的度数 $d=4n=24$。当 $n>6$、$e>12$ 时,G_M 中总存在等于或大于 5 度的点。当 $n<6$、$e<12$ 时,G_M 中总存在等于或小于 3 度的点。

证明:与性质 11 的证明类似,由(4)式可见,$n\geqslant 3$ 时,$d=6n-12=4n+2(n-6)$。显然,$n=6$、$e=12$ 时,$d=4n=24$。又,当 $n>6$、$e>12$ 时,$d>4n$,故知 G_M 中总存在等于或大于 5 度的点。当 $n<6$、$e<12$ 时,$d<4n$,则 G_M 中总存在等于或小于 3 度的点。$n=1$、2 时,G_M 的点的度数均小于 3。证毕。

性质 13　当 $n=4$、$e=6$ 时,最大平面图 G_M 的度数 $d=3n=12$。当 $n>4$、$e>6$ 时,G_M 中总存在等于或大于 4 度的点。当 $n<4$、$e<6$ 时,G_M 中总存在等于或小于 2 度的点。

证明:与前类似,由(4)式可见,$n\geqslant 3$ 时,$d=6n-12=3n+3(n-4)$。显然,$n=4$、$e=6$ 时,$d=3n=12$。又,当 $n>4$、$e>6$ 时,$d>3n$,故知 G_M 中总存在等于或大于 4 度的点。当 $n<4$、$e<6$ 时,$d<3n$,则 G_M 中总存在等于或小于 2 度的点。$n=1$、2 时,点的度数均小于 2。证毕。

性质 14　当 $n=3$、$e=3$ 时,最大平面图 G_M 的度数 $d=2n=6$。当 $n>3$、$e>3$ 时,G_M 中总存在等于或大于 3 度的点。

证明:类似地,由(4)式可见,$n\geqslant 3$ 时,$d=6n-12=2n+4(n-3)$。显然,$n=3$、$e=3$ 时,

$d=2n=6$。当 $n>3$、$e>3$ 时，$d>2n$，故 G_M 中总存在等于或大于 3 度的点。此外，$n=2$ 时，G_M 为两个 1 度点；$n=1$ 时，G_M 为一个 0 度点。证毕。

根据性质 10、性质 11、性质 12、性质 13 和性质 14 可归纳成表 1 所示。

表 1　最大平面图 G_M 的点的度

点	$n=1$	$n=2$	$n=3$	$n>3$
度	$d=0$ 一个 0 度点	$d=n=2$ 二个 1 度点	$d=2n=6$ 三个 2 度点	$d>2n$ 总有 = 或 >3 度的点
点	$n<4$	$n=4$	$n>4$	
度	$d<3n$ 总有 = 或 <2 度的点	$d=3n=12$ 四个 3 度点	$d>3n$ 总有 = 或 >4 度的点	
点	$n<6$	$n=6$	$n>6$	
度	$d<4n$ 总有 = 或 <3 度的点	$d=4n=24$	$d>4n$ 总有 = 或 >5 度的点	
点	$n<12$	$n=12$	$n>12$	
度	$d<5n$ 总有 = 或 <4 度的点	$d=5n=60$	$d>5n$ 总有 = 或 >6 度的点	
点	$n<\infty$	$n=\infty$		
度	$d<6n$ 总有 = 或 <5 度的点	$d=6n=\infty$		

由表 1 可知：

1）当 $4<n<6$ 即 $n=5$ 时，$3n<d<4n$，即 $15<d<20$。实际上，$n=5$ 时，$d=6n-12=18$。由于 $5<\infty$，因而总有等于或小于 5 度的点。又由于 $5<12$，故知总有等于或小于 4 度的点。再由于 $5<6$，又总有等于或小于 3 度的点。三个结果中，最后一个结果的范围最小，应予考虑。所以，对 $n=5$ 而言，总有等于或小于 3 度的点。由于 $5>3$，因而总有等于或大于 3 度的点。又因 $5>4$，故又总有等于或大于 4 度的点。这两个结果中，后一结果的范围小，应予考虑。所以，对 $n=5$ 而言，且又总有等于或大于 4 度的点。但根据性质 4，$n=5$ 时，点的最大度为 $n-1=4$，点的最小度为 3，由(7)式和(8)式得方程

$$\begin{cases}3n_3+4n_4=18\\ n_3+n_4=5\end{cases}\quad 解之,得\begin{cases}n_3=2\\ n_4=3\end{cases}$$

可以这样考虑，在一个 3 度 4 阶正则最大平面图中，在任何一个区（三角形）内增加一个 3 度点，由此即可得到有三个 4 度点和两个 3 度点的 5 阶最大平面图的拓扑形式[3]。

2）当 $6<n<12$ 时，$4n<d<5n$，此时总有等于或小于 4 度的点，且又有等于或大于 5 度的点。

3）当 $12<n<\infty$ 时，$5n<d<6n$，此时总有等于或小于 5 度的点，且又有等于或大于 6 度的点。

4）当 $n=6$ 时，点的度数的平均值为4，故此时若出现小于4度的点，必出现大于4度的点。

5）当 $n=12$ 时，点的度数的平均值为5，故此时若有小于5度的点，必出现大于5度的点。

6）当 $n=\infty$ 时，点的度数的平均值为6，故此时若有小于6度的点，必出现大于6度的点。

7）中n（中阶）最大平面图，$6<n\leqslant 12$，总有等于或大于5度的点。大n（高阶）最大平面图，$n>12$，总有等于或大于6度的点。

8）3度4阶（$n=4$）正则最大平面图是 $n\geqslant 4$ 时，没有2度点的最少点数（最低阶数）图。

4度6阶（$n=6$）正则最大平面图是 $n\geqslant 4$ 时，没有3度点的最少点数（最低阶数）图。

5度12阶（$n=12$）正则最大平面图是 $n\geqslant 4$ 时，没有3度点及4度点的最少点数（最低阶数）图[1]。

综合上述结果，可以表2表示如下。

表2　最大平面图 G_M 的度

阶	低阶（小n）						中阶（中n）		高阶（大n）	
点	$n=1$	$n=2$	$n=3$	$n=4$	$n=5$	$n=6$	$6<n<12$	$n=12$	$12<n<\infty$	$n=\infty$
度	$d=0$ $n_0=1$	$d=n=2$ $n_1=2$ 1度正则	$d=2n=6$ $n_2=3$ 2度正则	$d=3n=12$ $n_3=4$ 3度正则	$d=18$ $n_3=2$ $n_4=3$	$d=4n=24$ （特例：4度正则）小于和大于4度的点同时出现	$4n<d<5n$ 总有等于或小于4度的点，且有等于或大于5度的点	$d=5n=60$ （特例：5度正则）小于和大于5度的点同时出现	$5n<d<6n$ 总有等于或小于5度的点，且有等于或大于6度的点	$d=6n=\infty$ （特例：6度正则）小于和大于6度的点同时出现

性质15　点的最小度数为4的最大平面图 G_M，其点数 $n\geqslant 6$。点的最小度数为5的最大平面图 G_M，其点数 $n\geqslant 12$。

证明：见表1所示。证毕。

性质16　点的最小度数为3的n点最大平面图 G_M 中，度数小于7的点的个数大于 $n/4$。

证明：$n\geqslant 3$ 时，最大平面图 G_M 的度数 $d=6n-12$。又，$n\geqslant 4$ 时，$d=3n_3+4n_4+\cdots+in_i+\cdots+(n-2)n_{n-2}+(n-1)n_{n-1}$。将其分成两部分即 $d=d_{\mathrm{I}}+d_{\mathrm{II}}$，式中 $d_{\mathrm{I}}=3n_3+4n_4+5n_5+6n_6$ 为度数小于7的点（即小度点和中度点）的点集的度数，$d_{\mathrm{II}}=7n_7+8n_8+\cdots+(n-1)n_{n-1}$ 为大度点的点集的度数。显然：$3(n_3+n_4+n_5+n_6)\leqslant d_{\mathrm{I}}$，$7(n_7+n_8+\cdots+n_{n-1})\leqslant d_{\mathrm{II}}$。

设　$n_3+n_4+n_5+n_6=n/4$，$n_7+n_8+\cdots+n_{n-1}=3n/4$，则　$3(n_3+n_4+n_5+n_6)+7(n_7+n_8+\cdots+n_{n-1})=6n$ 应小于或等于 $d_{\mathrm{I}}+d_{\mathrm{II}}=d=6n-12$，存在矛盾。故度数小于7的点的个数（即小度点与中度点的点数之和）应大于 $n/4$，$n=1$、2、3、4时，最大平面图中所有点的度数均小于7。证毕。

性质17　点的最小度数为4的n点最大平面图 G_M 中，度数小于7的点的个数大于 $n/3$。

证明：与性质16的证明类似。此处图 G_M 的点的最小度数为4，根据性质15，当 $n\geqslant 6$ 时，$d_{\mathrm{I}}=4n_4+5n_5+6n_6$，为度数小于7的点的点集的度数，$d_{\mathrm{II}}=7n_7+8n_8+\cdots+(n-1)n_{n-1}$，为大度点的点集的度数。显然：$4(n_4+n_5+n_6)\leqslant d_{\mathrm{I}}$，$7(n_7+n_8+\cdots+n_{n-1})\leqslant d_{\mathrm{II}}$。

设　$n_4+n_5+n_6=n/3$，$n_7+n_8+\cdots+n_{n-1}=2n/3$，则 $4\times n/3+7\times 2n/3=6n$ 应小于或等于

$d_{I}+d_{II}=d=6n-12$,存在矛盾。故 $n\geqslant 6$ 时,度数小于 7 的点的个数应大于 $n/3$。证毕。

性质 18　点的最小度数为 5 的 n 点最大平面图 G_M 中,度数小于 7 的点的个数大于 $n/2$。

证明:与前述类似。因此处 G_M 的点的最小度数为 5,根据性质 15,当 $n\geqslant 12$ 时,$d_{I}=5n_5+6n_6$,$d_{II}=7n_7+8n_8+\cdots+(n-1)n_{n-1}$。显然:$5(n_5+n_6)\leqslant d_{I}$,$7(n_7+n_8+\cdots+n_{n-1})\leqslant d_{II}$。

设 $n_5+n_6=n/2$,$n_7+n_8+\cdots+n_{n-1}=n/2$,则 $5\times n/2+7\times n/2=6n$ 应小于或等于 $d_{I}+d_{II}=d=6n-12$,存在矛盾。故 $n\geqslant 12$ 时,度数小于 7 的点的个数应大于 $n/2$。证毕。

根据性质 16、性质 17 和性质 18,可归纳成表 3 所示。

表 3　最大平面图 G_M 中度数小于 7 的点数

点的最小度数	$\delta=3(n\geqslant 4)$	$\delta=4(n\geqslant 6)$	$\delta=5(n\geqslant 12)$
度数小于 7 的点数(非大度点的点数之和)	$\left[\sum_{i=3}^{6} n_i\right]>n/4$	$\left[\sum_{i=4}^{6} n_i\right]>n/3$	$\left[\sum_{i=5}^{6} n_i\right]>n/2$

4　结语

本文比较详细地研讨了最大平面图的度的几个方面的性质,得到一些有益的结果。有些问题有待进一步的分析和研究。

参考文献

[1]冯纪先.正则最大平面图[C]//第十二届电工理论学术讨论会论文集.长沙:国防科技大学,1999:222-227.(见目录:1.01)

[2]冯纪先.最大外平面图和最大平面图的几个性质[C]//第十四届电工理论年会论文集.郑州:郑州大学,2002:1-5.(见目录:1.03)

[3]冯纪先.简单完整正则平面图[J].北京:数学的实践与认识,2005,35(1):106-111.(见目录:1.02)

1.05 最大平面图的最小度点和最大度点

【摘要】研讨了n阶最大平面图G_M中最小度点的某些性质,譬如,关于“在n阶G_M中,$n\geqslant5$时,3度点彼此为非相邻点”的结论,以及G_M中3度点的个数的确定等。文中又研讨了n阶G_M中最大度点(即$(n-1)$度点)的某些性质,譬如,关于“在n阶G_M中,$(n-1)$度点必互为相邻点”的结论,以及G_M中$(n-1)$度点的个数的确定等。得到了一些基本的结果。

【关键词】最大平面图;点的度;点集的度;图的度

The minimal degree point and the maximal degree point of maximal plane graph

Abstract: This paper discusses a few properties of minimal degree point and maximal degree point ((n-1) degree point) of maximal plane graph of order n (G_{Mn}). In the paper, the number of 3 degree point and the number of (n-1) degree point are studied. Some basic results(“$n\geqslant5$, 3 degree points are non-adjacent.”; “(n-1) degree points are adjacent.”; ……) are obtained.

Keywords: maximal plane graph; degree of a point; degree of a point set; degree of a graph

1 引言

考察n阶最大平面图G_M的结构,广义地看,小n的最大平面图G_M,如图1所示。$n=1$时,G_M实为一个0度点,即为K_1,$n_0=1$。$n=2$时,G_M实为两个1度点和与其关联的一条边,即为K_2,$n_1=2$。$n=3$时,G_M实为三个2度点和与其关联的三条边,即为一个三角形K_3,$n_2=3$。$n=4$时,G_M实为K_4,有四个3度点,$n_3=4$。$n=5$时,G_M有两个3度点和三个4度点,即$n_3=2$和$n_4=3$。由上可见,$n=2$、3和4时,G_M中所有点的度数均相同,(各点既是最小度点又是最大度点),且彼此均相邻[1]。而$n=5$时,G_M的点的最小度数为3,点的最大度数为4,且两个3度点彼此不相邻,三个4度点彼此相邻,如图1所示。下文试研讨$n\geqslant5$时,G_M的最小度点和最大度点的特性。

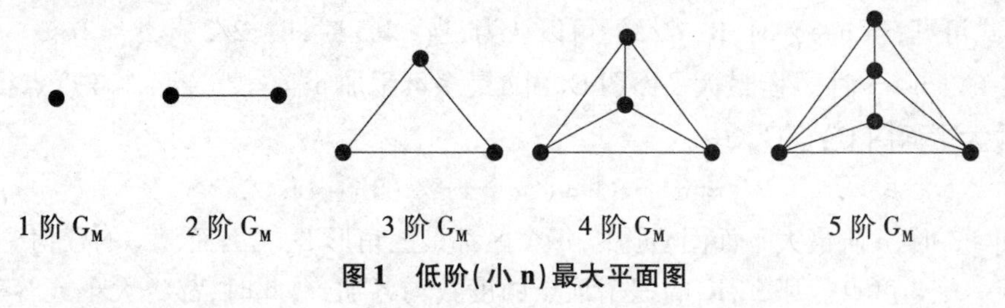

图1 低阶(小n)最大平面图

2 最小度点的性质

在n阶最大平面图G_M中,当$n\geqslant3$时,所有区均为三角形(triangle)K_3,这是一个必要充分条件。由此可知,$n\geqslant4$的G_M中是不可能出现0度点、1度点和2度点的,否则就和最大平面图的定义相背，因为我们总可以在这些点上添一些附加边，而图并不失去平面性，于是就有了下面的性质2.1。

性质2.1　n阶最大平面图 G_M 中，当 $n\geqslant5$ 时，可能的最小度点为3度点。

在 G_M 中，一个3度点 V_0，与三条边关联，也即与三个点 V_i、V_j 和 V_k 相邻，而这三个点又彼此相邻形成一个三角形 K_3，如图2所示。因而，对3度点而言，我们又有下面的性质2.2。

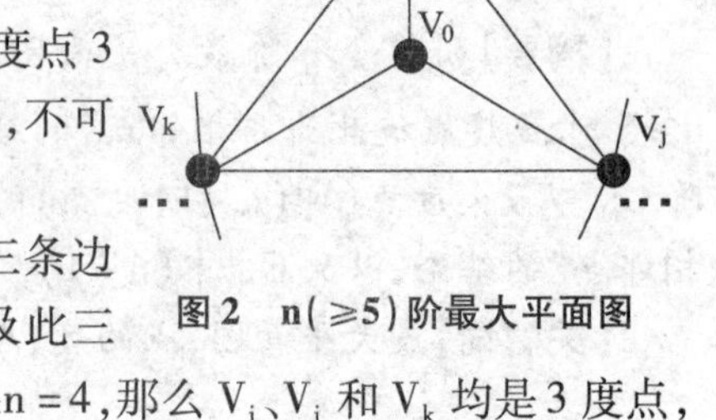

图2　n(≥5)阶最大平面图

性质2.2　n阶最大平面图 G_M 中，当 $n\geqslant5$ 时，最小度点3度点彼此之间不可能是相邻点，即任何一条边的两个端点，不可能同时为3度点。

证明：设 G_M 中有一个3度点 V_0，那么与 V_0 关联的三条边 V_0V_i、V_0V_j 和 V_0V_k，与 V_0 相邻的三个点 V_i、V_j 和 V_k，以及此三点间的三条边 V_iV_j、V_jV_k 和 V_kV_i 如图2所示。此时，如果 $n=4$，那么 V_i、V_j 和 V_k 均是3度点，四个3度点彼此相邻，此即3度4阶正则最大平面图[1]。但若 $n\geqslant5$，则 V_i、V_j 和 V_k 都应与其他的点相邻，这三个点都将不是3度的。故 $n\geqslant5$ 时，3度点彼此不可能是相邻点。证毕。

性质2.3　n阶最大平面图 G_M 中，当 $n\geqslant5$ 时，与3度点相邻的点，其度数均大于3。

证明：(略，见性质2.2的证明。)

性质2.4　n阶最大平面图 G_M 中，当 $n\geqslant5$ 时，与一个区(三角形 K_3)关联的三个点中，最多只有一个点为3度点。

证明：(略，此性质可由性质2.2引申而得。$n>5$ 时，G_M 中一个区的三个点均非3度点的情况，是存在的。但，只要其中一个点为3度点，另两个点必为大于3度的点。)

性质2.5　n阶最大平面图 G_M 中，当 $n\geqslant5$ 时，3度点的个数 n_3 的最大可能值为：

$$n_{3\max}=\lfloor (2n-4)/3\rfloor \tag{1}$$

证明：如图2所示，最大平面图 G_M 中的任何一个3度点，譬如 V_0，总与三个区(K_3)关联。由性质2.3知，当 $n\geqslant5$ 时，n阶最大平面图 G_M 中，与 V_0 相邻的三个点 V_i、V_j 和 V_k 的度数均大于3。由此可知，一个3度点必然要“占用”三个区，而这三个区其他3度点就不能再“占用”。$n\geqslant3$ 时，G_M 中的区数 $r=2n-4$，故 $n\geqslant5$ 时，G_M 中可能存在的3度点的个数 n_3 的最大值为 $n_{3\max}=\lfloor(2n-4)/3\rfloor$，即为不大于 $(2n-4)/3$ 的最大整数。证毕。

设B为 $n\geqslant5$ 时，G_M 中3度点的个数的最大可能值与图 G_M 的点数之比，则

$$B=n_{3\max}/n=\lfloor (2n-4)/3\rfloor/n<2/3 \tag{2}$$

由(2)式可见，当 $n\to\infty$ 时，$B\to2/3$。可以认为，当 $n\gg5$ 时，$B\approx2/3$，$n_{3\max}\approx2n/3$。

性质2.6　$n\geqslant3$ 时，n阶最大平面图 G_M 中，最多可添加 n_3^* ($=2n-4$)个3度点得 n^* ($=3n-4$)阶最大平面图 G_M^*。G_M^* 中

$$B^*=n_3^*/n^*=(2n-4)/(3n-4)<2/3 \tag{3}$$

证明：$n\geqslant3$ 时，n阶最大平面图 G_M 中，每个区都是三角形 K_3。因而，G_M 的任何一个区 K_3 中均可移入一个3度点。那么，K_3 的三个顶点的度数均各加一，此时，都将大于或等于4。当移入一个3度点后，原最大平面图将变成阶数增一的新最大平面图[2]。$n\geqslant3$ 时，n阶的 G_M 的区数 $r=2n-4$，故可移入1个，或2个，或3个，… 等3度点。若每个区同时移入一个3度点，则最多可移入 $(2n-4)$ 个3度点。不管 G_M 中原来有多少个3度点，通过添加 $n_3^*=(2n-4)$ 个3度点后，可得到阶数最高的，点数为 $n^*=n+(2n-4)=(3n-4)$ 的 G_M^*。其 n_3^* 与 n^* 之比 B^*

如(3)式所示。证毕。

大家知道,当 $n \geqslant 3$ 时,$(2n-4)/(3n-4)<2/3$。又,由(3)式可见,当 $n \to \infty$ 时,$B^* \to 2/3$。故可认为,$n \gg 3$ 时,$B^* \approx 2/3$,G_M^* 中 3 度点的个数 $n_3^* \approx 2n^*/3$。

由(2)式和(3)式看到,$n \to \infty$ 时,$B \to 2/3$ 且 $B^* \to 2/3$。从概念和意义上说,此时 B 和 B^* 的结果应是一致的。

3 符号和关系式

本节列出了一些定义的符号和关系式,其中有些符号是本文杜撰出的。

n 阶圈的符号为 C_n,$n \geqslant 3$。n 阶完全图的符号为 K_n,$n \geqslant 1$。显然三角形 $K_3 = C_3$。n 阶完全双图的符号为 $K_{i,j}$,$i \geqslant 1, j \geqslant 1, n = i + j \geqslant 2$。

n 阶星形图的符号为 S_n,$n \geqslant 2$,有

$$S_n = K_{1,n-1}, \qquad n \geqslant 2 \tag{4}$$

n 阶轮形图的符号为 W_n,$n \geqslant 4$,有[3]

$$W_n = K_1 + C_{n-1}, \qquad n \geqslant 4 \tag{5}$$

或

$$W_n = K_{1,n-1} \cup C_{n-1}, \qquad n \geqslant 4 \tag{6}$$

即

$$W_n = S_n \cup C_{n-1}, \qquad n \geqslant 4 \tag{7}$$

n 阶扇形图的符号为 F_n,$n \geqslant 3$,有

$$F_n = K_{1,n-1} \cup C_n, \qquad n \geqslant 3 \tag{8}$$

即

$$F_n = S_n \cup C_n, \qquad n \geqslant 3 \tag{9}$$

作为例子,图 3 给出了三个具体的图 S_5、W_5 和 F_5 的结构。

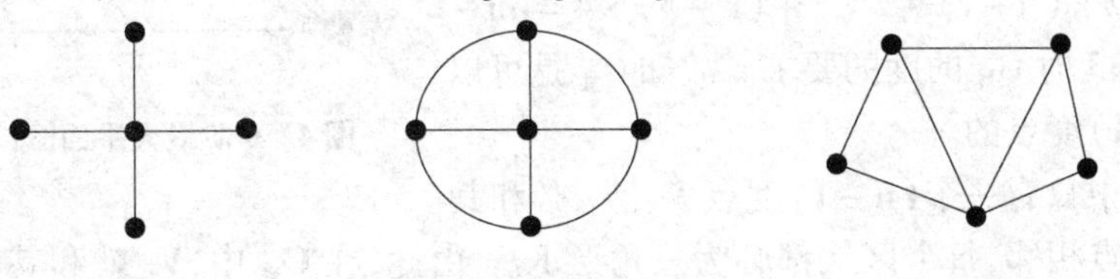

(1)5 阶星形图 S_5　　(2)5 阶轮形图 W_5　　(3)5 阶扇形图 F_5

图 3 特殊的平面图

n 阶最大平面图的符号为 G_{Mn},$n \geqslant 1$。n 阶最大外平面图的符号为 G_{MOn},$n \geqslant 3$。一个 n 阶最大外平面图是一个 n 边形的一个三角剖分。因而可用 G_{MOn} 来表达一个 n 边形的一个三角剖分。扇形图是一个 n 边形的三角剖分的一个特例。

4 最大度点的性质

对 n 阶最大平面图 G_M 而言,一个点具有最大度$(n-1)$度的含义就是该点和其他所有的点相邻。G_M 中是无自环和并边的,因而就有性质 4.1、性质 4.2 和性质 4.3。

性质 4.1　n 阶最大平面图 G_M 中,可能的最大度点为$(n-1)$度点。

性质 4.2　n 阶最大平面图 G_M 中,所有的$(n-1)$度点彼此为相邻点。

性质 4.3　n 阶最大平面图 G_M 中若有 m 个$(n-1)$度点,那么这 m 个$(n-1)$度点在 G_M 中将形成一个 K_m 完全图的子图。

由 Kuratowski 定理知,一个图是可平面的当且仅当它没有同胚于 K_5 或 $K_{3,3}$ 的子图,因此,可得性质 4.4。

性质4.4　n阶最大平面图 G_M 中,(n-1)度点的个数不大于4。

考察图1所示最大平面图 G_M。n=1时,G_M 为 K_1,一个0度点。n=2时,G_M 为 K_2,两个1度点,最大度为1度。n=3时,G_M 为 K_3,三个2度点,最大度为2度。n=4时,G_M 为 K_4,四个3度点,最大度为3度。它们都符合性质4.1、性质4.2、性质4.3和性质4.4。n=5时,G_M 为两个3度点和三个4度点,最大度为4度。如图1所示,三个4度点是形成一个 K_3 的,与性质4.1、性质4.2、性质4.3和性质4.4也是符合的。n≥6时,情况就复杂一些,现由性质4.5表达。

性质4.5　n阶最大平面图 G_M 中,当n≥6时,(n-1)度点(即最大度点)的个数不大于2。

证明:设n=6时,最大平面图 G_M 中有三个(n-1)度点即5度点 V_1、V_2 和 V_3。根据性质4.3知,这三个(n-1)度点在 G_M 中必形成 K_3 子图,也就是一个圈 C_3。对于另外三个点而言,不失一般性,设想 V_4 在 C_3 内,V_5 必在 C_3 外,如图4所示。但第6个点 V_6,若要加入显然就将破坏图的平面性(图4中未将 V_6 作出)。故知当n≥6时,(n-1)度点的个数是不可能等于或大于3的,只能不大于2。

现设n≥6时 G_M 中有两个(n-1)度点,譬如为 V_1 和 V_2,那么 V_1 和 V_2 彼此是相邻点。同时,V_1 和其他(n-2)个点也是相邻的,V_2 和其他(n-2)个点也是相邻的,而且每个区都应为三角形 K_3,这样就将形成图5所示的拓扑结构。在这个结构中,有两个(n-1)度点,两个3度点和(n-4)个4度点。由此得到 G_M 的度数 $d=2\times(n-1)+2\times3+(n-4)\times4=6n-12$。这正是n≥3时 G_M 的度的要求。故知 G_M 是可以具有两个(n-1)度点的。

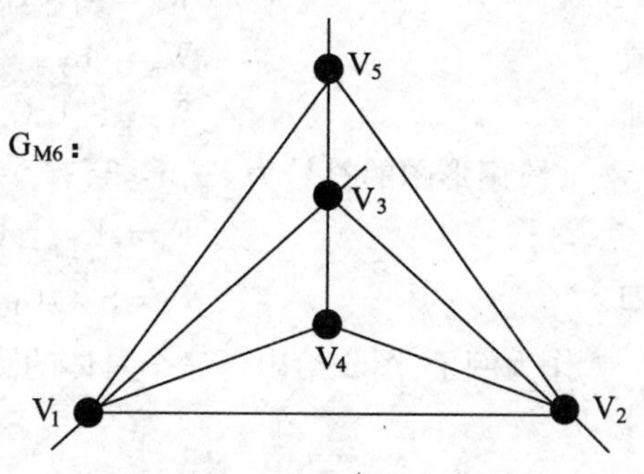

图4　6阶最大平面图(V_6 未作出)

又,设 G_M 中只有一个(n-1)度点 V_1,V_1 必和其余的(n-1)个点相邻,每个区又都必为三角形 K_3。由此,在 G_M 中,V_1 就和其余的(n-1)个点形成n阶轮形图的子图。而轮形图的外部区(无限区)将形成一个(n-1)边形的一个三角剖分的另一子图。因而可知,n阶最大平面图 G_{Mn} 是可以具有一个(n-1)度点的,则可以下式表达:

$$G_{Mn}=W_n\cup G_{MO(n-1)} \tag{10}$$

由上可见,G_{Mn} 可以含有两个(n-1)度点,也可以只含有一个(n-1)度点。扇形图是三角剖分的一个特例。若对 C_{n-1} 外部区的一个三角剖分是形成一个扇形图子图时,此时 G_{Mn} 就含有了两个(n-1)度点,这也正是图5表达的情况。所以对含有两个(n-1)度点的n阶最大平面图 G_{Mn},可表达为

$$G_{Mn}=W_n\cup F_{(n-1)} \tag{11}$$

综上得知,n≥6时,最大平面图 G_M 中,(n-1)度点的个数不大于2。证毕。

作为一个例子,图1中的5阶 G_{M5},既可视作有 $G_{M5}=W_5\cup G_{MO4}$,也可视作有 $G_{M5}=W_5\cup F_4$。由于5阶 G_{M5} 的特殊情况,实际上它含有三个(n-1)度点。

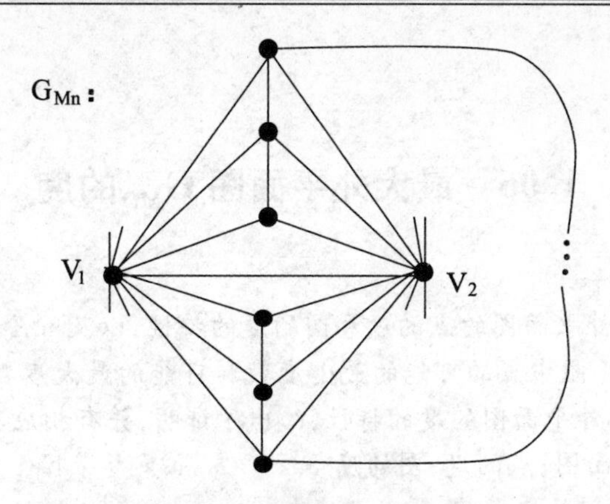

图5 n阶最大平面图

综合性质4.4和性质4.5,n阶最大平面图G_{Mn}的最大度点的个数可归纳成表1所示。

表1 n阶最大平面图G_{Mn}中(n-1)度(最大度)点的个数

点数n	1	2	3	4	5	≥6
最大度(n-1)	0	1	2	3	4	(n-1)
(n-1)度点的个数(≤4)	1	2	3	4	3	≤2

性质4.6:n≥3时,含有(n-1)度点的n阶最大平面图G_{Mn},均为Hamilton图。

证明:从图1和图5中极易看出,n≥3时,各个图内均存在Hamilton圈。因为各区都是三角形K_3,所以一个(n-1)度点以外的(n-1)个点已形成C_{n-1},再考虑到这个(n-1)度点,就有C_n。证毕。

5 结语

上面研究了最小度点和最大度点的某些特性和个数,得到了一些最大平面图G_M的内在规律。在研究过程中利用了属于必要条件的图的度的代数式,但主要是从图的拓扑结构的特性上进行了分析,所以最后既得到数量的结果,也得到拓扑结构上的显示。作为平面图,正是需要表达出它的拓扑结构上的特点。

参考文献

[1]冯纪先. 正则最大平面图[C]// 第十二届电工理论学术讨论会论文集. 长沙:国防科技大学,1999:222-227.(见目录:1.01)

[2]冯纪先. 最大平面图着色的“移3度点法”[C]// 第十五届电路与系统年会论文集. 广州:华南理工大学,1999:254-258.(见目录:2.01)

[3] 哈拉里著. 图论[M]. 李慰萱,译. 上海:上海科学技术出版社,1980:119-134.

1.06　最大外平面图 G_{MO}的度

【摘要】探讨了最大外平面图的点的度和图的度的特性，以及 n 阶最大外平面图中点的度的分布。分析了最大外平图中点的可能的最小度数和可能的最大度数，以及具有这些度数的点的个数。文中，对最大外平面图的度的特性，给出了证明，并有相应实例的验证。

【关键词】最大外平面图；点的度；图的度

On degree of maximal outerplane graph

Abstract: this paper studies degree of a point, degree of a point set, degree of a maximal outerplane graph, and distribution of degree of point on n－order maximal outerplane graph. A few properties of degree of maximal outerplane graph are proved as well.

Keywords: maximal outerplane graph; degree of a point; degree of a graph

1　引言

文献[1]和文献[2]中探讨了最大平面图(maximal plane graph)G_M 的度的特性。本文探讨最大外平面图(maximal outerplane graph)G_{MO}的度的特性。为了方便，文中先杜撰了最大外平面图 G_{MO}的点的"圈度"(圈上的度数)和点的"内度"(向圈内的度数)等定义。继之，对这些定义的概念和特点进行分析和研讨，并给出相应的证明，得到一些内在规律和基本结果，以使对最大外平面图 G_{MO}有较深入的认识。

文献[3]中探讨了最大平面图 G_M 中，最小度点和最大度点的性质。本文对最大外平面图 G_{MO}中的度数可能最小的点(最小度点)和度数可能最大的点(最大度点)作了分析和研讨，得到它们的一些特性和可能的个数。

2　定义和关系式

n 阶(n 点)最大外平面图 G_{MO}的所有点在同一个区(通常取外部区，即无限区)的边界上。这个边界显然是一个圈 C_n，且该圈 C_n 实为一个 Hamilton 圈。本文称圈 C_n 上的边为"周边"，共有 n 条；称圈 C_n 内的边为"弦边"，共有(n－3)条。若最大外平面图 G_{MO}的边数为 e，度数为 d，则有

$$e = 2n - 3, \qquad n \geqslant 3 \tag{1}$$

$$d = 2e = 4n - 6, \qquad n \geqslant 3 \tag{2}$$

本文认为，最大外平面图 G_{MO}的最少点数，即最低阶数为 3。点数少于 3 的图不属于外平面图，因为至少要有 3 个点才能成为一个圈，才能形成一个区的边界。

为了分析的方便，本文将一个点的度分成三部分，即点的"圈度"、点的"内度"和点的"外度"。

若一个点 V_i 是图的一个圈上的点，那么与该点关联的圈上的边的数目(周边数)称为该点的圈度数，意即点在圈上的度数，以 $d_C(V_i)$ 表示。显然，图的圈上的所有点的圈度数均为 2。图的一个圈上所有点的圈度数之和称为该圈的圈度数，以 d_C 表示，则 $d_C = \sum d_C(V_i)$。若圈上

的点数为 p，则该圈 C_p 的圈度数 d_C 为 2p。最大外平面图 G_{MO} 的圈 C_n 为 n 点，所以 G_{MO} 的 C_n 的圈度数 d_C 为 2n，也认为 G_{MO} 的圈度数 d_C 为 2n。

若一个点 V_i 是图的一个圈上的点，那么与该点关联的圈内的边的数目（内弦边数）称为该点的内度数，意即点向圈内的度数，以 $d_I(V_i)$ 表示。显然，图的圈上的点的内度数可以为零。图的一个圈上所有点的内度数之和称为该圈的内度数，以 d_I 表示，则 $d_I=\sum d_I(V_i)$。最大外平面图 G_{MO} 的圈 C_n 内的弦边数为 $(n-3)$，因而 G_{MO} 的 C_n 的内度数 d_I 为 $2(n-3)$，也认为 G_{MO} 的内度数 d_I 为 $2(n-3)$。

若一个点 V_i 是图的一个圈上的点，那么与该点关联的圈外的边的数目（外弦边数）称为该点的外度数，意即点向圈外的度数，以 $d_E(V_i)$ 表示。显然，图的圈上的点的外度数也可以为零。图的一个圈上所有点的外度数之和称为该圈的外度数，以 d_E 表示，则 $d_E=\sum d_E(V_i)$。最大外平面图 G_{MO} 的圈 C_n 外的弦边数为 0，因而 G_{MO} 的 C_n 上的所有点的外度数 $d_E(V_i)$ $(i=1、2、\cdots n)$ 均为 0，G_{MO} 的 C_n 的外度数 $d_E=0$，也认为 G_{MO} 的外度数 $d_E=0$。

因而 n 阶最大外平面图 G_{MO} 有

$$d_C=\sum_{i=1}^{n} d_C(V_i),\qquad d_I=\sum_{i=1}^{n} d_I(V_i)\text{ 和 }\qquad d_E=\sum_{i=1}^{n} d_E(V_i)$$

式中，i 为点的标号。显然，$d(V_i)=d_C(V_i)+d_I(V_i)$，$d=d_C+d_I$，且有

$$d_C=2n,\qquad n\geqslant 3 \tag{3}$$

$$d_I=2n-6,\qquad n\geqslant 3 \tag{4}$$

$$d_E=0,\qquad n\geqslant 3 \tag{5}$$

3 最大外平面图 G_{MO} 的度的特性

特性 1 $n\geqslant 3$，n 阶最大外平面图 G_{MO} 中，所有的点的圈度数均为 2。所以，度数为偶数的偶点的内度数为偶数；度数为奇数的奇点的内度数为奇数。G_{MO} 中，奇点的个数为偶数。

特性 2 $n\geqslant 3$，n 阶最大外平面图 G_{MO} 的圈度数 $d_C(=2n)$，内度数 $d_I(=2n-6)$ 和度数 d $(=4n-6)$ 均为偶数。

特性 3 最大外平面图 G_{MO} 的点的内度数为奇数的点的个数等于该 G_{MO} 的奇点的个数。G_{MO} 的点的内度数为奇数的点的个数为偶数。

特性 4 $n\geqslant 3$，n 阶最大外平面图 G_{MO} 中，点的内度数的最大可能值是 $(n-3)$，最小可能值是 0。也即 G_{MO} 中，点的度数的最大可能值是 $(n-1)$，最小可能值是 2。

特性 5 设 n_i 表示 n 点（n 阶）最大外平面图 G_{MO} 中内度数为 i 的点的个数，则：

$$n=n_0+n_1+n_2+\cdots+n_i+\cdots+n_{n-3},\qquad n\geqslant n_i\geqslant 0 \tag{6}$$

n 点（n 阶）最大外平面图 G_{MO} 中，n=3 时，G_{MO} 为三个 0 内度点，即 $n_0=3$；n=4 时，G_{MO} 为两个 0 内度点和两个 1 内度点，即 $n_0=2,n_1=2$；n=5 时，G_{MO} 为两个 0 内度点、两个 1 内度点和一个 2 内度点，即 $n_0=2,n_1=2,n_2=1$，如图 1 所示。

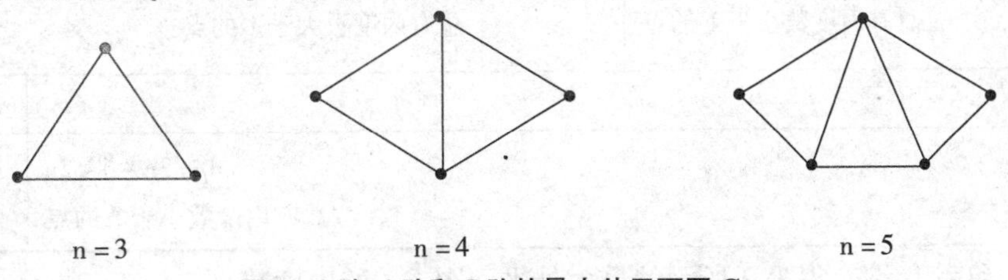

图 1 3 阶、4 阶和 5 阶的最大外平面图 G_{MO}

特性 6　$n \geqslant 3$，n 阶最大外平面图 G_{MO} 的内度数

$$d_I = 0n_0 + n_1 + 2n_2 + 3n_3 + \cdots + in_i + \cdots + (n-3)n_{n-3}, \qquad n \geqslant 3, n \geqslant n_i \geqslant 0 \quad (7)$$

特性 7　$n \geqslant 3$，n 阶最大外平面图 G_{MO} 的内度数

$$d_I = 2n_0 + 2n_1 + 2n_2 + 2n_3 + \cdots + 2n_i + \cdots + 2n_{n-3} - 6, \qquad n \geqslant 3, n \geqslant n_i \geqslant 0 \quad (8)$$

证明：将(6)式代入(4)式即得。证毕。

特性 8　$n \geqslant 3$，n 阶最大外平面图 G_{MO} 有

$$2n_0 + n_1 = n_3 + 2n_4 + \cdots + (i-2)n_i + \cdots + (n-5)n_{n-3} + 6, \qquad n \geqslant 3, n \geqslant n_i \geqslant 0 \quad (9)$$

证明：(8)式与(7)式相减即得。证毕。

图 1 所示 $n=3$、$n=4$ 和 $n=5$ 的最大外平面图 G_{MO} 均满足(9)式。

从(9)式可以看到，(9)式等号左边只出现了 n_0 和 n_1，等号右边出现了 n_i，$3 \leqslant i \leqslant (n-3)$，(9)式中无 n_2，此外，等号右边尚有一个常数 6。显然上列(2)、(4)、(8)和(9)等式均为最大外平面图 G_{MO} 的必要条件。(9)式中虽未出现 n_2，但在最大外平面图 G_{MO} 中是可能含有内度数为 2 的点的，即 n_2 不一定为 0。图 1 中，$n=5$ 的 G_{MO} 所示的拓扑结构即为一例。n_2 的值显然与 G_{MO} 的拓扑结构有关，应由 G_{MO} 的拓扑结构所决定，后面将进一步研究这个特性。

特性 9　当点数（阶数）$n \geqslant 3$ 时，$n < \infty$ 的最大外平面图 G_{MO} 中总存在内度数小于 2 的点，即总存在 1 内度点或 0 内度点。

证明：由(4)式知，当 $n \geqslant 3$ 时 G_{MO} 的内度数 $d_I = 2n - 6 < 2n$，可见必有内度数小于 2 的点存在。证毕。

特性 10　当 $n=6$ 时，最大外平面图 G_{MO} 的内度数 $d_I = n = 6$；当 $n > 6$ 时，G_{MO} 中总存在内度数大于 1 的点；当 $n < 6$ 时，G_{MO} 中总存在内度数小于 1 的点，即内度数为 0 的点。

证明：由(4)式可知，$n \geqslant 3$ 时，$d_I = 2n - 6 = n + (n-6)$。因而，当 $n=6$ 时，$d_I = n = 6$；当 $n > 6$ 时，$d_I > n$，所以 G_{MO} 中总存在内度数大于 1 的点；当 $n < 6$ 时，$d_I < n$，因而 G_{MO} 中总存在内度数小于 1 的点，即总存在 0 内度点。

此外，由于 $d_I = 2n - 6 = 2(n-3)$，可见 $n=3$ 时，$d_I = 0$，即所有点的内度数均为 0，这正如图 1 中 $n=3$ 时的拓扑结构所示；当 $n > 3$ 时，$d_I > 0$，故 G_{MO} 中总存在内度数大于 0 的点。证毕。

根据(4)式以及特性 9 和特性 10，最大外平面图 G_{MO} 的点的内度数，可归纳成表 1 所示。

表 1　最大外平面图 G_{MO} 的点的内度数

<table>
<tr><td>点数</td><td>$n=3$</td><td colspan="2">$n>3$</td></tr>
<tr><td>内度数</td><td>$d_I=2(n-3)=0$
三个 0 内度点</td><td colspan="2">$d_I=2(n-3)>0$
总有内度数大于 0 的点</td></tr>
<tr><td>点数</td><td>$n<6$</td><td>$n=6$</td><td>$n>6$</td></tr>
<tr><td>内度数</td><td>$d_I<n$
总有内度数小于 1 的点</td><td>$d_I=n=6$</td><td>$d_I>n$
总有内度数大于 1 的点</td></tr>
<tr><td>点数</td><td colspan="2">$n<\infty$</td><td>$n\to\infty$</td></tr>
<tr><td>内度数</td><td colspan="2">$d_I=2n-6<2n$
总有内度数小于 2 的点</td><td>$d_I\to 2n\to\infty$</td></tr>
</table>

由图 1 和表 1，综合得表 2 所示的最大外平面图 G_{MO} 的内度数。

表 2　最大外平面图 G_{MO} 的内度数

点数	n = 3	n = 4	n = 5	n = 6	6 < n < ∞	n→∞
内度数	$d_I = 0$ $n_0 = 3$	$d_I = 2$ $n_0 = 2$ $n_1 = 1$	$d_I = 4$ $n_0 = 2$ $n_1 = 2$ $n_2 = 1$	$d_I = n = 6$ 内度数小于 1(= 0)的点和大于 1 的点必同时出现	$n < d_I < 2n$ 总有内度数小于 2 的点，且有内度数大于 1 的点	$d_I \to 2n \to \infty$

特性 11　$n \geqslant 3$，n 阶最大外平面图 G_{MO} 仅在 n = 3 时所有点的内度数为 0，即此时 $n_0 = 3, n_1 = n_2 = \cdots = 0$。

证明：由(9)式可看到，若所有点的内度数均为 0，为了满足(9)式的要求，n_0 必为 3，也即 n = 3。其拓扑结构如图 1 中所示。证毕。

根据(9)式，若 G_{MO} 的所有点的内度数均为 1，可得 $n_1 = 6$，即 n = 6。这虽然满足了(9)式的要求，但拓扑结构上是不存在的，是无法实现的。这一情况，也就说明了(9)式仅是 G_{MO} 的必要条件，而非充分条件。图 2 所示两种拓扑结构均为非最大外平面图。

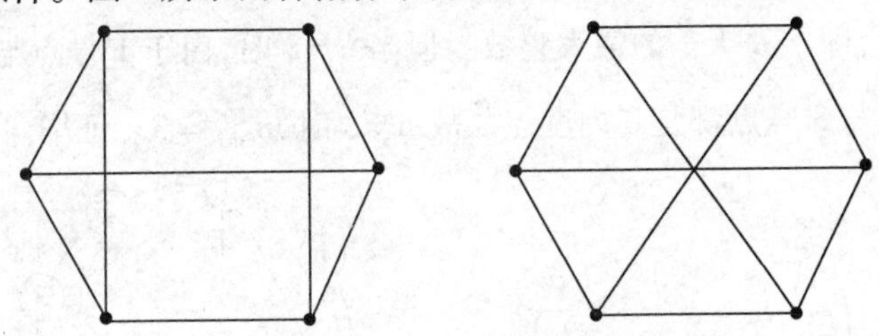

图 2　6 点的非最大外平面图的两个例子

又从(9)式可以看到，当 G_{MO} 中有内度数大于 2 的点存在的时候，必然也有内度数小于 2 的点存在。

特性 12　若 $n \geqslant 3$，n 阶最大外平面图 G_{MO} 只含有 0 内度点和 1 内度点，那么 G_{MO} 只存在 n = 3 和 n = 4 的两种拓扑结构形式。

证明：此时 G_{MO} 应满足如下方程式，即 $n = n_0 + n_1$……(i)，$d_I = 2n - 6$……(ii)，$d_I = 0n_0 + 1n_1$……(iii)。

当 n = 3，则由(ii)式得 $d_I = 0$，由(iii)式得 $n_1 = 0$，由(i)式得 $n_0 = 3$，如图 1 所示即是。当 n = 4，则由(ii)式得 $d_I = 2$，由(iii)式得 $n_1 = 2$，由(i)式得 $n_0 = 2$，也如图 1 所示。当 n = 5，则由(ii)式得 $d_I = 4$，由(iii)式得 $n_1 = 4$，由(i)式得 $n_0 = 1$，此时拓扑结构不存在。当 n = 6，则由(ii)式得 $d_I = 6$，由(iii)式得 $n_1 = 6$，由(i)式得 $n_0 = 0$，此时拓扑结构也不存在，见图 2。当 $n \geqslant 7$，则由(ii)式得 $d_I \geqslant 8$，显然矛盾，无解。故只存在 n = 3 和 n = 4 的两种拓扑结构形式，如图 1 所示。证毕。

特性 13　当 $n \geqslant 4$ 时，n 阶最大外平面图 G_{MO} 的最小内度点即 0 内度点，彼此间不可能是相邻点。

证明：当 n = 3 时，三个点均为 0 内度点，且彼此相邻。但当 n > 3 时，若两个 0 内度点为相邻点，则会出现如图 3 所示的四边形，这就与最大外平面图的定义相左。故特性 13 成立。证毕。

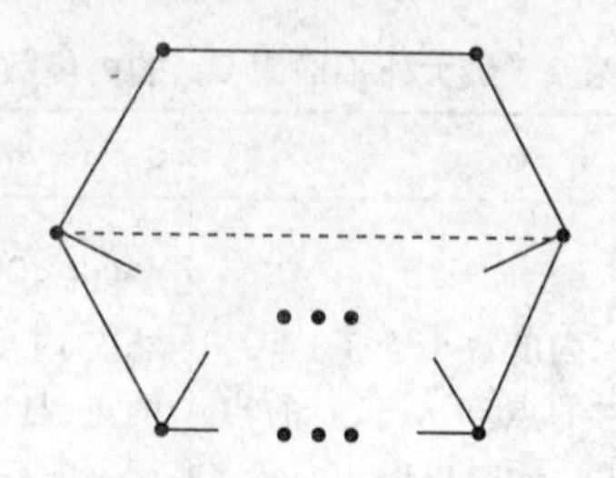

图3　0内度点为相邻点的非最大外平面图

特性14　设 $n\geqslant 3$，n 阶最大外平面图 G_{MO} 的 0 内度点的最大个数为 n_{0max}，则 $n=3$ 时，$n_{0max}=3$；$n>3$ 时，$n_{0max}=\lfloor \frac{n}{2} \rfloor$，即不大于$\frac{n}{2}$的最大整数。

证明：可用自然数对 n 阶最大外平面图 G_{MO} 的所有点顺序编号。考虑到特性13，即 $n>3$ 时0内度点彼此不相邻，为了使0内度点尽可能的多，我们可以从1号点开始依次在奇数号点之间连一弦边，那么在两个相近的奇数号点之间的偶数号点即成为0内度点，图4所示即是。由图4可见，n 不管是奇数还是偶数，用上述作图方式，总可保证偶数号点为0内度点，因而 $n>3$ 时，$n_{0max}=\lfloor \frac{n}{2} \rfloor$，即不大于$\frac{n}{2}$的最大整数。但当 $n=3$ 时，由于1号点与3号点之间的连线是周边，所以1号点与3号点都是0内度点。故 $n=3$ 时，$n_{0max}=3$。证毕。

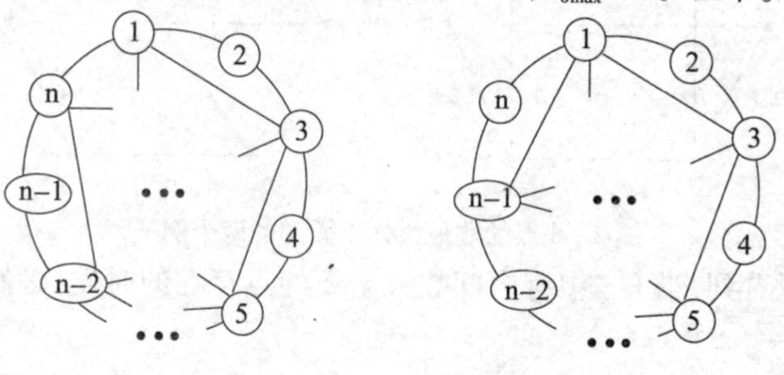

(1)n 为奇数　　(2)n 为偶数

图4　0内度点为最大个数的 n 阶最大外平面图

可以设想，根据上述原则，按标号顺序，隔一个点，在两点之间设置一弦边，形成一个三角形，直至最后得到可称为"盘丝形"的最大外平面图。如图5所示，即为15阶"盘丝形"最大外平面图。

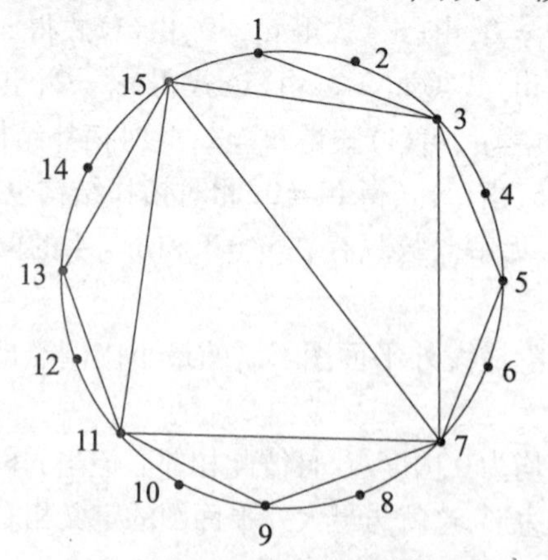

图5　15阶"盘丝形"最大外平面图

特性15　当 $n\geqslant 5$ 时，n 阶最大外平面图 G_{MO} 的最大内度点，即 $(n-3)$ 内度点，只有一个；

相应地，此时1内度点的个数为最大值 $n_{1max}=n-3$。

证明：当 $n=3$ 时，$(n-3)$ 内度点即0内度点有三个。当 $n=4$ 时，$(n-3)$ 内度点即1内度点有两个。当 $n=5$ 时，$(n-3)$ 内度点即2内度点只有一个。图1所示即是上述情况。从(4)式 $d_I=2n-6=2(n-3)$ 来看，似乎显示 $(n-3)$ 内度点最多可以是两个。但是拓扑结构上要求两点之间不存在并边，一条弦边必须与两个点关联，因而一个 $(n-3)$ 内度点必与另外的 $(n-3)$ 个点相邻。根据(4)式的要求，这 $(n-3)$ 个点应为1内度点，彼此间不可能是同一弦边的端点。此时，如图6所示最大外平面图 G_{MO} 实为一个"芭扇形"图 F_n。F_n 含有一个 $(n-3)$ 内度点，两个0内度点和 $(n-3)$ 个1内度点。这完全满足(9)式的要求。(9)式等号的左边为 $2n_0+n_1=2\times2+(n-3)=n+1$；(9)式等号的右边为 $(n-5)\times n_{n-3}+6=(n-5)\times1+6=n+1$。故性质15成立，$n_{n-3}=1$，$n_{1max}=n-3$。证毕。

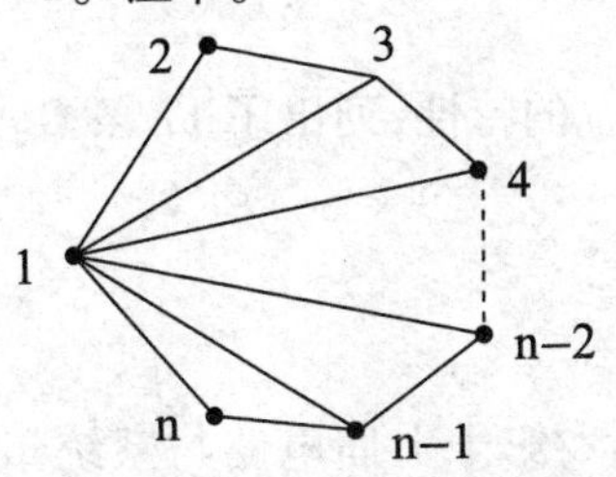

图6 "芭扇形"最大外平面图

特性16 当 $n\geqslant5$ 时，n阶最大外平面图 G_{MO} 的2内度点的个数的最大可能值 $n_{2max}=n-4$。

证明：由图1可知，$n=3$ 和4时的 G_{MO} 是没有2内度点的。

可以按图7所示，来构造一个"弹簧形"最大外平面图。先将圈 C_n 上的n个点，用自然数顺序编号，继之按 $(n-1)$、1、$(n-2)$、2、$(n-3)$、3、……顺序作各条弦边，即得。当n为奇数时，如图7(1)所示，A点的标号应为 $(n-1)/2$；当n为偶数时，如图7(2)所示，B点的标号应为 $n/2$。故在上述两种情况下均显示出，G_{MO} 应含两个0内度点，两个1内度点和 $(n-4)$ 个2内度点。此时对(9)式而言，(9)式左边 $=2n_0+1n_1=2\times2+1\times2=6$；(9)式右边 $=1n_3+2n_4+\cdots+6=6$，满足(9)式。故 $n_{2max}=n-4$。证毕。

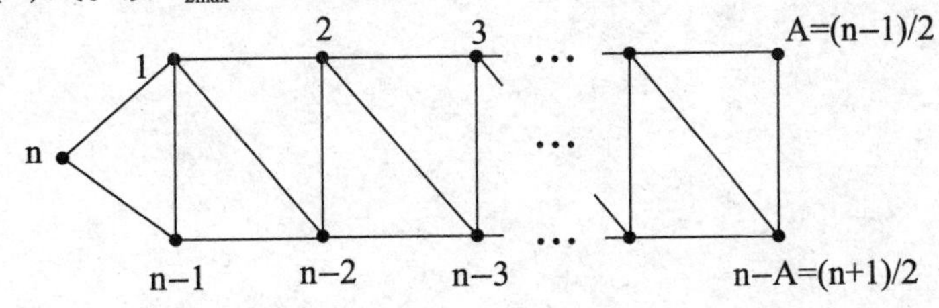

(1) n为奇数

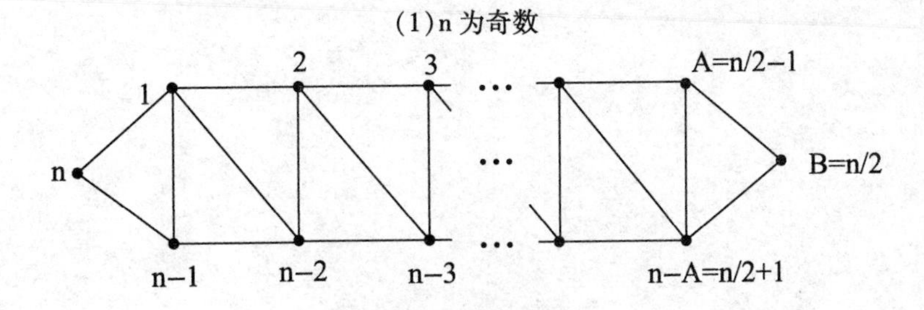

(2) n为偶数

图7 "弹簧形"最大外平面图

(9)式是一个必要条件。在(9)式中并未出现 n_2，但这并不意味着 G_{MO} 中没有2内度点。

2 内度点的个数 n_2,不能从(9)式得知,从特性 16 的证明中可看出,n_2 是由 G_{MO}的拓扑结构所决定的。

特性 17　当 $n \geqslant 4$ 时,n 阶最大外平面图 G_{MO}的 O 内度点的个数至少为两个,即 $n_0 \geqslant 2$。

证明:由图 1 可见,n = 4 的最大外平面图 G_{MO}有两个 O 内度点。

从拓扑结构上看,n 阶的最大外平面图,可视作是(n-1)阶的最大外平面图与一个三角形△相併而成。若这个(n-1)阶最大外平面图含两个 O 内度点,那么,当这个三角形△併在(n-1)阶最大外平面图的一个 O 内度点的关联边上,这个 n 阶最大外平面图也就具有两个 O 内度点。证毕。

4　结语

上文分析了最大外平面图 G_{MO}的特性,列出了 17 条 G_{MO}的度的性质。G_{MO}的度的其他性质,将作进一步的探讨。

参考文献

[1]冯纪先. 最大平面图的度[C]//第十七届电路与系统年会论文集. 大连:大连海事大学,2002:VI-5-VI-9.(见目录:1.04)

[2]冯纪先. 最大外平面图和最大平面图的几个性质[C]//第十四届电工理论年会论文集. 郑州:郑州大学,2002:1-5.(见目录:1.03)

[3]冯纪先. 最大平面图的最小度点和最大度点[C]//第十九届电路与系统年会论文集. 合肥:中国科技大学,2005:VIII-616-VIII-620.(见目录:1.05)

1.07 3长6度∞阶完整正则平面图

【摘要】利用最大外平面图和最大平面图关于边和区的某些性质,分析了区的周长均为3,点的度数均为6,因而点数(阶数)为∞的3长6度∞阶完整正则平面图,即6度∞阶正则最大平面图,关于边和区的某些性质,找出了它们的内在规律,得到了一些有意义的结果。

【关键词】完整正则平面图;正则最大平面图;最大外平面图

On the 3 length -6 degree -∞ order completely regular plane graph

Abstract: In this paper, the properties (vertex, region, edge) of the 3 length -6 degree -∞ order completely regular plane graph (6 degree -∞ order regular maximal planar graph) are analysed and explored. The solutions are studied.

Keywords: completely regular plane graph; regular maximal planar graph; maximal outerplanar graph

1 引言

文献[1]中在研讨完整正则平面图时得到3长6度∞阶完整正则平面图,即区的周长均为3,点的度数均为6,因而点数(阶数)为∞的平面图,这也就是文献[2]中在研讨正则最大平面图时得到的6度∞阶正则最大平面图。文献[1]中的图3(5)和文献[2]中的图1(7)、(8)所示即是。本文将利用最大外平面图和最大平面图的某些性质[3],来探讨6度∞阶正则最大平面图的一些性质。

2 定义和关系式

定义1 图G的所有点的度数之和称为图G的度数,以d表示。

图G中每一条边给该边的两个端点各提供1度,而图G中不存在没有边的度,所以,若图G的边数为e,则显然有

$$d=2e \tag{1}$$

最大平面图G_M的点数(阶数)为n,边数为e,则[2]

$$e=\begin{cases}0, & n=1\\ 1, & n=2\\ 3n-6, & n\geqslant 3\end{cases} \tag{2}$$

最大平面图G_M的度数为d,则

$$d=\begin{cases}0, & n=1\\ 2, & n=2\\ 6n-12, & n\geqslant 3\end{cases} \tag{3}$$

类似地,点集P中所有点的度数之和,称为“点集P的度数”。

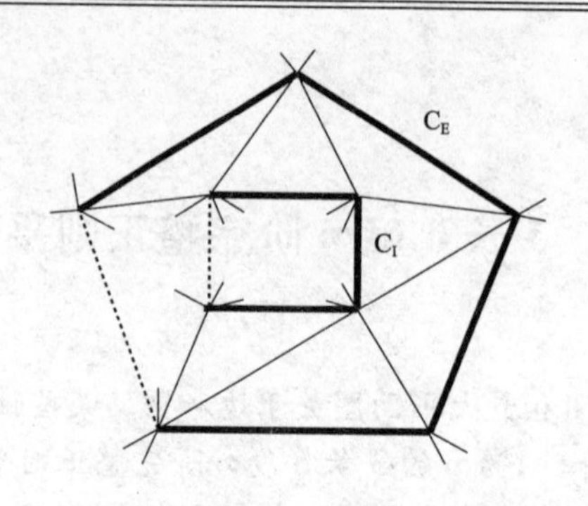

图1　环带

在图 G 中，每个点及与其关联的边有如一只“章鱼(octopus)”，只不过，不同的“章鱼”的“触手”(tentacle)数不一定相同。当两只“章鱼”的两条“触手”拉在一起，就似图 G 中两个端点间的一条边。一只“章鱼”的“触手”数，就似一个点的度数，点的“度”就似“章鱼”的“触手”，6 度点就似有 6 条“触手”的一只“章鱼”。真实的章鱼总是有 8 条触手的。

定义 2　设最大平面图 G_M 中有两个圈 C_I 和 C_E，C_I 在 C_E 内。若两个圈之间的任何一条边的两个端点分属于 C_I、C_E 二圈，则此二圈及其中间区域称为一个环带，且此二圈互称为环圈，如图 1 所示，圈上的边以粗线表示。C_I 可称内圈，C_E 可称外圈。

3　6 度∞阶正则最大平面图的性质

由于 6 度∞阶正则最大平面图的每个区都是三边形，为了整齐、好看，可画成规范化的形式，即每个三边形都画成正三角形，三条边等长，三个角均为 60°，如图 2 所示。

为了简单，记 6 度∞阶正则最大平面图为 $G_{M6\infty}$。在 $G_{M6\infty}$ 中取 p 点圈 C_p，圈 C_p 内可能有点，也可能无点。如图 2 所示，p = 12，圈 C_{12} 以粗线表示，圈 C_{12} 内无点。而图 3、图 4 和图 5 中，圈 C_{12} 内则分别有 4 点、6 点和 7 点。在图 2、3、4、5 中，图 $G_{M6\infty}$ 均只画出了部分有限区域。

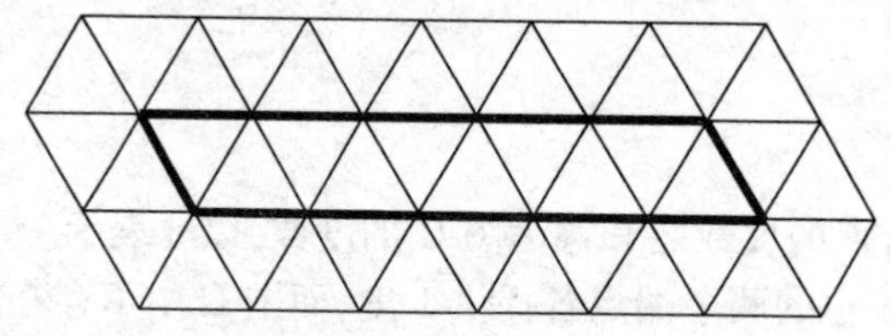

图2　圈内无点的 C_{12}

性质 1　6 度∞阶正则最大平面图 $G_{M6\infty}$ 中取 p 点圈 C_p，且圈 C_p 内无点，则圈 C_p 上的边数为 p，圈 C_p 上的度数为 2p，圈 C_p 内的边数为 p − 3，圈 C_p 内的度数为 2p − 6，圈 C_p 内的区数为 p − 2。

证明：将图 $G_{M6\infty}$ 中圈 C_p 外的所有点移去，圈上及圈内是无任何变化的，图 $G_{M6\infty}$ 就变成一个 p 点的最大外平面图 G_{MO}。显然，圈 C_p 上的边数为 p，圈 C_p 上的度数为 2p，圈上的点数为 p，每个点在圈上有 2 度。

根据文献[3]中最大外平面图的性质 3.1、性质 3.2 和性质 3.3 知，圈 C_p 内的边数为 p − 3。每条边有 2 度，两个端点均为圈 C_p 上的点，所以圈 C_p 上的点向圈内的度数为 2p − 6。圈 C_p 内无其他点，所以圈 C_p 内的度数也为 2p − 6。由文献[3]又知，圈 C_p 内的区数为 p − 2。证毕。

图2中，$p=12$，圈C_p内无点，圈C_p内的边数为$p-3=9$，度数为$2p-6=18$，区数为$p-2=10$，与图2所示一致。

性质2 6度∞阶正则最大平面图$G_{M6\infty}$中取p点圈C_p，圈C_p内有m个点，则圈C_p内的边数为$p-3+3m$，圈C_p内的度数为$2p-6+6m$，圈C_p上的点向圈内的度数为$2p-6$，圈C_p内的区数为$p-2+2m$。

证明：显然，圈C_p上的边数仍为p，度数仍为2p。若将图$G_{M6\infty}$中圈C_p外的所有点移去，那么圈C_p以及圈内可视为某一最大平面图的一部分。根据文献[3]中最大平面图的性质4.3知，圈C_p内的m个点在圈内增加3m条边，3m条边就使圈内增加6m度。因此，圈C_p内的边数为$p-3+3m$，度数为$2p-6+6m$。又，由于圈C_p内的m个点都是6度点，它们就共具有6m度，因而圈C_p上的点向圈内的度数为$(2p-6+6m)-(6m)=2p-6$。这个结果与性质1中圈C_p内无点的结果是一样的。根据文献[3]中最大平面图的性质4.3又知，圈C_p内的区数为$p-2+2m$。证毕。

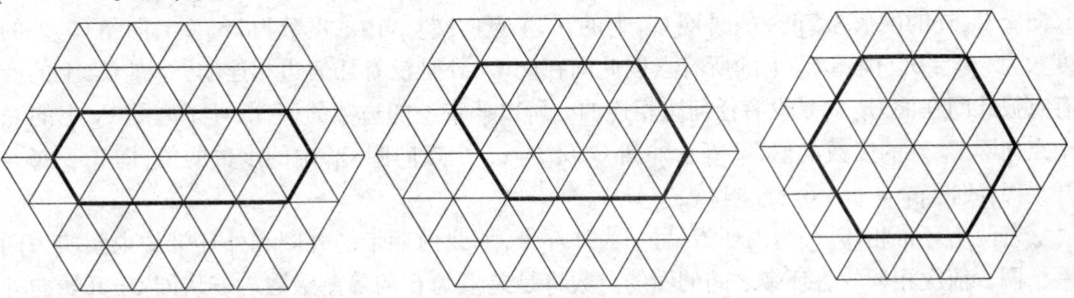

图3 圈内4点的C_{12} 图4 圈内6点的C_{12} 图5 圈内7点的C_{12}

图3中，$p=12$，$m=4$，圈C_p内的边数为$p-3+3m=21$，度数为$2p-6+6m=42$，区数为$p-2+2m=18$，圈C_p上的点向圈内的度数为$2p-6=18$，与图3所示一致。

图4中，$p=12$，$m=6$，圈C_p内的边数为$p-3+3m=27$，度数为$2p-6+6m=54$，区数为$p-2+2m=22$，圈C_p上的点向圈内的度数为$2p-6=18$，与图4所示一致。

图5中，$p=12$，$m=7$，圈C_p内的边数为$p-3+3m=30$，度数为$2p-6+6m=60$，区数为$p-2+2m=24$，圈C_p上的点向圈内的度数为$2p-6=18$，与图5所示一致。

性质3 6度∞阶正则最大平面图$G_{M6\infty}$中取p点圈C_p，则圈C_p上的p个点向圈外的度数为$2p+6$。

证明：由前述性质1、性质2知，在图$G_{M6\infty}$中取p点圈C_p时，不管圈C_p内是否有点，点数是多少，圈C_p上的点向圈内的度数均为$2p-6$，又，圈C_p上的点在圈上的度数恒为2p。在$G_{M6\infty}$中所有的点均为6度，所以圈C_p上的p个点总共有的度数为6p，因而圈C_p上的p个点向圈外的度数为$6p-(2p-6)-(2p)=2p+6$。证毕。

在图2、图3、图4和图5中，p均为12，所以圈C_p上的p个点向圈外的度数均为$2p+6=30$，与各图所示一致。

综上所述,以表1表示图 $G_{M6\infty}$ 中圈 C_P 的性质:

表1 图 $G_{M6\infty}$ 中圈 C_P 的性质

圈 C_P 内状况	圈 C_P 内			圈 C_P 上			
	边数	度数	区数	边数	度数	向圈 C_P 内的度数	向圈 C_P 外的度数
无点	$p-3$	$2p-6$	$p-2$	p	2p	$2p-6$	$2p+6$
有 m 点	$p-3+3m$	$2p-6+6m$	$p-2+2m$	p	2p	$2p-6$	$2p+6$

性质4 6度∞阶正则最大平面图 $G_{M6\infty}$ 中取一环带,其内圈为 p_I 点圈 C_{PI},外圈为 p_E 点圈 C_{PE},则

$$p_E = p_I + 6 \tag{4}$$

证明:由前述性质1、性质2和性质3知,内圈 C_{PI} 上的 p_I 个点向圈 C_{PI} 内的度数为 $2p_I-6$,向圈 C_{PI} 外的度数为 $2p_I+6$;外圈 C_{PE} 上的 p_E 个点向圈 C_{PE} 内的度数为 $2p_E-6$,向圈 C_{PE} 外的度数为 $2p_E+6$。内圈 C_{PI} 上的所有点彼此间在圈 C_{PI} 外是没有任何边相连的;外圈 C_{PE} 上的所有点彼此间在圈 C_{PE} 内是没有任何边相连的。所以环带上的边数的值,既等于内圈 C_{PI} 上的 p_I 个点向圈 C_{PI} 外的度数的值,又等于外圈 C_{PE} 上的 p_E 个点向圈 C_{PE} 内的度数的值,即 $2p_I+6=2p_E-6$,故得 $p_E=p_I+6$。证毕。

若两个环带相邻,一为内环带,另一为外环带,那么内环带的外圈和外环带的内圈实为同一个圈。依次相邻的各环带之间的圈的点数将是差值为6的等差级数。若从圈 C_3 开始向外排列,依次将是 C_3、C_9、C_{15}、C_{21}、C_{27}、…;若从圈 C_4 开始向外排列,依次将是 C_4、C_{10}、C_{16}、C_{22}、C_{28}、…;若从圈 C_5 开始向外排列,依次将是 C_5、C_{11}、C_{17}、C_{23}、C_{29}、…;可按此类推至,从圈 C_6 开始,或从圈 C_7 开始,或从圈 C_8 开始等几种情况。

由上可知,若从 i 点圈 C_i 开始向外排列,圈 C_i 上的 i 个点彼此间在圈 C_i 外无任何边相连,那么依次将是 C_i、C_{i+6}、C_{i+12}、…、C_{i+6k}、…,这儿,$3\leqslant i\leqslant 8$,$k\geqslant 0$。

(1)基于一个点　　(2)基于一条边　　(3)基于一个区

图6 两个相邻的环带

此外,如果从一个点开始排列,依次将是 C_6、C_{12}、C_{18}、C_{24}、C_{30}、…;如果从一条边开始,依次将是 C_8、C_{14}、C_{20}、C_{26}、C_{32}、…;如果从一个区开始,依次将是 C_3、C_9、C_{15}、C_{21}、C_{27}、…。图6(1)、(2)、(3)分别表示了这三种情况。

性质5 6度∞阶正则最大平面图 $G_{M6\infty}$ 中取两个相邻的环带,一为内环带 R_I,另一为外环

带 R_E。设内环带 R_I 上的边数为 e_I,外环带 R_E 上的边数为 e_E,则

$$e_E = e_I + 12 \tag{5}$$

证明:内环带 R_I 与外环带 R_E 相邻,故内环带 R_I 的外圈即为外环带 R_E 的内圈,设该圈上的点数为 p_2,内环带的内圈上的点数为 p_1,外环带的外圈上的点数为 p_3,则根据前述性质 4 有 $p_3 = p_2 + 6, p_2 = p_1 + 6$。由文献[3]中最大平面图的性质 4.4 知,内环带 R_I 中的边数为其内、外圈上的点数之和,即 $e_I = p_1 + p_2$。同理,外环带 R_E 中的边数 $e_E = p_2 + p_3$。因为 $p_3 = p_1 + 12$,故得 $e_E = e_I + 12$。证毕。

图 6(1)中,内环带 R_I 的内圈、外圈分别为 C_6、C_{12},外环带 R_E 的内圈、外圈分别为 C_{12}、C_{18}。R_I 中的边数 e_I 为 18,R_E 中的边数 e_E 为 30。

图 6(2)中,内环带 R_I 的内圈、外圈分别为 C_8、C_{14},外环带 R_E 的内圈、外圈分别为 C_{14}、C_{20}。R_I 中的边数 e_I 为 22,R_E 中的边数 e_E 为 34。

图 6(3)中,内环带 R_I 的内圈、外圈分别为 C_3、C_9,外环带 R_E 的内圈、外圈分别为 C_9、C_{15}。R_I 中的边数 e_I 为 12,R_E 中的边数 e_E 为 24。

以上所有结果均与(5)式一致。

性质 6　6 度∞阶正则最大平面图 $G_{M6\infty}$ 中取两个相邻的环带,一为内环带 R_I,另一为外环带 R_E,设内环带 R_I 上的区数为 r_I,外环带 R_E 上的区数为 r_E,则

$$r_E = r_I + 12 \tag{6}$$

证明:(类似性质 5 中(5)式的证明,略)

图 6(1)、(2)、(3)中所示的内环带 R_I 和外环带 R_E 的各区数,均与(6)式相符。

4　结语

在 3 长 6 度∞阶完整正则平面图(6 度∞阶正则最大平面图)$G_{M6\infty}$ 中,取 p 点圈 C_p,移去圈 C_p 外的所有点(点数为∞),则圈 C_p 即成为一个无限区的边界。若将该区进行"三角剖分",则该区内的边数为 $p-3$,度数为 $2p-6$。由表 1 知,圈 C_p 内若有 m 个点,则不管 m 是否为 0,圈 C_p 上的点向圈 C_p 外的度数均为 $2p+6$。故其度数较圈 C_p 上的点向圈 C_p 内的度数多:$(2p+6)-(2p-6)=12$。此外,从拓扑结构上看:当 $m \geqslant 1$ 时,必须 $p \geqslant 6$。

本文利用有限图的某些性质来研究无限图的一些性质,得到了一些有规律性的结果。似乎感到,又可反过来,即再利用无限图的一些性质来研究有限图的另一些性质,这有待进一步的探讨。

参考文献

[1]冯纪先. 简单完整正则平面图[J]. 北京:数学的实践与认识,2005,35(1):106-111.(见目录:1.02)

[2]冯纪先. 正则最大平面图[C]//第十二届电工理论学术讨论会论文集. 长沙:国防科技大学,1999:222-227.(见目录:1.01)

[3]冯纪先. 最大外平面图和最大平面图的几个性质[C]//第十四届电工理论年会论文集. 郑州:郑州大学,2002:1-5.(见目录:1.03)

1.08 标定的最大平面图 G_M 拓扑结构的形成

【摘要】给出了标定的任意阶最大平面图 G_M 所有可能的拓扑结构的构造方法。这个方法的基本思想是,从标定的n阶最大平面图 G_{Mn}的所有可能的拓扑结构递推出标定的(n+1)阶最大平面图 $G_{M(n+1)}$的所有可能的拓扑结构。这个基本思想是基于n阶的 G_{Mn}加一个标号为(n+1)的点即得(n+1)阶的 $G_{M(n+1)}$。而当 $n\geqslant3$ 时,点(n+1)的可能的度数,最小为3,最大为n。由此就得到标定的最大平面图 G_M 的所有可能的拓扑结构。

【关键词】标定的图;最大平面图;图的阶数;图的拓扑结构

The construction on topologic structure of labeled maximal planar graph

Abstract: In this paper, the construction method on topologic structure of labeled maximal planar graph is given. The basic idea of this method is, that a point (n+1) is assigned to a labeled maximal planar graph of n order G_{Mn}, then labeled maximal planar graphs of (n+1) order $G_{M(n+1)}$ are obtained. The possible minimal degree of this point (n+1) is 3; and the possible maximal degree of this point (n+1) is n. This method is a increasing progressively method, so first study topologic structures of small n ($n\leqslant6$, low order) maximal planar graphs. Finally, a "family tree" of labeled maximal planar graphs is obtained.

Keywords: labeled graph; maximal planar graph; order of graph; topologic structure of graph

1 引言

以自然数1、2、3、…、n来给n阶最大平面图 G_{Mn}的n个点标号,则得标定的(labeled)n阶最大平面图 G_{Mn}。

当 $n\geqslant3$ 时,在n阶最大平面图 G_{Mn}中,所有的区(包括外部无限区)均为三边形 K_3,这是n阶最大平面图 G_{Mn}的一个充要条件。

(n+1)阶最大平面图 $G_{M(n+1)}$可视作n阶最大平面图 G_{Mn}加上一个标号为(n+1)的点而形成。

当 $n\geqslant3$,在n阶最大平面图 G_{Mn}中加一个点(n+1)时,显然点(n+1)可能的最小度数为3,可能的最大度数为n。

标定的n阶最大平面图 G_{Mn} 可能的拓扑结构数目以 M_n 表示。下节将推算出几个小n($n \leq 6$)的 M_n 的值如下:$M_1 = 1$、$M_2 = 1$、$M_3 = 1$、$M_4 = 1$、$M_5 = 10$。G_{M1}、G_{M2}、……、G_{M5} 如图1至图5所示。图中,点(vertex)以小圆圈表示,圈内的数字是点的标号。图中也表示了相应的邻接矩阵A,矩阵中对角线的元素以"×"表示,而表示"无邻接关系"的"0"省去,同时,矩阵的左下半部分是重复的信息,故略去。通过分析,下文尚可得到 $M_6 = 195$。

2 低阶的小n的 G_{Mn} 拓扑结构的构造

首先研究 $n < 6$,低阶的小n的 G_{Mn},因为它们比较简单,且是递推法的基础和前提。

G_{M1} 如图1所示,它仅有的一个点①是0度点,称为"孤立点"(isolated point),由此形成一个"平凡图"(trivial graph,似译为"零碎图"更好些)[1]。G_{M1} 的边数 $e = 0$,区数 $r = 1$(外部无限区)。

G_{M2} 如图2所示,可看作是在 G_{M1} 的唯一的一个区(外部无限区)中放上了一个1度的点②,此时就有了两个"端点"(endpoint)。G_{M2} 的边数 $e = 1$,区数 $r = 1$(外部无限区)。

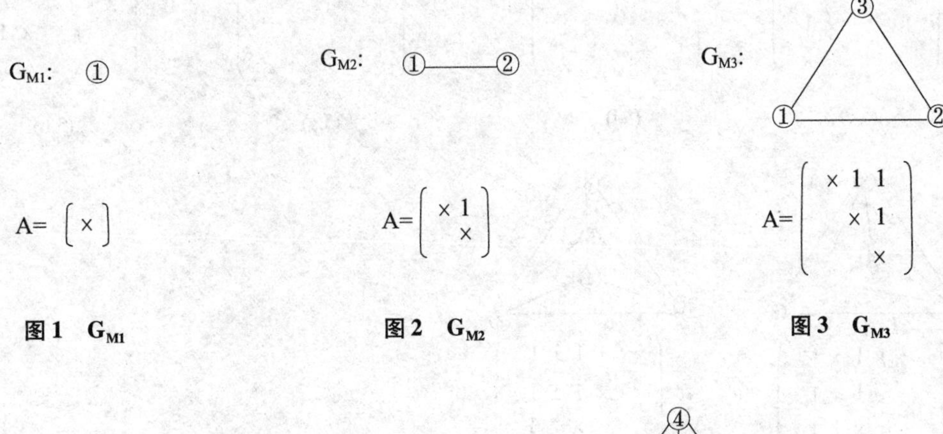

图1 G_{M1}　　图2 G_{M2}　　图3 G_{M3}

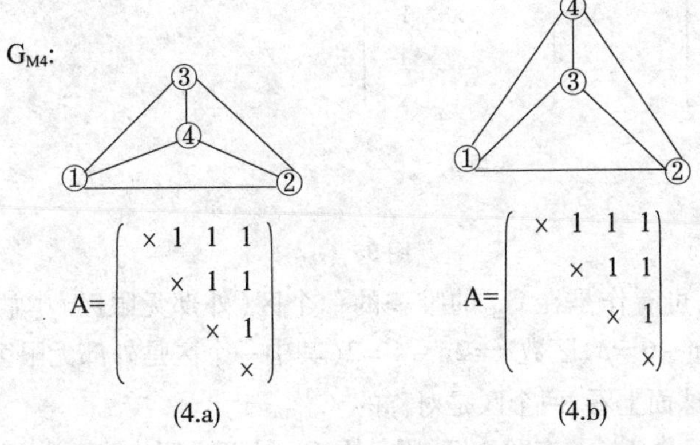

图4 G_{M4}

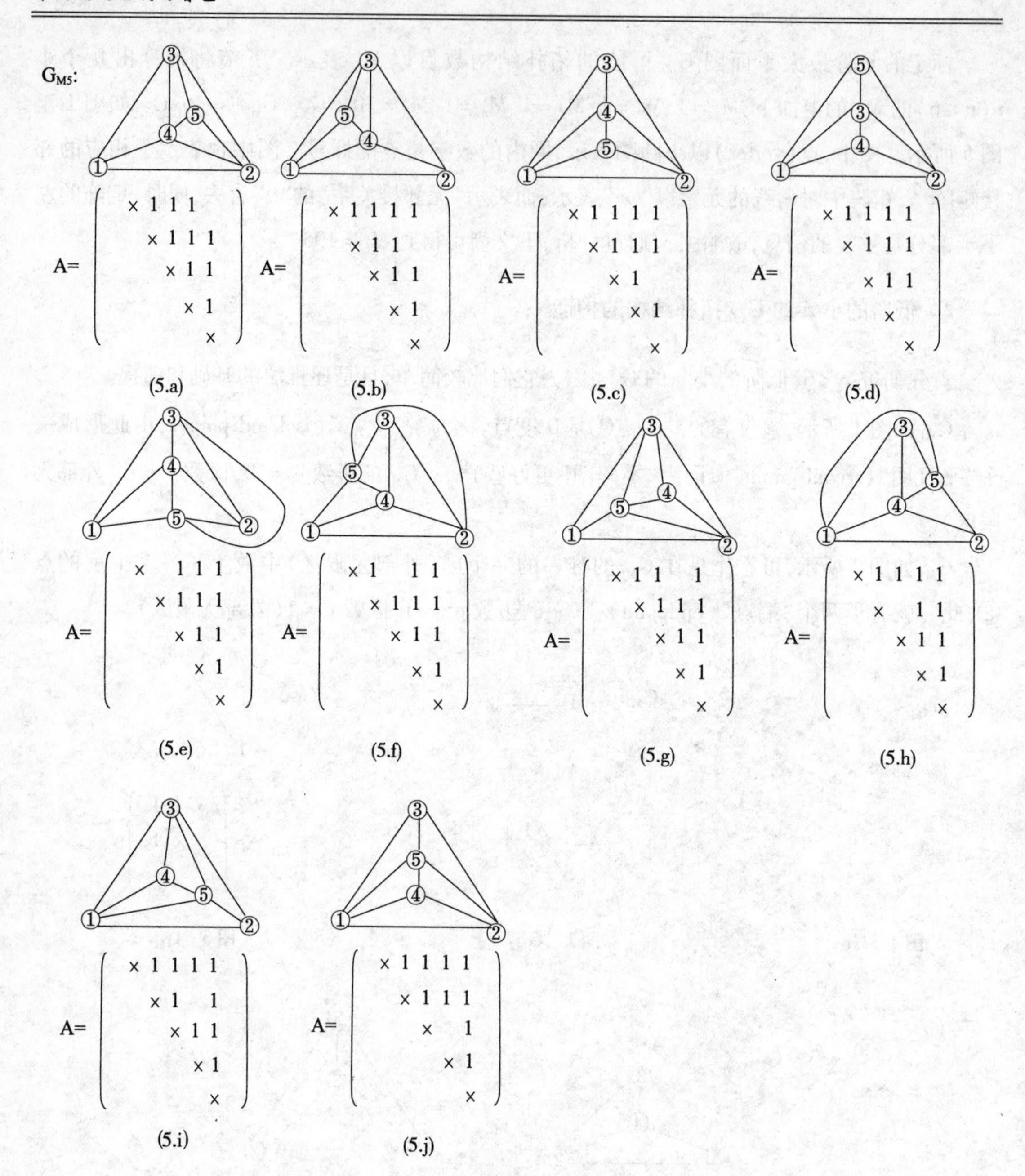

图5 G_{M5}

G_{M3}如图3所示，可看作是在G_{M2}的唯一的一个区（外部无限区）中放上了一个2度的点③。G_{M3}的边数$e=3n-6=3$，区数$r=2n-4=2$（其中一个区是外部无限区），此时两个区均为K_3，且边界相同。从球面上看，两个区是对称的[2-3]。

G_{M4}如图4所示。由于G_{M3}有两个区，因而在G_{M3}的两个区中先后分别放上3度的点④，就得到G_{M4}的两种拓扑结构图，即(4.a)图和(4.b)图，后者是将点④放在G_{M3}的外部无限区内而形成的。3度是点④的最小度数，也是点④的最大度数。G_{M4}的边数$e=3n-6=6$，区数$r=2n-4=4$。这儿可发现，从邻接矩阵A看，(4.a)图与(4.b)图是相同的，这是由于G_{M3}的两个区均为K_3，且其边界相同之故。因而在实质上(4.a)图与(4.b)图是同一个拓扑结构，也就是

说 G_{M4} 只有一种拓扑结构，即 $M_4=1$，故只需(4. a)图来表示 G_{M4} 即可。

G_{M5} 如图 5 所示。由于 G_{M4} 有四个区，在(4. a)图的四个区中先后分别放上 3 度的点⑤，就得到 G_{M5} 的四种拓扑结构图，即(5. a)图、(5. b)图、(5. c)图和(5. d)图。又，G_{M4} 有六条边，现先后将(4. a)图的①②边、①③边、①④边、②③边、②④边和③④边移去，分别放上 4 度的点⑤，就得到 G_{M5} 的另外六种拓扑结构图，即(5. e)图、…、(5. i)图和(5. j)图。3 度是点⑤的最小度数，4 度是点⑤的最大度数，4 度也是图 G_{M5} 的点的最大度数。故 G_{M5} 总共有 $4+6=10$ 种拓扑结构图，即 $M_5=10$。若对(4. b)图进行如上的运作处理，得到的是同样的结果，故(4. b)图是可以略去的。G_{M5} 的边数 $e=3n-6=9$，区数 $r=2n-4=6$。

为了得到 G_{M6} 的所有可能的拓扑结构，首先，我们可以在图 5 所示 10 种不同拓扑结构的 G_{M5} 的各自的 6 个区中分别放上 3 度的点⑥，由此构成点⑥为 3 度的 G_{M6} 的 $10\times6=60$ 种拓扑结构图。其次，将图 5 所示 10 种不同拓扑结构的 G_{M5} 的各自的 9 条边先后移去，再分别放上 4 度的点⑥，由此可以得到点⑥为 4 度的 G_{M6} 的 $10\times9=90$ 种另外不同的拓扑结构图。由于其中某些图形拓扑结构的对称性，分析可知其中有 15 种拓扑结构是重复的，因而实际上，点⑥为 4 度的 G_{M6} 只有 $90-15=75$ 种拓扑结构图。点⑥的最大可能度数是 5 度，所以最后，我们要在 G_{M5} 中找出所有可能的圈 C_5，将各个圈 C_5 内的两条边移去，再将 5 度的点⑥分别放入各个圈 C_5 内，即得点⑥为 5 度的 G_{M6} 的拓扑结构图，经分析（过程略）计有 60 种。由此可得所有可能的 G_{M6} 的拓扑结构图，计有 $60+75+60=195$ 种，即 $M_6=195$。上面展示的这个算法，显然不会漏掉任何一种拓扑结构，但已经看到，运行的结果可能会有重复的答案。现将完整的结果略去，只在图 6 中示出一例。该例是将(5. j)图中的边①④和边①⑤移去，再加入一个 5 度的点⑥，即得图 6 所示的 G_{M6} 的一种拓扑结构图。G_{M6} 的边数 $e=3n-6=12$，区数 $r=2n-4=8$。

按上类推，我们可以得到 G_{M7}、G_{M8}、G_{M9}、……等的所有可能的拓扑结构。当然，G_{M7} 中点⑦的最大度数为 6，G_{M8} 中点⑧的最大度数为 7，……。图 7 表示出 G_{M7} 的一种拓扑结构图，此图是将图 6 中 G_{M6} 的边②⑥、边④⑥和边⑤⑥移去，再加上一个 6 度的点⑦而得。G_{M7} 的边数 $e=3n-6=15$，区数 $r=2n-4=10$。图 8 表示出 G_{M8} 的一种拓扑结构图，此图是将图 7 中 G_{M7} 的边①⑦、边②⑦、边②④和边②⑤移去，再加上一个 7 度的点⑧而得。G_{M8} 的边数 $e=3n-6=18$，区数 $r=2n-4=12$。

下一节将对递推算法作一概括的描述。

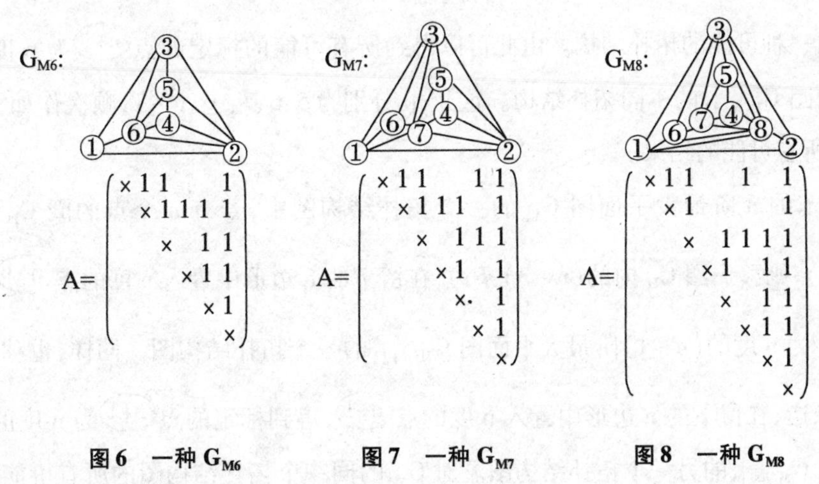

图 6　一种 G_{M6}　　图 7　一种 G_{M7}　　图 8　一种 G_{M8}

3 标定的最大平面图 G_M 拓扑结构的递推构成法

从前一节对小 n 的最大平面图 G_{Mn} 的研究看出，递推法可以向一般情况推广，由此得到如下的递推算法。

(1)若已知标定的 n 阶最大平面图 G_{Mn} 的所有可能的 M_n 种拓扑结构图，G_{Mn} 的每个拓扑结构图的区数 $r=2n-4$，分别在每个区内置 3 度的点(n+1)，则可得 $(2n-4)\cdot M_n=2(n-2)M_n$ 个标定的点(n+1)为 3 度的 (n+1) 阶最大平面图 $G_{M(n+1)}$ 的不同拓扑结构。

(2)n 阶最大平面图 G_{Mn} 的边数 $e=3n-6$。在 G_{Mn} 的一个拓扑结构图中移去一条边，留下的四边形中置入 4 度的点(n+1)，则得标定的点(n+1)为 4 度的 (n+1) 阶最大平面图 $G_{M(n+1)}$ 的一个拓扑结构图。分别移去 (3n-6) 条边，在各个留下的四边形中置入 4 度的点(n+1)，则得拓扑结构彼此不相同的 (3n-6) 种标定的点(n+1)为 4 度的 (n+1) 阶最大平面图 $G_{M(n+1)}$ 的拓扑结构图。对 G_{Mn} 的所有可能的 M_n 种拓扑结构图进行上述同样的过程处理，当 $n\geqslant5$ 时，可得 $(3n-6)\cdot M_n=3(n-2)M_n$ 个标定的点(n+1)为 4 度的 (n+1) 阶最大平面图 $G_{M(n+1)}$ 的不同拓扑结构。但当其中某些拓扑结构具有对称性时，就会有拓扑结构的重复出现，因而此时标定的点(n+1)为 4 度的 (n+1) 阶最大平面图 $G_{M(n+1)}$ 的不同的拓扑结构图的数目将小于 $3(n-2)M_n$ 个。

(3)标定的 n 阶最大平面图 G_{Mn} 的一个拓扑结构图中，若有 p 个点形成圈 C_p，且圈 C_p 内无其他点，则移去圈 C_p 内的 (p-3) 条边，在留下的 p 边形中置入 p 度的点(n+1)，则得到标定的点(n+1)为 p 度的 (n+1) 阶最大平面图 $G_{M(n+1)}$ 的一个拓扑结构图。对 G_{Mn} 的同一个拓扑结构图中所有可能的圈 C_p，作上述处理，就得到 $G_{M(n+1)}$ 的不同的拓扑结构图。对 G_{Mn} 的所有可能的各个拓扑结构图分别作上述处理，此时，同一种拓扑结构的 $G_{M(n+1)}$ 将有可能重复得到，但不会遗漏任何一种可能的拓扑结构。由此可以得到所有可能的标定的点(n+1)为 p 度的 (n+1) 阶最大平面图 $G_{M(n+1)}$ 的不同拓扑结构。这儿，p 分别为 5、6、7、…、n-1，顺次作如上所示运作处理，即得所有可能的结果。

(4)标定的 n 阶最大平面图 G_{Mn} 的一个拓扑结构图中，若有 n 个点的圈 C_n（该圈实为 Hamilton 圈），则移去圈 C_n 内的 (n-3) 条边，在留下的 n 边形中置入 n 度的点(n+1)，则得到标定的点(n+1)为 n 度的 (n+1) 阶最大平面图 $G_{M(n+1)}$ 的一个拓扑结构图。同样，也移去圈 C_n 外的 (n-3) 条边，在留下的 n 边形中置入 n 度的点(n+1)，得到标定的点(n+1)为 n 度的 (n+1) 阶最大平面图 $G_{M(n+1)}$ 的另一个拓扑结构图。对 G_{Mn} 的同一个拓扑结构图的所有可能的圈 C_n 作上述处理,进而,对 G_{Mn}的所有可能的各个拓扑结构图分别进行上述处理。由此可以得到所有可能的标定的点(n+1)为 n 度的(n+1)阶最大平面图 $G_{M(n+1)}$ 的不同拓扑结构。这些拓扑结构形式中含有 $G_{M(n+1)} = G_{MOn} \cup W_{(n+1)}$ 的结构形式[4-5]。上述处理过程中,同一种拓扑结构的 $G_{M(n+1)}$将有可能重复得到,但不会遗漏任何一种可能的拓扑结构。

(5)综合以上点(n+1)为 3 度的,4 度的、5 度的、…、(n-1)度的和 n 度的所有可能的拓扑结构图,即得标定的(n+1)阶最大平面图 $G_{M(n+1)}$ 的可能有的 $M_{(n+1)}$ 种拓扑结构图。

4 结语

为了获得任意阶的最大平面图 G_M的所有可能的拓扑结构,上文研讨了"递推的算法"。从该算法可以看到三点:

(1)算法运作的结果,某些拓扑结构会重复得到。这说明获得某一拓扑结构可以是"多渠道的"。

(2)算法运作的结果是包括了标定的(n+1)阶 $G_{M(n+1)}$ 所有可能的拓扑结构,不会遗漏的,因为运算的前提和基础是标定的 n 阶 G_{Mn}所有可能的拓扑结构是已知的。

(3)标定的(n+1)阶最大平面图 $G_{M(n+1)}$ 所有可能的拓扑结构的数目是多少,具有怎样的结构和特点,这是有待进一步探讨的问题。

根据"递推的算法",可以获得任意阶的所有可能的拓扑结构的最大平面图 G_M。由于是"递推的",可以将它们以"族谱"的形式,分类排列出来,有如附录所示。

附录：标定的最大平面图 G_M 的族谱

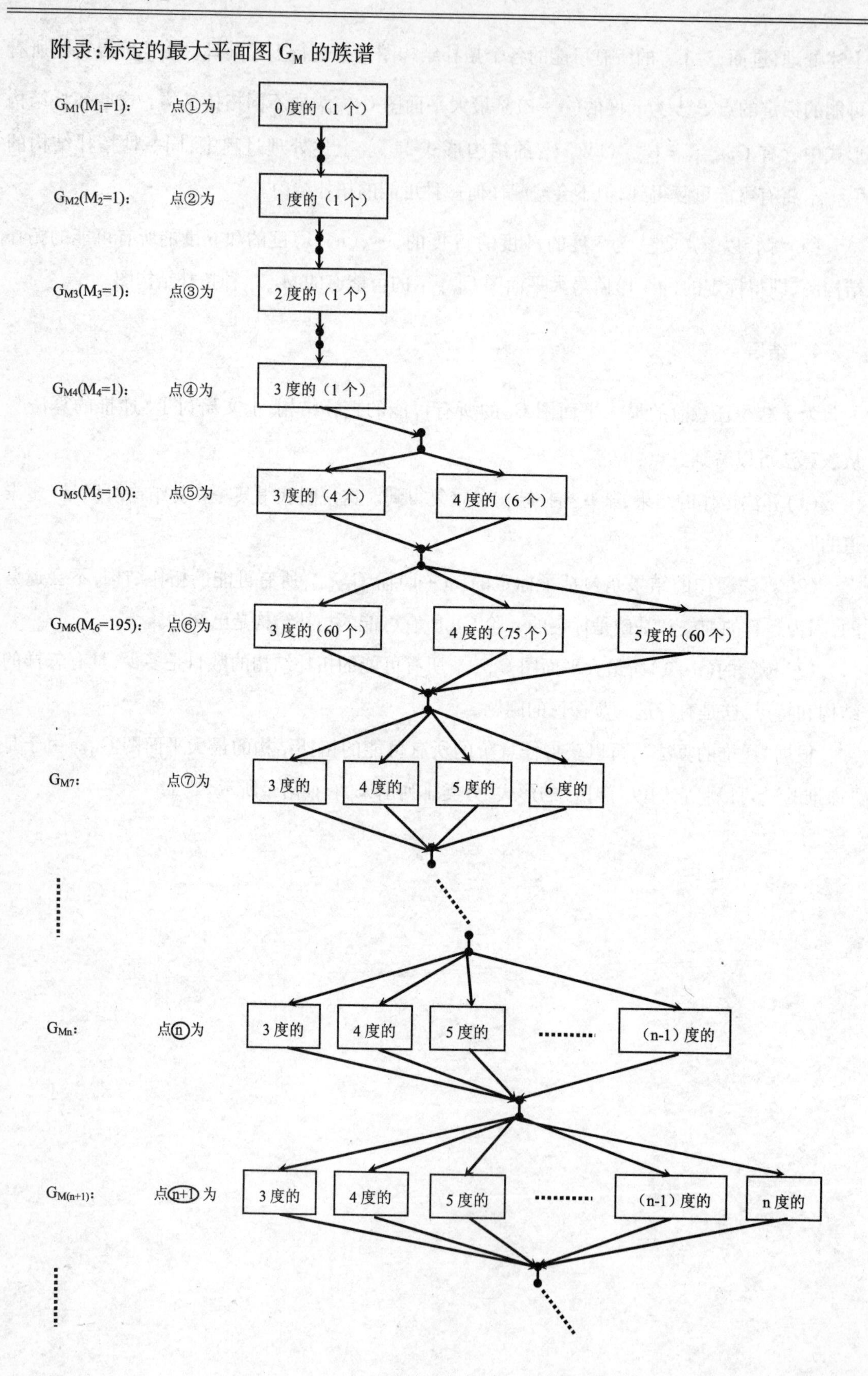

参考文献

[1]F. 哈拉里著. 图论[M]. 李慰萱,译. 上海:上海科学技术出版社,1980:119 - 134.
[2]冯纪先. 正则最大平面图[C]//第十二届电工理论学术讨论会论文集. 长沙:国防科技大学,1999:222 - 227.(见目录:1.01)
[3]冯纪先. 简单完整正则平面图[J]. 北京:数学的实践与认识,2005,35(1):106 - 111.(见目录:1.02)
[4]冯纪先. 最大外平面图和最大平面图的几个性质[C]//第十四届电工理论年会论文集. 郑州:郑州大学,2002:1 - 5.(见目录:1.03)
[5]冯纪先. 标定的最大外平面图 G_{MO} 的数目[J]. 福州:福建工程学院学报,2004,2(2):130 - 133.(见目录:1.09)

1.09　标定的最大外平面图 G_{MO} 的数目

【摘要】介绍了 n≥3,n 阶标定的具有不同拓扑结构的最大外平面图 G_{MO} 可能有的数目。论证并给出了它们的递推公式及两种直接表达式,并使用这些公式验算了低阶的 G_{MO} 的数目。

【关键词】标定图;最大外平面图;图的数目

The number of labeled maximal outerplanar graphs G_{MO}

Abstract: This paper analyses and explores the properties and constructions of n(n≥3) order labeled maximal outerplanar graphs(G_{MO}). Recursion formula and two direct representations of the numbers of labeled maximal outerplanar graphs are given. And the numbers of some low order labeled maximal outerplanar graphs are counted.

Keywords: labeled graph; maximal outerplanar graph; number of graphs

1　引言

n≥3,n 阶最大外平面图(Maximal Outerplanar Graph) G_{MO} 的 n 个点都在同一个区上,通常取这个区为外部区。最大外平面图 G_{MO} 是不能再加上边而不失去外平面性的,显然每个最大外平面图 G_{MO} 实为一个多边形(Polygon)的一种三角剖分(Triangulation)。这个多边形的周,就是 G_{MO} 中的一个圈 C_n,也就是外部区的周边,因而圈 C_n 内的所有区都为三角形(Triangle) K_3。

现以自然数 1、2、3、…、n,n≥3,按顺序给 n 阶 G_{MO} 的 n 个点标号,由此得标定的 n 阶最大外平图 G_{MO}。本文即介绍 n 阶标定的具有不同拓扑结构的最大外平面图 G_{MO} 可能有的数目的递推公式及其不同的直接表达式。

2　标定的最大外平面图 G_{MO} 的数目的递推公式[1]

n≥3,n 阶最大外平面图 G_{MO},点数为 n,边数为(2n－3),周边数(圈 C_n 上的边数)为 n,弦边数(圈 C_n 内的边数,也即对角线(diagonal)数)为(n－3),图的度数为(4n－6),圈度数(n 点在圈 C_n 上的度数之和)为 2n,内度数(n 点向圈 C_n 内的度数之和)为 2(n－3),内区数(圈 C_n 内的区数)为(n－2)[2]。标定的 n 阶最大外平面图 G_{MO} 的数目,也就是 G_{MO} 不同的三角剖分的数目,以 N_n 表示。

现以小圆圈表示点,小圆圈内的数字表示点的标号,则(n＋1)阶最大外平面图 G_{MO} 如图 1 及图 2 所示,只是圈 C_{n+1} 内的三角剖分并未具体作出。

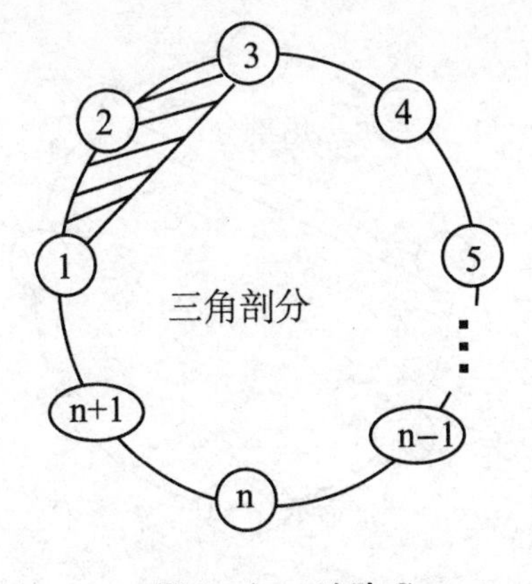

图1　(n+1)阶 G_{MO}

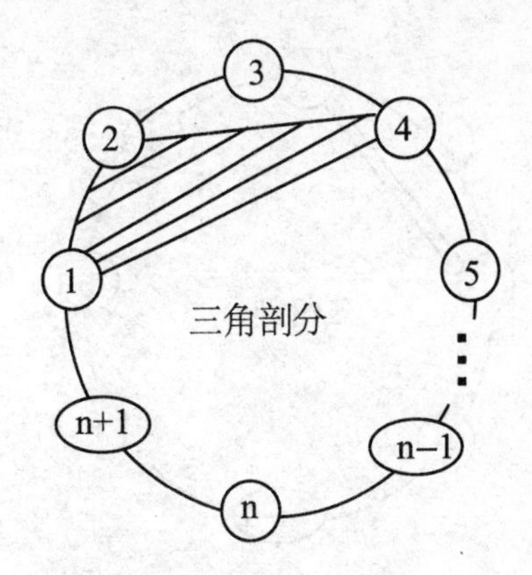

图2　(n+1)阶 G_{MO}

图1中，以①②边作为三角形△的底，点③取为△的顶，则得△①②③，以斜线表示。由此得将点②排除在外的 n 阶最大外平图 G_{MO}，其数目为 N_n。可以看到，其任何一种三角剖分的任何一条弦边均与点②无关。

图2中，仍以①②边作为△的底，△的顶则取点④，得△①②④，仍以斜线表示。△①②④将原(n+1)阶 G_{MO} 分隔成两个 G_{MO}，一个是△②③④，另一个是(n−1)阶 G_{MO}，其 C_{n-1} 为①④⑤…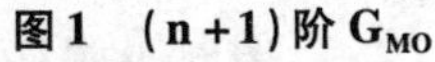①。两个 G_{MO} 的数目，各为 N_3 和 N_{n-1}。且各自的弦边与对方的弦边无关。因而△①②④与 N_3 中的一种三角剖分(当然，只有一个，即 $N_3=1$)以及 N_{n-1} 中的一种三角剖分组合成原(n+1)阶 G_{MO} 的一种三角剖分。故可共得 $N_3\cdot N_{n-1}$ 种三角剖分，且这 $N_3\cdot N_{n-1}$ 种三角剖分彼此不会重复，和前面所得的 N_n 种三角剖分也不会重复，因为此处点③被△①②④隔开，不可能与(n−1)阶 G_{MO} 中的点①、⑤、…、(n−1)、ⓝ、(n+1)之间有弦边存在。

以此类推，继续以①②边作为△的底，顶则顺次取点⑤、点⑥、…、点(n−1)、点ⓝ、点(n+1)，得相应的△①②⑤、△①②⑥、…、△①②(n−1)、△①②ⓝ、△①②(n+1)。它们分别将原(n+1)阶 G_{MO} 进行不同的分隔，而成不同的两个 G_{MO}(图略之)，相应地可获得原(n+1)阶 G_{MO} 的三角剖分的数目分别为 $N_4\cdot N_{n-2}$、$N_5\cdot N_{n-3}$、…、$N_{n-2}\cdot N_4$、$N_{n-1}\cdot N_3$、N_n。同样的理由，它们彼此之间不会出现重复的原(n+1)阶 G_{MO} 的三角剖分。

又，由于在以①②边作为△的底时，△的顶取遍了从点③到点(n+1)的(n−1)个点，因而不可能遗漏任何一种可能的(n+1)阶 G_{MO} 的三角剖分。

由此，在不重复、不遗漏的原则下，得

$$N_{n+1}=N_n+N_3N_{n-1}+N_4N_{n-2}+N_5N_{n-3}+\cdots+N_{n-3}N_5+N_{n-2}N_4+N_{n-1}N_3+N_n,\quad n\geqslant 3 \qquad (1)$$

(1)式中，等号右侧共(n−1)项，(1)式表达了 N_{n+1} 与 N_n、N_{n-1}、N_{n-2}、…、N_5、N_4、N_3 之间的关系。

若取②③边作为△的底，进行与上述同样的运算和推理，显然，将会同样地得到(1)式。可以想到，取 C_{n+1} 中任何一条周边作为△的底，均如此，都可得到(1)式，故(1)式就是结果。

现以另一方法考察 n 阶最大外平面图 G_{MO}。图3、图4即为 n 阶最大外平面图 G_{MO}，同样地，圈 C_n 内的三角剖分也未具体作出。

将点①作为基点，作弦边①③，为了醒目以双线表示，如图3所示。弦边①③将原 n 阶 G_{MO} 分割成两个 G_{MO}，一个是△①②③，另一个是(n−1)阶 G_{MO}，其 C_{n-1} 为①③④⑤…(n−1)ⓝ①。两个 G_{MO} 的三角剖分的数目各为 N_3 和 N_{n-1}，且各自的弦边与对方的弦边无关。因而对原 n 阶 G_{MO} 而言，共提供 $N_3\cdot N_{n-1}$ 个三角剖分，且彼此是不会重复的。

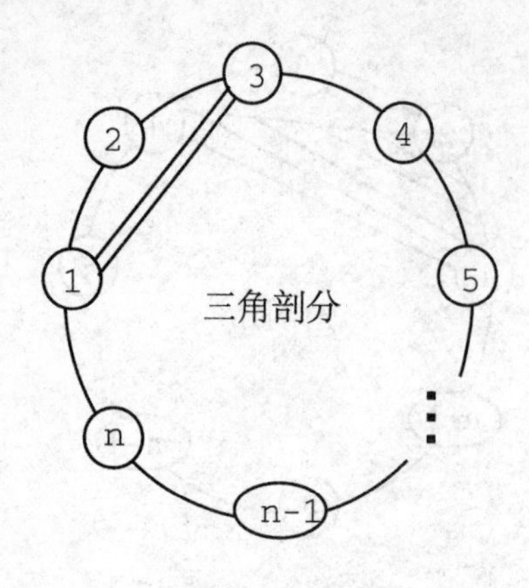

图3　n 阶 G_{MO}

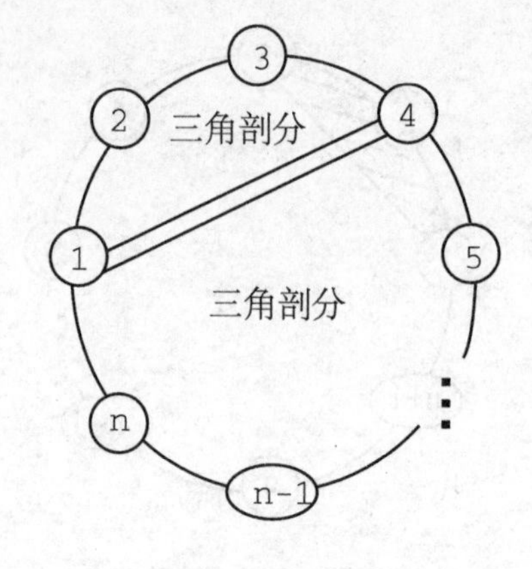

图4　n 阶 G_{MO}

仍将点①作为基点，作弦边①④，以双线表示，如图 4 所示。弦边①④将原 n 阶 G_{MO} 分割成两个 G_{MO}，一个是 4 阶 G_{MO}，其 C_4 为①②③④①，另一个是 $(n-2)$ 阶 G_{MO}，其 C_{n-2} 为①④⑤…(n-1)(n)①。两个 G_{MO} 的三角剖分的数目各为 N_4 和 N_{n-2}。且各自的弦边与对方的弦边无关。因而对原 n 阶 G_{MO} 共提供 $N_4 \cdot N_{n-2}$ 个三角剖分，彼此也是不重复的。但对比图 3 和图 4 可以看出，图 3 中是可以出现弦边①④的，而图 4 中又是可以出现弦边①③的，因而图 3 和图 4 就会出现 n 阶 G_{MO} 的同一种三角剖分。

继续将点①作为基点，顺次作弦边①⑤、①⑥、…、①(n-1)，则它们分别将原 n 阶 G_{MO} 进行不同的分割，而成不同的两个 G_{MO}（图略之），相应获得的原 n 阶 G_{MO} 的三角剖分的数目分别为 $N_5 \cdot N_{n-3}$、$N_6 \cdot N_{n-4}$、…、$N_{n-1} \cdot N_3$。将它们相加为 $N_3 \cdot N_{n-1} + N_4 \cdot N_{n-2} + N_5 \cdot N_{n-3} + N_6 \cdot N_{n-4} + \cdots + N_{n-1} \cdot N_3$，共 $(n-3)$ 项。显然 n 阶 G_{MO} 的同一种三角剖分在其中可能有多次重复。

以此类推，再分别以点②、点③、…、点(n)作为基点，进行同样的运算和推理（图略之），则 n 个基点总共给出了 $n(N_3 \cdot N_{n-1} + N_4 \cdot N_{n-2} + N_5 \cdot N_{n-3} + N_6 \cdot N_{n-4} + \cdots + N_{n-1} \cdot N_3)$ 个 n 阶 G_{MO} 的三角剖分，当然其中好多是重复的。但由于基点遍取了从①点到(n)点的 n 个点，因而不可能遗漏任何一种可能的 n 阶 G_{MO} 的三角剖分。

前已提及，n 阶 G_{MO} 的任何一种三角剖分，弦边数恒为 $(n-3)$。每一条弦边对两个端点各提供向圈 Cn 内的一个内度。因而 $(n-3)$ 条弦边总共提供 $2(n-3)$ 个内度[2]。记 n 阶 G_{MO} 的一种三角剖分中，$(n-3)$ 条弦边对 n 个点各提供的内度分别为 n_1、n_2、n_3、…、n_{n-1}、n_n，如图 5 所示，则

$$n_1 + n_2 + n_3 + \cdots + n_{n-1} + n_n = 2(n-3), \quad n \geqslant 3 \tag{2}$$

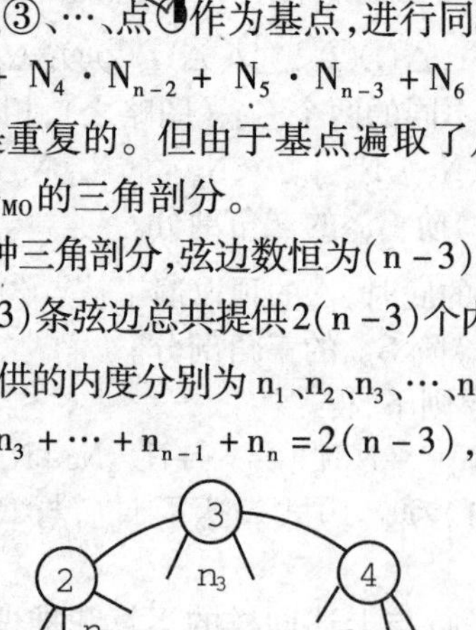

图5　n 阶 G_{MO}

每个点的一个内度，在该点作为基点时，将提供这种三角剖分出现一次。点①的 n_1 个内度，在点①作为基点时将提供这种三角剖分出现 n_1 次。点②、点③、…、点 $\textcircled{\scriptsize n-1}$、点 $\textcircled{\scriptsize n}$ 将在它们分别作为基点时提供这种三角剖分各出现 n_2 次、n_3 次、…、n_{n-1} 次、n_n 次。因而这一种三角剖分将总共出现 $2(n-3)$ 次。任何一种三角剖分均如此，故得

$$N_n = \frac{n(N_3 \cdot N_{n-1} + N_4 \cdot N_{n-2} + \cdots + N_{n-2} \cdot N_4 + N_{n-1} \cdot N_3)}{2(n-3)}, \qquad n \geqslant 3 \tag{3}$$

(3)式中，等号右侧分子的括号内共 $(n-3)$ 项，(3)式表达了 N_n 与 N_{n-1}、N_{n-2}、…、N_5、N_4、N_3 之间的关系。

联立(1)式与(3)式，消去 N_{n-1}、N_{n-2}、…、N_4、N_3，得

$$N_{n+1} - 2N_n = \frac{2n-6}{n} N_n,$$

即

$$N_{n+1} = \frac{4n-6}{n} N_n = \left(4 - \frac{6}{n}\right) N_n, \qquad n \geqslant 3 \tag{4}$$

(4)式表达了 N_{n+1} 与 N_n 之间的递推关系，且 $N_3 = 1$。由(4)式可以看到

$$N_{n+1} < 4\ N_n \tag{5}$$

(4)式可等价的以下式表达，即

$$N_n = \begin{cases} 1, & n = 3 \\ \dfrac{4(n-1)-6}{n-1} N_{n-1}, & n \geqslant 4 \end{cases} \tag{6}$$

也可表达为

$$N_n = \begin{cases} 1, & n = 3 \\ \dfrac{2(2n-5)}{n-1} N_{n-1}, & n \geqslant 4 \end{cases} \tag{7}$$

3 标定的 G_{MO} 的数目的第一种直接表达式[3]

根据(7)式可得 $N_3 = 1$（由 $n = 3$ 时的 G_{MO} 的拓扑结构所决定），由此得

$$N_4 = 2 \cdot \frac{2n-5}{n-1} \cdot N_3 = 2^{4-3} \cdot \frac{3}{3} \cdot 1;$$

$$N_5 = 2 \cdot \frac{2n-5}{n-1} \cdot N_4 = 2^{5-3} \cdot \frac{5}{4} \cdot \frac{3}{3} \cdot 1;$$

$$N_6 = 2 \cdot \frac{2n-5}{n-1} \cdot N_5 = 2^{6-3} \cdot \frac{7}{5} \cdot \frac{5}{4} \cdot \frac{3}{3} \cdot 1;$$

……

由上可见，(7)式可改写成直接表达式，即

$$N_n = \begin{cases} 1, & n = 3 \\ 2^{(n-3)} \cdot \dfrac{(2n-5) \cdot \cdots \cdot 7 \cdot 5 \cdot 3}{(n-1) \cdot \cdots \cdot 5 \cdot 4 \cdot 3}, & n \geqslant 4 \end{cases} \tag{8}$$

根据(7)式或(8) 式计算，均可得如下结果：

$$N_3 = 1、N_4 = 2、N_5 = 5、N_6 = 14、N_7 = 42、N_8 = 132、\cdots \tag{9}$$

4 标定的 G_{MO} 的数目的第二种直接表达式[4]

(8)式可改写成下式来表达，即

$$N_{n+1}=\frac{2^{n-2}\cdot(2n-3)\cdot(2n-5)\cdot\cdots\cdot7\cdot5\cdot3}{n\cdot(n-1)\cdot(n-2)\cdot\cdots\cdot5\cdot4\cdot3},\qquad n\geqslant3$$

由上式可以看到,2^{n-2}含有$(n-2)$个因子2,$n\cdot(n-1)\cdot(n-2)\cdot\cdots\cdot5\cdot4\cdot3$含有$(n-2)$个自然数的因子,$(2n-3)\cdot(2n-5)\cdot\cdots\cdot7\cdot5\cdot3$含有$(n-2)$个奇数的因子。

现将上式等号右侧的分子、分母均乘以2,得

$$N_{n+1}=\frac{2^{n-2}\cdot(2n-3)\cdot(2n-5)\cdot\cdots\cdot7\cdot5\cdot3\cdot2}{n\cdot(n-1)\cdot(n-2)\cdot\cdots\cdot5\cdot4\cdot3\cdot2},\qquad n\geqslant3$$

式中,$(n-1)\cdot(n-2)\cdot\cdots\cdot5\cdot4\cdot3\cdot2$含有$(n-2)$个自然数的因子。

再将上式等号右侧的分子、分母均乘以$(n-1)\cdot(n-2)\cdot\cdots\cdot5\cdot4\cdot3\cdot2$,得

$$N_{n+1}=\frac{2^{n-2}\cdot(2n-3)\cdot(2n-5)\cdot\cdots\cdot7\cdot5\cdot3\cdot2}{n\cdot(n-1)\cdot(n-2)\cdot\cdots\cdot5\cdot4\cdot3\cdot2}\cdot\frac{(n-1)\cdot(n-2)\cdot\cdots\cdot3\cdot2}{(n-1)\cdot(n-2)\cdot\cdots\cdot3\cdot2}$$

又将2^{n-2}中的$(n-2)$个2分别乘$(n-1)\cdot(n-2)\cdot\cdots\cdot5\cdot4\cdot3\cdot2$中的$(n-2)$个因子,得

$$2^{n-2}\cdot(n-1)\cdot(n-2)\cdot\cdots\cdot5\cdot4\cdot3\cdot2=(2n-2)\cdot(2n-4)\cdot\cdots\cdot10\cdot8\cdot6\cdot4$$

上式等号右侧为$(n-2)$个偶数的因子。将上式代入前式,再将偶数插入奇数中,即得标定的G_{MO}的数目的第二种直接表达式:

$$N_{n+1}=\frac{1}{n}\cdot\frac{(2n-2)!}{[(n-1)!]^2},\qquad n\geqslant3\tag{10}$$

按(10)式进行计算,同样得到如(9)式所表达的结果。

5 结语

上文在论证、导出G_{MO}的数目的递推公式时,引用了 Lamé 在文献[1]中的"三角剖分"的思想。两种直接表达式的导出,采用了分析、展开、归纳的方法,有异于文献[3]和文献[4]中的推导。也可能存在其他的求解方法,同时,也可能存在其他的表达形式。

参考文献

[1]Gabriel Lamé. (lettre), J. Math. Pures Appl., (1), 3(1838), pp. 505 - 507.

[2]冯纪先. 最大外平面图和最大平面图的几个性质[C]//第十四届电工理论年会论文集. 郑州:郑州大学,2002:1 - 5. (见目录:1.03)

[3]H. Whitney. A Theorem on Graphs[J]. Annals of Math., (Second Series), 1931, 32:378 - 390.

[4]卢开澄. 组合数学(第2版)[M]. 北京:清华大学出版社,1991.

1.10 图论中图的点数、区数和边数

【摘要】图论中的图表示“二元关系”,以拓扑图形来描述,点代表事物,边代表事物之间的联系。若图为平面图,则尚有第三个量,即区。把点、边和区这三个量视作变量,从图的“二元关系”的含义视边数为因变量,视点数和区数为自变量,“二元关系”即转化为函数关系。由此,图的某些特性即寓于函数之中。文中将一些图的不同的关系以相应的函数来表达,又以函数的几何图形(数列)来表示,并对它们的特性进行了分析和讨论。

【关键词】图的点数;图的区数;图的边数;关系;函数

Vertex number, region number and edge number of graph in graph theory

Abstract: The graph in graph theory represent " two element (binary) relation" with topologic structure. The vertex is thing, and the edge is relation between things. If graph is plane graph, then there is third value, region. In this paper, consider that vertex number and region number are independent variable, and consider that edge number is dependent variable. The different functions (number sequence) express graphs with different topologic structure. Their propertices are studied.

Keywords: vertex number of graph; region number of graph; edge number of graph; relation; function.

1 引言

客观世界的事物及事物间的联系可以用图论中的图(graph)来表示,即以顶点(vertex)表示事物,以边线(edge)表示联系。图可以用拓扑图形来表达,顶点可以点(point)来表达,边线可以线段(line segment)来表达。由于图论要表示的是“二元关系”,所以拓扑图形中,点的位置可以是任意的,线段也是可长、可短、可直、可曲,即也可以是任意的。一条边线联系两个顶点,这两个顶点称为这条边线的端点(endpoint),并称这条边线与这两个端点关联。所以图中任何一条边线总是关联着两个端点,没有两个端点的边线是不存在的。但,一个顶点可以不和任何边线关联,这样的点称为孤立点(isolated point),即图中可以存在没有与任何边线关联的孤立点。

由上可见,边是用来描述点之间的联系的,有了点才会有边,边是依随着点而存在的,因而边数与点数之间必然存在着某种函数关系,即点数可视作是自变量,边数可视作是因变量,因变量随着自变量的变化而变化,而不同的“二元关系”,相应地显现出不同的拓扑图形,也就是有着不同的函数关系。

本文所研究的图均指图中不含任何并边(parallel edge)和自环(selt loop)的简单图(simple

graph)。图的边数,用 e 来表示;图的点数,用 n 来表示;平面图的区数,用 r 来表示。

2　边数 e 与点数 n、区数 r 的函数关系

2.1　完全图 K_n

设图的点数(阶数)为 n,且任意两点均相邻,即任意两点之间都关联一条边,则此图称为完全图(complete graph)并以 K_n 表示。若完全图 K_n 的边数为 e_{Kn},则

$$e_{Kn}=\frac{1}{2}\cdot n\cdot(n-1),\qquad n\geqslant 1 \tag{1}$$

很容易得到,完全图的边数尚存在递推形式的表达式,即

$$e_{K(n+1)}=e_{Kn}+n,\qquad n\geqslant 1 \tag{2}$$

通过对(1)式或(2)式的计算,可用数据列表来表达函数关系如下:

e_{Kn}	0	1	3	6	10	15	21	28	36	45	55	66	……
n	1	2	3	4	5	6	7	8	9	10	11	12	……

从(1)式可看出,e_{Kn}与 n 是二次方的关系,函数值的增长较线性关系为快,也即随着点数 n 的增加,边数 e_{Kn}将"急剧"增加。又,(1)式所表达的边数 e_{Kn}实为简单图的边数的上限,即在 n 为一定值时,完全图的边数 e_{Kn}是所有简单图中的最多者。显然,若一图 G 的边数 $e>e_{Kn}=\frac{1}{2}\cdot n\cdot(n-1)$,那么可以肯定该图为非简单图,即该图中肯定含有并边或自环。n 为任何值时,完全图 K_n 均为连通图。当 $n<5$ 时,完全图 K_n 为平面图;当 $n\geqslant 5$ 时,完全图 K_n 为非平面图。

2.2　空图 K_0

点数 n 为零的图可称为空图(empty graph),以 K_0 表示[1]。显然空图 K_0 的边数 e_{K0}为零,即

$$e_{K0}=0,\qquad n=0 \tag{3}$$

空图可视作完全图的一个特例,即图内无点的完全图。若从"二元关系"来看,空图是无意义的,因为图的点集 V 不可能是空集 Φ。

2.3　平面图 G_{Pn}和最大平面图 G_{Mn}

可以嵌入平面的图,即该图的任意两条边除在顶点处相交外,其他各处都是不相交的图叫平面图(plane graph)G_{Pn}。连通的平面图 G_{Pn}的边数 e_{Pn}和点数 n 以及区数 r 有下述关系,即

$$e_{Pn}=n+r-2,\qquad n\geqslant 1,r\geqslant 1 \tag{4}$$

上式实为 Euler 公式。作为因变量的边数 e_{Pn}视作是作为自变量的点数 n 和区数 r 的函数,因而将 Euler 公式表示成如(4)式所示的写法。这是一个二变量函数,说明影响边数 e_{Pn}的有两个变量,即点数 n 和区数 r,且均为一次方的关系,即线性关系。又,从(4)式可看出,当边数 e_{Pn}给以一定值时,点数 n 多、区数 r 就少;区数 r 多、点数 n 就少。点和区处于一个对等的位置上。

注意,平面图可能是连通的,也可能是非连通的。只有连通的平面图才满足(4)式,非连通的平面图则否。

设点数为 n ,最大平面图(maximal plane graph) G_{Mn} 是一个平面图,对它不能再加入边而不失去平面性。若最大平面图 G_{Mn} 的边数为 e_{Mn},区数为 r_{Mn},则[2]

$$e_{Mn}=\begin{cases}0, & n=1\\ 1, & n=2\\ 3n-6, & n\geqslant 3\end{cases} \tag{5}$$

$$r_{Mn}=\begin{cases}1, & n=1\\ 1, & n=2\\ 2n-4, & n\geqslant 3\end{cases} \tag{6}$$

递推形式的边数表达式为

$$e_{M(n+1)}=e_{Mn}+3, \quad n\geqslant 3 \tag{7}$$

递推形式的区数表达式为

$$r_{M(n+1)}=r_{Mn}+2, \quad n\geqslant 3 \tag{8}$$

表达函数关系的数据列表如下:

e_{Mn}	0	1	3	6	9	12	15	18	21	24	27	30	…
r_{Mn}	1	1	2	4	6	8	10	12	14	16	18	20	…
n	1	2	3	4	5	6	7	8	9	10	11	12	…

最大平面图 G_{Mn} 的一个充要条件是它的所有的区均为三角形 K_3。由此,它的边数 e_{Mn} 和区数 r_{Mn} 有如下的约束关系,即

$$2e_{Mn}=3r_{Mn}, \quad n\geqslant 3 \tag{9}$$

最大平面图 G_{Mn} 是连通的平面图,满足(4)式。因此,由(4)式得

$$e_{Mn}=n+r_{Mn}-2, \quad n\geqslant 1 \tag{10}$$

联立(9)、(10)两式,并先后分别消去 r_{Mn} 和 e_{Mn},即得(5)式和(6)式。

对最大平面图 G_{Mn} 而言,由于有了约束关系(9)式,使得区数 r_{Mn} 失去了自变量的“身份”,而成为因变量。由(5)式和(6)式可见,边数 e_{Mn} 和区数 r_{Mn} 这两个因变量均是自变量点数 n 的线性函数。

根据最大平面图 G_{Mn} 的定义,平面图 G_{Pn} 的边数 e_{Pn} 和区数 r 在最大平面图 G_{Mn} 中达到最大值,即

$$e_{Pn}\leqslant e_{Mn}=3n-6, \quad n\geqslant 3 \tag{11}$$

$$r\leqslant r_{Mn}=2n-4, \quad n\geqslant 3 \tag{12}$$

最大平面图 G_{Mn} 成为 G_{Pn} 的上限,即在 n 为一定值时,边数 e 大于 e_{Mn} 的图肯定为非平面图,此时可能是连通图,也可能是非连通图。而最大平面图当然是连通图。另一方面,在 n 为一定值时,边数 e 小于 e_{Mn} 的图可能是平面图,也可能是非平面图;可能是连通图,也可能是非连通图。

此外,又可看到,当 $n<5$ 时 $e_{Mn}=e_{Kn}$,实际上 $G_{Mn}=K_n$,即 n=1、2、3、4 时,最大平面图与完全图是一样的[2]。

2.4 外平面图 G_{On} 和最大外平面图 G_{MOn}

可以嵌入平面,且所有顶点在同一个区(通常选外部区)的边界上的平面图称为外平面图(outerplane graph),以 G_{On} 表示。设外平面图 G_{On} 的点数为 n,边数为 e_{On},区数为 r_O,则有下述关系。

$$e_{On} = n + r_O - 2, \qquad n \geqslant 3, r_O \geqslant 2 \tag{13}$$

上式实际上也是 Euler 公式,因为按外平面图的定义,外平面图实为一种连通的平面图,因而适用 Euler 公式。又,(13)式应视为二变量函数,自变量有两个,即点数 n 和区数 r_O,且均为一次方的关系,即线性关系。

最大外平面图(maximal outerplane graph)G_{MOn} 是一个外平面图,对它不能再加入边而不失去外平面性。因而最大外平面图除外部区外,所有的内部区均为三角形 K_3,每一个最大外平面图实为一个多边形的一个三角剖分(triangulation)。若最大外平面图 G_{MOn} 的边数为 e_{MOn},区数为 r_{MOn},则[1]

$$e_{MOn} = 2n - 3, \qquad n \geqslant 3 \tag{14}$$

$$r_{MOn} = n - 1, \qquad n \geqslant 3 \tag{15}$$

注意,因为要形成外平面图,所以点数 n 至少为 3。

递推形式的边数表达式为

$$e_{MO(n+1)} = e_{MOn} + 2, \qquad n \geqslant 3 \tag{16}$$

递推形式的区数表达式为

$$r_{MO(n+1)} = r_{MOn} + 1, \qquad n \geqslant 3 \tag{17}$$

表达函数关系的数据列表如下

e_{MOn}	—	—	3	5	7	9	11	13	15	17	19	21	…
r_{MOn}	—	—	2	3	4	5	6	7	8	9	10	11	…
n	1	2	3	4	5	6	7	8	9	10	11	12	…

由上可见,外平面图 G_{On} 的边数 e_{On} 的最大值为 e_{MOn},区数 r_O 的最大值为 r_{MOn},即

$$e_{On} \leqslant e_{MOn} = 2n - 3, \qquad n \geqslant 3 \tag{18}$$

$$r_O \leqslant r_{MOn} = n - 1, \qquad n \geqslant 3 \tag{19}$$

最大外平面图 G_{MOn} 的边数及区数是外平面图 G_{On} 的上限,若超过了,那就不是外平面图了。

外平面图、最大外平面图是连通的图,但只是连通的平面图中的一种。

2.5 树 T_n

设图的点数为 n,连通的无圈图称为树(tree),以 T_n 表示。设树 T_n 的边数为 e_{Tn},区数为 r_{Tn},则

$$e_{Tn} = n - 1, \qquad n \geqslant 1 \tag{20}$$

$$r_{Tn} = 1, \qquad n \geqslant 1 \tag{21}$$

递推形式的边数表达式为

$$e_{T(n+1)} = e_{Tn} + 1, \qquad n \geqslant 1 \tag{22}$$

表达函数关系的数据列表如下

e_{Tn}	0	1	2	3	4	5	6	7	8	9	10	11	…
r_{Tn}	1	1	1	1	1	1	1	1	1	1	1	1	…
n	1	2	3	4	5	6	7	8	9	10	11	12	…

树 T_n 是平面图,是一种连通的平面图。树 T_n 的边数 e_{Tn}是连通的平面图 G_{Pn}的边数 e_{Pn}的下限,即若平面图 G_{Pn}的边数 $e_{Pn} < e_{Tn} = n-1$,则肯定该图为非连通的平面图。其实,树 T_n 的边数 e_{Tn}也是任意连通图 G 的边数 e 的下限,即若图 G 的边数 $e < e_{Tn} = n-1$,则该图肯定为非连通的。

2.6 零图 N_n 和零碎图 N_1

没有任何边的图可称为零图(null graph,有的文献将其译为“空图”),以 N_n 表示[3]。有的文献将零图称为“全不连通图”(totally disconnected graph),并以补图(complementary graph)的形式来表达,即 $N_n = \bar{K}_n$[1]。零图的拓扑图形实为 n 个孤立点(0 度点)。零图当然是非连通的,但可视作 n 个点的平面图。若零图 N_n 的边数为 e_{Nn},则

$$e_{Nn} = 0, \qquad n \geqslant 1 \tag{23}$$

作为零图的一个特例,点数 n 为 1 的零图可叫零碎图(trivial graph,有的文献将其译为“平凡图”),即 N_1,也可表示为 K_1。显然,零碎图的拓扑图形为一个孤立点(0 度点),且在(23)式中已表示其边数 $e_{N1} = 0$。

2.7 简单图的连通性

若 n 阶图 G 为简单图,当其边数时 $e > \frac{1}{2} \cdot (n-1)(n-2)$时,图 G 肯定为连通图[3]。现记:

$$e_{mn} = \frac{1}{2} \cdot (n-1)(n-2), \qquad n \geqslant 1 \tag{24}$$

表达函数关系的数据列表如下

e_{mn}	0	0	1	3	6	10	15	21	28	36	45	55	…
n	1	2	3	4	5	6	7	8	9	10	11	12	…

递推形式的边数 e_{mn}的表达式为

$$e_{m(n+1)} = e_{mn} + (n-1), \qquad n \geqslant 1 \tag{25}$$

又,由(1)式与(24)式可见

$$e_{Kn} - e_{mn} = n-1, \qquad n \geqslant 1 \tag{26}$$

3 边数之比

3.1 完全图与最大平面图的边数之比

由(1)式和(5)式可得

$$\frac{e_{Kn}}{e_{Mn}} = \frac{(\frac{1}{2}) \cdot n \cdot (n-1)}{3 \cdot (n-2)} = \frac{n(n-1)}{6(n-2)}, \qquad n \geqslant 3$$

由上式可见，当 $n\to\infty$ 时，$\frac{e_{Kn}}{e_{Mn}}\to\infty$

$$\text{当 } n\gg 3 \text{ 时，} \frac{e_{Kn}}{e_{Mn}}\approx\frac{n}{6} \tag{27}$$

又，因为 $(n-1)>(n-2)$，所以 $\frac{e_{Kn}}{e_{Mn}}>\frac{n}{6}$

3.2 完全图与最大外平面图的边数之比

由(1)式和(14)式可得

$$\frac{e_{Kn}}{e_{MOn}}=\frac{\left(\frac{1}{2}\right)\cdot n\cdot(n-1)}{2n-3}=\frac{n(n-1)}{4(n-1.5)},\qquad n\geqslant 3$$

由上式可见，当 $n\to\infty$ 时，$\frac{e_{Kn}}{e_{MOn}}\to\infty$

$$\text{当 } n\gg 3 \text{ 时，} \frac{e_{Kn}}{e_{MOn}}\approx\frac{n}{4} \tag{28}$$

又，因为 $(n-1)>(n-1.5)$，所以 $\frac{e_{Kn}}{e_{MOn}}>\frac{n}{4}$

3.3 完全图与树的边数之比

由(1)式和(20)式可得

$$\frac{e_{Kn}}{e_{Tn}}=\frac{\left(\frac{1}{2}\right)\cdot n\cdot(n-1)}{(n-1)}=\frac{n}{2},\qquad n>1 \tag{29}$$

3.4 最大平面图、最大外平面图和树的边数之比

对(27)式、(28)式和(29)式进行比例运算，得到最大平面图，最大外平面图和树的边数之比如下

$$\text{当 } n\gg 3 \text{ 时，} e_{Mn}:e_{MOn}:e_{Tn}\approx 3:2:1 \tag{30}$$

4 结语

以上归纳、总结了有特殊意义的不同拓扑结构的图的边数与点数及区数的函数关系，以及不同图的边数之间的比例关系。现将其函数关系及其特点，用图形和说明表示在图1中。

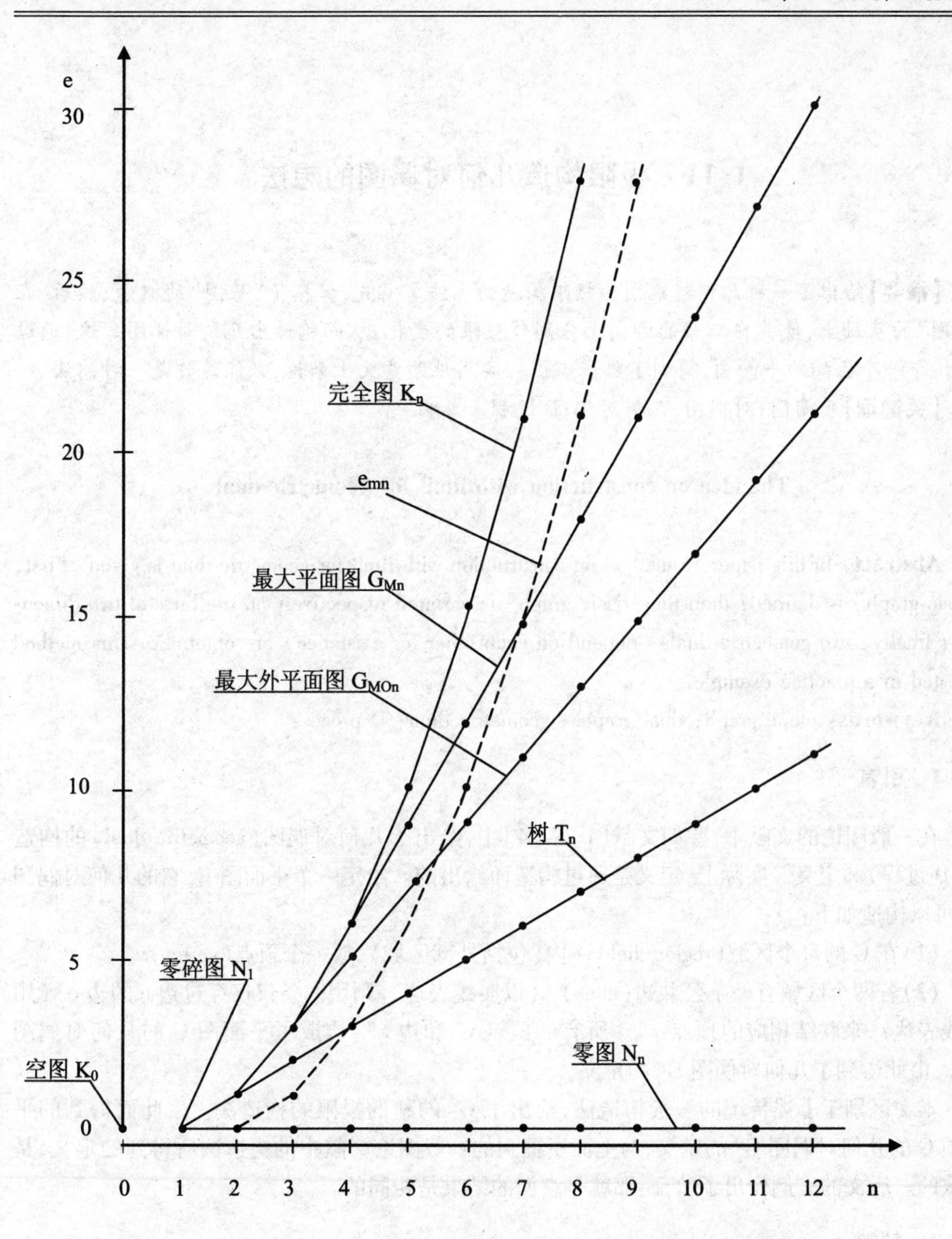

图1 简单图的边数 e 与点数 n 的函数关系

参考文献

[1]F.哈拉里著.图论[M].李慰萱,译.上海:上海科学技术出版社,1980:17,124,18.

[2]冯纪先,正则最大平面图[C]//第十二届电工理论学术讨论会论文集.长沙:国防科技大学,1999:222-227.(见目录:1.01)

[3]戴一奇,胡冠章,陈卫.图论与代数结构[M].北京:清华大学出版社,1995.

1.11 极限构造几何对偶图的想法

【摘要】给出了一种几何对偶图的极限构造的方法。首先,杜撰了“基图”的概念;然后,在“基图”的基础上,使其在二维的方向上分别作极限的变化,从而构造出几何对偶图。这,通过实例,即一个已知的平面图,得到了验证。但从实用性的意义上来说,只能算作是一种想法。

【关键词】平面图;对偶图;几何对偶;D 过程

The idea on construction with limit for geometric dual

Abstract: In this paper, a method on construction with limit for geometric dual is given. First, “basic graph” is defined; then the “basic graph” is variated respectively on the lines of two dimension; finally, two geometric duals (depend on each other for existence) are obtained. This method is tested in a practice example.

Keywords: plane graph; dual graphs; geometric dual; D process

1 引言

在一般图论的文献中,譬如文献[1]-[4]中,给出了几何对偶图(geometric dual)的构造法(D 过程)和定义。实际上,定义是通过构造而给出的。给定一个平面图 G,它的几何对偶图 G^* 可以构造如下:

(1)在 G 的每个区域(region、field)r 内(包括外部区域),放一个顶点(vertex)v^*。

(2)若两个区域有一条公共边(edge) e(以实线表达),则用一条仅仅穿过边 e 的边 e^*(用虚线表达),来联结相应的顶点 v^*。所有的顶点 v^* 和边 e^*,构成了平面图 G 的几何对偶图 G^*。由此得到了几何对偶图 G^* 的定义。

本文区别于上述传统的一般构造法,给出了 G^* 的新的极限的构造法。由此而得到的平面图 G 的几何对偶图 G^* 的定义,与上面所提到的一般图论文献中的构造法所得到的定义,是一致的。后文的实例作出了验证,那就是它们的结果是相同的。

2 基图

为了构造几何对偶图 G^*,本文首先杜撰一个“基图”G_B(英文拟用“basic graph”)的概念。从拓扑学的角度出发,设想一球面内存在一个、或两个、或三个、…、或多个“多边形”,“多边形”可以是一条边、或两条边、或三条边、…、或多条边。这些“多边形”是彼此相邻的,即有公共边。在这个球面内的“多边形”,分成三种。第一种“多边形”称为“边多边形”(英文拟用“edge's polygon”),且为四边形,其四条边分属两个对边,现以“A 对边”和“B 对边”表示,如图 1 所示。图中“A 对边”以实线表示,“B 对边”以虚线表示。

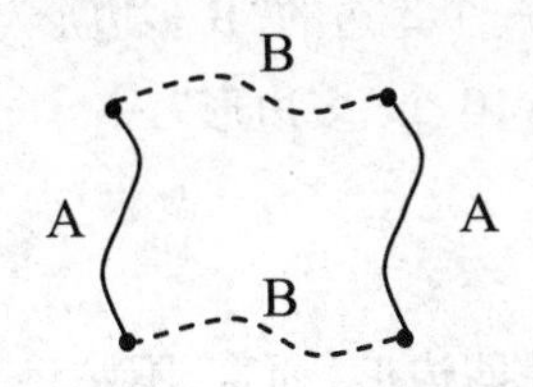

图1　“边多边形”

其他两种“多边形”，作如下之限制，即其中一种“多边形”的边仅由“边多边形”的“A对边”组成，称其为“A多边形”（实线）；另一种“多边形”的边仅由“边多边形”的“B对边”组成，称其为“B多边形”（虚线）。显然“A对边”和“B对边”不能同时存在于这儿的两种“多边形”的任一“多边形”中，即要么是实线多边形，要么是虚线多边形。如上所述的图即为“基图”G_B。

3　边多边形

对一个“边多边形”而言，它的一条B边，可以自身形成一个1边的“B多边形”，如图2所示。相应地，存在一个2边的“A多边形”，这2条A边是同属一个“边多边形”的对边。

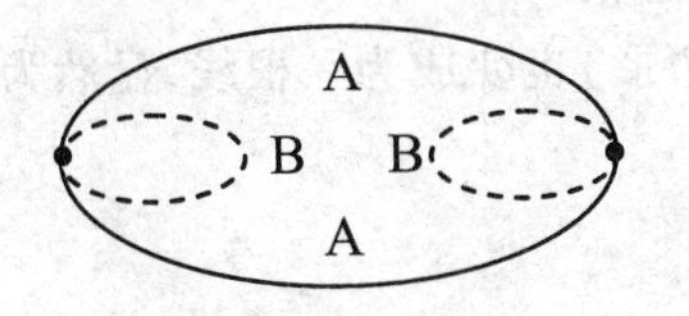

图2　“边多边形”

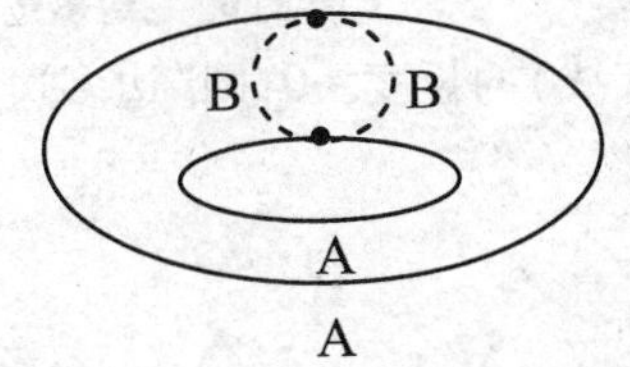

图3　“边多边形”

对一个“边多边形”而言，它的两条B边，也可组成一个2边的“B多边形”，如图3所示。相应地，存在两个1边的“A多边形”。

对一个“边多边形”而言，它的两条B边，可分别与其他的“边多边形”的B边组成一个多边的“B多边形”。而它的两条A边，又可分别与其他的“边多边形”的A边组成一个多边的“A多边形”。

一个“基图”G_B可有一个、或两个、…、或多个“边多边形”。作为在球面上的“基图”，可通过“测地投影”[1]（也称“测地变换”[2]，或称“球极平面投影”[3]），而成为无限平面上的图，其中一个多边形将成为外部的无限的多边形。图4即为一“基图”，该“基图”含四个“边多边形”（四边形），一个3边的“A多边形”，一个5边的“A多边形”（外部、无限），一个1边的“B多边形”，两个2边的“B多边形”，一个3边的“B多边形”，共10个“多边形”。

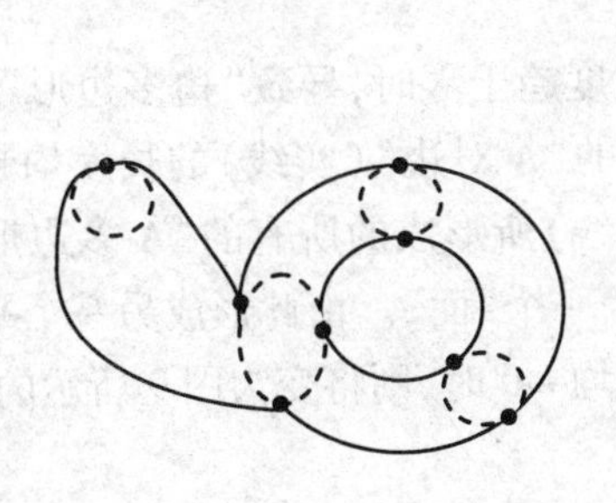

图4　“基图”

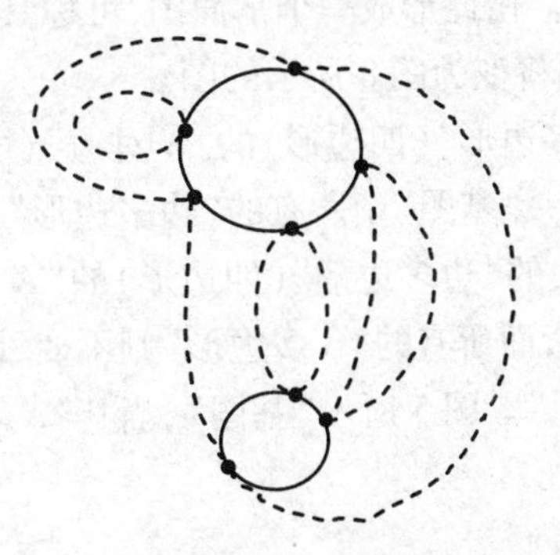

图5　“基图”

利用“测地投影”，可将图4中的一个3边的“B多边形”置于外部（无限），图4即变为图5所示，其拓扑结构并未改变，且仍然是10个“多边形”。

4 边多边形的极限变化

从拓扑学的角度，对“边多边形”（四边形）而言，不妨将其“A对边”视作为“长”，则“B对边”可称为“宽”，也可将“A对边”视作为“宽”，则“B对边”称为“长”。

现有一“边多边形”（四边形），当其“B对边”（虚线）的长度→0，则“边多边形”（四边形）就变成为一根线（line），且为实线，如图6所示。

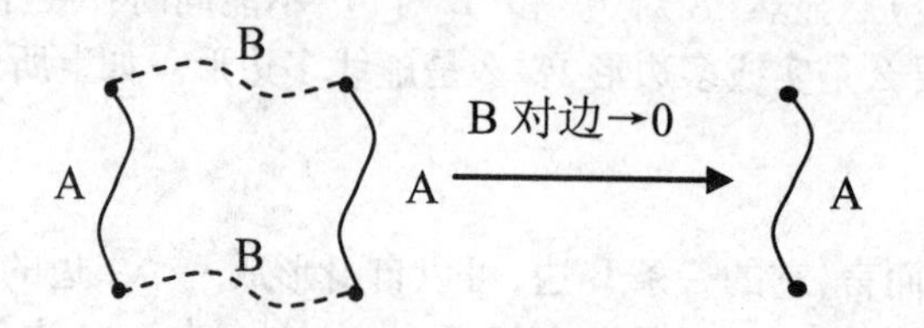

图6 “边多边形”的极限变化

若“A对边”（实线）的长度→0，则“边多边形”（四边形）也变成为一根线，显然为虚线，如图7所示。

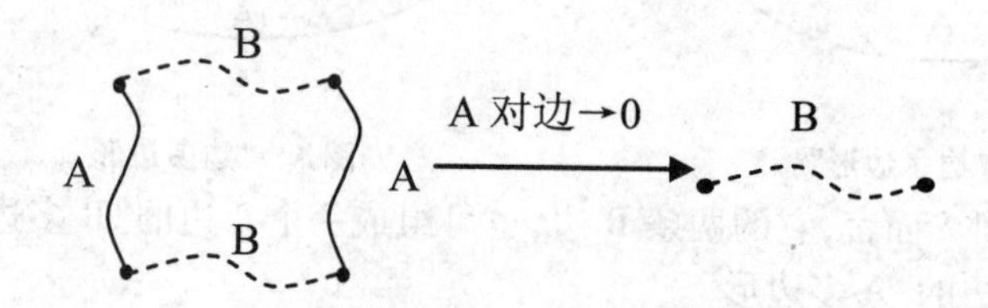

图7 “边多边形”的极限变化

5 构造几何对偶图 G^*

由上可见，当“边多边形”（四边形）的“B对边”（虚线）的长度趋于零时，导致“边多边形”变为一实线（长度是可变的）。如果一“基图” G_B 中所有的“边多边形”（四边形）的“B对边”（虚线）的长度均趋于零时，那么，由有关的“边多边形”（四边形）的“B对边”（虚线）所形成的所有的“B多边形”就都变成一个“点”（point）。而所有的“A多边形”则不变，即保持为一个“面”（face）。由此形成一个平面图，可称其为“A图”。图4所示“基图”，当其“B对边”长度均→0时，则将变为图8所示的图。

当“边多边形”（四边形）的“A对边”（实线）的长度趋于零时，导致“边多边形”变为一虚线。如果同一“基图”中所有的“边多边形”（四边形）的“A对边”（实线）的长度均趋于零时，那么，由有关的“边多边形”（四边形）的“A对边”（实线）所形成的所有的“A多边形”就均变成一个“点”，而所有的“B多边形”则不变，即仍保持为一个“面”。由此形成另一个平面图，可称其为“B图”。图5所示“基图”，当其“A对边”长度均→0时，则将变为图9所示的图。

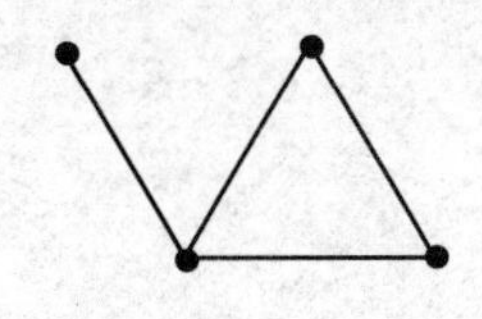

图 8 “A 图”

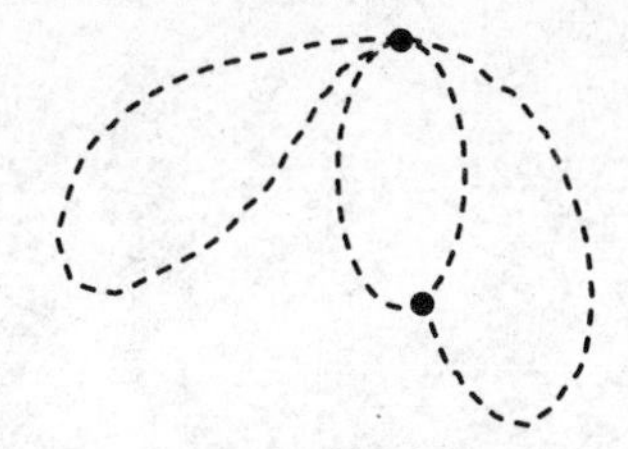

图 9 “B 图”

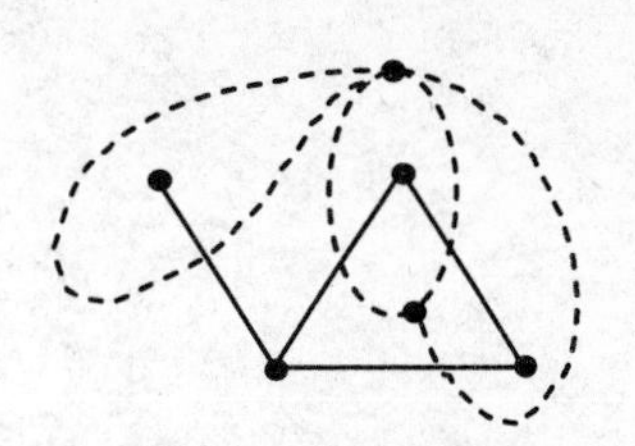

图 10 一对“几何对偶图”

由上所得的“A 图”与“B 图”即为一对“几何对偶图”,图 8 与图 9 即是。若“A 图”表示一平面图 G,则“B 图”即为 G 的几何对偶图 G^*;反之亦然。

若将图 8 与图 9 合在一起,即得图 10。图 10 即文献[3]中之图 11.13,这正是传统的几何对偶图的构造和定义的表达。这个例子也表明了本文基于极限变化的定义与传统的定义的等同和构造结果的一致。

6 结语

图论中的“顶点”总是以几何中三维趋于零的“点”来表示。图论中的“边”总是以几何中二维趋于零的“线”来表示。但,几何中的“点”和“线”是无法用笔在纸上画出来的。实际上,表达出来的“顶点”和“边”均是一维趋于零的“面”。面积再小,也是一个区域,不是一个“点”,或一条“线”。从图八和图九就可看出,“顶点”实为一面积很小的多边形,而“边”实为一细长的、面积也很小的四边形。

本文极限变化的几何对偶的定义,实际上就是从上述情况出发而提出来的。因而很易看出,为何从根本上来说本文基于极限变化的定义与传统的定义是一致的,但从实用意义上来说,只能算作是一种想法。

参考文献

[1]舒贤林,徐志才. 图论基础及应用[M]. 北京:北京邮电学院出版社,1988.

[2]戴一奇,胡冠章,陈卫. 图论与代数结构[M]. 北京:清华大学出版社,1995.

[3]F. 哈拉里著. 图论[M]. 李慰萱,译. 上海:上海科技出版社,1980.

[4]M. 卡波边柯,J. 莫鲁卓著. 图论的例和反例[M]. 聂祖安,译. 长沙:湖南科学技术出版社,1988.

Ⅱ 着色

Coloring

2.01 最大平面图着色的"移3度点法"

【摘要】分析了平面图、最大平面图的某些特性,由此提出了图着色的"移3度点法"及其算法,并以实例验证了该法的正确性和可用性,及其在解图着色问题时所起的作用。最后,讨论了应用该法的前提条件。

【关键词】平面图;最大平面图;图着色

The "method of removal 3 degree point" for Four - coloring in maximal planar graph

Abstract: On the basis of topological analysis to planar graph and maximal planar graph, this paper presents the "method of removal 3 degree point" for Four - coloring in maximal planar graph. Because a 3 degree point is removed, translate a maximal planar graph of n order into another maximal planar graph of (n - 1) order. The coloring of a maximal planar graph of n order is translated into coloring of another maximal planar graph of (n - 1) order. This method is a kind of "method of reduction of order". The coloring problem is simplified. In the paper, a practical example shows, this method is valid and feasible.

Keywords: planar graph; maximal planar graph; coloring of a graph

1 引言

1840年德国数学家A. F. Möbius提出了地图着色的"4色猜想",即若有共同边界的相邻国家着不同颜色时,任何地图最多只需要用4种颜色即可着色。1976年美国数学家K. Appel、W. Haken和J. Koch证明了"4色定理",即任何平面图都是4可着色的。如何对一平面图进行4色着色,即求出4色着色方案,就是进一步要解决的问题。本文试图对这个问题作一定的探索,寻找相应的解决方法。

最大平面图(Maximal Planar Graph)G_M是边数e最多的平面图。当$n \geqslant 3$时,其边数$e = 3n - 6$,式中n为点数,即图的阶数。又,最大平面图G_M也是区数r最多的平面图。当$n \geqslant 3$时,其区数$r = 2n - 4$,且每个区均为三角形K_3,这是最大平面图G_M的一个充分必要条件。当$n \geqslant 4$时,最大平面图G_M的点的最小度数为3。

任何n阶的一般平面图G,总可以通过添加一定数目的附加边,使边数$e = 3n - 6$,且使各个区均为K_3,区数$r = 2n - 4$,由此得到图G所对应的n阶的最大平面图G_M。G_M是G的一个含有所加附加边的最小的母图[1]。显然,由于添加不同的附加边,将会得到不同的最大平面图G_M。

现有4色a、b、c和d分别表示红、黄、蓝和绿。若对一最大平面图G_M给出一个4色着色方案,那么这个4色着色方案同样适合对应的图G,即也是图G的一个4色着色方案(当然,图G可能不止这一个4色着色方案),因而,本文研究对最大平面图G_M求4色着色方案。

一般来说,一个图G_M的阶数越高即点数越多,着色方案的求取就越复杂一些,越困难一些。我们移去图G_M中的某些点V_{11}、V_{12}、…、V_{1i},得图$G_{M1} = G_M - \{V_{11}、V_{12}、…、V_{1i}\}$,$G_{M1}$是$G_M$

的不含 V_{11}、V_{12}、…、V_{1i}的最大的子图[1]。若 G_{M1}的4色着色方案与 G_M 中相应点的4色着色方案一致,那么我们可先求出 G_{M1}的着色方案,继之再陆续对 V_{11}、V_{12}、……、V_{1i}进行着色,就能得到图 G_M 的一个4色着色方案,当然,这个解是所有解中的一个解。问题是,图 G_M 中可移去的 V_{11}、V_{12}、……、V_{1i}是哪些点呢?下面就探讨这个问题。

基于上述思想,通过对图 G_M 特性的分析,本文在此先提出第一种着色方法——"移3度点法",且以实例验证这个方法的正确性和可用性。其他着色方法将在另文中研讨。

2 定理

定理1 设 V_i 为一最大平面图 G_M 的一个3度点,那么 G_M 的子图 $G_{M1}(=G_M-\{V_i\})$,仍为一最大平面图。G_{M1}的一个4色着色方案,加上着与相邻的三个点的颜色相异的第4色的 V_i,也就是母图 G_M 的一个4色着色方案。

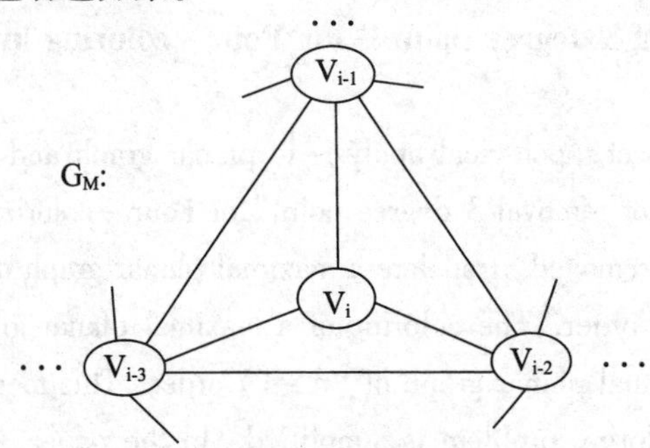

图1 最大平面图 G_M

证明:V_i 是 G_M 的3度点,则点 V_i 与三条边关联,与三个点 V_{i-1}、V_{i-2}和 V_{i-3}相邻。由于 G_M 是最大平面图,所以这三个点连成一个三点圈 C_3,如图1所示。这三个点互邻,故在 G_M 的一个4色着色方案中必各着一色(即被划分在三个点集中,且只有这一种划分),V_i 就必着第4色(即被划分在第四个点集中),可见这第4色是由前3色所决定的。

当把这个3度点 V_i 从母图最大平面图 G_M 中移去,得 $G_M-\{V_i\}=G_{M1}$。在子图 G_{M1}中,点 V_{i-1}、V_{i-2}和 V_{i-3}的三点圈 C_3 就成为三角形 K_3,可见 G_{M1}仍为最大平面图。在 G_{M1}的一个4色着色方案中,此三点也必各着一色(各在不同的点集中)。G_M 和 G_{M1},除点 V_i 外,其他部分拓扑结构不变,相应点的着色可以一致,因而将点 V_i 着与相邻三点不同的第四色后,即得母图 G_M 的一个4色着色方案。定理得证。

3 移去3度点的着色算法

(1)利用定理1,移去图 G_M 中所有的3度点,得图 $G_{M1}=G_M-\{G_M$ 的3度点$\}$。图 G_M 的3度点称为第1层次的3度点。再利用定理1,移去图 G_{M1}中所有的3度点,得图 $G_{M2}=G_{M1}-\{G_{M1}$的3度点$\}$。图 G_{M1}的3度点称为第2层次的3度点。

(2)以此类推,直至图 G_{Mm}中无3度点,$G_{Mm}=G_{M(m-1)}-\{G_{M(m-1)}$的3度点$\}$。图 $G_{M(m-1)}$的3度点称为第m层次的3度点。

(3)采用其他方法给图 G_{Mm}进行4色着色(另文中研讨),得图 G_{Mm}的一个4色着色方案。

(4)给图 $G_{M(m-1)}$的3度点一一着色。继之,给图 $G_{M(m-2)}$的3度点一一着色。

(5)以此类推,直至给图 G_M 的3度点一一着色。至此,即得图 G_M 的一个4色着色方案。

4 实例

图2所示为一个19阶星型最大平面图 $G_{M19.S}$,图中点以小圆圈表示,圈中数字为点的标号。此图即文献[2]中的图1星型平面图,现对其用"移3度点法"进行4色着色。

由图2可见,图 $G_{M19.S}$ 的点数 $n=19$,边数 $e=3n-6=51$,区数 $r=2n-4=34$,度数 $d=2e=102$,其点的邻接关系以邻接矩阵A表示。为了醒目,邻接矩阵A中对角线的元以×表示,元0未画出。因A有对称性,故A左下侧的元均略去。可以看到,为求取4色着色方案,以邻接矩阵来进行运作较为方便。

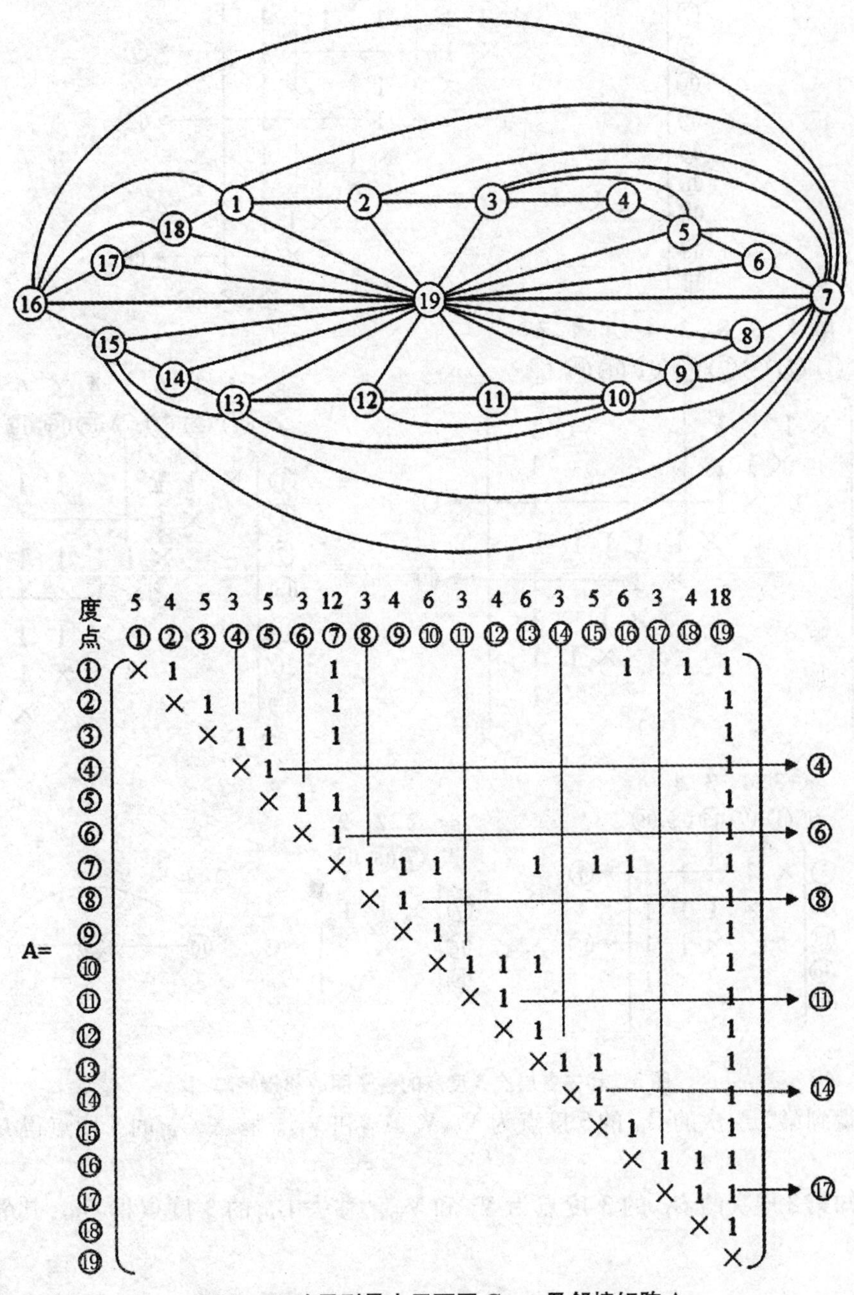

图2 19阶星型最大平面图 $G_{M19.S}$ 及邻接矩阵A

由于此处邻接矩阵 A 中第 i 列和第 i 行的元 1 的和即为点 V_i 的度，故由 A 很容易得到 $G_{M19.S}$的第 1 层次的 3 度点为 V_4、V_6、V_8、V_{11}、V_{14}和 V_{17}。移去 $G_{M19.S}$的 3 度点得 G_{M1}，其邻接矩阵为 A_1，如图 3 所示。

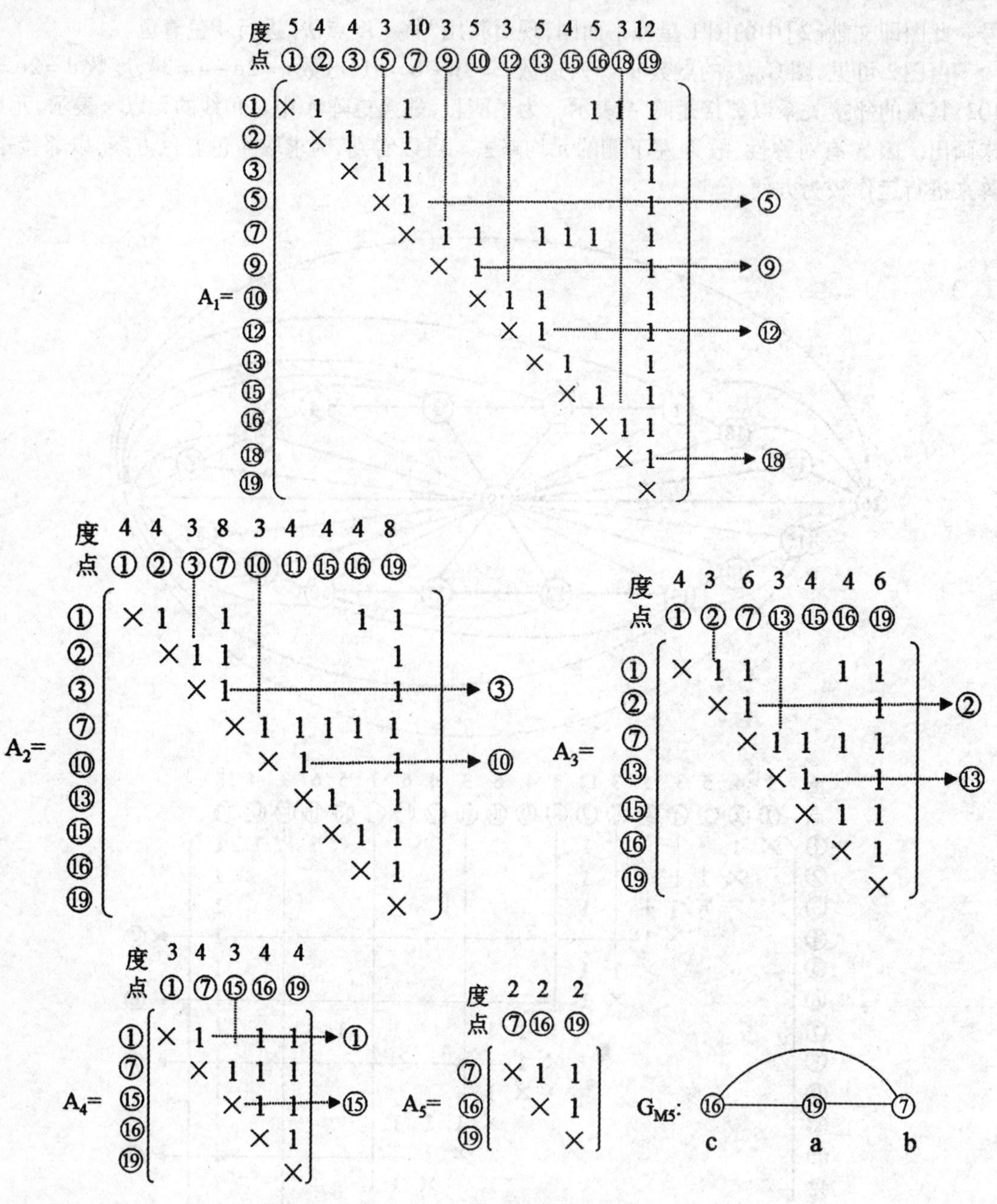

图 3　移去各层次 3 度点的各子图的邻接矩阵

由 A_1 得到第 2 层次的 G_{M1} 的 3 度点为 V_5、V_9、V_{12} 和 V_{18}。移去 G_{M1} 的 3 度点得 G_{M2}，其邻接矩阵为 A_2。

由 A_2 知第 3 层次的 G_{M2} 的 3 度点为 V_3 和 V_{10}。移去 G_{M2} 的 3 度点得 G_{M3}，其邻接矩阵为 A_3。

由A_3知第4层次的G_{M3}的3度点为V_2和V_{13}。移去G_{M3}的3度点得G_{M4}，其邻接矩阵为A_4。

由A_4知第5层次的G_{M4}的3度点为V_1和V_{15}。移去G_{M4}的3度点得G_{M5}，其邻接矩阵为A_5。图G_{M5}如图3所示，由图可见，G_{M5}实为一个$K_3(V_{19}、V_7、V_{16})$。

下面对图着色。

首先给$K_3(V_{19}、V_7、V_{16})$着色，三个点分别着三色，任选V_{19}为a，V_7为b，V_{16}为c。

次之，根据定理1，由A_4知，V_1必着d色，V_{15}也必着d色。

继之，由A_3得V_2为c，V_{13}也为c；由A_2可得V_3为d，V_{10}为d；由A_1可得V_5为c，V_9为c，而V_{12}为b，V_{18}为b。

最后，由A可得V_4为b，V_6为d，V_8为d，V_{11}为c，V_{14}为b，V_{17}为d。

由此得到19阶星型最大平面图$G_{M19.S}$的一个4色着色方案，用表1表示，其结果与文献[2]中的表1相同。

表1　图$G_{M19.S}$的4色着色方案

点号	1	2	3	4	5	6	7	8	9	10	11	12	13	14	15	16	17	18	19
颜色	d	c	d	b	c	d	b	d	c	d	c	b	c	b	d	c	d	b	a

这个4色着色方案，实际上是将图2中图$G_{M19.S}$的点划分为4个点集，即

{19}；{4、7、12、14、18}；{2、5、9、11、13、16}；{1、3、6、8、10、15、17}。

由着色过程可看出，该4色着色方案是唯一的，即图$G_{M19.S}$是唯一4可着色的，也就是点集的划分是唯一的。

由"降阶"过程可以看到，图2所示的$G_{M19.S}$的各层次的子图，均存在3度点，故可一直使用"移3度点法"。这就可以推断，图2所示的G_M的拓扑结构，是在一个三角形K_3的基础上，多层次地不断加入3度点而得到的。因此，以这样的方式而形成的G_M，肯定可以只用"移3度点法"即可得到它的四色着色方案，而且是唯一的。这是图2所示的G_M的特点。

图2所示的G_M，是19阶的，星型的最大平面图，记为$G_{M19.S}$，它的点数(阶数)$n=19$。点⑲的度数为$(n-1)=18$，故呈星型辐射状。若将母图$G_{M19.S}$移去点⑲，则得一子图G_{MO18}($=G_{M19.S}-\{⑲\}$)。该子图G_{MO18}实为一个18阶的最大外平面图。大家知道，最大外平面图是唯一3可着色的，这就导致母图$G_{M19.S}$为唯一4可着色的了。

5　结语

"移3度点法"是通过多层次地移去3度点，直至无3度点，来简化原图的拓扑结构，所以是一种"降阶"的方法。"移3度点法"能解决一些最大平面图的着色问题，譬如像本文中所示的实例。对一般的最大平面图，"移3度点法"并不一定能完全地解决图的所有点的着色。显然，"移3度点法"不能用来解决无3度点的最大平面图的着色问题。但移去了3度点就降低了原图的阶，减少了原图的点数，图的拓扑结构就简单了，着色问题也就容易解决，至少为完全地解决整个图的着色提供了方便。所以在解决任何着色问题时，一开始就充分地利用"移3度点法"必定是大为有益的。此外，从文中可看出，算法在运行时利用邻接矩阵将是非常有效的。

参考文献

[1]F.哈拉里(Harary)著.图论(Graph Theory)[M].李慰萱,译.上海:上海科学技术出版社,1980:9-14.

[2]吕玉琴. 星型平面图的特点和色数[C]//中国电子学会电路与系统分会第十三届年会论文集.重庆:重庆邮电学院,1996:232-235.

2.02 最大平面图着色的“移4度点法”

【摘要】在对平面图和最大平面图的特性进行分析、探讨的基础上,论证并给出了图着色的“移4度点法”及其算法,且通过实例,演示了使用该方法的过程和着色结果,验证了该法的正确性和有效性。最后,说明了充分利用“降阶法”(“移3度点法”和“移4度点法”)对图着色问题的求解是非常有利的。某些着色问题,利用“降阶法”有可能得到答案(如实例);对另一些着色问题,在利用其他方法解出着色问题之前,一开始充分地利用“降阶法”降价,将是大大有益的,很有必要的。

【关键词】最大平面图;图着色;二色子图;二色交换

The“method of removal 4 degree point” for Four – coloring in maximal planar graph

Abstract: On the basis of topological analysis to planar graph and maximal planar graph, this paper presents the“method of removal 4 degree point”for Four – coloring in maximal planar graph. With a additional edge, though a 4 degree point is removed, translate a maximal planar graph of n order into another maximal planar graph of (n – 1) order. The coloring of a maximal planar graph of n order is translated into coloring of another maximal planar graph of (n – 1) order,“Two – color subgraph”and“Two – color interchange”are used sometimes. This method is a kind of“method of reduction of order”. The coloring problem is simplified. In the paper, a practical example shows, this method is valid and feasible.

Keywords: maximal planar graph; coloring of a graph; Two – color subgraph; Two – color interchange

1 引言

美国数学家 K. Appel 和 W. Haken 等于 1976 年证明了“四色定理”,即任何平面图都是4可着色的。为了对平面图进行4色着色,求解出图的4色着色方案,论文《最大平面图着色的“移3度点法”》[1]中论证并提出了图着色的“移3度点法”。本文在进一步对平面图和最大平面图的某些特性进行分析的基础上,论证并提出了图着色的“移4度点法”。

当点数 $n \geq 3$ 时,最大平面图的边数 $e = 3n - 6$。对一定点数 n 而言,最大平面图是边数 e 最多的平面图。图的边数越多,着色时点与点之间的约束就越多,因而本文针对最大平面图来研究图着色问题。任何 n 阶(n 个点)的一般平面图 G,总可以通过添加一定数目的附加边,使边数 $e = 3n - 6$,且使各区均为 K_3,区数 $r = 2n - 4$,由此得到图 G 所对应的 n 阶的最大平面图 G_M, G_M 即为 G 的一个含有所加附加边的最小母图[2]。显然,图 G_M 的一个4色着色方案,也就是对应的图 G 的一个4色着色方案,当然这个4色着色方案只是许多解中的一个解。文中以 a、b、c 和 d 表示4种颜色,即分别为红色、黄色、蓝色和绿色。

图 G_M 的阶数越高,着色方案的求取就越复杂越困难一些。移去图 G_M 中的某些点,得降

阶的子图 G_1，G_1 是 G_M 的不含移去的点的最大子图[2]。如果图 G_M 的着色与子图 G_1 的着色及移去的点的着色之间有着一定的关系，那么我们可以先给子图 G_1 着色，再给移去的点一一着色，同时考虑到它们之间的关系，某些点作适当的变色，由此得到图 G_M 的着色方案，这就是本文和文献[1]的基本思想。

2 定义和定理

定义1 在图 G 的一个着色方案中，分别着 a 色与 b 色的点以及它们之间的边所构成的子图称为图 G 的 ab 二色子图，用 G_{ab} 表示。显然，图 G_{ab} 的连通支数 $k(G_{ab}) \geqslant 1$。

定理1 设 V_0 为一最大平面图 G_M 的4度点，移去 V_0 得子图 $G_1(=G_M-\{V_0\})$。若子图 G_1 是4可着色的，那么母图 G_M 也是4可着色的。

证明：V_0 是4度点，则与四条边关联，与四个点 V_1、V_2、V_3 和 V_4 相邻。由于 G_M 是最大平面图，所以这四个点连成一个四点圈 C_4，如图1所示。

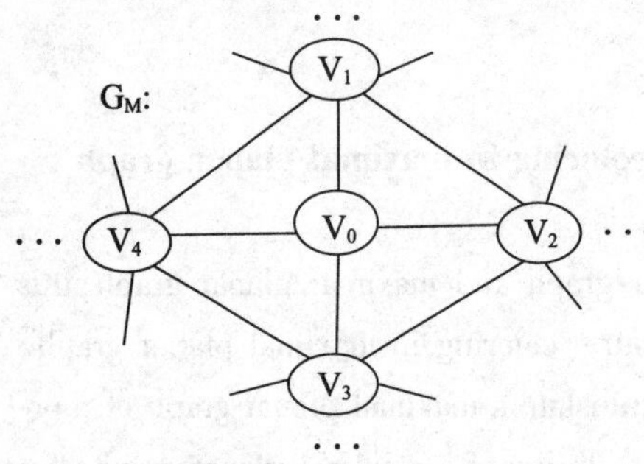

图1 最大平面图 G_M

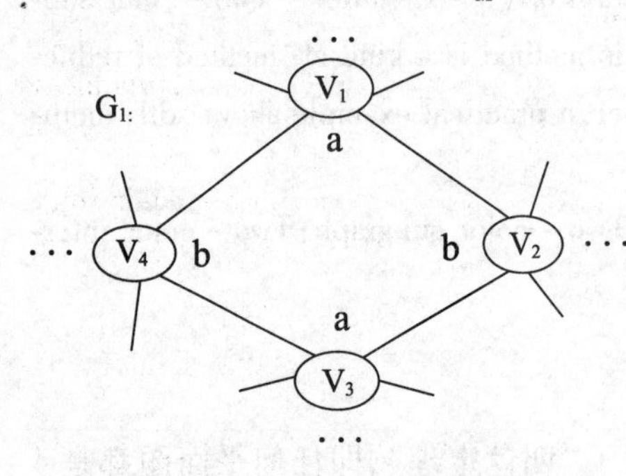

图2 已着色的子图 G_1

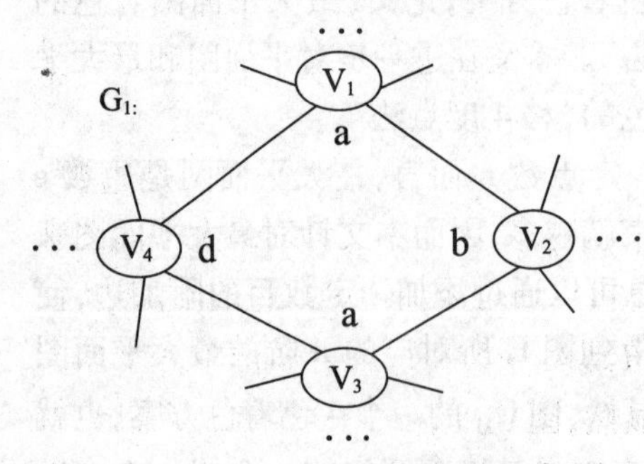

图3 已着色的子图 G_1

在子图 G_1 的4色着色方案中，V_1、V_2、V_3 和 V_4 四点的着色有下述四种情况，那么在母图 G_M 中 V_0 将按不同的情况着色，现分述如下：

（1）G_1 中 C_4 的四点均着同色，譬如均着 a 色，则在 G_M 中 V_0 可着余下的三色 b、c、d 中的任一色。但，这儿 V_1、V_2、V_3 和 V_4 四点形成圈 C_4，故不存在四点均着同色的情况。

（2）G_1 中 C_4 的四点共着两色。显然此时圈 C_4 的对顶点将着同色，譬如 V_1、V_3 着 a 色，V_2、V_4 着 b 色，如图2所示。那么在 G_M 中，V_0 可着余下的二色 c、d 中的任一色。

（3）G_1 中 C_4 的四点共着三色。显然此时圈 C_4 中的一对对顶点将着同色，譬如 V_1、V_3 均着 a 色，而 V_2 着 b 色，V_4 着 d 色，如图3所示。那么在 G_M 中，V_0 可着余下的 c 色。

（4）G_1 中 C_4 的四点共着四色，即四点各着一色，譬如 V_1、V_2、V_3 和 V_4 分别各着 a 色、b 色、c 色和 d 色，如图4所示。此时 a、c 二色可形成 G_1 的二色子图 G_{1ac}；b、d 二色可形成 G_1 的二色子图 G_{1bd}。由于 G_1 是平面图，所以若 V_1 和 V_3 在 G_{1ac} 的同一个连通支中，那么 V_2 和 V_4 就不可能在 G_{1bd} 的同一个连通支中；或者，若 V_2 和 V_4 在 G_{1bd} 的同一个连通支中，V_1 和 V_3 就不可能在 G_{1ac} 的同一个连通支中，也即 G_1 中圈 C_4 的两对对顶点不可能同时均在 G_1 的两个二色子图的同一个连通支中，至少有一对对顶点是分属同一个二色子图的不同连通支。比方说，V_1、和 V_3 分属 G_{1ac} 的不同连通支。此时，若将 V_3 所在的连通支中的所有各点 ac 换色，即将 a 色点换成 c 色，c 色点换成 a 色，所得着色方案仍为 G_1 的一个4色着色方案。由于 V_3 已为 a 色，

那么在 G_M 中，V_0 可着 c 色。这儿，通过“二色交换”，使 G_1 中 C_4 的四点共着三色。

综上所述，在 G_1 的任一4色着色方案的基础上，根据不同情况给 V_0 着色，总可得到 G_M 的一个4色着色方案。定理得证。

由上可见，证明方法是构造性的，即不仅证明了定理是正确的，同时也给出了解决问题的方法，即给出了4度点 V_0 的着色方法。

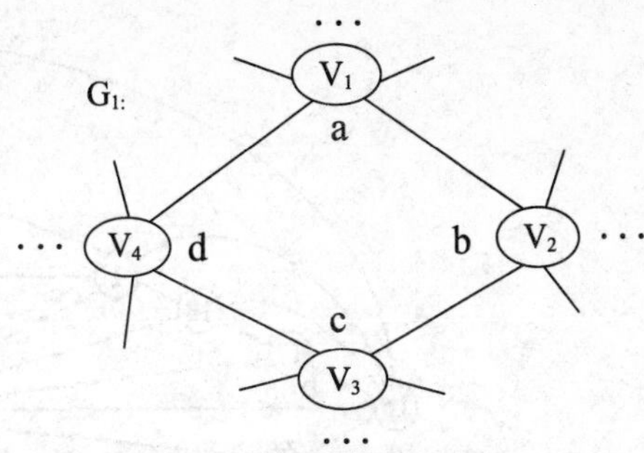

图4　已着色的子图 G_1

3　移去4度点的着色算法

(1)利用定理1，移去图 G_M 中所有的4度点(点集)，得图 $G_1 = G_M - \{G_M$ 的4度点$\}$。图 G_M 的4度点称为第1层次的4度点。移去点集意即相继移去点集的各点。再利用定理1，移去图 G_1 中所有的4度点，得图 $G_2 = G_1 - \{G_1$ 的4度点$\}$。图 G_1 的4度点称为第2层次的4度点。

(2)以此类推，直至图 G_m 中无4度点，$G_m = G_{(m-1)} - \{G_{(m-1)}$ 的4度点$\}$。图 $G_{(m-1)}$ 的4度点称为第m层次的4度点。

(3)采用其他适当的方法对图 G_m 进行4色着色(另文中研讨)，得图 G_m 的一个4色着色方案。

(4)先按定理1构造性证明中的方法，相继给图 $G_{(m-1)}$ 的4度点一一着色，此时可能有某二色子图的某连通支的换色运作。继之，再按定理1构造性证明中的方法，相继给图 $G_{(m-2)}$ 的4度点一一着色，此时也可能有某些二色子图的某连通支的换色运作。

(5)以此类推，直至相继给图 G_M 的4度点一一着色，至此即得图 G_M 的一个4色着色方案。

4　实例

图5所示为一最大平面图 G_M，图中点以小圆圈表示，圈中数字为点的标号。此图即文献[3]中的图1星型平面图，也即文献[1]中的图2，现对其用“移4度点法”进行4色着色。

由图5可见，图 G_M 的点数 $n = 19$，边数 $e = 51$，区数 $r = 34$，度数 $d = 102$，其邻接矩阵以 A 表示。为了醒目，A 中对角线上的元以 × 表示，元0未画出，A 左下侧的元均略去。

由于这儿 A 中第 i 列和第 i 行的元1的和即为点 V_i 的度，故由 A 极易得到第1层次的4度点为 V_2、V_9、V_{12} 和 V_{18}，共四个。移去第1层次的4度点后，得第2层次的4度点为 V_3 和 V_{10}，共两个。再移去第2层次的4度点后，得第3层次的4度点为 V_5 和 V_{13}，共两个……

为了节省篇幅，设 G_m 的一个4色着色方案已求得，随之不低于第2层次的各层次的4度点，均已按定理1构造性证明中的方法着色，即已得 G_1 的一个4色着色方案，如表1所示。为了运作的方便，将表1中着有 a、b、c 和 d 不同四色的图 G_1 的相应点的颜色，标注在图5中。

表1　图 G_1 的一个4色着色方案

点号	1		3	4	5	6	7	8		10	11		13	14	15	16	17		19
颜色	c		c	b	d	c	b	d		c	d		d	b	c	d	b		a

此时，四个点集的划分为：

a：{19}；b：{4、7、14、17}；c：{1、3、6、10、15}；d：{5、8、11、13、16}。

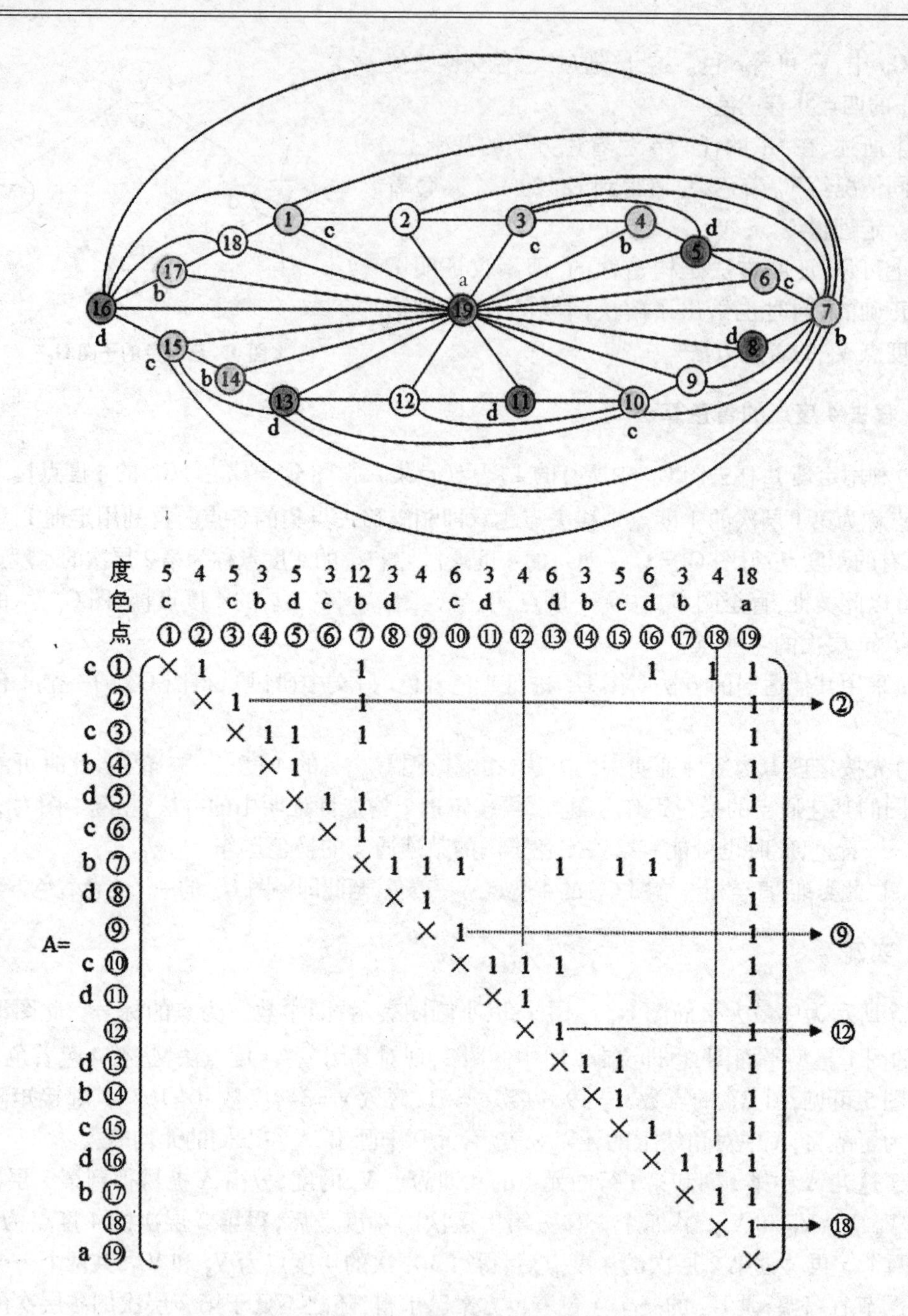

图5　19 阶星型最大平面图及邻接矩阵

下面按顺序给 V_2、V_9、V_{12} 和 V_{18} 着色。

1) G_M 中与 V_2 相邻的四个点为 V_1、V_3、V_7 和 V_{19}，在 G_1 中已分别着 c、c、b 和 a 色。按定理 1 构造性证明中的方法，显然 V_2 可着 d 色，以表 2 表示。

表 2　V_2 着色后的着色方案

点号	1	2	3	4	5	6	7	8		10	11		13	14	15	16	17		19
颜色	c	d	c	b	d	c	b	d		c	d		d	b	c	d	b		a

此时，四个点集的划分为：

a:{19};b:{4、7、14、17};c:{1、3、6、10、15};d:{2、5、8、11、13、16}。

2）G_M、中与 V_9 相邻的四个点为 V_7、V_8、V_{10} 和 V_{19}，现分别着 b、d、c 和 a 色。由图5可见，V_7 和 V_{19} 同属 ab 二色子图的同一连通支；而 V_8 和 V_{10} 分属 cd 二色子图的不同连通支。按定理1构造性证明中的方法，将 V_8 的 d 色换成 c 色，此时 V_9 即可着 d 色，以表3表示，其他点不用换色。

表3　V_9 着色后的着色方案

点号	1	2	3	4	5	6	7	8	9	10	11		13	14	15	16	17		19
颜色	c	d	c	b	d	c	b	c	d	c	d		d	b	c	d	b		a

此时，四个点集的划分为：

a:{19};b:{4、7、14、17};c:{1、3、6、8、10、15};d:{2、5、9、11、13、16}。

3）G_M 中与 V_{12} 相邻的四个点为 V_{10}、V_{11}、V_{13} 和 V_{19}，现分别着 c、d、d 和 a 色。按定理1构造性证明中的方法，V_{12} 可着 b 色，以表4表示。

表4　V_{12} 着色后的着色方案

点号	1	2	3	4	5	6	7	8	9	10	11	12	13	14	15	16	17		19
颜色	c	d	c	b	d	c	b	c	d	c	d	b	d	b	c	d	b		a

此时，四个点集的划分为：

a:{19};b:{4、7、12、14、17};c:{1、3、6、8、10、15};d:{2、5、9、11、13、16}。

4）G_M 中与 V_{18} 相邻的四个点为 V_{16}、V_{17}、V_{19} 和 V_1，现分别着 d、b、a 和 c 色。由图5可见，V_{16}、V_{19} 同属 ad 二色子图的同一连通支；而 V_{17}、V_1 分属 bc 二色子图的不同连通支。与 V_1 同属 bc 二色子图的同一连通支的点有 V_7、V_6、V_3、V_4、V_8、V_{10}、V_{12}、V_{15}、V_{14}。按定理1构造性证明中的方法，将 V_1 以及与 V_1 同属 bc 二色子图的同一连通支的所有点作 bc 换色。因而 V_1 从 c 色换成 b 色，此时 V_{18} 即可着 c 色。结果以表5表示，这也就是 G_M 的一个4色着色方案。

表5　V_{18} 着色后的着色方案（图 G_M 的4色着色方案）

点号	1	2	3	4	5	6	7	8	9	10	11	12	13	14	15	16	17	18	19
颜色	b	d	b	c	d	b	c	b	d	b	d	c	d	c	b	d	b	c	a

最后，四个点集的划分为：

a:{19};b:{1、3、6、8、10、15、17};c:{4、7、12、14、18};d:{2、5、9、11、13、16}。

此实例证实了“移4度点法”的正确性。这儿所得的4色着色方案的解答和文献[1]、[3]中得到的解答是一样的，虽然四种颜色的使用有所不同，但从四个点集的划分来看，则是完全一致的。这正如文献[1]中所言，如实例所示的最大平面图 G_M 是唯一4可着色的，即点集的划分是唯一的。

5　结语

文献[1]中用“移3度点法”，通过多层次的移去3度点，直至无3度点，来简化图的拓扑结构。本文用“移4度点法”，通过多层次的移去4度点，直至无4度点，来简化图的拓扑结构。所以这两种方法都是“降阶”的方法，对解决着色问题均是有用的，都可加以充分的利用。可以很容易地想到，这两种方法结合起来使用，效果会更好，会更为有利。这样，就可形成如下的

“降阶”过程：

(1)首先，移去各层次的3度点，直至无3度点。

(2)继之，移去4度点。

(3)再次，移去各层次的3度点，直至无3度点。

(4)然后，再次移去4度点。

(5)如此类推，反复移去各层次的3度点和各层次的4度点，直至无3度点和4度点。

在“降阶”过程中，若出现2度点，甚至1度点，显然也是可以尽早移去的，以利简化图的拓扑结构，易于着色。

如上所述，多层次“降阶”的结果，可能使图的着色问题就解决了，如本文实例所示；也可能只是使原母图变成没有低于5度的点的子图。这就提出一个点的最低度为5的图的着色问题。这个问题，将在另文中探讨。

参考文献

[1]冯纪先. 最大平面图着色的“移3度点法”[C]//第十五届电路与系统年会论文集. 广州：华南理工大学，1999:254－258. (见目录:2.01)

[2]F. 哈拉里(Harary)著. 图论(Graph Theory)[M]. 李慰萱，译. 上海：上海科学技术出版社，1980:9－14.

[3]吕玉琴. 星型平面图的特点和色数[C]//中国电子学会电路与系统分会第十三届年会论文集. 重庆：重庆邮电学院，1996:232－235.

2.03 最大平面图着色的“C_3 分隔法”

【摘要】在对最大平面图的特性进行分析的基础上得到如下的结论，即可用三点圈 C_3 将一个最大平面图分隔成另两个阶数较低的最大平面图，从而使对一个最大平面图的着色变成对两个相对低阶的最大平面图的着色，形成了对最大平面图着色的“C_3 分隔法”及其算法。这个方法的实质是，通过“降阶”来简化着色方案的求解。文中，以实例验证了上述方法的正确性和可用性，并论述了该法在解图着色问题时所起的作用和应用该法的前提条件。

【关键词】平面图；最大平面图；圈；三点圈；图着色

The “method of separation by C_3” for Four - coloring in maximal planar graph

Abstract: On the basis of topological analysis, this paper presents the “method of separation by C_3” for Four - coloring in maximal planar graph. A maximal planar graph of n order is separated into two maximal planar graphs of lower order by a triangle C_3 (3 order cycle). This method is a kind of “method of reduction of order”. The coloring of a maximal planar graph of n order is translated into colorings of two maximal planar graphs of lower order. The coloring problem is simplified. In the paper, a practical example shows, this method is valid and feasible.

Keywords: planar graph; maximal planar graph; cycle; 3 point cycle; coloring of a graph

1 引言

1976 年美国数学家 K. Appel 和 W. Haken 等证明了“四色定理”，即任何平面图都是 4 可着色的。本文则研究如何对平面图进行四色着色，即求出 4 色着色方案，寻找有用的解决方法，或能起一定作用的解决方法。

对一定点数 n 而言，最大平面图（Maximal Planar Graph）G_M 是边数 e 最多的平面图。当 $n \geqslant 3$ 时，其边数 $e = 3(n-2)$，式中 n 为点数，即图的阶数。最大平面图 G_M 又是区数 r 最多的平面图。当 $n \geqslant 3$ 时，其区数 $r = 2(n-2)$，且每个区均为三边形 K_3，这是最大平面图 G_M 的一个充分必要条件。

论文《最大平面图着色的“移 3 度点法”》[1] 和论文《最大平面图着色的“移 4 度点法”》[2] 中曾论及，任何 n 阶的一般平面图 G，总可以通过添加一定数量的附加边，使边数 $e = 3(n-2)$。在添加附加边时，必须使各个区均为 K_3，致使区数 $r = 2(n-2)$，由此得到图 G 所对应的 n 阶最大平面图 G_M。G_M 是 G 的一个含有所加附加边的最小的母图，而 G 是 G_M 的一个生成子图。显然，由于图 G 添加不同的附加边，将会得到拓扑结构不同的最大平面图 G_M。由后述可知，最好能通过添加附加边，在 G_M 内形成三点圈 C_3，以便利用“C_3 分隔法”。

现以 a、b、c 和 d 表示 4 种颜色，即分别为红、黄、蓝和绿。若对一个最大平面图 G_M 给出一个 4 色着色方案，那么这个 4 色着色方案同样适合于对应的生成子图 G，即也是图 G 的一个 4 色着色方案（图 G 有可能不止这一种 4 色着色方案）。在阶数 n 一定时，研究边数最多的，也即点与点之间的约束最多的最大平面图，是更有普遍意义的。

一般来说，一个图 G_M 的阶数越高即点数越多，着色方案的求取就越困难一些。若能将图

G_M 变成有关的低阶子图,这将使着色方案的求取,变得方便和可能[1][2]。本文就是从上述思想出发,通过对最大平面图特性的分析,将图 G_M 分隔成低阶的子图。我们可先对各子图进行着色,得到各子图的着色方案,再考虑到母图与子图的关系,进而得到母图的着色方案,由此形成了最大平面图着色的"C_3 分隔法"。文中以实例验证了这个方法的正确性和可用性。

2 定义和定理

最大平面图 G_M 的所有区,均为三边形 K_3。当然,G_M 的无限区也为三边形 K_3,设由点 V_1、V_2、V_3 构成,如图 1 所示。

考虑图 G_M 中有三个点 V_i、V_j、V_k,连接成一个三点圈 C_3,现将其表示在图 1 中。设图 G_M 中,C_3 内有 n_I 个点,$n-6 \geqslant n_I \geqslant 1$;$C_3$ 外有 n_E 个点(显然包括了 V_1、V_2 和 V_3 三个点),$n-4 \geqslant n_E \geqslant 3$。可见,图 G_M 的点数(阶数)$n=3+n_I+n_E$,$n \geqslant 7$。也可看成 n 个点划分成三个点集:

{C_3 上的点};{C_3 内的点};{C_3 外的点}。

C_3 实为平面上的 Jordan 曲线。由 Jordan 曲线定理知[3],C_3 内的点与 C_3 外的点不可能是相邻点,即它们之间是不可能存在任何边的。由此,我们可以分别用(1)式和(2)式定义两个 G_M 的子图:内子图 G_{MI} 和外子图 G_{ME},且分别以图 2 和图 3 表示。

$$G_{MI} = G_M - \{C_3 \text{ 外的点}\} \tag{1}$$

$$G_{ME} = G_M - \{C_3 \text{ 内的点}\} \tag{2}$$

显然,内子图 G_{MI} 的点数(阶数)为 n_I+3;外子图 G_{ME} 的点数(阶数)为 n_E+3,且存在下列两个关系式,即:

$$G_{MI} \cup G_{ME} = G_M \tag{3}$$

$$G_{MI} \cap G_{ME} = C_3 \tag{4}$$

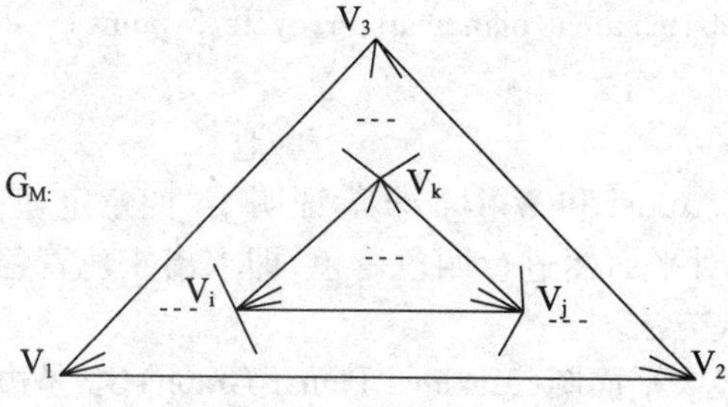

图 1 最大平面图 G_M

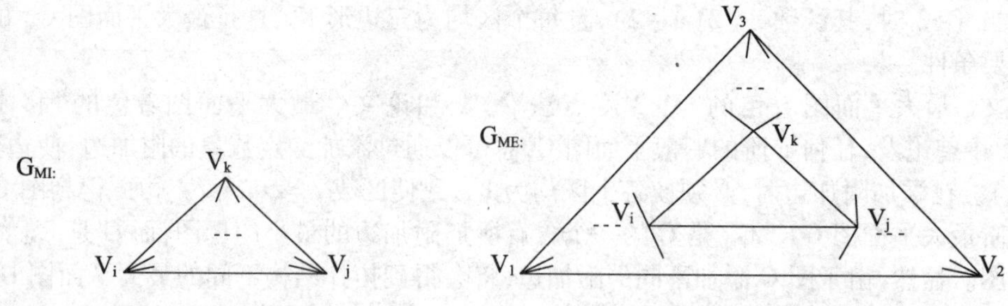

图 2 G_M 的内子图 G_{MI}　　图 3 G_M 的外子图 G_{ME}

定理 1 最大平面图 G_M 的内子图 G_{MI} 和外子图 G_{ME} 均为最大平面图。

证明:平面图为最大平面图的充要条件是平面图的所有区都是三边形 K_3。G_M 的内子图 G_{MI} 是 G_M 移去所有圈 C_3 外的点,圈 C_3 就形成为 G_{MI} 的无限区,且为三边形 K_3。G_M 的所有区均为三边形 K_3,G_{MI} 的所有区也就都是三边形 K_3,故 G_{MI} 为最大平面图。

类似地，G_M 的外子图 G_{ME} 是 G_M 移去所有圈 C_3 内的点，圈 C_3 就形成为 G_{ME} 的一个有限区，且为三边形 K_3。G_M 的所有区均为三边形 K_3，G_{ME} 的所有区也就都为三边形 K_3，故 G_{ME} 为最大平面图。证毕。

定理 2　若最大平面图 G_M 的内子图 G_{MI} 的 4 色着色方案(4 个点集的划分)为 M_I 种，外子图 G_{ME} 的 4 色着色方案(4 个点集的划分)为 M_E 种，最大平面图 G_M 的 4 色着色方案(4 个点集的划分)为 M 种，则

$$M_I \cdot M_E = M \tag{5}$$

证明：设最大平面图 G_M 有一个三点圈 C_3，如图 1 所示由点 V_i、V_j 和 V_k 构成，那么这三个点彼此相邻。在最大平面图 G_M 的任一个 4 色着色方案中，此三点必着不同的三种颜色，也即分属于不同的三个点集。由定理 1 知，内子图 G_{MI} 是包含 V_i、V_j 和 V_k 的最大平面图，故在 G_{MI} 的任一个 4 色着色方案中，此三点必着不同的三种颜色，也即分属于不同的三个点集。类似地，外子图 G_{ME} 也是包含 V_i、V_j 和 V_k 的最大平面图，在 G_{ME} 的任一个 4 色着色方案中，此三点也必着不同的三种颜色，也即分属于不同的三个点集。

可见，G_{MI} 的任一个 4 色着色方案与 G_{ME} 的任一个 4 色着色方案可组合成 G_M 的一个 4 色着色方案，只需任何着色方案中 V_i、V_j 和 V_k 总是分别取不变的三种颜色，也即总是分别固定在不同的三个点集中即可，由此得：$M = M_I \cdot M_E$。证毕。

作为一个特例，若 $M_I = 1$，且 $M_E = 1$，则显然 $M = 1$，即此时最大平面图 G_M 的 4 色着色方案是唯一的。

3　用圈 C_3 分隔的着色算法

(1)若最大平面图 G_M 存在三点圈 C_3，考虑到定理 1 和定理 2，将 G_M 用 C_3 分隔成两个最大平面图，即内子图 G_{MI} 和外子图 G_{ME}。G_{MI} 和 G_{ME} 可称为第 1 层次的子图。

(2)若 G_{MI} 和 G_{ME} 也存在各自的三点圈，类似地，再分隔得 G_{MII}、G_{MIE}、G_{MEI} 和 G_{MEE}，可称其为第 2 层次的子图。

(3)以此类推，对不同层次的子图，只要存在三点圈，就可不断分隔。若第 m - 1 层次的子图尚存在三点圈，就可分隔得第 m 层次的子图，直至第 m 层次的各子图均不存在三点圈，不再可分隔。

(4)采用适当的方法，对不再可分隔的各子图(可能处于不同的层次上)进行 4 色着色，由此组合起来，得图 G_M 的 4 色着色方案。作为特例，若不再可分隔的各子图的 4 色着色方案均为唯一的，那么母图 G_M 的 4 色着色方案也是唯一的。

4　实例

图 4 所示为一最大平面图 G_M，图中点以小圆圈表示，圈中数字为点的标号。此图即文献[4]中的图 1，文献[1]中的图 2，文献[2]中的图 5。现对此图用“C_3 分隔法”进行 4 色着色。

由图 4 可见，图 G_M 的点数 n = 19，边数 e = 51，区数 r = 34，度数 d = 102。最大平面图 G_M 的最外圈是三边形 $K_3(V_{16}V_7V_{15})$，在这个 K_3 中包含着许多大大小小的 K_3 和 C_3。其中，属于下一个层次的是三个三边形，即 $K_3(V_{16}V_7V_{19})$、$K_3(V_{19}V_7V_{15})$ 和 $K_3(V_{16}V_{19}V_{15})$，而第三个三边形内无点，如图 5 所示。根据定理 1 和定理 2，这三个 K_3 内的点的着色即点集的划分，彼此之间并无约束，相互间并无影响，故可独立考虑。

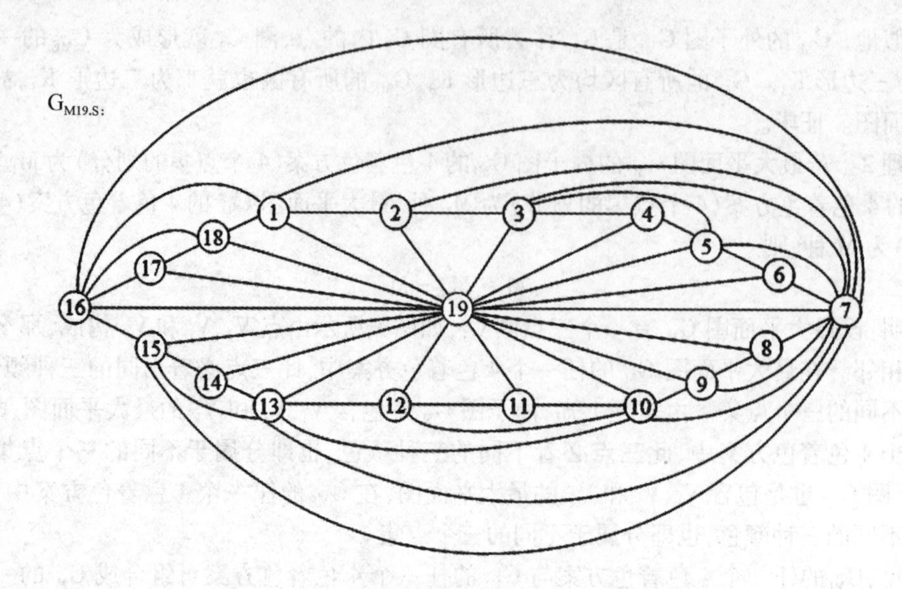

图4　19 阶星型最大平面图 G_M

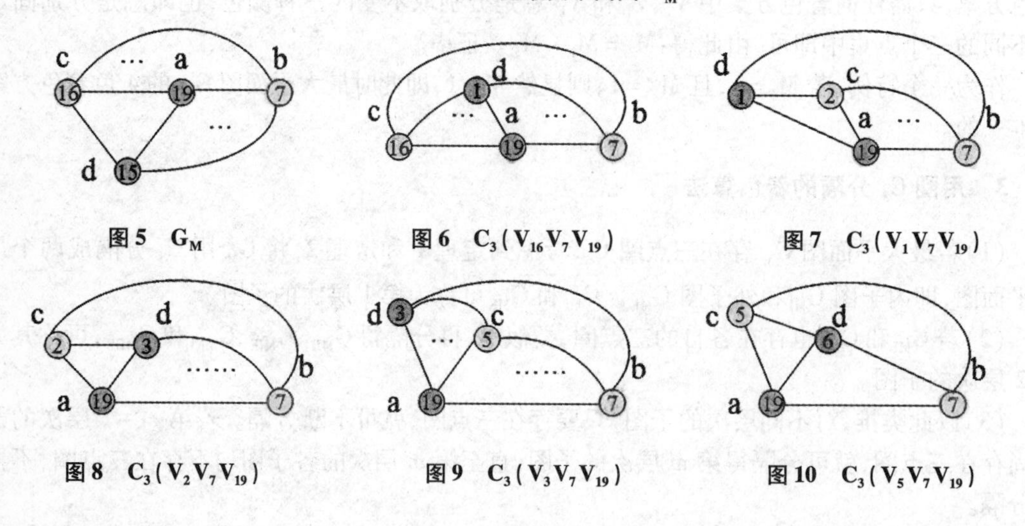

图5　G_M　　图6　$C_3(V_{16}V_7V_{19})$　　图7　$C_3(V_1V_7V_{19})$

图8　$C_3(V_2V_7V_{19})$　　图9　$C_3(V_3V_7V_{19})$　　图10　$C_3(V_5V_7V_{19})$

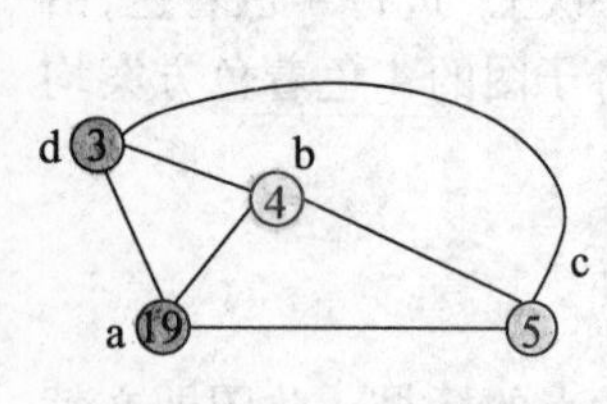

图11　$C_3(V_3V_5V_{19})$

图12　$C_3(V_1V_{19}V_{16})$

在 $K_3(V_{16}V_7V_{19})$ 这个三边形中，有三个较大的即下一层次的三边形 $K_3(V_1V_7V_{19})$、$K_3(V_1V_{19}V_{16})$ 和 $K_3(V_{16}V_7V_1)$，其中第三个三边形内无点，如图 6 所示。同理，三个三边形内的点的着色可独立考虑。

在 $K_3(V_1V_7V_{19})$ 这个三边形中，又有三个三边形即 $K_3(V_2V_7V_{19})$、$K_3(V_1V_2V_{19})$ 和 $K_3(V_1V_7V_2)$，其中第二个和第三个三边形内无点，如图 7 所示。

在 $K_3(V_2V_7V_{19})$ 三边形中，又有三个三边形即 $K_3(V_3V_7V_{19})$、$K_3(V_2V_3V_{19})$ 和 $K_3(V_2V_7V_3)$，其中后两个三边形内无点，如图 8 所示。

在 $K_3(V_3V_7V_{19})$ 三边形中，又含有三个三边形即 $K_3(V_5V_7V_{19})$、$K_3(V_3V_5V_{19})$ 和 $K_3(V_3V_5V_7)$，其中第三个三边形内无点，如图 9 所示。

在 $K_3(V_5V_7V_{19})$ 三边形中，又含有三个三边形即 $K_3(V_6V_7V_{19})$、$K_3(V_5V_6V_{19})$ 和 $K_3(V_5V_7V_6)$，这三个三边形内均已无点，如图 10 所示。

同理,$K_3(V_3V_5V_{19})$可分隔成$K_3(V_3V_5V_4)$、$K_3(V_3V_4V_{19})$和$K_3(V_4V_5V_{19})$,三个三边形内均无点,如图11所示。

$K_3(V_1V_{19}V_{16})$可分隔成$K_3(V_{18}V_{19}V_{16})$、$K_3(V_{16}V_1V_{18})$和$K_3(V_1V_{19}V_{18})$,其中后两个三边形内无点,如图12所示。

$K_3(V_{18}V_{19}V_{16})$又可分隔成$K_3(V_{16}V_{17}V_{19})$、$K_3(V_{18}V_{17}V_{16})$和$K_3(V_{18}V_{19}V_{17})$,其内均无点,如图13所示。

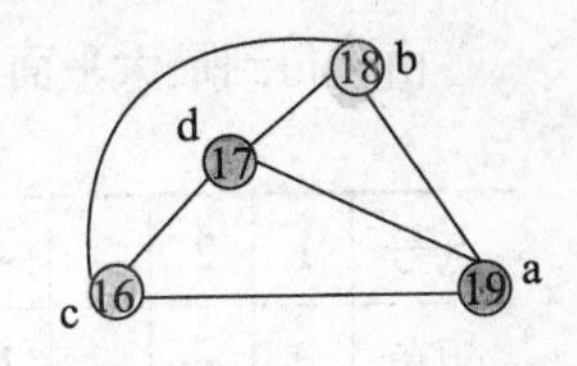

图13 $C_3(V_{18}V_{19}V_{16})$

$K_3(V_{19}V_7V_{15})$可分隔成$K_3(V_{19}V_7V_{13})$、$K_3(V_{15}V_{19}V_{13})$和$K_3(V_{13}V_7V_{15})$,其中最后一个三边形内无点,如图14所示。

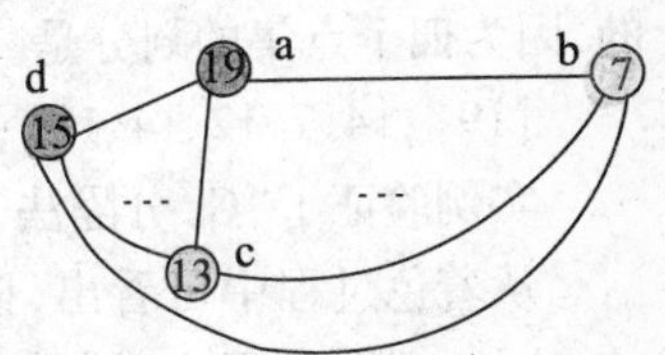

图14 $C_3(V_{19}V_7V_{15})$

$K_3(V_{19}V_7V_{13})$可分隔成$K_3(V_{19}V_7V_{10})$、$K_3(V_{19}V_{10}V_{13})$和$K_3(V_{10}V_7V_{13})$,其中第三个三边形内无点,如图15所示。

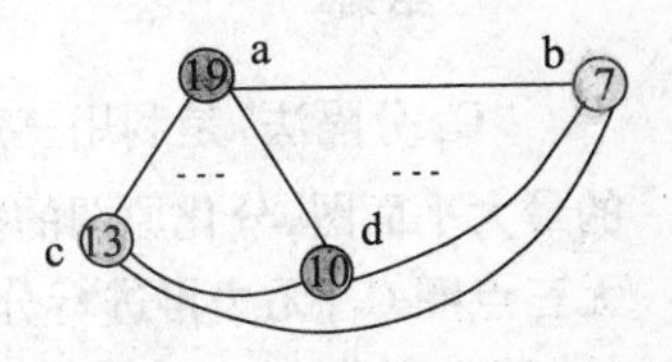

图15 $C_3(V_{19}V_7V_{13})$

$K_3(V_{19}V_7V_{10})$可分隔成$K_3(V_{19}V_7V_9)$、$K_3(V_{19}V_9V_{10})$和$K_3(V_9V_7V_{10})$,其中后两个三边形内无点,如图16所示。

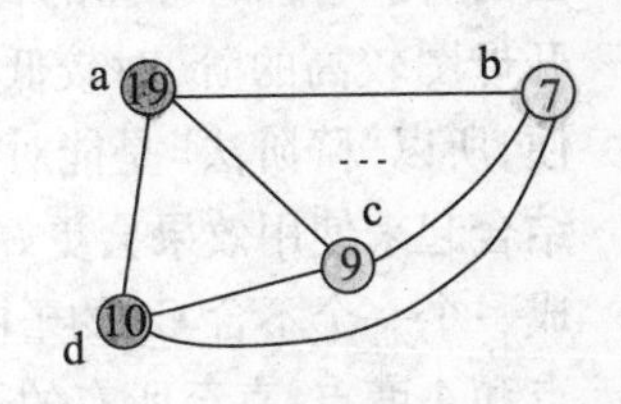

图16 $C_3(V_{19}V_7V_{10})$

$K_3(V_{19}V_7V_9)$可分隔成三个内无点的三边形,如图17所示。

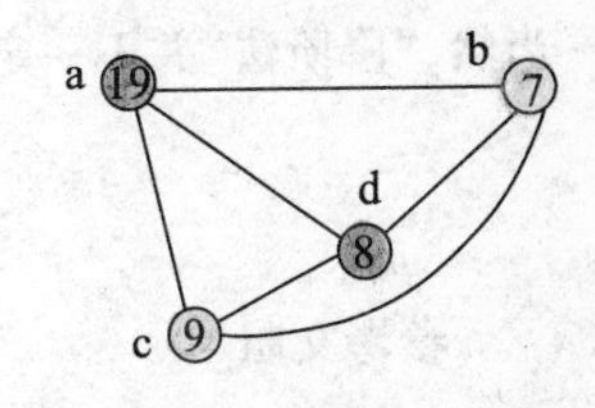

图17 $C_3(V_{19}V_7V_9)$

$K_3(V_{19}V_{10}V_{13})$可分隔成$K_3(V_{19}V_{10}V_{12})$、$K_3(V_{12}V_{10}V_{13})$和$K_3(V_{19}V_{13}V_{12})$,其中后两个三边形内无点,如图18所示。

$K_3(V_{19}V_{10}V_{12})$可分隔成三个内无点的三边形,如图19所示。

$K_3(V_{19}V_{13}V_{15})$也可分隔成三个内无点的三边形,如图20所示。

现对图G_M(图4)进行4色着色。

首先由图5给$K_3(V_{16}V_7V_{15})$的三个点V_{16}、V_7和V_{15}分别着以c色、b色和d色。显然,点V_{19}应着第四色即a色,现将各色标在各点旁。由图6可知V_1必着d色。由图7可知V_2必着c色,由图8知V_3必着d色,由图9知V_5必着c色,由图10知V_6必着d色。由图11知V_4必着b色。又由图12知V_{18}必着b色,由图13知V_{17}必着d色。

再由图14可知V_{13}必着c色,由图15知V_{10}必着d色,由图16知V_9必着c色,由图17可知V_8必着d色,由图18知V_{12}必着b色,由图19知V_{11}必着c色。

最后,由图20可知V_{14}必着b色,至此图G_M所有点均已着色。

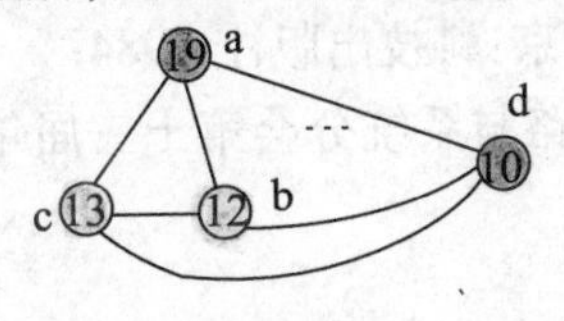

图18 $C_3(V_{19}V_{10}V_{13})$

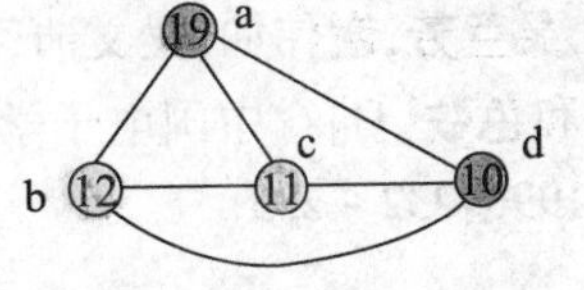

图19 $C_3(V_{19}V_{10}V_{12})$

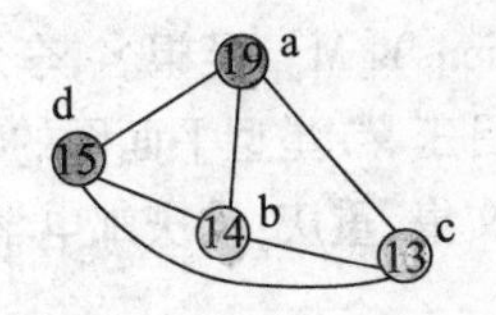

图20 $C_3(V_{19}V_{13}V_{15})$

由上得到最大平面图 G_M 的一个 4 色着色方案,以表 1 表示如下。

表 1 图 G_M 的 4 色着色方案

点号	1	2	3	4	5	6	7	8	9	10	11	12	13	14	15	16	17	18	19
颜色	d	c	d	b	c	d	b	d	c	d	c	b	c	b	d	c	d	b	a

此结果与文献[4]中的表 1、文献[1]中的表 1 完全相同,与文献[2]中的表 5 也是一致的,因为四个点集的划分是一致的,即为:

{19};{4、7、12、14、18};{2、5、9、11、13、16};{1、3、6、8、10、15、17}。

实例验证了"C_3 分隔法"的正确性。

从着色过程中可看出,该图 G_M 的 4 色着色方案,即点的 4 个点集的划分的答案是唯一的,这从文献[1]及文献[2]的着色过程中也得出过同样的结论。

5 结语

"C_3 分隔法"是利用三点圈 C_3 将母图最大平面图 G_M 分隔成两个子图,即两个相对低阶的最大平面图,分化原图的拓扑结构。这个原则可多层次地执行下去,直至被分隔成的子图内无三点圈 C_3,无法再进行分隔。这一方法的本质和文献[1]中的"移 3 度点法"及文献[2]中的"移 4 度点法"的本质是一致的,即都是通过分化母图的拓扑结构,得到降阶的子图,以对子图的着色替代对母图的着色,所以这三个方法可统称为"降阶法"。降阶的方法的思路是,避开母图较高的阶,对较低阶的子图的着色问题就容易解决些,至少为解决着色问题提供了方便,所以"降阶法"是能对着色问题的求解起一定作用的方法。很容易地会想到,这三种方法结合起来使用效果会更好,更为有利。可以设想,首先采用"C_3 分隔法",利用 C_3 将母图分隔成一个一个不含 C_3 的子图。继之,再用"移 3 度点法"和"移 4 度点法"移去各子图内的 3 度点和 4 度点,直至所有的子图均无 3 度点和 4 度点。最后,用适当的方法对无 3 度点和 4 度点的各无三点圈的子图求解 4 色着色方案,由此即可得母图最大平面图 G_M 的 4 色着色方案。当然,"降阶法"并不一定能"彻底地"解决任何最大平面图的着色问题。

参考文献

[1] 冯纪先. 最大平面图着色的"移 3 度点法"[C]//第十五届电路与系统年会论文集. 广州:华南理工大学,1999:254 - 258.(见目录:2.01)

[2] 冯纪先. 最大平面图着色的"移 4 度点法"[C]//第十五届电路与系统年会论文集. 广州:华南理工大学,1999:259 - 263.(见目录:2.02)

[3] J. A. 邦迪(Bondy), U. S. R. 默蒂(Murty)著. 图论及其应用(Graphy Theory With Applications)[M]. 吴望名,李念祖,吴兰芳,谢伟如,梁文沛,译. 北京:科技出版社,1984.

[4] 吕玉琴. 星型平面图的特点和色数[C]//中国电子学会电路与系统分会第十三届年会论文集. 重庆:重庆邮电学院,1996:232 - 235.

2.04 最大平面图 G_M 的二色子图和二色交换

【摘要】研究了最大平面图 G_M 的二色子图的特性,并利用多层次的二色交换,探讨了最大平面图 G_M 不同的四色着色方案之间的关系,由此,从一个已知的四色着色方案推演出了其他的四色着色方案。文中以两个实例作出了验证,"一个12阶的最大平面图"G_{M12},得到11种四色着色方案;"一个25阶的最大平面图"G_{M25},得到177种四色着色方案。

【关键词】最大平面图;二色子图;二色交换;四色定理;四色着色方案

Two – color subgraph and Two – color interchange in maximal planar graph G_M

Abstract: In this paper, a few properties of Two – color subgraph and Two – color interchange of maximal planar graph G_M are studied. With the Two – color interchange, 11 Four – colorings of "a 12 order maximal planar graph" G_{M12} and 177 Four – colorings of "a 25 order maximal planar graph" G_{M25} are obtained.

Keywords: maximal planar graph; Two – color subgraph; Two – color interchange; Four – color theorem; Four – coloring

1 引言

1976年美国数学家K. Appel、W. Haken和J. Koch证明了四色定理,即任何平面图都是4可着色的。一个一定阶数(点数),且为一定拓扑结构的平面图,它的四色着色方案,可能是唯一的一种,也可能是多种的。文献[1]中,论述了图的着色的唯一性问题。本文则探讨,当一个一定阶数一定拓扑结构的平面图具有多种可能的四色着色方案时,它的不同着色方案之间的转换和获得。

最大平面图(maximal planar graph)G_M 是一种"约束"最多,即边数最多,区数也最多的平面图,它的每一个区均为三边形 K_3(这是一个充要的条件)。可以想见,最大平面图 G_M 的着色问题能解决,其他一般平面图的着色问题,也是可以解决的,因而本文的研究对象主要是最大平面图 G_M。

2 最大平面图 G_M 的二色子图和"二色子图对"

在四色着色中,我们所取的四色为红(red)、黄(yellow)、蓝(blue)和绿(green)。一定拓扑结构的n阶(n点)最大平面图 G_{Mn} 的一个四色着色方案中,每个点必着四色中之一色,并应符合着色原则,即相邻点着异色。将红点数记为 n_r,黄点数记为 n_y、蓝点数记为 n_b、绿点数记为 n_g,显然在一个四色着色方案中,

$$n_r + n_y + n_b + n_g = n \tag{1}$$

式中,n_r、n_y、n_b 和 n_g 均可大于或等于零。

根据着色原则,一条边的两个端点将着两种不同的颜色,因此,一个四色着色方案中,可按

两端点的不同颜色,将边分为六类,即红黄边、红蓝边、红绿边、蓝绿边、黄绿边和黄蓝边。在一个四色着色方案中,每条边为六类中之一类。现将红黄边数记为 e_{ry}、红蓝边数记为 e_{rb}、红绿边数记为 e_{rg}、蓝绿边数记为 e_{bg}、黄绿边数记为 e_{yg}、黄蓝边数记为 e_{yb},显然

$$e_{ry}+e_{rb}+e_{rg}+e_{bg}+e_{yg}+e_{yb}=e \tag{2}$$

式中,e 为 n 阶最大平面图 G_{Mn} 的边数,我们有

$$e=\begin{cases}0, & n=1\\ 1, & n=2\\ 3n-6, & n\geqslant 3\end{cases} \tag{3}$$

若在四色中任取二色,那么一个四色着色方案中,具有此二色的点及端点为此二色的边,就组成了最大平面图 G_M 的二色子图。显然,在一个四色着色方案中,可形成六个二色子图,即红黄二色子图 G_{ry}、红蓝二色子图 G_{rb}、红绿二色子图 G_{rg}、蓝绿二色子图 G_{bg}、黄绿二色子图 G_{yg} 和黄蓝二色子图 G_{yb}。它们的点数和边数分别记为 n_{ry}、n_{rb}、n_{rg}、n_{bg}、n_{yg}、n_{yb} 和 e_{ry}、e_{rb}、e_{rg}、e_{bg}、e_{yg}、e_{yb},则

$$n_{ry}=n_r+n_y;\ n_{rb}=n_r+n_b;\ n_{rg}=n_r+n_g;\ n_{bg}=n_b+n_g;\ n_{yg}=n_y+n_g;\ n_{yb}=n_y+n_b \tag{4}$$

在这六个二色子图中,相互间完全不重叠的二色子图可组成“二色子图对”。可以看出“二色子图对”共有三种,第 1 种为“红黄与蓝绿二色子图对”,记为 $G_{ry.bg}$;第 2 种为“红蓝与黄绿二色子图对”,记为 $G_{rb.yg}$;第 3 种为“红绿与黄蓝二色子图对”,记为 $G_{rg.yb}$。它们的点数和边数分别记为 $n_{ry.bg}$、$n_{rb.yg}$、$n_{rg.yb}$ 和 $e_{ry.bg}$、$e_{rb.yg}$、$e_{rg.yb}$。

“二色子图对”的点数和边数与二色子图的点数和边数显然有如下的关系,即

$$n_{ry.bg}=n_{ry}+n_{bg};\qquad n_{rb.yg}=n_{rb}+n_{yg};\qquad n_{rg.yb}=n_{rg}+n_{yb} \tag{5}$$

$$e_{ry.bg}=e_{ry}+e_{bg};\qquad e_{rb.yg}=e_{rb}+e_{yg};\qquad e_{rg.yb}=e_{rg}+e_{yb} \tag{6}$$

上二式说明,每个“二色子图对”的点数为这两个二色子图的点数之和;每个“二色子图对”的边数为这两个二色子图的边数之和。最大平面图 G_{Mn} 所有的边将分属三种“二色子图对”中的一种。进一步,我们有如下的定理 1。

定理1　在最大平面图 G_{Mn} 的一个四色着色方案中,当 $n\geqslant 4$ 时,三种“二色子图对”的点数均为 n,边数均为 n-2,即

$$n_{ry.bg}=n_{rb.yg}=n_{rg.yb}=n \tag{7}$$

$$e_{ry.bg}=e_{rb.yg}=e_{rg.yb}=n-2,\quad n\geqslant 4 \tag{8}$$

证明:将(4)式代入(5)式,考虑到(1)式,就获得(7)式,式子说明每个“二色子图对”均包含了最大平面图 G_{Mn} 的所有点(n 点)。

为了获得(8)式,先考察第 1 种“二色子图对” $G_{ry.bg}$,若红黄子图的拓扑结构是无圈的,且连通支数 k_{ry} 为 1,那么它的边数即为 n_r+n_y-1;若蓝绿子图的拓扑结构也是无圈的,且连通支数 k_{bg} 也是 1,那么它的边数即为 n_b+n_g-1。考虑到(1)式,第 1 种“二色子图对” $G_{ry.bg}$ 的边数即为 $(n_r+n_y-1)+(n_b+n_g-1)=n-2$。若“二色子图对” $G_{ry.bg}$ 内的一个二色子图,譬如红黄子图,增加了一个圈,则其边数就增一,即为 n_r+n_y-1+1;此时,“二色子图对” $G_{ry.bg}$ 内的另一个二色子图,譬如蓝绿子图,连通支数 k_{bg} 就增一,其边数就减一,即为 n_b+n_g-1-1。可见“二色子图对” $G_{ry.bg}$ 的边数并未变,仍为 n-2,即 $(n_r+n_y-1+1)+(n_b+n_g-1-1)=n-2$。若红黄子图增加了 m 个圈,其边数则为 n_r+n_y-1+m,相应地蓝绿子图的连通支数 k_{bg} 就增 m,其边数就减 m,而为 n_b+n_g-1-m,此时“二色子图对” $G_{ry.bg}$ 的边数还是未变,仍为 n-2。若蓝绿子图增加了圈,情况和结论是一样的,因为两个二色子图是对等的。

按上类推,第2种"二色子图对" $G_{rb.yg}$ 和第3种"二色子图对" $G_{rg.yb}$ 均会有同样的结论,故(8)式得证。证毕。

由(6)式和(8)式可知,当 $n \geq 4$ 时,$(e_{ry}+e_{bg})+(e_{rb}+e_{yg})+(e_{rg}+e_{yb})=3n-6$,这与(2)式及(3)式是相符合的。从另一方面看,最大平面图 G_{Mn} 在一个四色着色方案中,含有三种"二色子图对",从对等的角度来看,每一种"二色子图对"的边数理应为最大平面图 G_{Mn} 的边数 e $(=3n-6)$ 的三分之一,即为 $n-2$。

为了描述的方便和清晰,G_{Mn} 的一个四色着色方案中的点和边,将以不同的颜色和图形来表达。表1和表2即显示了本文的约定。

表1　点的表达

颜色	红(r)	黄(y)	蓝(b)	绿(g)
图形	空白圆(或实线圆)	散点圆(或点线圆)	斜线圆(或划线圆)	格线圆(或点划线圆)

表2　边的表达

边的种类	边的颜色	边的图形
红黄边	橙(orange)	点线
红蓝边	紫(purple)	划线
红绿边	棕(brown)	点划线
蓝绿边	黑(black)	粗线
黄绿边	翠(jade)	锯齿线
黄蓝边	白(white)	双线

作为两个例子,图1为 $n=12$ 阶的最大平面图 G_{M12},图2为 $n=25$ 阶的最大平面图 G_{M25}。图中,点以小圆圈表示,圈内的数字为标定的点的编号。利用文献[2]、[3]、[4]中所述的"降阶法",得到图1所示拓扑结构的 G_{M12} 的一个四色着色方案,即红色点为2、7、10;黄色点为3、6、9;蓝色点为1、8、11;绿色点为4、5、12[5]。同样,也得到图2所示拓扑结构的 G_{M25} 的一个四色着色方案,即红色点为3、5、11、13、16、24;黄色点为4、7、14、17、20、25;蓝色点为6、9、12、15、18、22;绿色点为1、2、8、10、19、21、23[6]。(由于篇幅关系,所示着色方案的获得,另文表述)现将得到的着色方案,按表1和表2所约定的点和边的表达方式(颜色和图形),显示于图1和图2。

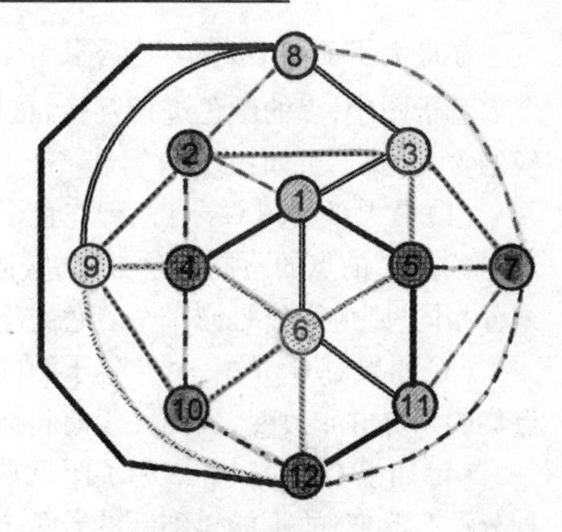

图1　"一个12阶最大平面图"G_{M12}
(着"四色着色方案Ⅱ")

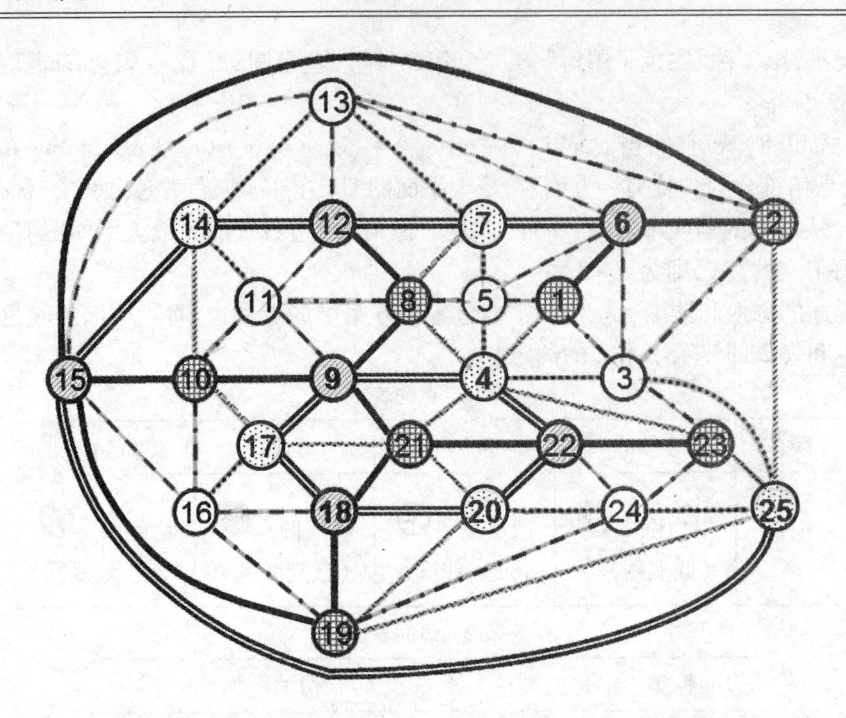

图2 “一个25阶最大平面图”G_{M25}(着“四色着色方案甲”)

从两个图中,就可看到它们各自的三种“二色子图对”。图1显示,其$G_{ry.bg}$中的G_{ry}和G_{bg}均为一个连通支,均无圈;$G_{rb.yg}$中的G_{rb}有两个连通支(其中一支为一个点10),无圈,G_{yg}为一个连通支,有一个圈;$G_{rg.yb}$中的G_{rg}和G_{yb}均为一个连通支,均无圈。图2显示,其$G_{ry.bg}$中的G_{ry}连通支数为二(其中一支为两个点16和17),无圈,G_{bg}为一个连通支,有一个圈;$G_{rb.yg}$中的G_{rb}连通支数为二(其中一支为两个点22和24),无圈,G_{yg}为一个连通支,有一个圈;$G_{rg.yb}$中的G_{rg}连通支数为二(其中一支为一个点21),有一个圈,G_{yb}有两个连通支(其中一支为6个点:6、7、12、14、15、25),有一个圈。

3 最大平面图G_M的二色交换和“相近四色着色方案”

在最大平面图G_M的二色子图中,将着同一色的点,同时改着二色中的另一色,即在同一个二色子图中,点的颜色进行互换,这样的操作称为最大平面图G_M的二色交换。根据二色交换的含义,我们可知:

(1)最大平面图G_M有六种二色子图,相应地有六种二色交换。

(2)G_M的点的不同着色方案,实质上就是点集的不同划分。若两个着色方案相应的点集划分相同,则应视作是同一个着色方案。

(3)如果对G_M的一个二色子图的所有点进行二色交换,虽然点的颜色有所变化,结果是点集的划分并未改变,因而并没有得到新的着色方案。

(4)如果G_M的一个二色子图只具有一个连通支,二色交换虽可改变点的颜色,但点集的划分没有改变,故不能得到新的着色方案。如果G_M的一个二色子图的连通支数等于或大于2时,对一个连通支,或数个连通支(非所有连通支)作二色交换,均可得到新的点集的划分,也即新的着色方案。

(5)同在一个“二色子图对”中的两个二色子图可同时作二色交换,从而得到新的着色方案。不在同一个“二色子图对”中的两个二色子图,因彼此有重叠部分,无法同时作二色交换而得到新的着色方案。

(6)n 阶 G_{Mn} 的一个着色方案通过二色交换可得到另一个着色方案。G_{Mn} 的一个四色着色方案中,一般来说,4 种颜色的点数是差不多的,即 $n_r \approx n_y \approx n_b \approx n_g \approx n/4$。故一般来说一个二色子图的点数约为 n/2。为了得到新的着色方案,二色子图的连通支数至少为 2。二色交换时,我们往往选点数少的连通支的点作色的互换。因而颜色将作改变的点的数目,差不多小于甚至大大小于 n/4。这就使得,经过二色交换的前后两个四色着色方案,粗看起来是差不多的,很“接近的”。因而,我们称一定阶数有一定拓扑结构的最大平面图 G_{Mn} 的一个四色着色方案,与经二色交换而得到的另一个四色着色方案,彼此为“相近四色着色方案”(可简称“近案”)。由此,形成了一个“相近四色着色方案对”。

(7)二色交换存在着可逆的情况,也即“近案”的两个四色着色方案均可通过二色交换而转变成对方。故,一个四色着色方案可以通过两次二色交换而“还原”为自身。

下面阐述通过多层次的二色交换,获得新着色方案的方法和过程。

①对不同的着色方案,我们以一定规律的编码来标号。

已知的原始着色方案,我们用甲、乙、丙、丁、…,或Ⅰ、Ⅱ、Ⅲ、Ⅳ、…,或 A、B、C、D、…来标号。

当对已知的着色方案进行第一层次的二色交换时,在第 1 种,或第 2 种,或第 3 种“二色子图对”中进行而得到了新的着色方案,则相应地在原有的标号后面加一位数字 1,或 2,或 3。若在一种“二色子图对”中进行二色交换得到多个新的着色方案时,则在数字 1,或 2,或 3 的右上角标以ⅰ、ⅱ、ⅲ、ⅳ、…,即为 1^{i}、1^{ii}、1^{iii}、1^{iv}、…,或 2^{i}、2^{ii}、2^{iii}、2^{iv}、…,或 3^{i}、3^{ii}、3^{iii}、3^{iv}、…

②可以再进行下一层次的二色交换,从而得到新的着色方案,其编码的标号将多一位数字。

③各层次的二色交换可以继续进行下去,但由于“还原”的作用,不会无限地扩张。当不再出现新的着色方案时,二色交换即会停止。于是我们就得到了组成一个集合的四色着色方案,称为“相近四色着色方案集”。

按上所述,图 1 所示 G_{M12} 的已知四色着色方案,已记为“方案Ⅱ”,对它进行第一层次的二色交换,即可得到“方案Ⅱ2”,继续不断地进行各层次的二色交换,最后可以得到 11 种新的四色着色方案。现将这 12(=1 +11)种四色着色方案以“点集划分”的形式,顺序表达如下。

“相近四色着色方案集Ⅱ”(12 个集元):

★01){1、7、10};{2、5、12};{3、6、9};{4、8、11},
★02){1、8、10};{2、5、12};{3、4、11};{6、7、9},
★03){1、8、10};{2、6、7};{3、9、11};{4、5、12},
04){1、8、10、11};{2、5};{3、4、12};{6、7、9},
05){1、8、10、11};{2、5、12};{3、4};{6、7、9},
06){1、8、10、11};{2、5、12};{3、6、9};{4、7},
07){1、8、10、11};{2、6、7};{3、4、12};{5、9},
08){1、8、10、11};{2、6、7};{3、9};{4、5、12},
09){1、8、10、11};{2、7};{3、6、9};{4、5、12},
★10){1、8、11};{2、5、10};{3、4、12};{6、7、9},
★11){1、8、11};{2、7、10};{3、6、9};{4、5、12},
★12){1、9、11};{2、6、7};{3、4、12};{5、8、10}。

其中,方案★11)即为原已知的“方案Ⅱ”,方案09)即为经第一层次的二色交换而得到的“方案Ⅱ2”。

图2所示 G_{M25} 的已知四色着色方案,已记为“方案甲”,按上述同样的方法对它进行第一层次的二色交换,即可得到“方案甲1”(红:3、5、11、13、17、24;黄:4、7、14、16、20、25;蓝:6、9、12、15、18、22;绿:1、2、8、10、19、21、23),“方案甲2”(红:3、5、11、13、16、22;黄:4、7、14、17、20、25;蓝:6、9、12、15、18、24;绿:1、2、8、10、19、21、23),“方案甲3ⁱ”(红:3、5、11、13、16、21、24;黄:4、7、14、17、20、25;蓝:6、9、12、15、18、22;绿:1、2、8、10、19、23),“方案甲3ⁱⁱ”(红:3、5、11、13、16、24;黄:7、9、14、18、22、25;蓝:4、6、12、15、17、20;绿:1、2、8、10、19、21、23)和“方案甲3ⁱⁱⁱ”(红:3、5、11、13、16、21、24;黄:7、9、14、18、22、25;蓝:4、6、12、15、17、20;绿:1、2、8、10、19、23)等五种新的四色着色方案。继续进行第二层次、第三层次等的二色交换,最后可以得到177种新的四色着色方案。现将这178(=1+177)种四色着色方案,以“点集划分”的形式,表述于附录。附录中,方案050)即为原已知的“方案甲”,方案054)即为经第一层次的二色交换所得到的“方案甲1”,方案048)即为“方案甲2”,方案065)即为“方案甲3ⁱ”,方案049)即为“方案甲3ⁱⁱ”,方案064)即为“方案甲3ⁱⁱⁱ”。

4 结语

在图1所示的 G_{M12} 和图2所示的 G_{M25} 中,将已知的四色着色方案,通过多层次的二色交换分别获得了11种和177种新的四色着色方案。因此本文所阐述的方法不妨称为“多层次二色交换法”。

对于图1的 G_{M12},本文所显示的12种四色着色方案,可能只是图1的 G_{M12} 的所有可能的四色着色方案的一部分。同样,对于图2的 G_{M25} 也可能有类似的情况,即图2的 G_{M25} 的四色着色方案可能不止是178种。

图1的 G_{M12} 的阶数为12,获得11种新着色方案。图2的 G_{M25} 的阶数为25,得到177种新着色方案。可以想见,G_{Mn} 的阶数越高,即点数n越多,应用本文“多层次二色交换法”所得到的新着色方案将越多。

一个四色着色方案,通过二色交换而得到它的“相近四色着色方案”。一个四色着色方案所具有的“相近四色着色方案”的数目,显然取决于这个四色着色方案中,各个二色子图的拓扑结构。可以看出,一般来说,二色子图的连通支数越多,那么它的“相近四色着色方案”的数目也将越多。

当一定阶数一定拓扑结构的最大平面图 G_{Mn} 的一个四色着色方案中,六个二色子图的连通支数均为一,此时可以采用“缺边法”(即利用“缺少一条适当的边的子图”)来获得其他的四色着色方案。(有关内容,另文表述)

对图1的 G_{M12} 而言,12种四色着色方案和“多层次二色交换法”构成了一个集合,可称为“相近四色着色方案集Ⅱ”。对图2的 G_{M25} 而言,178种四色着色方案和“多层次二色交换法”也构成了一个集合,可称为“相近四色着色方案集甲”。

附录:"一个25阶最大平面图"G_{M25}的"相近四色着色方案集甲"(178个集元)

001){1、2、7、9、14、16、20、23};{3、5、10、12、19、21};{4、6、11、15、17、24};{8、13、18、22、25}
002){1、2、7、9、14、16、20、23};{3、5、10、12、19、21};{4、6、11、15、18、24};{8、13、17、22、25}
003){1、2、7、9、14、16、20、23};{3、5、11、13、17、19、22};{4、6、10、12、18、25};{8、15、21、24}
004){1、2、7、9、14、16、20、23};{3、5、11、13、17、19、22};{4、6、12、15、18、24};{8、10、21、25}
005){1、2、7、9、14、16、20、23};{3、5、11、13、17、19、22};{4、10、12、18、25};{6、8、15、21、24}

006){1、2、7、9、14、16、20、23};{3、5、11、13、17、19、22};{4、12、15、18、24};{6、8、10、21、25}
007){1、2、7、9、14、16、20、23};{3、5、11、13、19、21};{4、6、12、15、17、24};{8、10、18、22、25}
008){1、2、7、9、14、16、20、23};{3、5、11、13、19、21};{4、12、15、17、24};{6、8、10、18、22、25}
009){1、2、7、9、14、16、20、23};{3、5、11、15、21、24};{4、6、10、12、18、25};{8、13、17、19、22}
010){1、2、7、9、14、16、20、23};{3、5、11、15、21、24};{4、6、12、17、19};{8、10、13、18、22、25}

011){1、2、7、9、14、16、20、23};{3、5、11、17、19、22};{4、6、12、15、18、24};{8、10、13、21、25}
012){1、2、7、9、14、16、20、23};{3、5、11、19、21};{4、6、12、15、17、24};{8、10、13、18、22、25}
013){1、2、7、9、14、16、20、23};{3、5、12、15、21、24};{4、6、11、17、19};{8、10、13、18、22、25}
014){1、2、7、9、14、16、20、23};{3、5、12、15、21、24};{4、11、13、17、19};{6、8、10、18、22、25}
015){1、2、7、9、14、16、20、23};{3、5、12、17、19、22};{4、6、11、15、18、24};{8、10、13、21、25}

016){1、2、7、9、14、16、20、23};{3、5、12、19、21};{4、6、11、15、17、24};{8、10、13、18、22、25}
017){1、2、7、9、14、16、20、23};{3、8、10、13、19、21};{4、6、11、15、17、24};{5、12、18、22、25}
018){1、2、7、9、14、16、20、23};{3、8、10、13、19、21};{4、6、11、15、18、24};{5、12、17、22、25}
019){1、2、7、9、14、16、20、23};{3、8、10、13、19、21};{4、6、12、15、17、24};{5、11、18、22、25}
020){1、2、7、9、14、16、20、23};{3、8、10、13、19、21};{4、6、12、15、18、24};{5、11、17、22、25}

021){1、2、7、9、14、16、20、23};{3、8、10、19、21};{4、6、12、15、17、24};{5、11、13、18、22、25}
022){1、2、7、9、14、16、20、23};{3、8、10、19、21};{4、6、12、15、18、24};{5、11、13、17、22、25}
023){1、2、7、9、14、16、20、23};{3、8、13、17、19、22};{4、6、10、12、18、25};{5、11、15、21、24}
024){1、2、7、9、14、16、20、23};{3、8、13、17、19、22};{4、6、11、15、18、24};{5、10、12、21、25}
025){1、2、7、9、14、16、20、23};{3、8、13、19、21};{4、6、11、15、17、24};{5、10、12、18、22、25}

026){1、2、7、9、14、16、20、23};{3、8、15、21、24};{4、6、10、12、18、25};{5、11、13、17、19、22}
027){1、2、7、9、14、19、22};{3、5、11、13、16、21、24};{4、6、10、12、18、25};{8、15、17、20、23}
028){1、2、7、9、14、19、22};{3、5、11、13、16、21、24};{4、10、12、18、25};{6、8、15、17、20、23}
029){1、2、7、9、14、19、22};{3、8、13、16、21、24};{4、6、10、12、18、25};{5、11、15、17、20、23}
030){1、2、7、9、14、19、23};{3、5、11、13、16、21、24};{4、6、12、15、17、20};{8、10、18、22、25}

031){1、2、7、9、14、19、23};{3、5、11、13、16、21、24};{4、12、15、17、20};{6、8、10、18、22、25}
032){1、2、7、9、14、19、23};{3、5、11、16、21、24};{4、6、12、15、17、20};{8、10、13、18、22、25}
033){1、2、7、9、14、19、23};{3、5、12、16、21、24};{4、6、11、15、17、20};{8、10、13、18、22、25}
034){1、2、7、9、14、19、23};{3、8、13、16、21、24};{4、6、11、15、17、20};{5、10、12、18、22、25}
035){1、2、7、11、16、20、23};{3、8、10、13、19、21};{4、6、12、15、17、24};{5、9、14、18、22、25}

036){1、2、7、11、17、20、23};{3、8、10、13、19、21};{4、6、12、15、18、24};{5、9、14、16、22、25}
037){1、2、7、11、19、21、23};{3、5、9、14、16、20};{4、6、12、15、17、24};{8、10、13、18、22、25}
038){1、2、7、11、19、21、23};{3、5、9、14、16、24};{4、6、12、15、17、20};{8、10、13、18、22、25}
039){1、2、7、11、19、21、23};{3、8、10、13、18、22};{4、6、12、15、17、24};{5、9、14、16、20、25}
040){1、2、7、11、19、21、23};{3、8、10、13、18、24};{4、6、12、15、17、20};{5、9、14、16、22、25}

041) {1、2、7、14、16、20、23} ; {3、8、10、13、19、21} ; {4、6、11、15、17、24} ; {5、9、12、18、22、25}

042) {1、2、7、14、17、20、23} ; {3、8、10、13、19、21} ; {4、6、11、15、18、24} ; {5、9、12、16、22、25}

043) {1、2、7、14、19、21、23} ; {3、5、9、12、16、20} ; {4、6、11、15、17、24} ; {8、10、13、18、22、25}

044) {1、2、7、14、19、21、23} ; {3、5、9、12、16、24} ; {4、6、11、15、17、20} ; {8、10、13、18、22、25}

045) {1、2、7、14、19、21、23} ; {3、8、10、13、18、22} ; {4、6、11、15、17、24} ; {5、9、12、16、20、25}

046) {1、2、7、14、19、21、23} ; {3、8、10、13、18、24} ; {4、6、11、15、17、20} ; {5、9、12、16、22、25}

047) {1、2、8、10、19、21、23} ; {3、5、11、13、16、20} ; {4、6、12、15、17、24} ; {7、9、14、18、22、25}

048) {1、2、8、10、19、21、23} ; {3、5、11、13、16、22} ; {4、7、14、17、20、25} ; {6、9、12、15、18、24}

049) {1、2、8、10、19、21、23} ; {3、5、11、13、16、24} ; {4、6、12、15、17、20} ; {7、9、14、18、22、25}

050) {1、2、8、10、19、21、23} ; {3、5、11、13、16、24} ; {4、7、14、17、20、25} ; {6、9、12、15、18、22}

051) {1、2、8、10、19、21、23} ; {3、5、11、13、17、20} ; {4、6、12、15、18、24} ; {7、9、14、16、22、25}

052) {1、2、8、10、19、21、23} ; {3、5、11、13、17、22} ; {4、6、12、15、18、24} ; {7、9、14、16、20、25}

053) {1、2、8、10、19、21、23} ; {3、5、11、13、17、22} ; {4、7、14、16、20、25} ; {6、9、12、15、18、24}

054) {1、2、8、10、19、21、23} ; {3、5、11、13、17、24} ; {4、7、14、17、20、25} ; {6、9、12、15、18、22}

055) {1、2、8、10、19、21、23} ; {3、5、11、13、18、22} ; {4、6、12、15、17、24} ; {7、9、14、16、20、25}

056) {1、2、8、10、19、21、23} ; {3、5、11、13、18、24} ; {4、6、12、15、17、20} ; {7、9、14、16、22、25}

057) {1、2、8、10、19、21、23} ; {3、7、9、14、16、20} ; {4、6、12、15、17、24} ; {5、11、13、18、22、25}

058) {1、2、8、10、19、21、23} ; {3、7、9、14、16、20} ; {4、6、12、15、18、24} ; {5、11、13、17、22、25}

059) {1、2、8、10、19、21、23} ; {3、7、9、14、16、22} ; {4、6、12、15、18、24} ; {5、11、13、17、20、25}

060) {1、2、8、10、19、21、23} ; {3、7、9、14、16、24} ; {4、6、12、15、17、20} ; {5、11、13、18、22、25}

061) {1、2、8、10、19、21、23} ; {3、7、9、14、18、22} ; {4、6、12、15、17、24} ; {5、11、13、16、20、25}

062) {1、2、8、10、19、21、23} ; {3、7、9、14、18、24} ; {4、6、12、15、17、20} ; {5、11、13、16、22、25}

063) {1、2、8、10、19、22} ; {3、5、11、13、16、21、24} ; {4、7、14、17、20、25} ; {6、9、12、15、18、23}

064) {1、2、8、10、19、23} ; {3、5、11、13、16、21、24} ; {4、6、12、15、17、20} ; {7、9、14、18、22、25}

065) {1、2、8、10、19、23} ; {3、5、11、13、16、21、24} ; {4、7、14、17、20、25} ; {6、9、12、15、18、22}

066) {1、2、8、10、21、23} ; {3、5、11、13、17、19、22} ; {4、6、12、15、18、24} ; {7、9、14、16、20、25}

067) {1、2、8、10、21、23} ; {3、5、11、13、17、19、22} ; {4、7、14、16、20、25} ; {6、9、12、15、18、24}

068) {1、2、8、10、21、24} ; {3、5、11、13、17、19、22} ; {4、7、14、16、20、25} ; {6、9、12、15、18、23}

069) {1、2、8、14、16、21、23} ; {3、5、10、13、19、22} ; {4、7、11、17、20、25} ; {6、9、12、15、18、24}

070) {1、2、8、14、16、21、23} ; {3、5、11、13、17、19、22} ; {4、6、10、12、20、25} ; {7、9、15、18、24}

071) {1、2、8、14、16、21、23} ; {3、5、11、13、17、19、22} ; {4、7、10、20、25} ; {6、9、12、15、18、24}

072) {1、2、8、14、16、21、23} ; {3、7、9、15、18、24} ; {4、6、10、12、20、25} ; {5、11、13、17、19、22}

073) {1、2、8、14、16、21、24} ; {3、5、9、13、19、22} ; {4、6、10、12、18、25} ; {7、11、15、17、20、23}

074) {1、2、8、14、16、21、24} ; {3、5、10、13、19、22} ; {4、7、11、17、20、25} ; {6、9、12、15、18、23}

075) {1、2、8、14、16、21、24} ; {3、5、11、13、17、19、22} ; {4、6、10、12、18、25} ; {7、9、15、20、23}

076) {1、2、8、14、16、21、24} ; {3、5、11、13、17、19、22} ; {4、6、10、12、20、25} ; {7、9、15、18、23}

077) {1、2、8、14、16、21、24} ; {3、5、11、13、17、19、22} ; {4、7、10、18、25} ; {6、9、12、15、20、23}

078) {1、2、8、14、16、21、24} ; {3、5、11、13、17、19、22} ; {4、7、10、20、25} ; {6、9、12、15、18、23}

079) {1、2、8、14、16、21、24} ; {3、7、9、15、18、22} ; {4、6、10、12、20、25} ; {5、11、13、17、19、23}

080) {1、2、8、14、17、19、22} ; {3、5、10、13、21、24} ; {4、7、11、16、20、25} ; {6、9、12、15、18、23}

081）{1、2、8、14、17、19、22}；{3、5、11、13、16、21、24}；{4、6、10、12、18、25}；{7、9、15、20、23}
082）{1、2、8、14、17、19、22}；{3、5、11、13、16、21、24}；{4、6、10、12、20、25}；{7、9、15、18、23}
083）{1、2、8、14、17、19、22}；{3、5、11、13、16、21、24}；{4、7、10、18、25}；{6、9、12、15、20、23}
084）{1、2、8、14、17、19、22}；{3、5、11、13、16、21、24}；{4、7、10、20、25}；{6、9、12、15、18、23}
085）{1、2、8、14、17、19、22}；{3、7、9、15、18、24}；{4、6、10、12、20、25}；{5、11、13、16、21、23}
086）{1、2、8、14、17、19、22}；{3、7、11、15、21、24}；{4、6、10、12、18、25}；{5、9、13、16、20、23}
087）{1、2、8、14、17、19、23}；{3、5、10、13、21、24}；{4、7、11、16、20、25}；{6、9、12、15、18、22}
088）{1、2、8、14、17、19、23}；{3、5、11、13、16、21、24}；{4、6、10、12、20、25}；{7、9、15、18、22}
089）{1、2、8、14、17、19、23}；{3、5、11、13、16、21、24}；{4、7、10、20、25}；{6、9、12、15、18、22}
090）{1、2、8、14、17、19、23}；{3、7、9、15、18、22}；{4、6、10、12、20、25}；{5、11、13、16、21、24}
091）{1、7、9、14、16、20、25}；{2、4、10、12、18、24}；{3、5、11、13、17、19、22}；{6、8、15、21、23}
092）{1、7、9、14、16、20、25}；{2、5、10、12、19、21、23}；{3、8、13、17、22}；{4、6、11、15、18、24}
093）{1、7、9、14、16、20、25}；{2、5、10、12、19、21、23}；{3、8、13、18、22}；{4、6、11、15、17、24}
094）{1、7、9、14、16、20、25}；{2、5、10、12、21、23}；{3、8、13、17、19、22}；{4、6、11、15、18、24}
095）{1、7、9、14、16、20、25}；{2、5、11、19、21、23}；{3、8、10、13、18、22}；{4、6、12、15、17、24}
096）{1、7、9、14、16、20、25}；{2、5、12、19、21、23}；{3、8、10、13、18、22}；{4、6、11、15、17、24}
097）{1、7、9、14、16、20、25}；{2、8、10、19、21、23}；{3、5、11、13、17、22}；{4、6、12、15、18、24}
098）{1、7、9、14、16、20、25}；{2、8、10、19、21、23}；{3、5、11、13、18、22}；{4、6、12、15、17、24}
099）{1、7、9、14、16、20、25}；{2、8、10、21、23}；{3、5、11、13、17、19、22}；{4、6、12、15、18、24}
100）{1、7、9、14、16、22、25}；{2、5、10、12、19、21、23}；{3、8、13、17、20}；{4、6、11、15、18、24}
101）{1、7、9、14、16、22、25}；{2、5、10、12、19、21、23}；{3、8、13、18、24}；{4、6、11、15、17、20}
102）{1、7、9、14、16、22、25}；{2、5、11、17、20、23}；{3、8、10、13、19、21}；{4、6、12、15、18、24}
103）{1、7、9、14、16、22、25}；{2、5、11、19、21、23}；{3、8、10、13、18、24}；{4、6、12、15、17、20}
104）{1、7、9、14、16、22、25}；{2、5、12、17、20、23}；{3、8、10、13、19、21}；{4、6、11、15、18、24}
105）{1、7、9、14、16、22、25}；{2、5、12、19、21、23}；{3、8、10、13、18、24}；{4、6、11、15、17、20}
106）{1、7、9、14、16、22、25}；{2、8、10、19、21、23}；{3、5、11、13、17、20}；{4、6、12、15、18、24}
107）{1、7、9、14、16、22、25}；{2、8、10、19、21、23}；{3、5、11、13、18、24}；{4、6、12、15、17、20}
108）{1、7、9、14、18、22、25}；{2、4、10、12、19}；{3、5、11、13、16、21、24}；{6、8、15、17、20、23}
109）{1、7、9、14、18、22、25}；{2、5、10、12、19、21、23}；{3、8、13、16、20}；{4、6、11、15、17、24}
110）{1、7、9、14、18、22、25}；{2、5、10、12、19、21、23}；{3、8、13、16、24}；{4、6、11、15、17、20}
111）{1、7、9、14、18、22、25}；{2、5、10、12、19、23}；{3、8、13、16、21、24}；{4、6、11、15、17、20}
112）{1、7、9、14、18、22、25}；{2、5、11、16、20、23}；{3、8、10、13、19、21}；{4、6、12、15、17、24}
113）{1、7、9、14、18、22、25}；{2、5、12、16、20、23}；{3、8、10、13、19、21}；{4、6、11、15、17、24}
114）{1、7、9、14、18、22、25}；{2、8、10、19、21、23}；{3、5、11、13、16、20}；{4、6、12、15、17、24}
115）{1、7、9、14、18、22、25}；{2、8、10、19、21、23}；{3、5、11、13、16、24}；{4、6、12、15、17、20}
116）{1、7、9、14、18、22、25}；{2、8、10、19、23}；{3、5、11、13、16、21、24}；{4、6、12、15、17、20}
117）{1、7、9、15、18、22}；{2、8、14、17、19、23}；{3、5、11、13、16、21、24}；{4、6、10、12、20、25}
118）{1、7、9、15、18、23}；{2、8、14、16、21、24}；{3、5、11、13、17、19、22}；{4、6、10、12、20、25}
119）{1、7、9、15、18、23}；{2、8、14、17、19、22}；{3、5、11、13、16、21、24}；{4、6、10、12、20、25}
120）{1、7、9、15、18、24}；{2、8、14、16、21、23}；{3、5、11、13、17、19、22}；{4、6、10、12、20、25}

121）{1、7、9、15、20、23}；{2、4、10、12、18、24}；{3、5、11、13、17、19、22}；{6、8、14、16、21、25}
122）{1、7、9、15、20、23}；{2、8、14、16、21、24}；{3、5、11、13、17、19、22}；{4、6、10、12、18、25}
123）{1、7、9、15、20、23}；{2、8、14、17、19、22}；{3、5、11、13、16、21、24}；{4、6、10、12、18、25}
124）{1、7、11、15、17、20、23}；{2、4、10、12、18、24}；{3、5、9、13、19、22}；{6、8、14、16、21、25}
125）{1、7、11、15、17、20、23}；{2、5、9、14、19、22}；{3、8、13、16、21、24}；{4、6、10、12、18、25}
126）{1、7、11、15、17、20、23}；{2、8、14、16、21、24}；{3、5、9、13、19、22}；{4、6、10、12、18、25}
127）{1、7、11、15、21、24}；{2、5、9、14、16、20、23}；{3、8、13、17、19、22}；{4、6、10、12、18、25}
128）{1、7、11、17、22、25}；{2、5、9、14、16、20、23}；{3、8、10、13、19、21}；{4、6、12、15、18、24}
129）{1、7、11、18、22、25}；{2、5、9、14、16、20、23}；{3、8、10、13、19、21}；{4、6、12、15、17、24}
130）{1、7、14、17、22、25}；{2、5、9、12、16、20、23}；{3、8、10、13、19、21}；{4、6、11、15、18、24}
131）{1、7、14、18、22、25}；{2、5、9、12、16、20、23}；{3、8、10、13、19、21}；{4、6、11、15、17、24}
132）{1、8、10、13、18、22、25}；{2、4、7、11、17、19}；{3、5、12、15、21、24}；{6、9、14、16、20、23}
133）{1、8、10、13、18、22、25}；{2、4、7、11、17、19}；{3、5、14、16、21、24}；{6、9、12、15、20、23}
134）{1、8、10、13、18、22、25}；{2、4、7、14、17、19}；{3、5、11、15、21、24}；{6、9、12、16、20、23}
135）{1、8、10、13、18、22、25}；{2、4、7、14、17、19}；{3、5、11、16、21、24}；{6、9、12、15、20、23}
136）{1、8、10、13、18、22、25}；{2、5、9、12、16、20、23}；{3、7、11、15、21、24}；{4、6、14、17、19}
137）{1、8、10、13、18、22、25}；{2、5、9、12、16、20、23}；{3、7、14、19、21}；{4、6、11、15、17、24}
138）{1、8、10、13、18、22、25}；{2、5、9、12、19、23}；{3、7、14、16、21、24}；{4、6、11、15、17、20}
139）{1、8、10、13、18、22、25}；{2、5、9、14、16、20、23}；{3、7、11、15、21、24}；{4、6、12、17、19}
140）{1、8、10、13、18、22、25}；{2、5、9、14、16、20、23}；{3、7、11、19、21}；{4、6、12、15、17、24}
141）{1、8、10、13、18、22、25}；{2、5、9、14、19、23}；{3、7、11、16、21、24}；{4、6、12、15、17、20}
142）{1、8、10、13、18、22、25}；{2、5、11、19、21、23}；{3、7、9、14、16、20}；{4、6、12、15、17、24}
143）{1、8、10、13、18、22、25}；{2、5、11、19、21、23}；{3、7、9、14、16、24}；{4、6、12、15、17、20}
144）{1、8、10、13、18、22、25}；{2、5、12、19、21、23}；{3、7、9、14、16、20}；{4、6、11、15、17、24}
145）{1、8、10、13、18、22、25}；{2、5、12、19、21、23}；{3、7、9、14、16、24}；{4、6、11、15、17、20}
146）{1、8、10、13、18、22、25}；{2、7、9、14、16、20、23}；{3、5、11、15、21、24}；{4、6、12、17、19}
147）{1、8、10、13、18、22、25}；{2、7、9、14、16、20、23}；{3、5、11、19、21}；{4、6、12、15、17、24}
148）{1、8、10、13、18、22、25}；{2、7、9、14、16、20、23}；{3、5、12、15、21、24}；{4、6、11、17、19}
149）{1、8、10、13、18、22、25}；{2、7、9、14、16、20、23}；{3、5、12、19、21}；{4、6、11、15、17、24}
150）{1、8、10、13、18、22、25}；{2、7、9、14、19、23}；{3、5、11、16、21、24}；{4、6、12、15、17、20}
151）{1、8、10、13、18、22、25}；{2、7、9、14、19、23}；{3、5、12、16、21、24}；{4、6、11、15、17、20}
152）{1、8、10、13、18、22、25}；{2、7、11、19、21、23}；{3、5、9、14、16、20}；{4、6、12、15、17、24}
153）{1、8、10、13、18、22、25}；{2、7、11、19、21、23}；{3、5、9、14、16、24}；{4、6、12、15、17、20}
154）{1、8、10、13、18、22、25}；{2、7、14、19、21、23}；{3、5、9、12、16、20}；{4、6、11、15、17、24}
155）{1、8、10、13、18、22、25}；{2、7、14、19、21、23}；{3、5、9、12、16、24}；{4、6、11、15、17、20}
156）{1、8、10、13、21、25}；{2、5、9、12、16、20、23}；{3、7、14、17、19、22}；{4、6、11、15、18、24}
157）{1、8、10、13、21、25}；{2、5、9、14、16、20、23}；{3、7、11、17、19、22}；{4、6、12、15、18、24}
158）{1、8、10、13、21、25}；{2、7、9、14、16、20、23}；{3、5、11、17、19、22}；{4、6、12、15、18、24}
159）{1、8、10、13、21、25}；{2、7、9、14、16、20、23}；{3、5、12、17、19、22}；{4、6、11、15、18、24}
160）{1、8、10、18、22、25}；{2、4、7、14、17、19}；{3、5、11、13、16、21、24}；{6、9、12、15、20、23}

161) {1、8、10、18、22、25} ; {2、7、9、14、16、20、23} ; {3、5、11、13、19、21} ; {4、6、12、15、17、24}
162) {1、8、10、18、22、25} ; {2、7、9、14、19、23} ; {3、5、11、13、16、21、24} ; {4、6、12、15、17、20}
163) {1、8、10、21、25} ; {2、7、9、14、16、20、23} ; {3、5、11、13、17、19、22} ; {4、6、12、15、18、24}
164) {1、8、13、16、20、25} ; {2、5、10、12、19、21、23} ; {3、7、9、14、18、22} ; {4、6、11、15、17、24}
165) {1、8、13、16、22、25} ; {2、5、10、12、19、21、23} ; {3、7、9、14、18、24} ; {4、6、11、15、17、20}

166) {1、8、13、17、19、22} ; {2、5、9、14、16、20、23} ; {3、7、11、15、21、24} ; {4、6、10、12、18、25}
167) {1、8、13、17、19、22} ; {2、7、9、14、16、20、23} ; {3、5、11、15、21、24} ; {4、6、10、12、18、25}
168) {1、8、13、17、20、25} ; {2、5、10、12、19、21、23} ; {3、7、9、14、16、22} ; {4、6、11、15、18、24}
169) {1、8、13、17、22、25} ; {2、5、10、12、19、21、23} ; {3、7、9、14、16、20} ; {4、6、11、15、18、24}
170) {1、8、13、17、22、25} ; {2、7、9、14、16、20、23} ; {3、5、10、12、19、21} ; {4、6、11、15、18、24}

171) {1、8、13、18、22、25} ; {2、5、10、12、19、21、23} ; {3、7、9、14、16、20} ; {4、6、11、15、17、24}
172) {1、8、13、18、22、25} ; {2、5、10、12、19、21、23} ; {3、7、9、14、16、24} ; {4、6、11、15、17、20}
173) {1、8、13、18、22、25} ; {2、7、9、14、16、20、23} ; {3、5、10、12、19、21} ; {4、6、11、15、17、24}
174) {1、8、14、16、21、25} ; {2、4、7、10、18、24} ; {3、5、11、13、17、19、22} ; {6、9、12、15、20、23}
175) {1、8、15、17、20、23} ; {2、7、9、14、19、22} ; {3、5、11、13、16、21、24} ; {4、6、10、12、18、25}

176) {1、8、15、21、24} ; {2、7、9、14、16、20、23} ; {3、5、11、13、17、19、22} ; {4、6、10、12、18、25}
177) {1、9、12、15、20、23} ; {2、4、7、10、18、24} ; {3、5、11、13、17、19、22} ; {6、8、14、16、21、25}
178) {1、9、12、15、20、23} ; {2、4、7、14、17、19} ; {3、5、11、13、16、21、24} ; {6、8、10、18、22、25}

参考文献

[1]哈拉里(Harary)F. 图论(Graph Theory)[M]. 李慰萱,译. 上海:上海科学技术出版社,1980:158 - 161.

[2]冯纪先. 最大平面图着色的“移 3 度点法”[C]//第十五届电路与系统年会论文集. 广州:华南理工大学,1999:254 - 258.(见目录:2.01)

[3]冯纪先. 最大平面图着色的“移 4 度点法”[C]//第十五届电路与系统年会论文集. 广州:华南理工大学,1999:259 - 263.(见目录:2.02)

[4]冯纪先. 最大平面图着色的“C_3 分隔法”[C]//中国电机工程学会第六届电路理论学术研讨会论文集. 南京:东南大学,2000:49 - 53.(见目录:2.03)

[5]冯纪先.“一个 12 阶最大平面图”G_{M12}的四色着色[C]//第十九届电工理论学术年会论文集. 合肥:安徽大学,2007: 241 - 246.(见目录:2.05)

[6]冯纪先.“一个 25 阶最大平面图”G_{M25}的四色着色[C]//全国电工理论与新技术学术年会CTATEE'07 论文集. 长沙:湖南大学,2007: 99 - 102.(见目录:2.06)

2.05 “一个12阶最大平面图”G_{M12}的四色着色

【摘要】利用最大平面图着色的“降阶法”，对一个一定拓扑结构的12阶最大平面图G_{M12}进行了着色，得到了一个四色着色方案。在这个四色着色方案的基础上，利用“多层次二色交换法”，得到另外11个不同的“相近四色着色方案”。由此就得到了一个含有12(=1+11)个不同的四色着色方案的“相近四色着色方案集”。文中对这12个四色着色方案进行了分析，获得了有意义的结论。

【关键词】最大平面图；着色；四色着色方案；降阶法；“多层次二色交换法”

On Four - coloring of “a maximal planar graph of 12 order” G_{M12}

Abstract: In this paper, a Four - coloring of “a maximal planar graph of 12 order” G_{M12} is obtained with the method of reduction of order. Other 11 “near Four - colorings” of the maximal planar graph of 12 order G_{M12} are obtained too with the “method of multilayer Two - color interchange”. The 12 Four - colorings are studied.

Keywords: maximal planar graph; coloring; Four - coloring; method of reduction of order; “method of multilayer Two - color interchange”

1 引言

文献[1]、[2]和[3]中分别提出了最大平面图着色的“移3度点法”、“移4度点法”和“C_3分隔法”。这三种方法虽然不同，但均是着眼于通过阶数较原母图低的子图，而获得原母图的四色着色方案，故可统称为“降阶法”。本文即综合利用“降阶法”，对一个一定拓扑结构的12阶最大平面图G_{M12}进行着色，从而得到一个四色着色方案(“四色着色方案II”)。在这个四色着色方案的基础上，利用文献[4]中提出的“多层次二色交换法”，获得了另外不同的11个“相近四色着色方案”。

2 “一个12阶最大平面图”G_{M12}及其着色

阶数一定时，最大平面图是一种边数最多，区数也最多，即“约束”最多的，且每个区均为三边形K_3的平面图，因而研究最大平面图具有普遍的意义。图1所示为“一个12阶最大平面图”G_{M12}，该图的点数$n=12$，边数$e=3n-6=30$，区数$r=2n-4=20$，度数$d=6n-12=60$。图中，圆圈表示点，圈内的数字为点的标号。该图无3度点，即$n_3=0$；4度点为⑩和⑪，即$n_4=2$；5度点为①、②、③、④、⑤、⑦、⑧和⑨，即$n_5=8$；6度(最大度)点为⑥和⑫，即$n_6=2$。

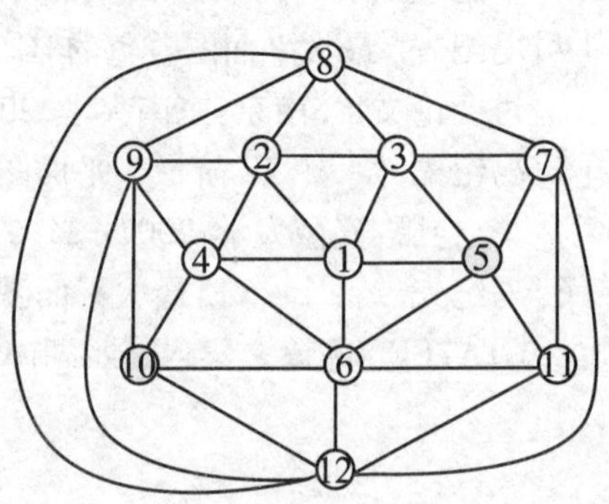

图1 “一个12阶最大平面图”G_{M12}

为了获得四色着色方案,我们先进行“降阶”,再进行“着色和升阶”。运算的方法和过程,利用图2和图3来表达。一个图的拓扑结构,可以完全等效地用邻接矩阵来表示[5]。图2中,上半部分即为一个变形的邻接矩阵,方括弧被省去,又将矩阵元素放在方格子里,对角元素以“×”表示,“0”元素被省去,左下部分的元素全省去了。相应地,图2的下半部分是表示在演算过程中各点的度的变化,以纵向变化的数字来表示,右边的文字是说明点的度数变化的原因。当一个点从图中被移去时,其度数就以“0”表示,且其含义是再也不变化。图3表示在“降阶”时图的拓扑结构的变化过程。“降阶”将一直降至母图成G_{M3}($=K_3$)子图;然后“着色并升阶”,直至得到一个G_{M12}的四色着色方案。现将过程的步骤阐述如下:

点	①	②	③	④	⑤	⑥	⑦	⑧	⑨	⑩	⑪	⑫
①	×	1	1	1	1	1						
②		×	1	1				1	1			
③			×		1		1	1				
④				×		1			1	1		
⑤					×	1	1				1	
⑥						×				1	1	1
⑦							×	1			1	1
⑧								×	1			1
⑨									×	1		1
⑩										×		1
⑪											×	1
⑫												×

点	①	②	③	④	⑤	⑥	⑦	⑧	⑨	⑩	⑪	⑫	
度	5	5	5	5	5	6	5	5	5	4	4	6	
													移去点⑩和⑪
				4	4	4	4		4	0	0	4	
													添加边④⑫和⑤⑫
				5	5							6	
													移去点⑥、⑦和⑨
	4	4	4	3	3	0	0	3	0			3	
													添加边①⑫、②⑫和③⑫
	5	5	5									6	
													移去点④、⑤和⑧
	3	3	3	0	0			0				3	
													移去点①
	0	2	2	0	0	0	0	0	0	0	0	2	

图2 “降阶”过程中G_{M12}的点的度的变化

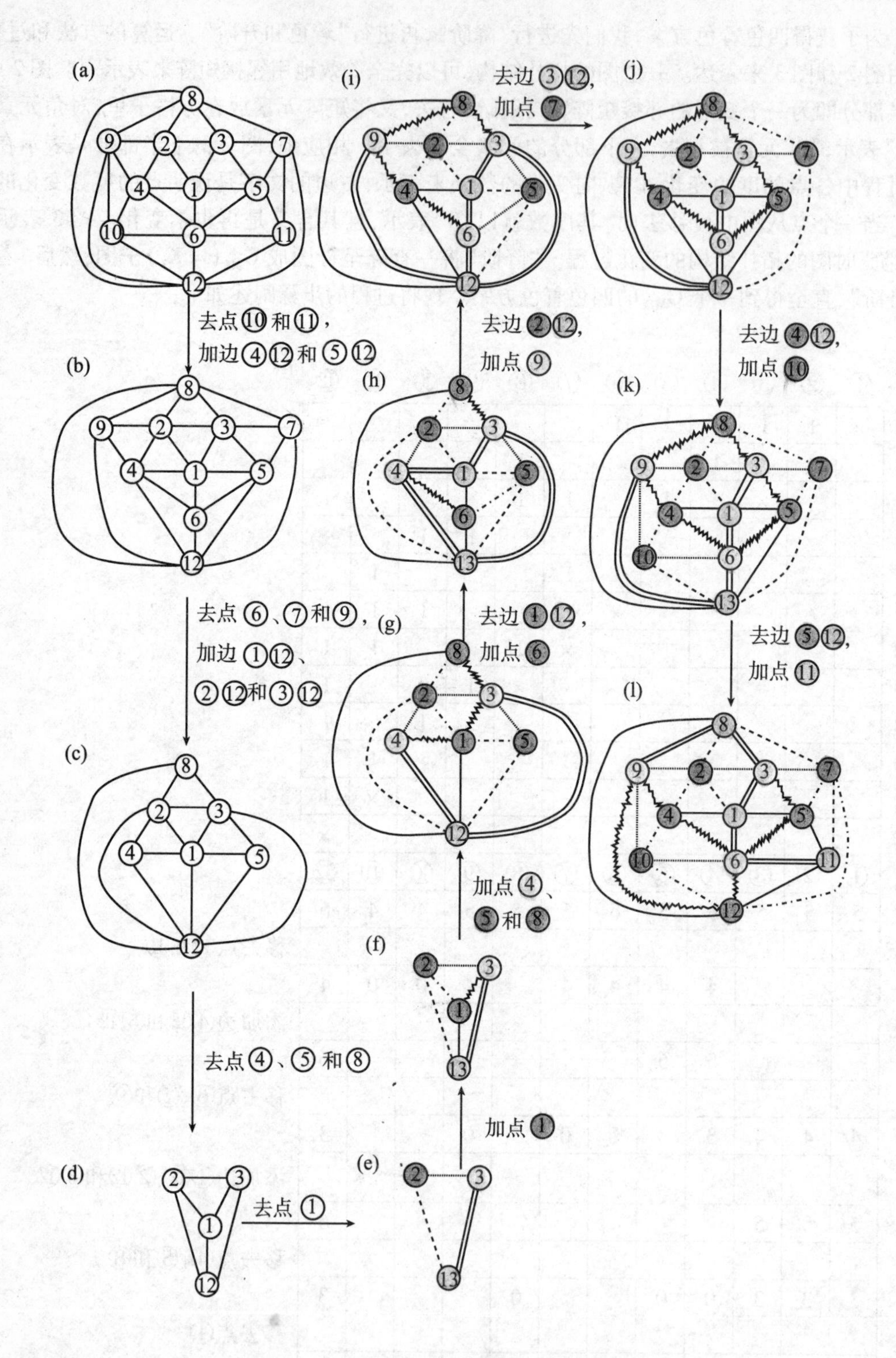

图3 “降阶法”求 G_{M12} 的四色着色方案

(1)移去4度点⑩和⑪,则图2中点⑩和⑪由4度变为0度,点④、⑤、⑦和⑨由5度变为4度,点⑥和⑫由6度变为4度。

(2)添加边④—⑫和⑤—⑫,则图2中点④和⑤由4度变为5度,点⑫由4度变为6度。同时,图3中的(a)图变成(b)图。

(3)移去4度点⑥、⑦和⑨,则图2中点⑥、⑦和⑨由4度变为0度,点①、②和③由5度变为4度,点④、⑤和⑧由5度变为3度,点⑫由6度变为3度。

(4)添加边①—⑫、②—⑫和③—⑫,则图2中点①、②和③由4度变为5度,点⑫由3度变为6度。同时,图3中的(b)图变成(c)图。

(5)移去3度点④、⑤和⑧,则图2中点④、⑤和⑧由3度变为0度,点①、②和③由5度变为3度,点⑫由6度变为3度。同时,图3中(c)图变成(d)图。

(6)移去3度点①,则图2中点①由3度变为0度,点②、③和⑫由3度变为2度。同时,图3中(d)图变成(e)图,且为K_3。由此,开始“着色”,在(e)图中分别给点②、③和⑫着红色、黄色和蓝色。着色时,为了醒目,按文献[4]中之约定进行,即红色点以实线圆圈表示;黄色点以点线圆圈表示;蓝色点以划线圆圈表示;绿色点以点划线圆圈表示。同时约定,边也着以颜色,即端点为红、黄的边着橙色,以点线表示;端点为红、蓝的边着紫色,以划线表示;端点为红、绿的边着棕色,以点划线表示;端点为蓝、绿的边着黑色,以粗线表示;端点为黄、绿的边着翠色,以锯齿线表示;端点为黄、蓝的边着白色,以双线表示。按以上约定,即得(e)图。

(7)加入点①,着绿色。图3中的(e)图变成(f)图。

(8)加入点④、⑤和⑧,分别着黄色、红色和绿色。图3中的(f)图变成(g)图。

(9)移去边①—⑫,且将点①由绿色变为蓝色。再加入点⑥,着绿色。图3中的(g)图变成(h)图。

(10)移去边②—⑫,且将点④、⑥作二色交换,即点④由黄色变为绿色,点⑥由绿色变为黄色。再加入点⑨,着黄色。图3中的(h)图变成(i)图。

(11)移去边③—⑫,且将点⑤由红色变为绿色。再加入点⑦,着红色。图3中的(i)图变成(j)图。

(12)移去边④—⑫,加点⑩,着红色。图3中的(j)图变成(k)图。

(13)移去边⑤—⑫,且将点⑧、⑫作二色交换,即点⑧由绿色变为蓝色,点⑫由蓝色变为绿色。再加入点⑪,着蓝色。图3中的(k)图变成(l)图。由此,得到了一个四色着色方案:即红色点为②、⑦和⑩;黄色点为③、⑥和⑨;蓝色点为①、⑧和⑪;绿色点为④、⑤和⑫。记这个四色着色方案为“四色着色方案Ⅱ”。

3 “多层次二色交换法”及“相近四色着色方案集”

文献[4]中用“多层次二色交换法”,对本文图1所示的G_{M12},在已求出的“四色着色方案Ⅱ”的基础上,再求出11个“相近四色着色方案”。由此,就获得了一个含有12个不同的“相近四色着色方案”的“相近四色着色方案集Ⅱ”。现将这12个四色着色方案,以“点集划分”的形式,顺序复现如下:

其中,方案★11)即为本文所求得的“四色着色方案Ⅱ”。在顺序编号前面加“★”的四色着色方案,是表示该方案中点⑩与点⑪异色,这样的方案共有6个。

★01).{1、7、10};{2、5、12};{3、6、9};{4、8、11},
★02).{1、8、10};{2、5、12};{3、4、11};{6、7、9},
★03).{1、8、10};{2、6、7};{3、9、11};{4、5、12},
04).{1、8、10、11};{2、5};{3、4、12};{6、7、9},
05).{1、8、10、11};{2、5、12};{3、4};{6、7、9},
06).{1、8、10、11};{2、5、12};{3、6、9};{4、7},
07).{1、8、10、11};{2、6、7};{3、4、12};{5、9},
08).{1、8、10、11};{2、6、7};{3、9};{4、5、12},
09).{1、8、10、11};{2、7};{3、6、9};{4、5、12},
★10).{1、8、11};{2、5、10};{3、4、12};{6、7、9},
★11).{1、8、11};{2、7、10};{3、6、9};{4、5、12},
★12).{1、9、11};{2、6、7};{3、4、12};{5、8、10}。

4 结语

从上面求解四色着色方案的过程中可以看出,当移去一个4度点,再加上一条对角线时,将有两种可能性。在运作时,我们只是随意地选择了两条对角线中的一条对角线。譬如,当从图3的(a)图中移去4度点⑩后,既可以选择加对角线④—⑫,也可以选择加对角线⑥—⑨。随意地选择了前者,即加边④—⑫。因而可以想见,当我们选择了另一条对角线,即选择加边⑥—⑨时,得到的最后结果,将不是"四色着色方案Ⅱ",而是另一个四色着色方案。

我们曾数次随意地选择对角线,其中某一次运作的结果是,得到了另一个四色着色方案,即红色点为③、④和⑫;黄色点为⑥、⑦和⑨;蓝色点为①、⑧和⑪;绿色点为②、⑤和⑩。记这个四色着色方案为"四色着色方案Ⅰ"。这个四色着色方案,实际上与上节所列顺序编号的12个四色着色方案中的方案★10)是一致的。

参考文献

[1]冯纪先. 最大平面图着色的"移3度点法"[C]//第十五届电路与系统年会论文集. 广州:华南理工大学,1999:254-258.(见目录:2.01)
[2]冯纪先. 最大平面图着色的"移4度点法"[C]//第十五届电路与系统年会论文集. 广州:华南理工大学,1999:259-263.(见目录:2.02)
[3]冯纪先. 最大平面图着色的"C_3 分隔法"[C]//中国电机工程学会第六届电路理论学术研讨会论文集. 南京:东南大学,2000:49-53.(见目录:2.03)
[4]冯纪先. 最大平面图 G_M 的二色子图和二色交换[C]//第二十届电路与系统年会论文集. 广州:华南理工大学,2007:770-777.(见目录:2.04)
[5]哈拉里(Harary) F. 图论(Graph Theory)[M]. 李慰萱,译. 上海:上海科学技术出版社,1980:173-175.

2.06 “一个25阶最大平面图”G_{M25}的四色着色

【摘要】利用最大平面图着色的“降阶法”,对一个一定拓扑结构的25阶最大平面图G_{M25}进行了着色,得到了一个四色着色方案。在这个四色着色方案的基础上,利用“多层次二色交换法”,得到另外177个不同的“相近四色着色方案”。由此,就得到了一个含有178个不同的四色着色方案的“相近四色着色方案集”。文中对这178个四色着色方案进行了分析,获得了有意义的结论。

【关键词】最大平面图;着色;四色着色方案;“降阶法”;“多层次二色交换法”

On Four - coloring of “a maximal planar graph of 25 order” G_{M25}

Abstract: In this paper, a Four - coloring of “a maximal planar graph of 25 order” G_{M25} is obtained with the “method of reduction of order”. Other 177 “near Four - colorings” of the maximal planar graph of 25 order G_{M25} are obtained too with the “method of multilayer Two - color interchange”. The 178 Four - colorings are studied.

Keywords: maximal planar graph; coloring; Four - coloring; “method of reduction of order”; “method of multilayer Two - color interchange”

1 引言

文献[1]、[2]和[3]中分别提出了最大平面图着色的“移3度点法”、“移4度点法”和“C_3分隔法”。这三种方法虽然不同,但均是着眼于通过阶数较原母图低的子图,而获得原母图的四色着色方案,故可统称为“降阶法”。本文即综合利用“降阶法”,对一个一定拓扑结构的25阶最大平面图G_{M25}进行着色,从而得到一个四色着色方案(“四色着色方案甲”)。在这个四色着色方案的基础上,利用文献[4]中提出的“多层次二色交换法”,获得了另外不同的177个“相近四色着色方案”。

2 “一个25阶最大平面图”G_{M25}及其着色

为了获得四色着色方案,我们先进行“降阶”,再进行“着色和升阶”。运算的方法和过程,利用图1和图2来表达。图1表示“降阶”的运算过程;图2表示“着色和升阶”的运算过程。图2中的(V)图所示,为“一个25阶最大平面图”G_{M25},点数$n=25$,边数$e=3n-6=69$,区数$r=2n-4=46$,度数$d=6n-12=138$。图中圆圈表示点,圈内的数字为点的标号。该图无3度点,即$n_3=0$;4度点(最小度点)仅为①,即$n_4=1$;5度点为②、⑤、⑦、⑪、⑫、⑭、⑯、⑰、⑱、⑳、㉒、㉓和㉔,即$n_5=13$;6度点为③、⑥、⑧、⑨、⑩、⑬、⑲、㉑和㉕,即$n_6=9$;7度点为⑮,即$n_7=1$;8度点(最大度点)为⑭,即$n_8=1$。

一个图的拓扑结构,可以完全等效地用邻接矩阵[5]来表示。图1中,上半部分即为一个变形的邻接矩阵,方括弧被省去,矩阵元素被放在方格子里,对角元素以“×”表示,“0”元素被省去,左下部分的元素全省去了。在运算过程中,添加的“过渡边”,在矩阵里以“¦”表示。当图中的边被移去后,那么在矩阵里,相应矩阵元素的右下角加“×”的符号,即被移去的边将以

“1×”或“¦×”来表示。图 1 的下半部分是表示在演算过程中各点的度的变化,以纵向变化的数字来表示,夹行内的文字是说明数字变化的原因。当一个点从图中被移去后,此点的度数就以“0”表示,且其含义是再也不变化。与此点相邻的点的度数各减一。当一条边被加入图中时,此边的两个端点的度数各加一。本文在描述“降阶”运算过程时,与文献[6]中所述有所不同,即为了求得“降阶”的结果,本文未画出在“降阶”过程中图的拓扑结构的变化,而是直接在邻接矩阵上作演算而得到“降阶”的效果。且“降阶”将降至 $G_{M4}(=K_4)$,然后进行“着色并升阶”,直至得到一个 G_{M25} 的四色着色方案。这是完全可以的。现将过程的步骤阐述如下:

点	①		③		⑤		⑦		⑨		⑪		⑬		⑮		⑰		⑲		㉑		㉓		㉕	点
①	×		1×	1×	1×	1×																				
		×	1×			1×							1×		1×										1×	②
③			×	1×		1×							¦×										1×		1×	
				×	1×	¦×		1×	1×				¦×								1×	1×	1×		¦×	④
⑤					×	1×	1×	1×																		
						×	1×	¦×					1×													⑥
⑦							×	1×				1×	1×													
								×	1×		1×	1×	¦×													⑧
⑨									×	1×	1×		¦×				1×				1×				¦×	
										×	1×		¦×	1×	1×	1×	1×								¦×	⑩
⑪											×	1×	¦×	1×												
												×	1×	1×												⑫
⑬													×	1×	1×										¦×	
														×	1×											⑭
⑮															×	1×			1×						1×	
																×	1×	1×	1×						¦×	⑯
⑰																	×	1×			1×				¦×	
																		×	1×	1	1				¦	⑱
⑲																			×	1×				1×	1×	
																				×	1	1×		1×	¦	⑳
㉑																					×	1×			¦	
																						×	1×	1×	¦×	㉒
㉓																							×	1×	1×	
																								×	1×	㉔
㉕																									×	

点	①		③		⑤		⑦		⑨		⑪		⑬		⑮		⑰		⑲		㉑		㉓		㉕
度	4	5	6	8	5	6	5	6	6	6	5	5	6	5	7	5	5	5	6	5	6	5	5	5	6
去①，③、④、⑤、⑥各降1度；加④⑥，④、⑥各升1度。																									
	0		5	7	4	5																			
	0			8		6																			
去⑤，④、⑥、⑦、⑧各降1度；加⑥⑧，⑥、⑧各升1度。																									
	0			7	0	5	4	5																	
	0				0	6		6																	
去⑦，⑥、⑧、⑫、⑬各降1度；加⑧⑬，⑧、⑬各升1度。																									
	0				0	5	0	5				4	5												
	0				0		0	6					6												
………																									
去⑯，⑰、⑱、⑲、㉕各降1度；加⑱㉕，⑱、㉕各升1度。																									
	0	0	0	0	0	0	0	0	0	0	0	0	0	0	0	0	3	4	3			0	0	0	4
	0	0	0	0	0	0	0	0	0	0	0	0	0	0	0	0		5				0	0	0	5
去⑰，⑱、㉑、㉕各降1度。																									
	0	0	0	0	0	0	0	0	0	0	0	0	0	0	0	0	0	4			3	0	0	0	4
去⑲，⑱、⑳、㉕各降1度。																									
	0	0	0	0	0	0	0	0	0	0	0	0	0	0	0	0	0	3	0	3		0	0	0	3

图1 “降阶”过程中G_{M25}的点的度的变化

(1)移去4度点①,则图1中点①变为0度,邻接矩阵第1行的“1”均变为“1×”,点③、④、⑤和⑥均降1度,各为5、7、4和5度。从邻接矩阵中可查出点③和⑤不相邻,点④和⑥不相邻。为了保留4度的点⑤,我们添加边④⑥,则点④和⑥均升1度,各为8、6度。

(2)移去4度点⑤,则图1中点⑤变成0度,邻接矩阵第5行、5列的“1”均变为“1×”,点④、⑥、⑦和⑧均降1度,各为7、5、4和5度。保留4度的点⑦,添加边⑥⑧,则点⑥和⑧均升1度,均为6度。

(3)移去4度点⑦,则点⑦变成0度,邻接矩阵第7行、7列的“1”均变为“1×”,点⑥、⑧、⑫和⑬均降1度,各为5、5、4和5度。保留4度的点⑫,添加边⑧⑬,则点⑧和⑬均升1度,均为6度。

(4)移去4度点⑫,则点⑫变成0度,邻接矩阵第12行、12列的“1”均成“1×”,点⑧、⑪、⑬和⑭均降1度,各为5、4、5和4度。保留4度的点⑭,添加边⑪⑬,则点⑪和⑬均升1度,各为5、6度。

(5)移去4度点⑭,则点⑭变成0度,邻接矩阵第14行、14列的“1”均成“1×”,点⑩、⑪、⑬和⑮均降1度,各为5、4、5和6度。保留4度的点⑪,添加边⑩⑬,则点⑩和⑬均升1度,均为6度。

(6)移去点⑪,则点⑪变成0度,矩阵第11行、11列的“1”均成“1×”,点⑧、⑨、⑩和⑬均降1度,各为4、5、5和5度。保留4度点⑧,添加边⑨⑬,则点⑨和⑬均升1度,均为6度。

(7)移去点⑧,则点⑧变成0度,矩阵第8行、8列的“1”均成“1×”,点④、⑥、⑨和⑬均降1度,各为6、4、5和5度。保留4度点⑥,添加边④⑬,则点④和⑬均升1度,各为7、6度。

(8)移去点⑥,则点⑥变成0度,矩阵第6行、6列的“1”均成“1×”,点②、③、④和⑬均降1度,各为4、4、6和5度。保留4度点②,添加边③⑬,则点③和⑬均升1度,各为5、6度。

(9)移去点②,则点②变成0度,矩阵第2行的“1”均成“1×”,点③、⑬、⑮和㉕均降1度,各为4、5、5和5度。保留4度点③,添加边⑬㉕,则点⑬和㉕均升1度,均为6度。

(10)移去点③,则点③变成0度,矩阵第3行的“1”均成“1×”,点④、⑬、㉓和㉕均降1度,各为5、5、4和5度。保留4度点㉓,添加边④㉕,则点④和㉕均升1度,均为6度。

(11)移去点㉓,则点㉓变成0度,矩阵第23行、23列的“1”均成“1×”,点④、㉒、㉔和㉕均降1度,各为5、4、4和5度。保留4度点㉔,添加边㉒㉕,则点㉒和㉕均升1度,各为5、6度。

(12)移去点㉔,则点㉔变成0度,矩阵第24行、24列的“1”均成“1×”,点⑲、⑳、㉒和㉕均降1度,各为5、4、4和5度。保留4度点㉒,添加边⑳㉕,则点⑳和㉕均升1度,各为5、6度。

(13)移去点㉒,则点㉒变成0度,矩阵第22行、22列的“1”均成“1×”,点④、⑳、㉑和㉕均降1度,各为4、4、5和5度。保留4度点④,添加边㉑㉕,则点㉑和㉕均升1度,均为6度。

(14)移去点④,则点④变成0度,矩阵第4行的“1”均成“1×”,点⑨、⑬、㉑和㉕均降1度,各为4、4、5和5度。保留4度点⑬,添加边⑨㉕,则点⑨和㉕均升1度,各为5、6度。

(15)移去点⑬,则点⑬变成0度,矩阵第13行、13列的“1”均成“1×”,点⑨、⑩、⑮和㉕均降1度,各为4、4、4和5度。保留4度点⑮,添加边⑩㉕,则点⑩和㉕均升1度,各为5、6度。

(16)移去点⑮,则点⑮变成0度,矩阵第15行、15列的“1”均成“1×”,点⑩、⑯、⑲和㉕均降1度,各为4、4、4和5度。保留4度点⑩,添加边⑯㉕,则点⑯和㉕均升1度,各为5、6度。

(17)移去点⑨,则点⑨变成0度,矩阵第9行的“1”均成“1×”,点⑩、⑰、㉑和㉕均降1度,各为3、4、4和5度。保留3度点⑩,添加边⑰㉕,则点⑰和㉕均升1度,各为5、6度。

(18)移去点⑩,则点⑩变成0度,矩阵第10行的“1”均成“1×”,点⑯、⑰和㉕均降1度,各为4、4和5度。

(19)移去点⑯,则点⑯变成0度,矩阵第16行的“1”均成“1×”,点⑰、⑱、⑲和㉕均降1度,各为3、4、3和4度。保留3度点⑰,添加边⑱㉕,则点⑱和㉕均升1度,均成5度。

(20)移去点⑰,点⑰成0度,矩阵第17行的“1”均成“1×”,点⑱、㉑和㉕均降1度,各为4、3和4度。

(21)移去点⑲,点⑲成0度,矩阵第19行、19列的“1”均成“1×”,点⑱、⑳和㉕均降1度,均为3度。由此得到,由四个点⑱、⑳、㉑和㉕组成的G_{M4}($=K_4$)。现在开始“着色”,首先在图2的(a)图中,分别给点㉑着红色;给点⑳着黄色;给点⑱着蓝色;给点㉕着绿色。“着色”时,为了醒目,按文献[4]中之约定进行,即红色点以空白圆圈表示;黄色点以散点圆圈表示;

蓝色点以斜线圆圈表示;绿色点以格线圆圈表示。同时约定,边也着以颜色,即端点为红、黄的边着橙色,以点线表示;端点为红、蓝的边着紫色,以划线表示;端点为红、绿的边着棕色,以点划线表示;端点为蓝、绿的边着黑色,以粗线表示;端点为黄、绿的边着翠色,以锯齿线表示;端点为黄、蓝的边着白色,以双线表示。按以上约定,即得(a)图。

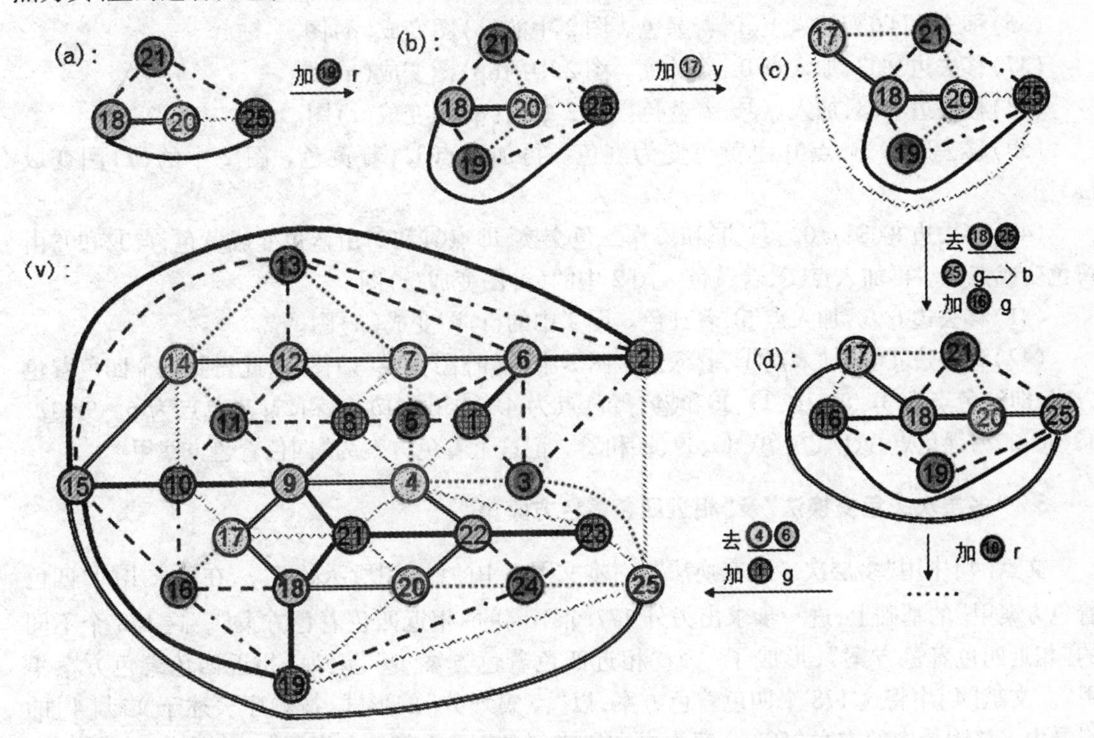

图 2 "着色一升阶"过程中 G_{M25}的拓扑结构的变化

(22)加入点⑲,着红色。图 2 中的(a)图变成(b)图。

(23)加入点⑰,着黄色。图 2 中的(b)图变成(c)图。

(24)移去边⑱㉕,点㉕由绿色变为蓝色。再加入点⑯,着绿色。图 2 中的(c)图变成(d)图。

(25)加入点⑩,着红色。图 2 中的(d)图变成(e)图。

(26)移去边⑰㉕,加入点⑨,着绿色。图 2 中的(e)图变成(f)图。

(27)移去边⑯㉕,加入点⑮,着黄色。图 2 中的(f)图变成(g)图。

(28)移去边⑩㉕,点⑩由红色变为蓝色。再加入点⑬,着红色。图 2 中的(g)图变成(h)图。

(29)移去边⑨㉕,加入点④,着黄色。图 2 中的(h)图变成(i)图。

(30)移去边㉑㉕,加入点㉒,着绿色。图 2 中的(i)图变成(j)图。

(31)移去边⑳㉕;点⑯和⑲作二色交换,即点⑯由绿色变成红色,点⑲由红色变成绿色。再加入点㉔,着红色。图 2 中的(j)图变成(k)图。

(32)移去边㉒㉕,点㉒由绿色变为蓝色。再加入点㉓,着绿色。图 2 中的(k)图变成(l)图。

(33)移去边④㉕;点⑨、⑬和㉑作二色交换,即点⑨由绿色变成红色,点⑬、㉑由红色变成绿色。再加入点③,着红色。图 2 中的(l)图变成(m)图。

(34)移去边⑬㉕;点⑩和⑬作二色交换,即点⑩由蓝色变成绿色,点⑬由绿色变成蓝色。再加入点②,着绿色。图2中的(m)图变成(n)图。

(35)移去边③⑬;点⑨和⑬作二色交换,即点⑨由红色变成蓝色,点⑬由蓝色变成红色。再加入点⑥,着蓝色。图2中的(n)图变成(o)图。

(36)移去边④⑬,加入点⑧,着绿色。图2中的(o)图变成(p)图。

(37)移去边⑨⑬,加入点⑪,着黄色。图2中的(p)图变成(q)图。

(38)移去边⑩⑬,加入点⑭,着蓝色。图2中的(q)图变成(r)图。

(39)移去边⑪⑬,点⑪由黄色变为红色。再加入点⑫,着黄色。图2中的(r)图变成(s)图。

(40)移去边⑧⑬;点⑫、⑭、⑮和㉕作二色交换,即点⑭和㉕由蓝色变成黄色,点⑫和⑮由黄色变成蓝色。再加入点⑦,着黄色。图2中的(s)图变成(t)图。

(41)移去边⑥⑧,加入点⑤,着红色。图2中的(t)图变成(u)图。

(42)移去边④⑥,加入点①,着绿色。图2中的(u)图变成(v)图,由此得到一个四色着色方案,即红色点为③、⑤、⑪、⑬、⑯和㉔;黄色点为④、⑦、⑭、⑰、⑳和㉕;蓝色点为⑥、⑨、⑫、⑮、⑱和㉒;绿色点为①、②、⑧、⑩、⑲、㉑和㉓。记这个着色方案为"四色着色方案甲"。

3 "多层次二色交换法"及"相近四色着色方案集"

文献[4]中用"多层次二色交换法",对本文图2中的(v)图所示的G_{M25},在已求出的"四色着色方案甲"的基础上,进一步求出另外177个不同的"相近四色着色方案"。这178个不同的"相近四色着色方案",形成了一个"相近四色着色方案集",记为"相近四色着色方案集甲"。文献[4]中将这178个四色着色方案,以"点集划分"的形式,按顺序表述于文献[4]的附录中。该附录中的方案050).,即为本文所求得的"四色着色方案甲"。在这个"相近四色着色方案集甲"中,点①与点②同色的四色着色方案共有90个,即方案001)至方案090);点①与点②异色的四色着色方案共有88个,即方案091)至方案178)。

4 结语

从上面求解四色着色方案的过程中可以看出,任何n阶最大平面图G_{Mn},只要至少含有一个3度点或者一个4度点,就可以利用"降阶法",将母图G_{Mn}转变成为降了一阶的子图$G_{M(n-1)}$,最后就可以求得母图G_{Mn}的一个四色着色方案。再利用"多层次二色交换法",就可以获得母图G_{Mn}的一个"相近四色着色方案集"。

参考文献

[1]冯纪先.最大平面图着色的“移3度点法”[C]//第十五届电路与系统年会论文集.广州:华南理工大学,1999:254-258.(见目录:2.01)

[2]冯纪先.最大平面图着色的“移4度点法”[C]//第十五届电路与系统年会论文集.广州:华南理工大学,1999:259-263.(见目录:2.02)

[3]冯纪先.最大平面图着色的“C_3分隔法”[C]//中国电机工程学会第六届电路理论学术研讨会论文集.南京:东南大学,2000:49-53.(见目录:2.03)

[4]冯纪先.最大平面图G_M的二色子图和二色交换[C]//第二十届电路与系统年会论文集.广州:华南理工大学.2007:770-777.(见目录:2.04)

[5]哈拉里(Harary)F.图论(Graph Theory)[M].李慰萱,译.上海:上海科学技术出版社,1980:173-175.

[6]冯纪先.“一个12阶最大平面图”G_{M12}的四色着色[C]//第十九届电工理论学术年会论文集.合肥:安徽大学,2007:241-246.(见目录:2.05)

2.07 四色着色的“简化降阶法”

【摘要】依靠邻接矩阵进行“降阶”，分层次的移去3度点和4度点，再借助拓扑结构图进行“升阶、着色”，且不加入任何“添加边”而得到平面图的四色着色方案，由此形成平面图着色的“简化降阶法”。利用“简化降阶法”，对一个一定拓扑结构的12阶最大平面图 G_{M12} 进行着色，得到 G_{M12} 的四色着色方案；以同样的方法，对一个一定拓扑结构的25阶最大平面图 G_{M25} 进行着色，得到 G_{M25} 的四色着色方案。这两个例子均显示，“简化降阶法”是合理的、有效的，且为简便的。

【关键词】最大平面图；着色；四色着色方案；“简化降阶法”

The“simplified method of reduction of order” for Four - coloring

Abstract: In this paper, a “simplified method of reduction of order” for Four - coloring is presented. A Four - coloring of a maximal planar graph of 12 order G_{M12} is obtained with “simplified method of reduction of order”. In the same way, a Four - coloring of a maximal planar graph of 25 order G_{M25} is obtained with “simplified method of reduction of order” too. Two practical examples show, “simplified method of reduction of order” is valid, feasible and simple.

Keywords: maximal planar graph; coloring; Four - coloring; “simplified method of reduction of order”

1 引言

文献[1]、[2]和[3]中分别提出了最大平面图着色的“移3度点法”、“移4度点法”和“C_3分隔法”。这三种方法虽然不同，但均着眼于通过阶数较低的子图而获得母图的四色着色方案，故可统称为平面图着色的“降阶法”。

文献[4]和[5]综合利用“降阶法”，分别对一个一定拓扑结构的12阶最大平面图 G_{M12} 和一个一定拓扑结构的25阶最大平面图 G_{M25} 进行演算，各自得到一个“四色着色方案Ⅱ”和一个“四色着色方案甲”。在分析上述演算过程中知悉，为了获得四色着色方案，加入“添加边”的操作是完全可以省去的。因此“降阶法”实可简化为“简化降阶法”，后者与前者相比，演算过程大为简化，工作量将大为减少。由此，本文形成了平面图着色的“简化降阶法”。

2 “简化降阶法”

在“降阶法”[2]中，与移去的一个4度点相邻的四个点，形成 C_4。我们总是从 C_4 的两条可能的对角线中任选一条作为“添加边”，加到图上。在“降阶”过程中始终遵循上述原则。由此，一个最大平面图 G_{Mk} 移去一个4度点后虽然降了一阶，但由于加了一条添加边，低一阶的

$G_{M(k-1)}$ 在拓扑结构上仍为最大平面图。其实,为了最后求得母图的四色着色方案,加入一条添加边的操作,是可以省去的。那就是,移去一个 4 度点后,低一阶的平面图不一定非为最大平面图不可,也可以是一般平面图,即 $G_{Mk} \to G_{(k-1)}$,“降阶”完全可以继续进行下去。同样的,“升阶和着色”也完全可以继续进行下去的。由此,就形成了不加入“添加边”的“简化降阶法”。这使演算过程简化,工作量减少。下面用文献[4]、[5]中的两个例子 G_{M12} 和 G_{M25} 来作演示和说明。为了与其他相关文献一致,本文对四色着色方案未按自然顺序排序。

3 “一个 12 阶最大平面图”G_{M12} 的四色着色方案

对“一个 12 阶最大平面图”G_{M12} 作“简化降阶法”的着色。“降阶”的演算直接在邻接矩阵[6]上进行,“升阶和着色”的运作在拓扑结构图上进行,过程和结果表示在图 1 及图 2 上。

点	①	②	③	④	⑤	⑥	⑦	⑧	⑨	⑩	⑪	⑫	点
	×	1	1	1×	1×	1×							①
		×	1	1×				1×	1×				②
			×		1×		1×	1×					③
				×		1×			1×	1×			④
					×	1×	1×				1×		⑤
						×				1×	1×	1×	⑥
							×	1×			1×	1×	⑦
								×	1×			1×	⑧
									×	1×		1×	⑨
										×		1×	⑩
											×	1×	⑪
												×	⑫
点	①	②	③	④	⑤	⑥	⑦	⑧	⑨	⑩	⑪	⑫	
度	5	5	5	5	5	6	5	5	5	4	4	6	
	去⑩, ④、⑥、⑨、⑫各降 1 度。												
				4		5			4	0		5	
	去⑪, ⑤、⑥、⑦、⑫各降 1 度。												
					4	4	4			0	0	4	
	去⑫, ⑥、⑦、⑧、⑨各降 1 度。												
						3	3	4	3	0	0	0	
	去⑥、⑦、⑨, ①、④、⑤、③、⑤、⑧、②、④、⑧各降 1 度。												
	4	4	4	2	2	0	0	2	0	0	0	0	
	去④、⑤、⑧, ①、②、①、③、②、③各降 1 度。												
	2	2	2	0	0	0	0	0	0	0	0	0	

图 1 “简化降阶法”中 G_{M12} 的点的度的变化

图 1 中,上半部分为一个变形的邻接矩阵,方括弧被省去,矩阵元素被放在方格子里,对角元素以“×”表示,“0”元素被省去,左下部分的元素全省去。当一个点被移去后,与此点关联的所有的边也被移去,那么在矩阵里,相应的矩阵元素由“1”变为“1×”。图 1 的下半部分是表示在“降阶”过程中各点的度的变化,以纵向(向下)变化的数字来表达,夹行内的文字是说明点的度数变化的原因。当一个点被移去后,此点的度数即为 0,与此点邻接的点的度数各减一。“降阶”直至 $G_{M3}(=K_3)$,然后,如图 2 所示在拓扑结构图上“着色、升阶、着色”,直至得到 G_{M12}的四色着色方案。现将过程的步骤和结果阐述如下:

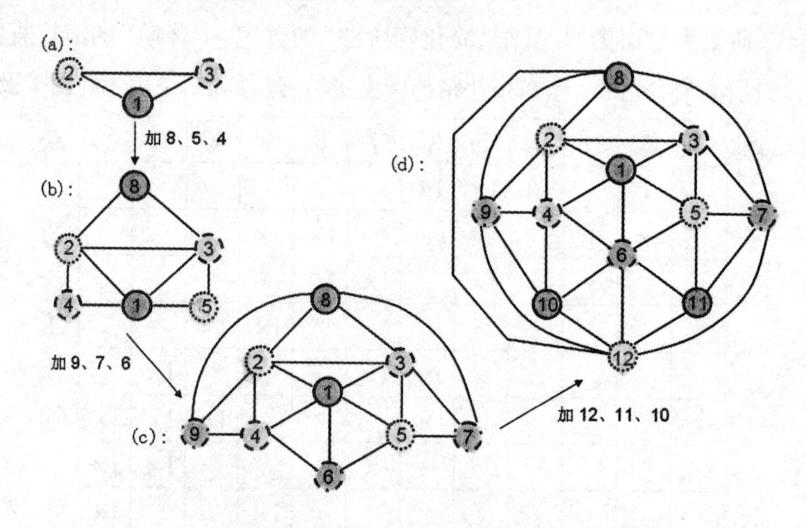

图 2 “简化降阶法”求 G_{M12}的“四色着色方案Ⅲ”

(1)移去 4 度点⑩,点⑩成 0 度。邻接矩阵 10 行、10 列的“1”变成“1×”,点④、⑥、⑨和⑫均降 1 度,各为 4、5、4 和 5 度。

(2)移去 4 度点⑪,点⑪成 0 度。邻接矩阵 11 行、11 列的“1”变成“1×”,点⑤、⑥、⑦和⑫均降 1 度,各为 4、4、4 和 4 度。

(3)移去 4 度点⑫,点⑫成 0 度。邻接矩阵 12 列的“1”变成“1×”,点⑥、⑦、⑧和⑨均降 1 度,各为 3、3、4 和 3 度。

(4)顺次移去 3 度点⑥、⑦和⑨,则该三点均成 0 度。邻接矩阵作相应变化,即按顺序点①、④、⑤、③、⑤、⑧、②、④和⑧各降 1 度。实际上,点⑤和⑧均各降 2 度。

(5)顺次移去 2 度点④、⑤和⑧,相应的均成 0 度。邻接矩阵再作变化,即按顺序点①、②、①、③、②和③各降 1 度。留下一个由均为 2 度的点①、②和③所组成的 K_3,“降阶”结束。开始“着色、升阶、着色”,其过程和结果表示在图 2 上。在图 2 的(a)图中,点①着红色;点②着黄色;点③着蓝色。本文约定红色点以“实线圆圈”表示;黄色点以“点线圆圈”表示;蓝色点以“划线圆圈”表示;绿色点以“点划线圆圈”表示。圆圈内的数字是点的标号。若一个点以数层不同的圆圈表达时,则最内层的圆圈表示该点最初的着色;最外层的圆圈表示该点最后的着色,也即现时的着色。如图3所示,最先该点着红色(最内层是实线圆圈);后,该点由红色变为黄色(中间内层是点线圆圈);再后,该点由黄色变为蓝色(中间外层是划线圆圈);最后,该点由蓝色变为绿色(最外层是点划线圆圈),即现时该点着绿色。按以上约定,即得图2中的(a)图。

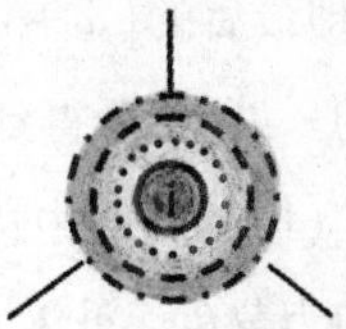

图3 点i着色的改变

(6)按倒序,加入点⑧。此处点⑧是作为2度点加入的,由于点②为黄色,点③为蓝色,因而点⑧在红色与绿色中可任意选用而着红色。类似地,在黄色与绿色中,点⑤被选用为黄色而加入;在蓝色与绿色中,点④被选用为蓝色而加入。图(2)中的(a)图即变成(b)图。

(7)按倒序,加入点⑨、⑦和⑥,此时它们均为3度点,因而它们的着色只能是四色中的第四色,这儿恰巧它们均只能着绿色。图2中的(b)图变成(c)图。

(8)最后,按倒序再加入点⑫、⑪和⑩,它们均作为4度点加入。由于点⑧已着红色,点⑥、⑦和⑨已着绿色,故点⑫可在黄、蓝二色中任选一色,点⑫选着黄色。此时,点⑪可着红色或蓝色,现点⑪选着红色;点⑩必着红色,图2中的(c)图变成(d)图。由此得到一个四色着色方案,即红色点为①、⑧、⑩和⑪;黄色点为②、⑤和⑫;蓝色点为③和④;绿色点为⑥、⑦和⑨。记这个着色方案为“四色着色方案Ⅲ”,此即文献[4]和[7]中的方案05)。图2的(d)图即“一个12阶最大平面图”G_{M12},也即文献[4]中的图1。

此外,若点⑪选着蓝色,点⑩仍必着红色,则可得另一个四色着色方案,即红色点为①、⑧、和⑩;黄色点为②、⑤和⑫;蓝色点为③、④和⑪;绿色点为⑥、⑦和⑨。记这个着色方案为“四色着色方案Ⅳ”,此即文献[4]和[7]中的方案★02)。

若点⑫选着蓝色,则又可获得两个四色着色方案。一个是,红色点为①、⑧、⑩和⑪;黄色点为②和⑤;蓝色点为③、④和⑫;绿色点为⑥、⑦和⑨。记这个着色方案为“四色着色方案Ⅴ”,此即文献[4]和[7]中的方案04)。再一个是,红色点为①、⑧和⑪;黄色点为②、⑤和⑩;蓝色点为③、④和⑫;绿色点为⑥、⑦和⑨。文献[4]中已记这个着色方案为“四色着色方案Ⅰ”,此即文献[4]和[7]中的方案★10)。

4 “一个25阶最大平面图”G_{M25}的四色着色方案

对“一个25阶最大平面图”G_{M25}作“简化降阶法”的着色,其方法和过程与上节对G_{M12}所作的着色类似。“降阶”的演算直接在邻接矩阵上进行,“升阶和着色”的运作在拓扑结构图上进行,过程和结果表示在图4和图5上。

图4中,上半部分为一个变形的邻接矩阵,下半部分是表示在“降阶”过程中各点的度的变化。为了减少篇幅,对图4所示的“降阶”过程不作仔细的阐述。但可见到,“降阶”的最后结果是,留下一个由均为2度的点⑱、⑲和⑳所组成的K_3。此时,“降阶”结束,开始“着色并升阶”,再继续“着色”,其过程和结果表示在图5上。上节G_{M12}的“着色”过程,用图2中的(a)

图、(b)图、(c)图和(d)图来表达,实际上图2中的(a)、(b)、(c)、(d)4个图可以合并成一个图,即最后的(d)图。因而本节的图5只是一个图,这个图就是逐步对点进行“着色”而逐渐生成的。最后,既得到G_{M25},同时也得到G_{M25}的一个四色着色方案。现将过程的步骤阐述如下:

(1)首先对由边⑱⑲、⑲⑳和⑳⑱所组成的K_3的三个点着色,点⑱为红色;点⑲为蓝色;点⑳为黄色。此K_3,作为图5的初始图。

(2)2度点㉑,在蓝、绿二色中选着蓝色。图5中加入边⑱㉑和⑳㉑。

(3)按倒序,先考虑点⑰。作为2度点的⑰,在黄、绿二色中选着黄色。因而,作为3度点的⑯必着绿色。图5中顺次加入边⑰㉑、⑰⑱、⑯⑲、⑯⑱和⑯⑰。

(4)作为2度点的㉔,在红、绿二色中选着红色。作为2度点的⑮,在红、黄二色中选着红色。图5中顺次加入边㉔⑳、㉔⑲、⑮⑲和⑮⑯。

(5)3度点㉕,在黄、绿二色中选着黄色。3度点㉒,只能着绿色。3度点⑩,只能着蓝色。图5中顺次加入边㉕㉔、㉕⑲、㉕⑮、㉒㉔、㉒㉑、㉒⑳、⑩⑰、⑩⑯和⑩⑮。

(6)3度点㉓,只能着蓝色。3度点⑨,在红、绿二色中选着红色。图5中顺次加入边㉓㉕、㉓㉔、㉓㉒、⑨㉑、⑨⑰和⑨⑩。

(7)4度点④,只能着黄色。图5中顺次加入边④㉓、④㉒、④㉑和④⑨。

(8)2度点⑪,在黄、绿二色中选着黄色。图5中顺次加入边⑪ ⑩和⑪ ⑨。

(9)3度点⑭,只能着绿色。3度点⑧,在蓝、绿二色中选着蓝色。图5中顺次加入边⑭⑮、⑭⑪、⑭ ⑩、⑧⑪、⑧⑨和⑧④。

(10)3度点⑫,只能着红色。图5中顺次加入边⑫⑭、⑫⑪和⑫ ⑧。

(11)3度点⑬,在黄、蓝二色中选着黄色。3度点③,在红、绿二色中选着红色。图5中顺次加入边⑬⑮、⑬⑭、⑬⑫、③㉕、③㉓和③④。

(12)4度点②,在蓝、绿二色中选着蓝色。图5中顺序加入边②㉕、②⑮、②⑬和②③。

(13)3度点⑦,只能着绿色。图5中顺次加入边⑦⑬、⑦⑫和⑦⑧。

(14)4度点⑥的着色,必须先使点⑦和⑧作蓝、绿二色交换,即点⑦由绿色变成蓝色,点⑧由蓝色变成绿色。此时,点⑥即可着绿色。图5中顺次加入边⑥⑬、⑥⑦、⑥③和⑥②。

(15)4度点⑤,只能着红色。图5中顺次加入边⑤⑧、⑤⑦、⑤⑥和⑤④。

(16)4度点①,只能着蓝色。图5中顺次加入边①⑥、①⑤、①④和①③。由此,在图5中得到G_{M25},且得到了G_{M25}的一个四色着色方案,即红色点为③、⑤、⑨、⑫、⑮、⑱和㉔;黄色点为④、⑪、⑬、⑰、⑳和㉕;蓝色点为①、②、⑦、⑩、⑲、㉑和㉓;绿色点为⑥、⑧、⑭、⑯和㉒。为了与其他四色着色方案协调,记这个着色方案为“四色着色方案乙”。图5即为“一个25阶最大平面图”G_{M25},也即文献[5]中的图2的(v)图。

点	①	②	③	④	⑤	⑥	⑦	⑧	⑨	⑩	⑪	⑫	⑬	⑭	⑮	⑯	⑰	⑱	⑲	⑳	㉑	㉒	㉓	㉔	㉕
①	×		1×	1×	1×	1×																			
②		×	1×			1×							1×		1×										1×
③			×	1×		1×																	1×		1×
④				×	1×			1×	1×												1×	1×	1×		
⑤					×	1×	1×	1×																	
⑥						×	1×						1×												
⑦							×	1×				1×	1×												
⑧								×	1×		1×	1×													
⑨									×	1×	1×						1×				1×				
⑩										×	1×			1×	1×	1×	1×								
⑪											×	1×		1×											
⑫												×	1×	1×											
⑬													×	1×	1×										
⑭														×	1×										
⑮															×	1×			1×						1×
⑯																×	1×	1×	1×						
⑰																	×	1×			1×				
⑱																		×	1	1	1×				
⑲																			×	1				1×	1×
⑳																				×	1×	1×		1×	
㉑																					×	1×			
㉒																						×	1×	1×	
㉓																							×	1×	1×
㉔																								×	1×
㉕																									×

点		②		④		⑥		⑧		⑩		⑫		⑭		⑯		⑱		⑳		㉒		㉔	
度	4	5	6	8	5	6	5	6	6	6	5	5	6	5	7	5	5	5	6	5	6	5	5	5	6
	去①，③、④、⑤、⑥各降1度																								
	0		5	7	4	5																			
	去⑤，④、⑥、⑦、⑧各降1度																								
	0			6	0	4	4	5																	
	去⑥，②、③、⑦、⑬各降1度																								
	0	4	4		0	0	3						5												
	去⑦，⑧、⑫、⑬各降1度																								
	0				0	0	0	4				4	4												
	去②，③、⑬、⑮、㉕各降1度																								

0	0	3		0	0	0						3		6										5
去③、⑬，④、㉓、㉕、⑫、⑭、⑮各降1度																								
0	0	0	5	0	0	0					3	0	4	5								4		4
去⑫，⑧、⑪、⑭各降1度																								
0	0	0		0	0	0	3			4	0	0	3											
去⑧、⑭，④、⑨、⑪、⑩、⑪、⑮各降1度																								
0	0	0	4	0	0	0	0	5	5	2	0	0	0	4										
去⑪，⑨、⑩各降1度																								
0	0	0		0	0	0	0	4	4	0	0	0	0											
去④，⑨、㉑、㉒、㉓各降1度																								
0	0	0	0	0	0	0	0	3		0	0	0	0							5	4	3		
去⑨、㉓，⑩、⑰、㉑、㉒、㉔、㉕各降1度																								
0	0	0	0	0	0	0	0	0	3	0	0	0	0			4				4	3	0	4	3
去⑩、㉒、㉕，⑮、⑯、⑰、⑳、㉑、㉔、⑮、⑲、㉔各降1度																								
0	0	0	0	0	0	0	0	0	0	0	0	0	0	2	4	3		5	4	3	0	0	2	0
去⑮、㉔，⑯、⑲、⑲、⑳各降1度																								
0	0	0	0	0	0	0	0	0	0	0	0	0	0	0	3			3	3		0	0	0	0
去⑯、⑰，⑰、⑱、⑲、⑱、㉑各降1度																								
0	0	0	0	0	0	0	0	0	0	0	0	0	0	0	0	0	3	2		2	0	0	0	0
去㉑，⑱、⑳各降1度																								
0	0	0	0	0	0	0	0	0	0	0	0	0	0	0	0	0	2		2	0	0	0	0	0
点 ①		③		⑤		⑦		⑨		⑪		⑬		⑮		⑰		⑲		㉑		㉓		㉕

图4 “简化降阶法”中 G_{M25} 的点的度的变化

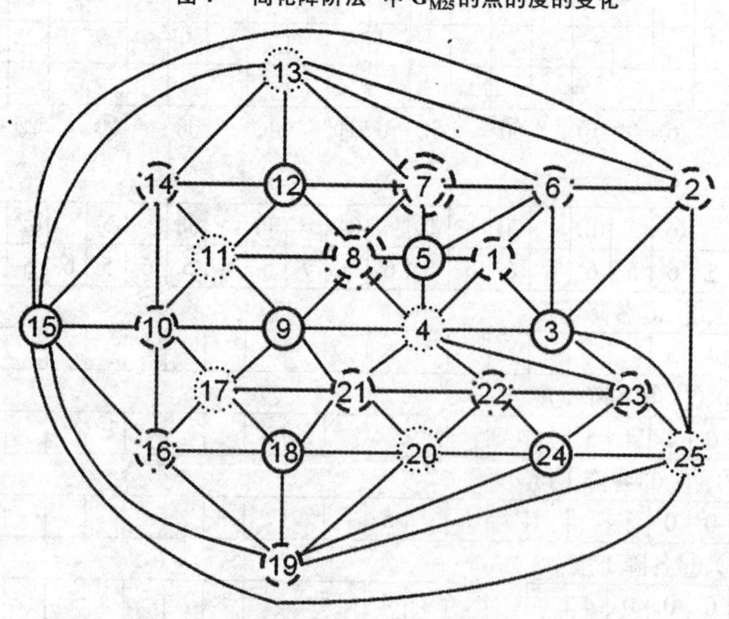

图5 “简化降阶法”求 G_{M25} 的“四色着色方案乙”

5 结语

第二个例子所得到的"四色着色方案乙",是一个有趣的、有意义的结果,因为这个"四色着色方案乙",并未包含在文献[7]中的附录所示的178个"四色着色方案"(一个"相近四色着色方案集甲")中。这就意味着,如同文献[7]中所述,若以"四色着色方案乙"为基础,利用"多层次二色交换法",可以演算出另一个"相近四色着色方案集乙"(这个"方案集乙"的求取,另文表述)。这就说明,同一个一定阶数、一定拓扑结构的最大平面图 G_{Mn} 可以具有一个或大于一个的"相近四色着色方案集",也就是说一个"相近四色着色方案集"有可能没有包含 G_{Mn} 的所有可能的"四色着色方案"。

参考文献

[1] 冯纪先.最大平面图着色的"移3度点法"[C]//第十五届电路与系统年会论文集.广州:华南理工大学,1999:254-258.(见目录:2.01)

[2] 冯纪先.最大平面图着色的"移4度点法"[C]//第十五届电路与系统年会论文集.广州:华南理工大学,1999:259-263.(见目录:2.02)

[3] 冯纪先.最大平面图着色的"C_3 分隔法"[C]//中国电机工程学会第六届电路理论学术研讨会论文集.南京:东南大学,2000:49-53.(见目录:2.03)

[4] 冯纪先."一个12阶最大平面图"G_{M12} 的四色着色[C]//第十九届电工理论学术年会论文集.合肥:安徽大学,2007:241-246.(见目录:2.05)

[5] 冯纪先."一个25阶最大平面图"G_{M25} 的四色着色[C]//全国电工理论与新技术学术年会CTATEE'07论文集.长沙:湖南大学,2007:99-102.(见目录:2.06)

[6] 哈拉里(Harary)F.图论(Graph Theory)[M].李慰萱,译.上海:上海科学技术出版社,1980:173-179.

[7] 冯纪先.最大平面图 G_M 的二色子图和二色交换[C]//第二十届电路与系统年会论文集.广州:华南理工大学.2007:770-777.(见目录:2.04)

2.08 “一个25阶最大平面图”G_{M25}的“相近四色着色方案集乙”

【摘要】在已知的“四色着色方案乙”的基础上,利用“多层次二色交换法”,通过在三种“二色子图对”内的六个层次的二色交换,求出了“一个25阶最大平面图”G_{M25}的,含120(=1+119)种四色着色方案的,另一个相近四色着色方案集——“相近四色着色方案集乙”。该“集乙”中,点①与点②异色的四色着色方案有60种,恰巧是60/120=50%。文中对所获结果进行了分析,得到了有意义的认识。

【关键词】最大平面图;“降阶法”;四色着色方案;二色子图对;“多层次二色交换法”;相近四色着色方案集

The “near Four - coloring set Yi” of “a maximal planar graph of 25 order” G_{M25}

Abstract: In this paper, another “Near Four - coloring Set Yi” (120(=1 +119) Four - colorings) of “A Maximal Planar Graph of 25 Order” G_{M25} is obtained with a “Four - coloring Yi”, using “method of multilayer Two - color interchange”. In this “Set Yi”, there are 60 Four - colorings that the colors of their point① and point ② are different, just make up 60/120 = 50 per cent. The 120 Four - colorings are studied.

Keywords: maximal planar graph; “method of reduction of order”; Four - coloring; Two - color subgraph pair; “method of multilayer Two - color interchange”; near Four - coloring set

1 引言

文献[1]利用“降阶法”,求出了“一个25阶最大平面图” G_{M25}的一个“四色着色方案甲”,即:{1、2、8、10、19、21、23};{3、5、11、13、16、24};{4、7、14、17、20、25};{6、9、12、15、18、22}。在“四色着色方案甲”的基础上,文献[2]利用“多层次二色交换法”,求出了G_{M25}的一个含178(=1+177)个四色着色方案的“相近四色着色方案集甲”。该“集甲”,以“四个点集划分”的形式列于文献[2]的附录中。在“集甲”中,点①与点②异色的四色着色方案有88种,即编号从091)到178),几乎是占了一半。“方案甲”在“集甲”中的编号是050)。

文献[3]利用“简化降阶法”,求出了文献[1]中的那个例子即“一个25阶最大平面图”G_{M25}的,另一个四色着色方案——“四色着色方案乙”,即:{1、2、7、10、19、21、23};{3、5、9、12、15、18、24};{4、11、13、17、20、25};{6、8、14、16、22}。这儿的“方案乙”,恰巧和“方案甲”是不一样的。而且,检查一下,“方案乙”也未包含在“相近四色着色方案集甲”中,也就是说,“集甲”的178种四色着色方案,都是与“四色着色方案乙”不相同的。这就可判断,“四色着色方案乙”将包含在G_{M25}的另一个相近四色着色方案集中。于是,本文利用“多层次二色交换法”[2],在“四色着色方案乙”的基础上,求出了G_{M25}的另一个相近四色着色方案集,即“相近四色着色方案集乙”,详见下文所述。

2 “一个25阶最大平面图” G_{M25}

图1所示,即为“一个25阶最大平面图” G_{M25}。此图,即文献[3]中之图5。图1的G_{M25}的点数$n=25$,边数$e=3n-6=69$,区数$r=2n-4=46$,度数$d=6n-12=138$,所有的区均为三边形K_3。图中的圆圈表示点,圈内的数字为点的标号。该图G_{M25}无3度点,即$n_3=0$;4度点(最小度点)仅为点①,即$n_4=1$;5度点为点②、⑤、⑦、⑪、⑫、⑭、⑯、⑰、⑱、⑳、㉒、㉓和㉔,即$n_5=13$;6度点为点③、⑥、⑨、⑧、⑩、⑬、⑲、㉑和㉕,即$n_6=9$;7度点为点⑮,即$n_7=1$;8度点(最大度点)为点④,即$n_8=1$。

本文约定:红点以“实线圆”;黄点以“点线圆”;蓝点以“划线圆”;绿点以“点划线圆”表示。若一个点以数层不同的圆表达时,则最内层的圆表示该点最初的着色,最外层的圆表示该点最后的(现时的)着色。图1即按这个约定,表达了“四色着色方案乙”[3]。

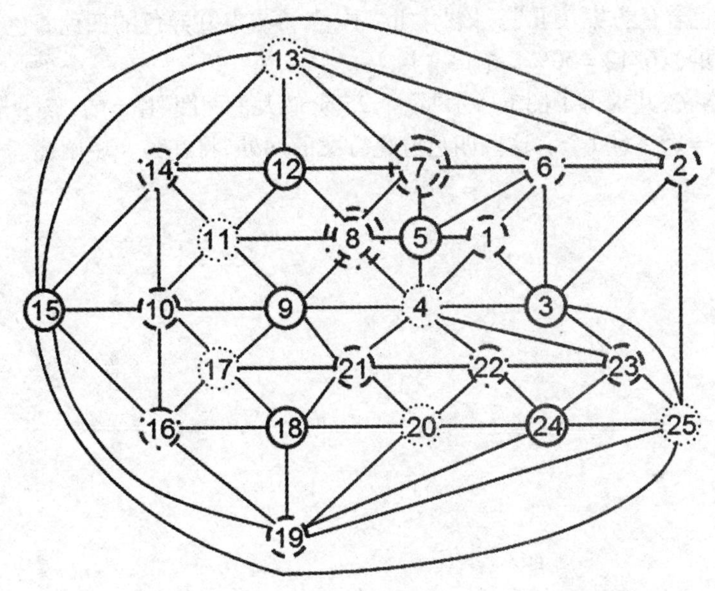

图1 “一个25阶最大平面图”G_{M25}(着以“四色着色方案乙”)

3 “四色着色方案乙”和“相近四色着色方案集乙”

文献[3]中已求出了G_{M25}的一个“四色着色方案乙”。在这个“四色着色方案乙”的基础上,利用“多层次二色交换法”,通过在三种“二色子图对”[2]内的六个层次的二色交换,求得了与这个“方案乙”不相同的119种四色着色方案(推演过程略)。这样,就获得了G_{M25}的含120(=1+119)种四色着色方案的一个相近四色着色方案集,记为“相近四色着色方案集乙”。该“集乙”,以四个“点集划分”的形式列于本文的附录中。在这个“集乙”中,点①与点②异色的四色着色方案有60种,即编号从061)到120),恰巧是一半,这是一个偶然的情况。“方案乙”在“集乙”中的编号刚好是020).。通过检验可知,本文“集乙”中的四色着色方案与文献[2]“集甲”中的四色着色方案,没有任何相同的,即两个“集”,没有重叠的“集元”。

4 结语

文献[2]和本文,共求得了图1所示“一个25阶最大平面图”G_{M25}的,两个相近四色着色方案集,即“相近四色着色方案集甲”和“相近四色着色方案集乙”,也即共获得了 G_{M25} 的 298(= 178 + 120)个四色着色方案。它们分属上述两个不同的相近四色着色方案集,即“集甲”和“集乙”。可以推测,很可能 G_{M25} 所有可能的相近四色着色方案集,不止是这两个,也即很可能 G_{M25} 所有可能的四色着色方案,不止是这 298 个。

又,一个有趣的现象是,图 1 所示 G_{M25} 的,点①与点②异色的四色着色方案,“集甲”中有 88 个,88/178≈50%,几乎是占了一半;“集乙”中有 60 个,60/120 = 50%,恰巧是占了一半。是否可以这样来考虑,“宏观地看”,点①与点②同色的四色着色方案,和点①与点②异色的四色着色方案,“处于近似同等的位置上”,因此它们的出现,是有着近似相同的可能性的。显然,这不是“证明”,只是“说说而已”。很可能,G_{M25} 的某些“相近四色着色方案集”中,点①与点②异色的四色着色方案,一个也没有。

顺便回顾一下,文献[2]中求得了“一个 12 阶最大平面图”G_{M12} 的,含 12 个四色着色方案的,一个“相近四色着色方案集Ⅱ”。该“集Ⅱ”中,点⑩与点⑪异色的四色着色方案有 6 个(其编号前带“★”号的),6/12 = 50%,占了一半,巧。

文献[2]和本文,共求得了图 1 所示“一个 25 阶最大平面图”G_{M25} 的,点①与点②异色的四色着色方案 148(= 88 + 60)个。这些四色着色方案的用处,将在另文中阐述。

附录：“一个25阶最大平面图”G_{M25}的“相近四色着色方案集乙”（120个集元）

001）.{1、2、7、9、14、16、22}；{3、5、11、15、18、24}；{4、6、12、17、20、25}；{8、10、13、19、21、23}
002）.{1、2、7、9、14、16、22}；{3、5、12、15、18、24}；{4、6、11、17、20、25}；{8、10、13、19、21、23}
003）.{1、2、7、9、14、16、22}；{3、5、12、15、18、24}；{4、11、13、17、20、25}；{6、8、10、19、21、23}
004）.{1、2、7、9、14、16、24}；{3、5、11、15、18、22}；{4、6、12、17、20、25}；{8、10、13、19、21、23}
005）.{1、2、7、9、14、16、24}；{3、5、12、15、18、22}；{4、6、11、17、20、25}；{8、10、13、19、21、23}
006）.{1、2、7、9、14、16、24}；{3、5、12、15、18、22}；{4、11、13、17、20、25}；{6、8、10、19、21、23}
007）.{1、2、7、9、14、18、22}；{3、5、11、15、17、24}；{4、6、12、16、20、25}；{8、10、13、19、21、23}
008）.{1、2、7、9、14、18、22}；{3、5、12、15、17、24}；{4、6、11、16、20、25}；{8、10、13、19、21、23}
009）.{1、2、7、9、14、18、22}；{3、5、12、15、17、24}；{4、11、13、16、20、25}；{6、8、10、19、21、23}
010）.{1、2、7、9、14、18、24}；{3、5、11、15、17、22}；{4、6、12、16、20、25}；{8、10、13、19、21、23}
011）.{1、2、7、9、14、18、24}；{3、5、12、15、17、22}；{4、6、11、16、20、25}；{8、10、13、19、21、23}
012）.{1、2、7、9、14、18、24}；{3、5、12、15、17、22}；{4、11、13、16、20、25}；{6、8、10、19、21、23}
013）.{1、2、7、10、19、21、23}；{3、5、9、12、15、18、22}；{4、11、13、16、20、25}；{6、8、14、17、24}
014）.{1、2、7、10、19、21、23}；{3、5、9、12、15、18、22}；{4、11、13、16、24}；{6、8、14、17、20、25}
015）.{1、2、7、10、19、21、23}；{3、5、9、12、15、18、22}；{4、11、13、17、20、25}；{6、8、14、16、24}
016）.{1、2、7、10、19、21、23}；{3、5、9、12、15、18、22}；{4、11、13、17、24}；{6、8、14、16、20、25}
017）.{1、2、7、10、19、21、23}；{3、5、9、12、15、18、24}；{4、11、13、16、20}；{6、8、14、17、22、25}
018）.{1、2、7、10、19、21、23}；{3、5、9、12、15、18、24}；{4、11、13、16、20、25}；{6、8、14、17、22}
019）.{1、2、7、10、19、21、23}；{3、5、9、12、15、18、24}；{4、11、13、17、20}；{6、8、14、16、22、25}
020）.{1、2、7、10、19、21、23}；{3、5、9、12、15、18、24}；{4、11、13、17、20、25}；{6、8、14、16、22}
021）.{1、2、7、10、19、22}；{3、5、9、12、15、18、24}；{4、11、13、17、20、25}；{6、8、14、16、21、23}
022）.{1、2、7、10、19、23}；{3、5、9、12、15、18、22}；{4、11、13、17、20、25}；{6、8、14、16、21、24}
023）.{1、2、7、10、21、23}；{3、5、9、12、15、18、24}；{4、11、13、16、20、25}；{6、8、14、17、19、22}
024）.{1、2、7、10、21、24}；{3、5、9、12、15、18、22}；{4、11、13、16、20、25}；{6、8、14、17、19、23}
025）.{1、2、7、11、16、21、23}；{3、5、9、12、15、18、24}；{4、6、14、17、20、25}；{8、10、13、19、22}
026）.{1、2、7、11、16、21、23}；{3、5、9、12、15、18、24}；{4、10、13、20、25}；{6、8、14、17、19、22}
027）.{1、2、7、11、16、21、23}；{3、8、10、13、19、22}；{4、6、14、17、20、25}；{5、9、12、15、18、24}
028）.{1、2、7、11、16、21、24}；{3、5、9、12、15、18、22}；{4、6、14、17、20、25}；{8、10、13、19、23}
029）.{1、2、7、11、16、21、24}；{3、5、9、12、15、18、22}；{4、10、13、20、25}；{6、8、14、17、19、23}
030）.{1、2、7、11、16、21、24}；{3、8、10、13、19、22}；{4、6、14、17、20、25}；{5、9、12、15、18、23}
031）.{1、2、7、11、16、22}；{3、5、9、12、15、18、24}；{4、6、14、17、20、25}；{8、10、13、19、21、23}
032）.{1、2、7、11、16、24}；{3、5、9、12、15、18、22}；{4、6、14、17、20、25}；{8、10、13、19、21、23}
033）.{1、2、7、11、17、19、22}；{3、5、9、12、15、18、24}；{4、6、14、16、20、25}；{8、10、13、21、23}
034）.{1、2、7、11、17、19、22}；{3、5、9、12、15、18、24}；{4、10、13、20、25}；{6、8、14、16、21、23}
035）.{1、2、7、11、17、19、22}；{3、8、10、13、21、24}；{4、6、14、16、20、25}；{5、9、12、15、18、23}
036）.{1、2、7、11、17、19、23}；{3、5、9、12、15、18、22}；{4、6、14、16、20、25}；{8、10、13、21、24}
037）.{1、2、7、11、17、19、23}；{3、5、9、12、15、18、22}；{4、10、13、20、25}；{6、8、14、16、21、24}
038）.{1、2、7、11、17、19、23}；{3、8、10、13、21、24}；{4、6、14、16、20、25}；{5、9、12、15、18、22}
039）.{1、2、7、11、17、22}；{3、5、9、12、15、18、24}；{4、6、14、16、20、25}；{8、10、13、19、21、23}
040）.{1、2、7、11、17、24}；{3、5、9、12、15、18、22}；{4、6、14、16、20、25}；{8、10、13、19、21、23}

041). {1、2、7、14、16、21、23}；{3、5、9、12、15、18、24}；{4、6、11、17、20、25}；{8、10、13、19、22}
042). {1、2、7、14、16、21、23}；{3、5、9、12、15、18、24}；{4、11、13、17、20、25}；{6、8、10、19、22}
043). {1、2、7、14、16、21、23}；{3、8、10、13、19、22}；{4、6、11、17、20、25}；{5、9、12、15、18、24}
044). {1、2、7、14、16、21、24}；{3、5、9、12、15、18、22}；{4、6、11、17、20、25}；{8、10、13、19、23}
045). {1、2、7、14、16、21、24}；{3、5、9、12、15、18、22}；{4、11、13、17、20、25}；{6、8、10、19、23}
046). {1、2、7、14、16、21、24}；{3、8、10、13、19、22}；{4、6、11、17、20、25}；{5、9、12、15、18、23}
047). {1、2、7、14、16、22}；{3、5、9、12、15、18、24}；{4、6、11、17、20、25}；{8、10、13、19、21、23}
048). {1、2、7、14、16、22}；{3、5、9、12、15、18、24}；{4、11、13、17、20、25}；{6、8、10、19、21、23}
049). {1、2、7、14、16、24}；{3、5、9、12、15、18、22}；{4、6、11、17、20、25}；{8、10、13、19、21、23}
050). {1、2、7、14、16、24}；{3、5、9、12、15、18、22}；{4、11、13、17、20、25}；{6、8、10、19、21、23}
051). {1、2、7、14、17、19、22}；{3、5、9、12、15、18、24}；{4、6、11、16、20、25}；{8、10、13、21、23}
052). {1、2、7、14、17、19、22}；{3、5、9、12、15、18、24}；{4、11、13、16、20、25}；{6、8、10、21、23}
053). {1、2、7、14、17、19、22}；{3、8、10、13、21、24}；{4、6、11、16、20、25}；{5、9、12、15、18、23}
054). {1、2、7、14、17、19、23}；{3、5、9、12、15、18、22}；{4、6、11、16、20、25}；{8、10、13、21、24}
055). {1、2、7、14、17、19、23}；{3、5、9、12、15、18、22}；{4、11、13、16、20、25}；{6、8、10、21、24}
056). {1、2、7、14、17、19、23}；{3、8、10、13、21、24}；{4、6、11、16、20、25}；{5、9、12、15、18、22}
057). {1、2、7、14、17、22}；{3、5、9、12、15、18、24}；{4、6、11、16、20、25}；{8、10、13、19、21、23}
058). {1、2、7、14、17、22}；{3、5、9、12、15、18、24}；{4、11、13、16、20、25}；{6、8、10、19、21、23}
059). {1、2、7、14、17、24}；{3、5、9、12、15、18、22}；{4、6、11、16、20、25}；{8、10、13、19、21、23}
060). {1、2、7、14、17、24}；{3、5、9、12、15、18、22}；{4、11、13、16、20、25}；{6、8、10、19、21、23}
061). {1、8、10、13、19、21、23}；{2、4、7、11、16、20}；{3、5、9、12、15、18、24}；{6、14、17、22、25}
062). {1、8、10、13、19、21、23}；{2、4、7、11、16、20}；{3、5、12、15、17、24}；{6、9、14、18、22、25}
063). {1、8、10、13、19、21、23}；{2、4、7、11、16、24}；{3、5、9、12、15、18、22}；{6、14、17、20、25}
064). {1、8、10、13、19、21、23}；{2、4、7、11、16、24}；{3、5、12、15、17、20}；{6、9、14、18、22、25}
065). {1、8、10、13、19、21、23}；{2、4、7、11、17、20}；{3、5、9、12、15、18、24}；{6、14、16、22、25}
066). {1、8、10、13、19、21、23}；{2、4、7、11、17、20}；{3、5、12、15、18、24}；{6、9、14、16、22、25}
067). {1、8、10、13、19、21、23}；{2、4、7、11、17、24}；{3、5、9、12、15、18、22}；{6、14、16、20、25}
068). {1、8、10、13、19、21、23}；{2、4、7、11、17、24}；{3、5、12、15、18、22}；{6、9、14、16、20、25}
069). {1、8、10、13、19、21、23}；{2、4、7、11、18、24}；{3、5、12、15、17、20}；{6、9、14、16、22、25}
070). {1、8、10、13、19、21、23}；{2、4、7、11、18、24}；{3、5、12、15、17、22}；{6、9、14、16、20、25}
071). {1、8、10、13、19、21、23}；{2、4、7、14、16、20}；{3、5、9、12、15、18、24}；{6、11、17、22、25}
072). {1、8、10、13、19、21、23}；{2、4、7、14、16、20}；{3、5、11、15、17、24}；{6、9、12、18、22、25}
073). {1、8、10、13、19、21、23}；{2、4、7、14、16、24}；{3、5、9、12、15、18、22}；{6、11、17、20、25}
074). {1、8、10、13、19、21、23}；{2、4、7、14、16、24}；{3、5、11、15、17、20}；{6、9、12、18、22、25}
075). {1、8、10、13、19、21、23}；{2、4、7、14、17、20}；{3、5、9、12、15、18、24}；{6、11、16、22、25}
076). {1、8、10、13、19、21、23}；{2、4、7、14、17、20}；{3、5、11、15、18、24}；{6、9、12、16、22、25}
077). {1、8、10、13、19、21、23}；{2、4、7、14、17、24}；{3、5、9、12、15、18、22}；{6、11、16、20、25}
078). {1、8、10、13、19、21、23}；{2、4、7、14、17、24}；{3、5、11、15、18、22}；{6、9、12、16、20、25}
079). {1、8、10、13、19、21、23}；{2、4、7、14、18、24}；{3、5、11、15、17、20}；{6、9、12、16、22、25}
080). {1、8、10、13、19、21、23}；{2、4、7、14、18、24}；{3、5、11、15、17、22}；{6、9、12、16、20、25}

081). {1、8、10、13、19、21、23}；{2、5、9、12、16、22}；{3、7、11、15、18、24}；{4、6、14、17、20、25}
082). {1、8、10、13、19、21、23}；{2、5、9、12、16、24}；{3、7、11、15、18、22}；{4、6、14、17、20、25}
083). {1、8、10、13、19、21、23}；{2、5、9、12、18、22}；{3、7、11、15、17、24}；{4、6、14、16、20、25}
084). {1、8、10、13、19、21、23}；{2、5、9、12、18、24}；{3、7、11、15、17、22}；{4、6、14、16、20、25}
085). {1、8、10、13、19、21、23}；{2、5、9、14、16、22}；{3、7、11、15、18、24}；{4、6、12、17、20、25}
086). {1、8、10、13、19、21、23}；{2、5、9、14、16、24}；{3、7、11、15、18、22}；{4、6、12、17、20、25}
087). {1、8、10、13、19、21、23}；{2、5、9、14、18、22}；{3、7、11、15、17、24}；{4、6、12、16、20、25}
088). {1、8、10、13、19、21、23}；{2、5、9、14、18、24}；{3、7、11、15、17、22}；{4、6、12、16、20、25}
089). {1、8、10、13、19、21、23}；{2、7、9、14、16、22}；{3、5、11、15、18、24}；{4、6、12、17、20、25}
090). {1、8、10、13、19、21、23}；{2、7、9、14、16、22}；{3、5、12、15、18、24}；{4、6、11、17、20、25}
091). {1、8、10、13、19、21、23}；{2、7、9、14、16、24}；{3、5、11、15、18、22}；{4、6、12、17、20、25}
092). {1、8、10、13、19、21、23}；{2、7、9、14、16、24}；{3、5、12、15、18、22}；{4、6、11、17、20、25}
093). {1、8、10、13、19、21、23}；{2、7、9、14、18、22}；{3、5、11、15、17、24}；{4、6、12、16、20、25}
094). {1、8、10、13、19、21、23}；{2、7、9、14、18、22}；{3、5、12、15、17、24}；{4、6、11、16、20、25}
095). {1、8、10、13、19、21、23}；{2、7、9、14、18、24}；{3、5、11、15、17、22}；{4、6、12、16、20、25}
096). {1、8、10、13、19、21、23}；{2、7、9、14、18、24}；{3、5、12、15、17、22}；{4、6、11、16、20、25}
097). {1、8、10、13、19、21、23}；{2、7、11、16、22}；{3、5、9、12、15、18、24}；{4、6、14、17、20、25}
098). {1、8、10、13、19、21、23}；{2、7、11、16、24}；{3、5、9、12、15、18、22}；{4、6、14、17、20、25}
099). {1、8、10、13、19、21、23}；{2、7、11、17、22}；{3、5、9、12、15、18、24}；{4、6、14、16、20、25}
100). {1、8、10、13、19、21、23}；{2、7、11、17、24}；{3、5、9、12、15、18、22}；{4、6、14、16、20、25}
101). {1、8、10、13、19、21、23}；{2、7、14、16、22}；{3、5、9、12、15、18、24}；{4、6、11、17、20、25}
102). {1、8、10、13、19、21、23}；{2、7、14、16、24}；{3、5、9、12、15、18、22}；{4、6、11、17、20、25}
103). {1、8、10、13、19、21、23}；{2、7、14、17、22}；{3、5、9、12、15、18、24}；{4、6、11、16、20、25}
104). {1、8、10、13、19、21、23}；{2、7、14、17、24}；{3、5、9、12、15、18、22}；{4、6、11、16、20、25}
105). {1、8、10、13、19、22}；{2、7、11、16、21、23}；{3、5、9、12、15、18、24}；{4、6、14、17、20、25}
106). {1、8、10、13、19、22}；{2、7、14、16、21、23}；{3、5、9、12、15、18、24}；{4、6、11、17、20、25}
107). {1、8、10、13、19、23}；{2、7、11、16、21、24}；{3、5、9、12、15、18、22}；{4、6、14、17、20、25}
108). {1、8、10、13、19、23}；{2、7、14、16、21、24}；{3、5、9、12、15、18、22}；{4、6、11、17、20、25}
109). {1、8、10、13、21、23}；{2、7、11、17、19、22}；{3、5、9、12、15、18、24}；{4、6、14、16、20、25}
110). {1、8、10、13、21、23}；{2、7、14、17、19、22}；{3、5、9、12、15、18、24}；{4、6、11、16、20、25}
111). {1、8、10、13、21、24}；{2、7、11、17、19、23}；{3、5、9、12、15、18、22}；{4、6、14、16、20、25}
112). {1、8、10、13、21、24}；{2、7、14、17、19、23}；{3、5、9、12、15、18、22}；{4、6、11、16、20、25}
113). {1、10、13、19、21、23}；{2、4、7、11、16、20}；{3、5、9、12、15、18、24}；{6、8、14、17、22、25}
114). {1、10、13、19、21、23}；{2、4、7、11、16、24}；{3、5、9、12、15、18、22}；{6、8、14、17、20、25}
115). {1、10、13、19、21、23}；{2、4、7、11、17、20}；{3、5、9、12、15、18、24}；{6、8、14、16、22、25}
116). {1、10、13、19、21、23}；{2、4、7、11、17、24}；{3、5、9、12、15、18、22}；{6、8、14、16、20、25}
117). {1、11、13、16、20、25}；{2、4、7、14、17、24}；{3、5、9、12、15、18、22}；{6、8、10、19、21、23}
118). {1、11、13、16、22、25}；{2、4、7、14、17、20}；{3、5、9、12、15、18、24}；{6、8、10、19、21、23}
119). {1、11、13、17、20、25}；{2、4、7、14、16、24}；{3、5、9、12、15、18、22}；{6、8、10、19、21、23}
120). {1、11、13、17、22、25}；{2、4、7、14、16、20}；{3、5、9、12、15、18、24}；{6、8、10、19、21、23}

参考文献

[1]冯纪先."一个 25 阶最大平面图"G_{M25}的四色着色[C]//全国电工理论与新技术学术年会 CTATEE'07 论文集.长沙:湖南大学,2007:99 - 102.(见目录:2.06)
[2]冯纪先.最大平面图的二色子图和二色交换[C]//第二十届电路与系统年会论文集.广州:华南理工大学,2007:770 - 777.(见目录:2.04)
[3]冯纪先.四色着色的"简化降阶法"[J].汕头大学学报(自然科学版),2008,23(4):52 - 59.(见目录:2.07)

2.09 “多层次二色交换法”与“相近四色着色方案集”

【摘要】分析了平面图的拓扑结构的特点，研究了平面图的四色着色方案之间的关系。基于二色交换，定义了“相近四色着色方案对”。给出了“多层次二色交换法”，依靠这个方法，已知一个一定拓扑结构的n阶平面图 G_n 的一个四色着色方案，就可以得到一个“相近四色着色方案集”。文中用一个例子(“一个12阶的最大平面图”G_{M12})，验证了上述方法的正确性和可用性。对得到的一个含12个四色着色方案的“相近四色着色方案集Ⅱ”，进行了分析，获得了有意义的认识。

【关键词】平面图；最大平面图；“二色子图对”；“复合二色交换”；“相近四色着色方案对”；“多层次二色交换法”；“相近四色着色方案集”

The“method of multilayer Two - color interchange”and “near Four - coloring set”

Abstract: The properties of topological structure in planar graph are analysed and the relations between Four - colorings of planar graph are explored. Based on Two - color interchange, “near Four - coloring pair” is defined and “method of multilayer Two - color interchange” is given. With this method, a “near Four - coloring set” is obtained using a known Four - coloring. In the paper, 12 different Four - colorings(a “near Four - coloring set Ⅱ”) of “a 12 order maiximal planar graph” G_{M12} are showed. The solutions are studied.

Keywords: planar graph; maximal planar graph; “Two - color subgraph pair”; “complex Two - color interchange”; “near Four - coloring pair”; “method of multilayer Two - color interchange”; “near Four - coloring set”

1 引言

1976年，美国数学家K. Appel和W. Haken等证明了四色定理，即任何平面图都是4可着色的。因而，任何一个一定阶数(点数)n，一定拓扑结构的平面图(planar graph) G_n，包括最大平面图(maximal planar graph) G_{Mn}，就具有至少一种或多种“四色着色方案”(Four - coloring)。文献[1]中，论述了图着色的唯一性(uniqueness)问题，证明了在一定条件下，平面图就会只具有一种“四色着色方案”。

如果一个n阶平面图 G_n(或最大平面图 G_{Mn})具有多种“四色着色方案”时，这些“四色着色方案”之间，有着什么样的关系呢？如果已知一个n阶平面图 G_n(或最大平面图 G_{Mn})的一种“四色着色方案”时，是否可以，并怎样找到其他的“四色着色方案”呢？这就是本文想要探讨的问题。

2 二色子图和“二色子图对”

文献[2]中曾提及如下内容。选红(red)、黄(yellow)、蓝(blue)、绿(green)，为四色着色方案的四色。一定拓扑结构的n阶(n点)平面图G_n(或最大平面图G_{Mn})的一个四色着色方案中,每个点必着四色中之一色。若n_r为红点数,n_y为黄点数,n_b为蓝点数,n_g为绿点数,则

$$n_r + n_y + n_b + n_g = n, \qquad n \geqslant n_r、n_y、n_b、n_g \geqslant 0 \tag{1}$$

按着色原则,任何一条边的两个端点,应着异色。故一个四色着色方案中,可按端点的颜色,将边分为六类,即红黄边、红蓝边、红绿边、蓝绿边、黄绿边和黄蓝边。一个四色着色方案中,每条边必属六类中的一类。若e_{ry}为红黄边数,e_{rb}为红蓝边数,e_{rg}为红绿边数,e_{bg}为蓝绿边数,e_{yg}为黄绿边数,e_{yb}为黄蓝边数,则

$$e_{ry} + e_{rb} + e_{rg} + e_{bg} + e_{yg} + e_{yb} = e, \qquad e \geqslant e_{ry}、e_{rb}、e_{rg}、e_{bg}、e_{yg}、e_{yb} \geqslant 0 \tag{2}$$

式中,e为n阶平面图G_n(或最大平面图G_{Mn})的边数。n阶最大平面图G_{Mn}有[3]

$$e = \begin{cases} 0, & n=1 \\ 1, & n=2 \\ 3n-6, & n \geqslant 3 \end{cases} \tag{3}$$

n阶平面图G_n(或最大平面图G_{Mn})的一个四色着色方案中,任取二色,那么所有着此二色的点,加上端点为此二色的边,就构成了一个"二色子图"(Two - color subgraph)。譬如,由红点、黄点及红黄边,即构成了"红黄二色子图"。显然,在一个四色着色方案中,可形成六种二色子图,即红黄二色子图G_{ry},红蓝二色子图G_{rb},红绿二色子图G_{rg},蓝绿二色子图G_{bg},黄绿二色子图G_{yg}和黄蓝二色子图G_{yb}。它们的点数分别记为n_{ry}、n_{rb}、n_{rg}、n_{bg}、n_{yg}和n_{yb}。那么,在一个四色着色方案中,有

$$n_{ry} = n_r + n_y; \quad n_{rb} = n_r + n_b; \quad n_{rg} = n_r + n_g; \quad n_{bg} = n_b + n_g; \quad n_{yg} = n_y + n_g; \quad n_{yb} = n_y + n_b \tag{4}$$

在一个四色着色方案的六种二色子图中,相互间完全不重叠的二色子图可组成一个"二色子图对"(Two - color subgraph pair)。可以看出,"二色子图对"共有三种,第Ⅰ种为"红黄与蓝绿二色子图对",记为$G_{ry.bg}$;第Ⅱ种为"红蓝与黄绿二色子图对",记为$G_{rb.yg}$;第Ⅲ种为"红绿与黄蓝二色子图对",记为$G_{rg.yb}$。它们的点数分别记为$n_{ry.bg}$、$n_{rb.yg}$和$n_{rg.yb}$;边数分别记为$e_{ry.bg}$、$e_{rb.yg}$和$e_{rg.yb}$。显然,在一个四色着色方案中,有

$$n_{ry.bg} = n_{ry} + n_{bg}; \qquad n_{rb.yg} = n_{rb} + n_{yg}; \qquad n_{rg.yb} = n_{rg} + n_{yb} \tag{5}$$

和

$$e_{ry.bg} = e_{ry} + e_{bg}; \qquad e_{rb.yg} = e_{rb} + e_{yg}; \qquad e_{rg.yb} = e_{rg} + e_{yb} \tag{6}$$

经分析,有如下之特性。

特性1:一定拓扑结构的n阶平面图G_n(或最大平面图G_{Mn}),有

$$n_{ry.bg} = n_{rb.yg} = n_{rg.yb} = n, \qquad n \geqslant 4 \tag{7}$$

和

$$e_{ry.bg} + e_{rb.yg} + e_{rg.yb} = e \tag{8}$$

证明:(略)[2]

考虑到(6)式,可知(8)式与(2)式是一致的。

特性2:当n≥4时,一定拓扑结构的n阶最大平面图G_{Mn},有

$$e_{ry.bg} = e_{rb.yg} = e_{rg.yb} = n - 2, \qquad n \geqslant 4 \tag{9}$$

证明:(略)[2]

考虑到(8)式,可知(9)式与(3)式是一致的。

3 二色交换和"相近四色着色方案对"

在一个四色着色方案的一个二色子图中,将着同一色的点,均同时改着二色中的另一色,换句话说,即在同一个二色子图中,点的颜色进行交换。这样的动作称为"二色交换"(Two -

color interchange)。根据“二色交换”的定义,可得如下结论:

1)一个四色着色方案中,二色子图有六种,相应地,“二色交换”也就有六种。

2)n 阶平面图 G_n(或最大平面图 G_{Mn})的一个四色着色方案,就是 n 个点在四个点集中的一个划分。若两个四色着色方案,虽然对应点的着色有所不同,但四个“点集划分”一样,实质上,这两个四色着色方案是同一个。

3)在一个已知的四色着色方案的一个二色子图中,若将所有的点进行“二色交换”,所得结果并不违背着色原则,故得另一个四色着色方案。但,由于两者的四个“点集划分”一样,故并未得到新的四色着色方案,即两者实为同一个四色着色方案。

4)由上述结论3)知,若一个已知的四色着色方案的一个二色子图,只有一个连通支(connected component),即连通支数 $k=1$,显然通过“二色交换”,不能得到一个新的不同的四色着色方案。

5)若一个已知的四色着色方案的一个二色子图,有两个连通支,即连通支数 $k=2$,对其中任一连通支(往往可选点数少的连通支)作“二色交换”,所得结果也不违背着色原则,则可得一个新的不同的四色着色方案。

6)若一个已知的四色着色方案的一个二色子图有 k 个连通支,$k \geqslant 1$,则通过“二色交换”,可得到$(2^{k-1}-1)$个不同的四色着色方案。

证明:(略)

在一个已知的四色着色方案中,六种二色子图各有其连通支数,记为 k_{ry}、k_{rb}、k_{rg}、k_{bg}、k_{yg}和 k_{yb}。那么,它们通过各自对应的“二色交换”,分别可提供$(2^{k_{ry}-1}-1)$、$(2^{k_{rb}-1}-1)$、$(2^{k_{rg}-1}-1)$、$(2^{k_{bg}-1}-1)$、$(2^{k_{yg}-1}-1)$和$(2^{k_{yb}-1}-1)$个不同的四色着色方案。

7)在一种“二色子图对”里,两个二色子图相互间是完全不重叠的,因而它们两个各自的二色交换可同时进行,因而有下述特性。

特性3:在一个已知的四色着色方案中,对三种“二色子图对” $G_{ry.bg}$、$G_{rb.yg}$、$G_{rg.yb}$,分别进行这样的“复合二色交换”(complex Two - color interchange),即两个相互完全不重叠的二色子图各自分别又相互同时进行二色交换,可使 n 阶平面图 G_n(或最大平面图 G_{Mn})分别得到 m_{I}、m_{II}、m_{III}个不同的四色着色方案,m_{I}、m_{II}、m_{III}的值为

$$\begin{cases} m_{\mathrm{I}}=2^{k_{ry}-1}\cdot 2^{k_{bg}-1}-1 \\ m_{\mathrm{II}}=2^{k_{rb}-1}\cdot 2^{k_{yg}-1}-1 \\ m_{\mathrm{III}}=2^{k_{rg}-1}\cdot 2^{k_{yb}-1}-1 \end{cases} \tag{10}$$

证明:(略)

特性4:考虑到一个已知的四色着色方案中,三种“二色子图对” $G_{ry.bg}$、$G_{rb.yg}$、$G_{rg.yb}$的“复合二色交换”,是各自分开进行的,因此一个 n 阶平面图 G_n(或最大平面图 G_{Mn}),所得到的不同的四色着色方案的个数 m 为

$$\begin{aligned} m &= m_{\mathrm{I}}+m_{\mathrm{II}}+m_{\mathrm{III}} \\ &=(2^{k_{ry}-1}\cdot 2^{k_{bg}-1}-1)+(2^{k_{rb}-1}\cdot 2^{k_{yg}-1}-1)+(2^{k_{rg}-1}\cdot 2^{k_{yb}-1}-1) \end{aligned}$$

或

$$m=(2^{k_{ry}+k_{bg}-2}-1)+(2^{k_{rb}+k_{yg}-2}-1)+(2^{k_{rg}+k_{yb}-2}-1) \tag{11}$$

证明:(略)

由式(10)、(11)可见,m_{I}、m_{II}、m_{III}以及 m 均为奇数。

8)n 阶平面图 G_n(或最大平面图 G_{Mn})的一个四色着色方案中,一般来说,四种颜色的点数往往是差不多的,即 $n_r \approx n_y \approx n_b \approx n_g \approx n/4$。一个“二色子图对”的点数肯定为 n(见(7)式)。

故一般来说,一个二色子图的点数就约为 n/2。

9)在一个二色子图中进行二色交换时,当然应选点数少的连通支来换色。点数少的连通支的最大可能的点数,就等于或小于二色子图点数的一半,这相当于连通支数 $k=2$。若连通支数 $k>2$,显然点数少的连通支的最大点数还要小。因而,当一个已知的四色着色方案的一个二色子图进行二色交换后,所得的另一个四色着色方案,与已知的四色着色方案相比较,其换色的点数将不会超过 n/4,且往往会大大小于 n/4。

而当一个已知的四色着色方案的一个“二色子图对”,进行“复合二色交换”后所得的另一个四色着色方案,与已知的四色着色方案相比较,其换色的点数将不会超过 n/2,且往往会大大小于 n/2。

考虑到上述情况就可以认为,二色交换前后的两个四色着色方案,粗看起来是“差不多”的,“很接近”的,故称这两个四色着色方案彼此为对方的“相近四色着色方案”(near Four - coloring),并将二者视作形成了一个“相近四色着色方案对”(near Four - coloring pair)。由(11)式可见,n 阶平面图 G_n(或最大平面图 G_{Mn})的一个已知的四色着色方案,可以形成 m 个“相近四色着色方案对”。

10)n 阶平面图 G_n(或最大平面图 G_{Mn})的一个已知的四色着色方案中,对二色子图作二色交换,或对“二色子图对”作“复合二色交换”,得另一个四色着色方案,是具有“可逆性”(reversibility)的。即所得的另一个四色着色方案作相应的反向二色交换,就可得到原已知的四色着色方案。也就是说,一个“相近四色着色方案对”,彼此可通过二色交换而转换成对方。那么,一个已知的四色着色方案通过两次二色交换,即可“还原”(reduce)为自身。

11)一个四色着色方案的二色子图中,可以有圈(cycle),也可以没有圈。六种二色子图各有其圈数,记为 C_{ry}、C_{rb}、C_{rg}、C_{bg}、C_{yg} 和 C_{yb}。考虑到二色子图的点数、边数、圈数和连通支数之间的关系,就有下列的特性。

特性 5:一个二色子图的点数、边数、圈数和连通支数有如下的关系:边数 = 点数 - 连通支数 + 圈数,故有

$$e_{ry}=n_{ry}-k_{ry}+c_{ry};\quad e_{rb}=n_{rb}-k_{rb}+c_{rb};\quad e_{rg}=n_{rg}-k_{rg}+c_{rg}$$
$$e_{bg}=n_{bg}-k_{bg}+c_{bg};\quad e_{yg}=n_{yg}-k_{yg}+c_{yg};\quad e_{yb}=n_{yb}-k_{yb}+c_{yb} \tag{12}$$

证明:(略)

12)n 阶最大平面图 G_{Mn} 的一个四色着色方案中,“二色子图对”的两个二色子图的连通支数和圈数,是彼此关联的,有如下的特性。

特性 6:当 $n\geq 4$ 时,一个一定拓扑结构的 n 阶最大平面图 G_{Mn} 的一个四色着色方案中,“二色子图对”的一个二色子图的连通支数等于另一个二色子图的圈数加一,即有

$$\begin{cases}k_{ry}=c_{bg}+1\\k_{bg}=c_{ry}+1\end{cases};\quad \begin{cases}k_{rb}=c_{yg}+1\\k_{yg}=c_{rb}+1\end{cases};\quad \begin{cases}k_{rg}=c_{yb}+1\\k_{yb}=c_{rg}+1\end{cases} \tag{13}$$

证明:(略)

作为特例,若 G_{ry} 的连通支数 $k_{ry}=1$,圈数 $c_{ry}=0$,则 G_{bg} 的连通支数 $k_{bg}=1$,圈数 $c_{bg}=0$。其他两种“二色子图对”,也是同样的情况。

极易看出,考虑到(6)式、(12)式和(13)式,就可得到(9)式。

4 “多层次二色交换法”与“相近四色着色方案集”

n 阶平面图 G_n(或最大平面图 G_{Mn})的一个已知的四色着色方案,经二色交换(其中可能

包括“复合二色交换”),如(10)、(11)式所表达的,可得 m 个不同的四色着色方案;$m = m_{\mathrm{I}} + m_{\mathrm{II}} + m_{\mathrm{III}}$。$m_{\mathrm{I}}$、$m_{\mathrm{II}}$、$m_{\mathrm{III}}$分别表示在第Ⅰ种、第Ⅱ种、第Ⅲ种“二色子图对” $G_{ry.bg}$、$G_{rb.yg}$、$G_{rg.yb}$中,所得到的不同的四色着色方案的个数。这儿的二色交换,可以称为“第一层次的二色交换”。

可以设想,通过“第一层次的二色交换”所得到的 m 个四色着色方案,均可各自再通过二色交换(其中可能包括“复合二色交换”),得到它们各自的一定数目的不同的四色着色方案。在每一种“二色子图对”内所得的不同的四色着色方案中,必有一个四色着色方案是“还原”而得的原已知四色着色方案。这儿的二色交换,可以称为“第二层次的二色交换”。由此类推,进一步可以进行“第三层次的二色交换”、“第四层次的二色交换”等等。

由于“还原”的作用,多层次二色交换不可能无穷地进行下去,也就是说,层次数是有限的。达到一定的层次后,二色交换将不再能继续进行,即已无新的四色着色方案产生,二色交换就此结束。如此,将原已知的四色着色方案,加上通过多层次的二色交换所获得的新的不同的四色着色方案,就形成了一个“相近四色着色方案集”(near Four - coloring set)。

通过多层次的二色交换而得到“相近四色着色方案集”的方法,就叫作“多层次二色交换法”(method of multilayer Two - color interchange)。

5 “相近四色着色方案集”的完全图表达

前述一定拓扑结构的一个 n 阶平面图 G_n(或最大平面图 G_{Mn})的一个已知的四色着色方案,通过二色交换(包括“复合二色交换”),在三种“二色子图对”里,分别获得 m_{I}、m_{II}、m_{III}个不同的四色着色方案。m_{I}、m_{II}、m_{III}的值如(10)式所示。

由上可知,一个已知的四色着色方案,在第Ⅰ种“二色子图对” $G_{ry.bg}$的意义上,与 m_{I} 个不同的四色着色方案,构成了 m_{I} 个“相近四色着色方案对”。此外,由于在二色交换中,n 阶平面图 G_n(或最大平面图 G_{Mn})的拓扑结构当然是不会改变的,各二色子图的连通支数是不会改变的,各连通支所含的各个点也是不会改变的,那就导致这 m_{I} 个不同的四色着色方案之间,任何两个四色着色方案都构成一个“相近四色着色方案对”。也就是说,在第Ⅰ种“二色子图对” $G_{ry.bg}$的意义上,$(1 + m_{\mathrm{I}})$个四色着色方案中的任何两个四色着色方案,均构成一个“相近四色着色方案对”。可以设想,如果以“点”来表示四色着色方案,而构成“相近四色着色方案对”的两个四色着色方案(即两个对应的“点”)之间,连以“边”线,那么这$(1 + m_{\mathrm{I}})$个四色着色方案就构成了一个$(1 + m_{\mathrm{I}})$阶的完全图。这就是用“图论”的概念和形式来表达“相近四色着色方案集”的特点和性质。

同理,这个已知的四色着色方案,在第Ⅱ种“二色子图对”$G_{rb.yg}$的意义上,将和不同的 m_{II} 个四色着色方案,构成$(1 + m_{\mathrm{II}})$阶的完全图。

同时,这个已知的四色着色方案,将在第Ⅲ种“二色子图对”$G_{rg.yb}$的意义上,同样地和另外不同的 m_{III}个四色着色方案,构成$(1 + m_{\mathrm{III}})$阶的完全图。

显然,这三个完全图,除在一个点(即对应原已知的四色着色方案的那个点)重叠外,其他各点彼此并无任何重叠,由此得特性 7 如下。

特性 7:若一个一定拓扑结构的 n 阶平面图 G_n(或最大平面图 G_{Mn})的一个已知的四色着色方案,其六种二色子图的连通支数各为 k_{ry}、k_{rb}、k_{rg}、k_{bg}、k_{yg}和 k_{yb}。四色着色方案以“点”表示,构成“相近四色着色方案对”的两个四色着色方案以“边”相连,即“相近四色着色方案集”以“图”(graph)来表示。那么,该已知四色着色方案将在第 i 种“二色子图对”的意义上,形成

仅交于该点的三个 n_i 阶完全图，i = Ⅰ、Ⅱ、Ⅲ，且有

$$\begin{cases} n_{Ⅰ} = 1 + m_{Ⅰ} = 2^{k_{ry}+k_{bg}-2} \\ n_{Ⅱ} = 1 + m_{Ⅱ} = 2^{k_{rb}+k_{yg}-2} \\ n_{Ⅲ} = 1 + m_{Ⅲ} = 2^{k_{rg}+k_{yb}-2} \end{cases} \tag{14}$$

证明:(略)

由(14)式看到，这三个完全图的阶数，彼此并无约束，可以各为 1 阶、2 阶、4 阶、8 阶、16 阶、…、2^j($j \geqslant 0$)阶等。

作为一个例子，图 1 所示为一个一定拓扑结构的 n 阶平面图 G_n 的一个“相近四色着色方案集”的“图”的表示。图中，“点”以圆圈表示，且只画出了一个已知的、记为 P 的四色着色方案及其三个完全图。P 的六种二色子图的连通支数各为 $k_{ry}=1$；$k_{rb}=2$；$k_{rg}=1$；$k_{bg}=2$；$k_{yg}=2$；$k_{yb}=3$。则按(14)式即可得 $n_{Ⅰ}=2$；$n_{Ⅱ}=4$；$n_{Ⅲ}=4$，也即 $m_{Ⅰ}=1$；$m_{Ⅱ}=3$；$m_{Ⅲ}=3$。

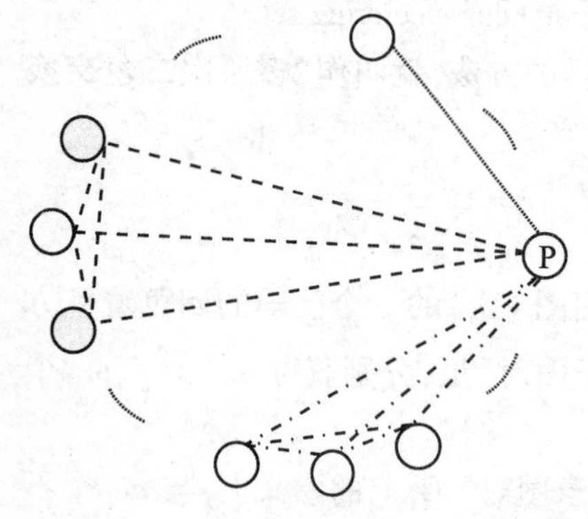

图 1　四色着色方案 P 及其三个完全图

图 1 中约定：在第Ⅰ种“二色子图对” $G_{ry.bg}$ 意义上的完全图的边，以“点线”表示；在第Ⅱ种“二色子图对” $G_{rb.yg}$ 意义上的完全图的边，以“划线”表示；在第Ⅲ种“二色子图对” $G_{rg.yb}$ 意义上的完全图的边，以“点划线”表示。若要画出其他“点”的三个完全图，也要按该约定作出。

6　实例：“一个 12 阶最大平面图” G_{M12}

图 2 所示为“一个 12 阶最大平面图” G_{M12}，图中点以圆圈表示，圈内的数字是点的标号。该图点数 n = 12，边数 e = 3n − 6 = 30，区数 r = 2n − 4 = 20，度数 d = 6n − 12 = 60。该图无 3 度点，即 $n_3=0$；4 度(最小度)点为⑩和⑪，即 $n_4=2$；5 度点为①、②、③、④、⑤、⑦、⑧和⑨，即 $n_5=8$；6 度(最大度)点为⑥和⑫，即 $n_6=2$。图 2，即文献[2]中之图 1，文献[4]中之图 1，文献[5]中之图 4 − 10 的对偶图，文献[6]中之图 2 的(d)图。

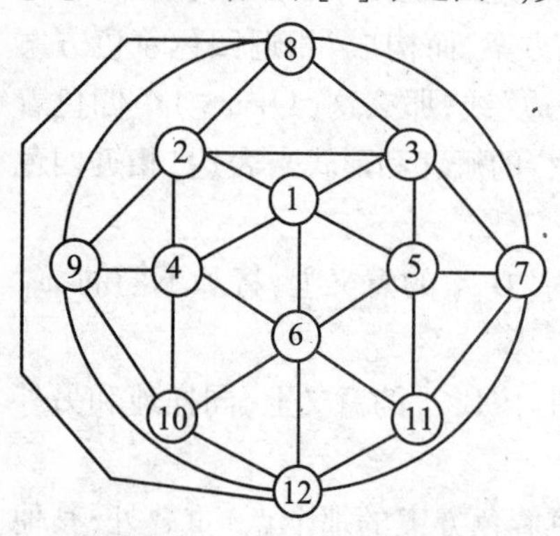

图 2　“一个 12 阶最大平面图” G_{M12}

图 2 的 G_{M12} 的点的最小度数为 4，故可采用“降阶法”来求解 G_{M12} 的四色着色方案(若点的最小度数为 5，则否)。文献[4]中就求出了 G_{M12} 的两个四色着色方案(当然还可以求出更多个)，记为“四色着色方案Ⅰ”和“四色着色方案Ⅱ”。若以 4 个“点集划分”的形式表示，即

“四色着色方案Ⅰ”：{1、8、11}，{2、5、10}，{3、4、12}，{6、7、9}；

“四色着色方案Ⅱ”：{1、8、11}，{2、7、10}，{3、6、9}，{4、5、12}。

图 2 所示“一个 12 阶最大平面图” G_{M12} 的一个已知的四色着色方案，选用“四色着色方案Ⅱ”，码号为“Ⅱ”，即图 3 之(a)图。图中，红点为②、⑦、⑩；黄点为③、⑥、⑨；蓝点为①、⑧、⑪；绿点为④、⑤、⑫(颜色的选用，显然是可任意的)。

为了显示点的颜色，约定红点以“实线圆圈”(real line circle)表示；黄点以“点线圆圈”

(point line circle)表示;蓝点以“划线圆圈”(stroke line circle)表示;绿点以“点划线圆圈”(point - stroke line circle)表示。又,为了表示二色子图,约定红黄边,着橙色(orange),以“点线”(point line)表示;红蓝边,着紫色(purple),以“划线”(stroke line)表示;红绿边,着棕色(brown),以“点划线”(point - stroke line)表示;蓝绿边,着黑色(black),以“粗线”(thick line)表示;黄绿边,着翠色(jade),以“锯齿线”(sawtooth line)表示;黄蓝边,着白色(white),以“双线”(double line)表示;图3即按上述约定作出。

图3列出 G_{M12} 的一个“相近四色着色方案集”(记为“相近四色着色方案集Ⅱ”)的四色着色方案,共12个。各层次的二色交换,以图4表示。图5表示四色着色方案之间的关系,即在三种“二色子图对”意义上的完全图表达。

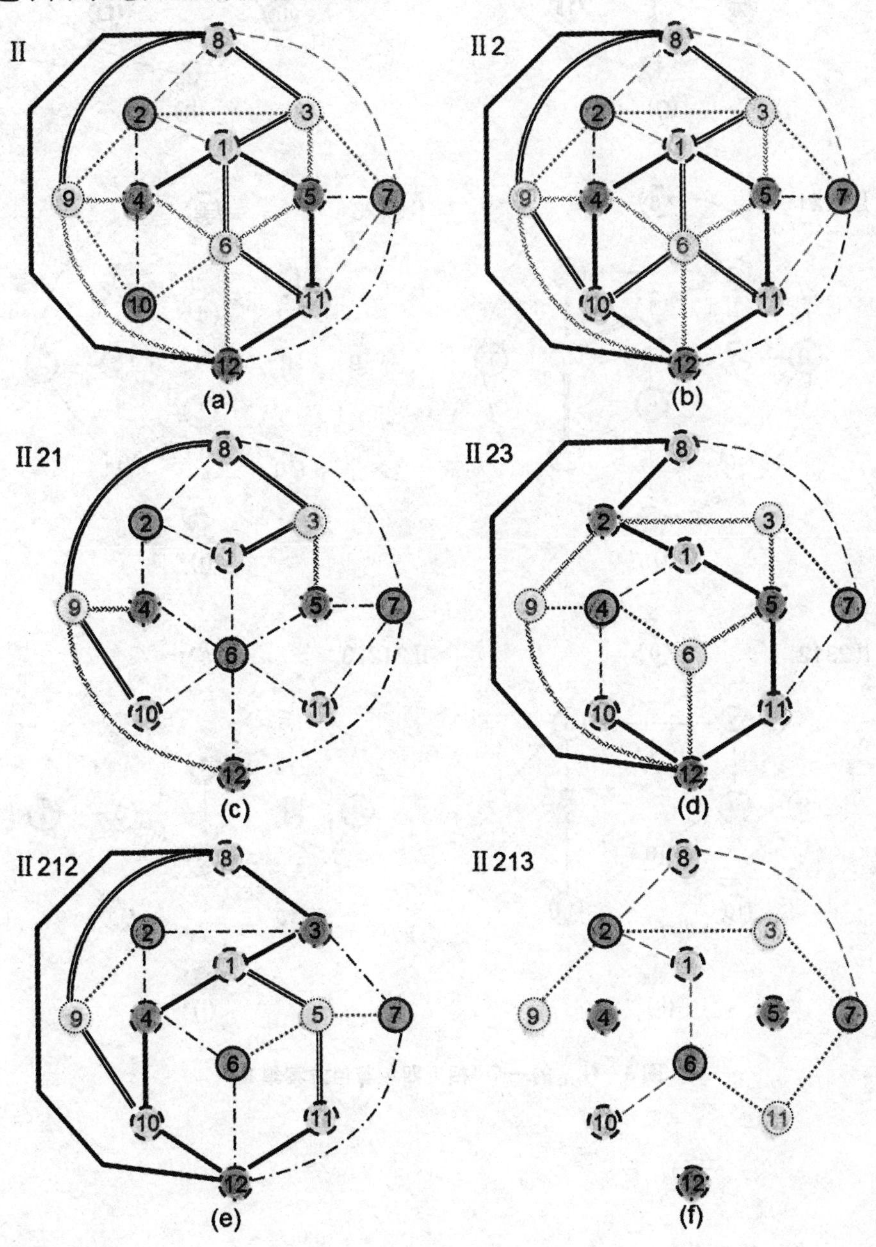

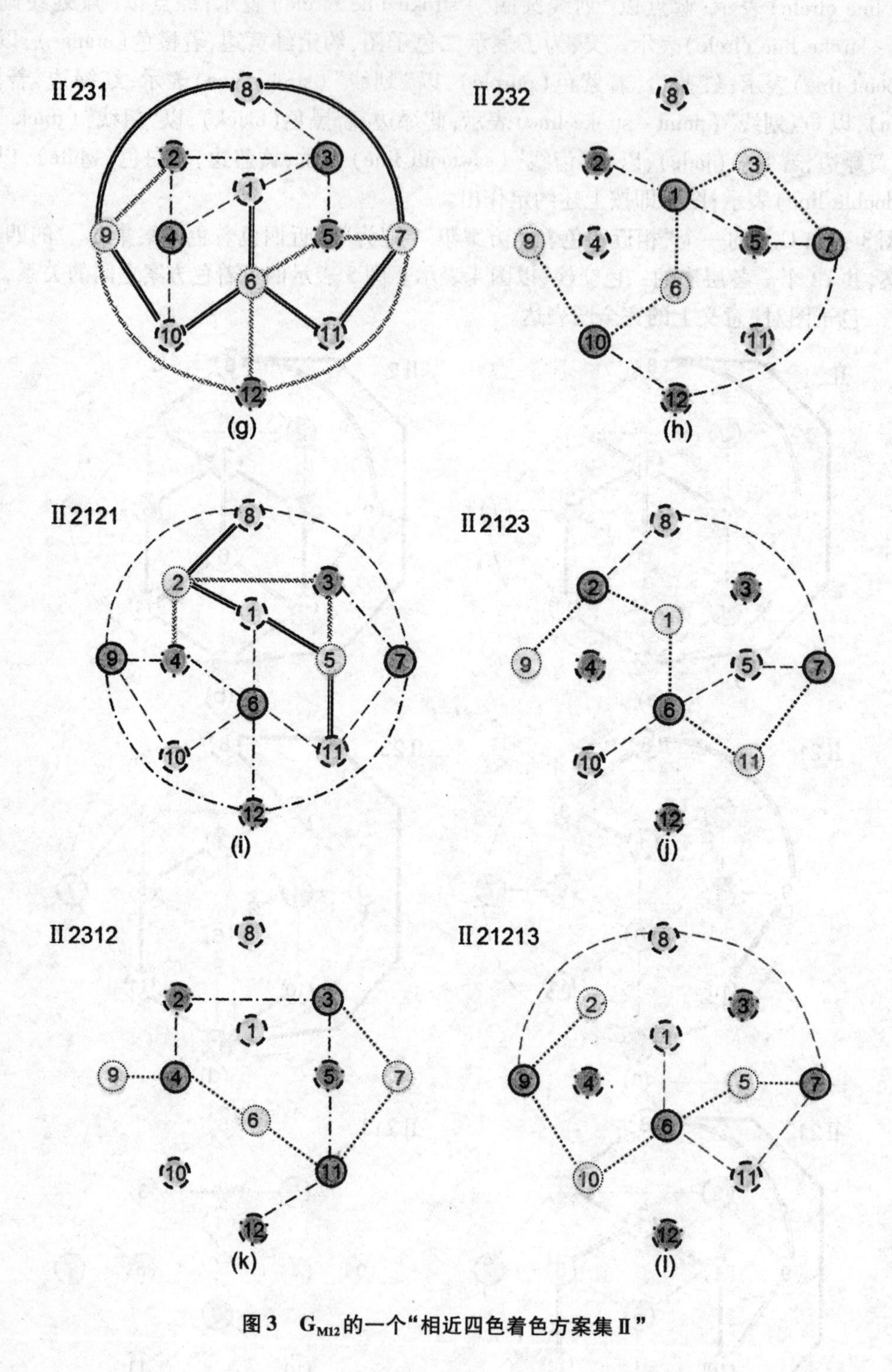

图3 G_{M12}的一个“相近四色着色方案集Ⅱ”

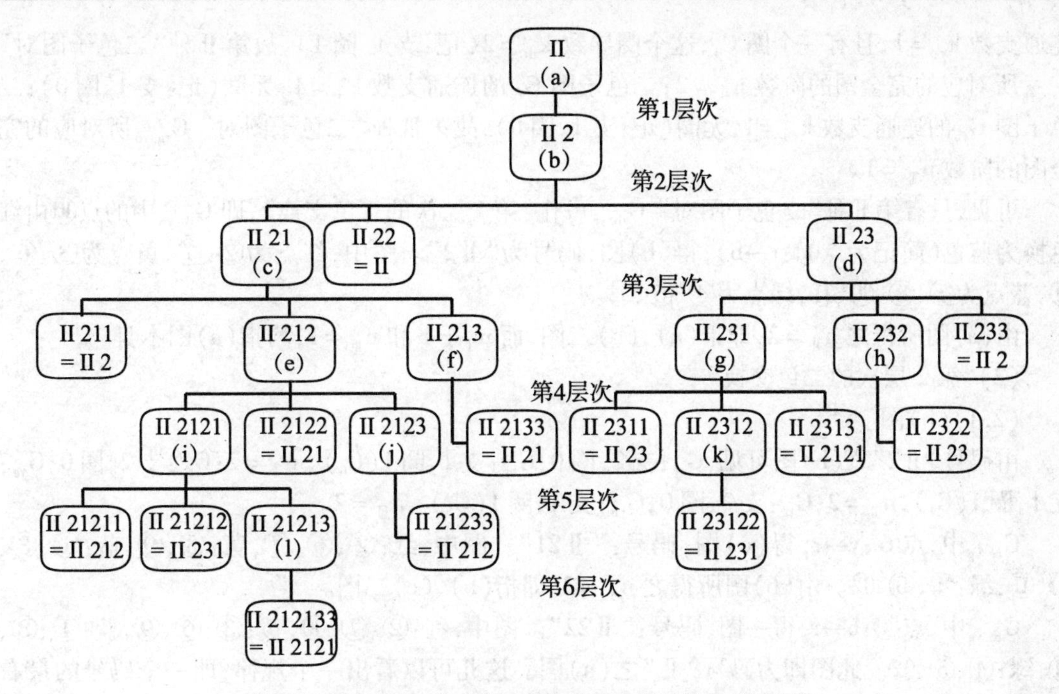

图4　多层次的二色交换(四色着色方案以“码号”表达)

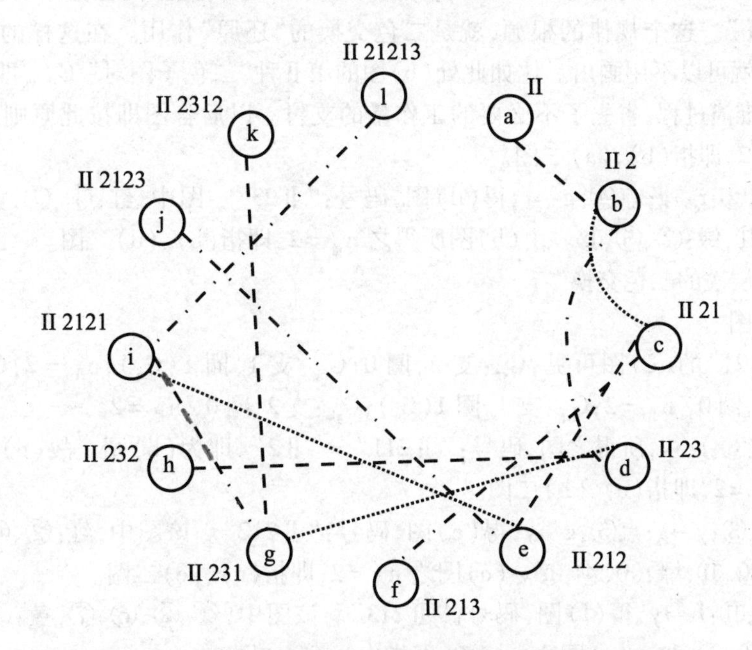

图5　G_{M12}的一个“相近四色着色方案集Ⅱ”的完全图表达

现用“多层次二色交换法”，求解 G_{M12} 的“相近四色着色方案集Ⅱ”，其步骤和结果如下。

(1)“第1层次的二色交换”

(1.1)(a)图

由码号“Ⅱ”之(a)图可见，二色子图 G_{ry} 的连通支数 $k_{ry}=1$，且无圈(简记为：支1，圈0)；二色子图 G_{bg} 的连通支数 $k_{bg}=1$，也无圈(记：支1，圈0)，故第Ⅰ种“二色子图对” $G_{ry.bg}$ 所对应的完全图的阶数 $n_Ⅰ=1$；二色子图 G_{rb} 的连通支数 $k_{rb}=2$，无圈(记：支2，圈0)；二色子图 G_{yg} 的

连通支数 $k_{yg}=1$,且有一个圈 C_4,这个圈导致 $k_{rb}=2$(记:支1,圈1),故第Ⅱ种"二色子图对" $G_{rb.yg}$所对应的完全图的阶数 $n_Ⅱ=2$;二色子图 G_{rg}的连通支数 $k_{rg}=1$,无圈(记:支1,圈0);二色子图 G_{yb}的连通支数 $k_{yb}=1$,无圈(记:支1,圈0),故第Ⅲ种"二色子图对" $G_{rg.yb}$所对应的完全图的阶数 $n_Ⅲ=1$。

可见,只有第Ⅱ种"二色子图对" $G_{rb.yg}$可作"第1层次的二色交换",即 $G_{rb.yg}$中的点⑩由红色换为蓝色(简记为点⑩:r→b),得(b)图,码号为"Ⅱ2"。图中,红点为②、⑦,黄点为③、⑥、⑨,蓝点为①、⑧、⑩、⑪,绿点为④、⑤、⑫。

由(a)图所得之 $n_Ⅱ=2$,即指(a)、(b)二图,而 $n_Ⅰ=1$ 和 $n_Ⅲ=1$,均指(a)图本身。

(2)"第2层次的二色交换"

(2.1)(b)图

由码号"Ⅱ2"之(b)图可见,G_{ry}:支2,圈0;G_{bg}:支1,圈1(C_6),$n_Ⅰ=2$;G_{rb}:支2,圈0;G_{yg}:支1,圈1(C_4),$n_Ⅱ=2$;G_{rg}:支2,圈0;G_{yb}:支1,圈1(C_6),$n_Ⅲ=2$。

$G_{ry.bg}$中,点⑥:y→r,得(c)图,码号:"Ⅱ21"。图中,红:②、⑥、⑦,黄:③、⑨,蓝:①、⑧、⑩、⑪,绿:④、⑤、⑫。由(b)图所得之 $n_Ⅰ=2$,即指(b)、(c)二图。

$G_{rb.yg}$中,点⑩:b→r,得一图,码号:"Ⅱ22"。图中,红:②、⑦、⑩,黄:③、⑥、⑨,蓝:①、⑧、⑪,绿:④、⑤、⑫。此图即为码号"Ⅱ"之(a)图。这儿可以看出一个规律,即一个码号的最右边的两位数字相同时,即可能为"…11"、或"…22"、或"…33",则此两位数字可消去。比如此处"Ⅱ22"="Ⅱ"。这个规律的根源,就是二色交换的"还原"作用。在这样的情况下,此种"二色子图对"就可以不用画出。比如此处(b)图的第Ⅱ种"二色子图对" $G_{rb.yg}$即可不用画出。这将大为简化推演过程,省去了不必要的工作量的支付。以后各图即按此原则绘之。由(b)图所得之 $n_Ⅱ=2$,即指(b)、(a)二图。

$G_{rg.yb}$中,点②:r→g;点④:g→r,得(d)图,码号:"Ⅱ23"。图中,红:④、⑦,黄:③、⑥、⑨,蓝:①、⑧、⑩、⑪,绿:②、⑤、⑫。由(b)图所得之 $n_Ⅲ=2$,即指(b)、(d)二图。

(3)"第3层次的二色交换"

(3.1)(c)图

由码号"Ⅱ21"的(c)图可见,G_{ry}:支2,圈0;G_{bg}:支1,圈1(C_6),$n_Ⅰ=2$;G_{rb}:支1,圈1(C_6);G_{yg}:支2,圈0,$n_Ⅱ=2$;G_{rg}:支1,圈1(C_4);G_{yb}:支2,圈0,$n_Ⅲ=2$。

$G_{ry.bg}$中,点⑥:r→y,所得之图,码号:"Ⅱ211"="Ⅱ2",即为(b)图。故(c)图中,$G_{ry.bg}$不用画出。其 $n_Ⅰ=2$,即指(c)、(b)二图。

$G_{rb.yg}$中,点③:y→g;点⑤:g→y,得(e)图,码号:"Ⅱ212"。该图中,红:②、⑥、⑦,黄:⑤、⑨,蓝:①、⑧、⑩、⑪,绿:③、④、⑫。(c)图之 $n_Ⅱ=2$,即指(c)、(e)二图。

$G_{rg.yb}$中,点⑪:b→y,得(f)图,码号:"Ⅱ213"。该图中,红:②、⑥、⑦,黄:③、⑨、⑪,蓝:①、⑧、⑩,绿:④、⑤、⑫。(c)图之 $n_Ⅲ=2$,即指(c)、(f)二图。

(3.2)(d)图

由码号"Ⅱ23"的(d)图可见,G_{ry}:支2,圈0;G_{bg}:支1,圈1(C_6),$n_Ⅰ=2$;G_{rb}:支2,圈0;G_{yg}:支1,圈1(C_6),$n_Ⅱ=2$;G_{rg}:支2,圈0;G_{yb}:支1,圈1(C_6),$n_Ⅲ=2$。

$G_{ry.bg}$中,点③:y→r;点⑦:r→y,得(g)图,码号:"Ⅱ231"。该图中,红:③、④,黄:⑥、⑦、⑨,蓝:①、⑧、⑩、⑪,绿:②、⑤、⑫。(d)图之 $n_Ⅰ=2$,即指(d)、(g)二图。

$G_{rb.yg}$中,点④:r→b;点①、⑩:b→r,得(h)图,码号:"Ⅱ232"。该图中,红:①、⑦、⑩,黄:③、⑥、⑨,蓝:④、⑧、⑪,绿:②、⑤、⑫。(d)图之 $n_Ⅱ=2$,即指(d)、(h)二图。

$G_{rg.yb}$中，点②:g→r;点④:r→g,所得之图，码号:“Ⅱ233” =“Ⅱ2”,即为(b)图。故(d)图中，$G_{rg.yb}$不用画出。其$n_{Ⅲ}=2$,即(d)、(b)二图。

(4)“第4层次的二色交换”

(4.1)(e)图

由码号“Ⅱ212”之(e)图可见，G_{ry}:支2,圈0;G_{bg}:支1,圈1(C_6),$n_{I}=2$;G_{rb}:支1,圈1(C_6);G_{yg}:支2,圈0, $n_{Ⅱ}=2$;G_{rg}:支1,圈1(C_6);G_{yb}:支2,圈0,$n_{Ⅲ}=2$。

$G_{ry.bg}$中，点②:r→y;点⑨:y→r,得(i)图，码号:“Ⅱ2121”。图中，红:⑥、⑦、⑨,黄:②、⑤,蓝:①、⑧、⑩、⑪,绿:③、④、⑫。(e)图之$n_{I}=2$,即(e)、(i)二图。

$G_{rb.yg}$中，点③:g→y;点⑤:y→g,所得之图，码号:“Ⅱ2122”=“Ⅱ21”,即为(c)图。故(e)图中，$G_{rb.yg}$不用画出，其$n_{Ⅱ}=2$,即指(e)、(c)二图。

$G_{rg.yb}$中，点①、⑪:b→y;点⑤:y→b,得(j)图，码号:“Ⅱ2123”。图中，红:②、⑥、⑦,黄:①、⑨、⑪,蓝:⑤、⑧、⑩,绿:③、④、⑫。(e)图之$n_{Ⅲ}=2$,即(e)、(j)二图。

(4.2)(f)图

由码号“Ⅱ213”之(f)图可见，G_{ry}:支1,圈0;G_{bg}:支1,圈0,$n_{I}=1$;G_{rb}:支1,圈0;G_{yg}:支1,圈0,$n_{Ⅱ}=1$;G_{rg}:支1,圈1(C_4);G_{yb}:支2,圈0,$n_{Ⅲ}=2$。

$G_{ry.bg}$中，由于$n_{I}=1$,不能作二色交换，故无新图及码号。(f)图之$n_{I}=1$,即为(f)图，无新图。在(f)图中，二色子图G_{bg}不用画出。

$G_{rb.yg}$中，由于$n_{Ⅱ}=1$,不能作二色交换，无新图及码号。(f)图之$n_{Ⅱ}=1$,即指(f)图。G_{yg}不用画出。

$G_{rg.yb}$中，点⑪:y→b,所得之图，码号:“Ⅱ2133”=“Ⅱ21”,即为(c)图。故(f)图中$G_{rg.yb}$不用画出，其$n_{Ⅲ}=2$,即指(f)、(c)二图。

(4.3)(g)图

由码号“Ⅱ231”之(g)图可见，G_{ry}:支2,圈0;G_{bg}:支1,圈1(C_6),$n_{I}=2$;G_{rb}:支2,圈0;G_{yg}:支1,圈1(C_4),$n_{Ⅱ}=2$;G_{rg}:支2,圈0;G_{yb}:支1,圈1(C_6),$n_{Ⅲ}=2$。

$G_{ry.bg}$中，点③:r→y;点⑦:y→r,所得之图，码号:“Ⅱ2311”=“Ⅱ23”,即为(d)图。故(g)图中$G_{ry.bg}$不用画出，其$n_{I}=2$,即指(g)、(d)二图。

$G_{rb.yg}$中，点⑪:b→r,得(k)图，码号:“Ⅱ2312”。图中，红:③、④、⑪,黄:⑥、⑦、⑨,蓝:①、⑧、⑩,绿:②、⑤、⑫。(g)图之$n_{Ⅱ}=2$,即指(g)、(k)二图。

$G_{rg.yb}$中，点⑫:g→r,得一图，码号:“Ⅱ2313”。图中，红:③、④、⑫,黄:⑥、⑦、⑨,蓝:①、⑧、⑩、⑪,绿:②、⑤。将此图与已求得的各图相比较就可发现，此图与码号“Ⅱ2121”的(i)图实为同一个四色着色方案，也即“Ⅱ2313”=“Ⅱ2121”。由于在二色交换时，换色的连通支的选用有任意性，有可能三种“二色子图对”产生错位，但这不影响最后的结果，即“集”的求解。这只要理解成，这儿的点的着色已调整成(i)图的着色，那么，这儿的第Ⅲ种“二色子图对”就相当于(i)图的第Ⅱ种“二色子图对”。故这儿(g)图之$n_{Ⅲ}=2$,实指(g)、(i)二图。

(4.4)(h)图

由码号“Ⅱ232”之(h)图可见，G_{ry}:支1,圈0;G_{bg}:支1,圈0,$n_{I}=1$;G_{rb}:支2,圈0;G_{yg}:支1,圈1(C_6),$n_{Ⅱ}=2$;G_{rg}:支1,圈0;G_{yb}:支1,圈0,$n_{Ⅲ}=1$。

$G_{ry.bg}$中，$n_{I}=1$,不能作二色交换，故无新图及码号。(h)图之$n_{I}=1$,即为(h)图。G_{bg}不用画出。

$G_{rb.yg}$中，点④:b→r;点①、⑩:r→b,所得之图，码号:“Ⅱ2322”=“Ⅱ23”,即为(d)图。故

(h)图中,$G_{rb.yg}$不用画出。其 $n_{II}=2$,即指(h)、(d)二图。

$G_{rg.yb}$中,$n_{III}=1$,不能作二色交换,故无新图及码号。(h)图之 $n_{III}=1$,即为(h)图。G_{yb}不用画出。

(5)“第5层次的二色交换”

(5.1)(i)图

由码号“Ⅱ2121”之(i)图可见,G_{ry}:支2,圈0;G_{bg}支1,圈1(C_6),$n_I=2$;G_{rb}:支1,圈1(C_6);G_{yg}:支2,圈0, $n_{II}=2$;G_{rg}:支1,圈1(C_4);G_{yb}:支2,圈0,$n_{III}=2$。

$G_{ry.bg}$中,经二色交换所得之图,码号:“Ⅱ21211” =“Ⅱ212”,即为(e)图。故(i)图中,$G_{ry.bg}$不用画出,其 $n_I=2$,即指(i)、(e)二图。

$G_{rb.yg}$中,点⑫:g→y,所得之图为红:⑥、⑦、⑨,黄:②、⑤、⑫,蓝:①、⑧、⑩、⑪,绿:③、④。此图实为(g)图,故其码号:“Ⅱ21212” =“Ⅱ231”。(i)图之 $n_{II}=2$,即指(i)、(g)二图。

$G_{rg.yb}$中,点⑩:b→y,得(l)图,码号:“Ⅱ21213”。图中,红:⑥、⑦、⑨,黄:②、⑤、⑩,蓝:①、⑧、⑪,绿:③、④、⑫。(i)图之 $n_{III}=2$,即(i)、(l)二图。

(5.2)(j)图

由码号“Ⅱ2123”之(j)图可见,G_{ry}:支1,圈0;G_{bg}:支1,圈0,$n_I=1$;G_{rb}:支1,圈0;G_{yg}:支1,圈0, $n_{II}=1$;G_{rg}:支1,圈1(C_6);G_{yb}:支2,圈0,$n_{III}=2$。

$G_{ry.bg}$中, $n_I=1$,不能作二色交换,故无新图及码号。(j)图之 $n_I=1$,即为(j)图。G_{bg}可不用画出。

$G_{rb.yg}$中, $n_{II}=1$,不能作二色交换,故无新图及码号。(j)图之 $n_{II}=1$,即为(j)图。G_{yg}可不用画出。

$G_{rg.yb}$中,经二色交换所得之图,码号:“Ⅱ21233” =“Ⅱ212”,即为(e)图。故(j)图中,$G_{rg.yb}$不用画出,其 $n_{III}=2$,即指(j)、(e)二图。

(5.3)(k)图

由码号“Ⅱ2312”之(k)图可见,G_{ry}:支1,圈0;G_{bg}:支1,圈0,$n_I=1$;G_{rb}:支2,圈0;G_{yg}:支1,圈1(C_4), $n_{II}=2$;G_{rg}:支1,圈0;G_{yb}:支1,圈0,$n_{III}=1$。

$G_{ry.bg}$中, $n_I=1$,不能作二色交换,无新图及码号。(k)图之 $n_I=1$,即为(k)图。G_{bg}不用画出。

$G_{rb.yg}$中,经二色交换所得之图,码号:“Ⅱ23122” =“Ⅱ231”,即(g)图。(k)图中,$G_{rb.yg}$不用画出,其 $n_{II}=2$,即指(k)、(g)二图。

$G_{rg.yb}$中,$n_{III}=1$, 不能作二色交换,无新图及码号。G_{yb}未画。

(6)“第6层次的二色交换”

(6.1)(l)图

由码号“Ⅱ21213”之(l)图可见,G_{ry}:支1,圈0;G_{bg}:支1,圈0,$n_I=1$;G_{rb}:支1,圈0;G_{yg}:支1,圈0, $n_{II}=1$;G_{rg}:支1,圈1(C_4);G_{yb}:支2,圈0,$n_{III}=2$。

$G_{ry.bg}$中, $n_I=1$,无新图及码号,即只是(l)图,G_{bg}未画。

$G_{rb.yg}$中,$n_{II}=1$,无新图及码号,仅为(l)图,G_{yg}未画。

$G_{rg.yb}$中,经二色交换所得之图,码号:“Ⅱ212133” =“Ⅱ2121”,即(i)图。(l)图中,$G_{rg.yb}$未画,其 $n_{III}=2$,即指(l)、(i)二图。

至此,二色交换结束。通过六个层次的二色交换,求得了 G_{M12}的一个“相近四色着色方案集”,已记为“相近四色着色方案集Ⅱ”,该“集Ⅱ”中含12个四色着色方案(12个集元)。现将其结果,按数字顺序列表如下。

序号	四个点集	图	码号	说明[2,4,5,6]
★01)	{1、7、10};{2、5、12};{3、6、9};{4、8、11}	(h)	Ⅱ232	
★02)	{1、8、10};{2、5、12};{3、4、11};{6、7、9}	(k)	Ⅱ2312	“四色着色方案Ⅳ”
★03)	{1、8、10};{2、6、7};{3、9、11};{4、5、12}	(f)	Ⅱ213	
04)	{1、8、10、11};{2、5};{3、4、12};{6、7、9}	(i)	Ⅱ2121	“四色着色方案Ⅴ”
05)	{1、8、10、11};{2、5、12};{3、4};{6、7、9}	(g)	Ⅱ231	“四色着色方案Ⅲ”
06)	{1、8、10、11};{2、5、12};{3、6、9};{4、7}	(d)	Ⅱ23	
07)	{1、8、10、11};{2、6、7};{3、4、12};{5、9}	(e)	Ⅱ212	
08)	{1、8、10、11};{2、6、7};{3、9};{4、5、12}	(c)	Ⅱ21	
09)	{1、8、10、11};{2、7};{3、6、9};{4、5、12}	(b)	Ⅱ2	
★10)	{1、8、11};{2、5、10};{3、4、12};{6、7、9}	(l)	Ⅱ21213	“四色着色方案Ⅰ”
★11)	{1、8、11};{2、7、10};{3、6、9};{4、5、12}	(a)	Ⅱ	“四色着色方案Ⅱ”
★12)	{1、9、11};{2、6、7};{3、4、12};{5、8、10}	(j)	Ⅱ2123	

7 结语

本文求得了“一个12阶最大平面图”G_{M12}的一个“相近四色着色方案集Ⅱ”,可能G_{M12}不止是这一个“相近四色着色方案集Ⅱ”。由(14)式可看到,一个“相近四色着色方案集”所含四色着色方案的个数,一定是偶数。

文献[5]中的图4-10,给出了一个四色着色方案。这相当于本文的序号★10)的四色着色方案,即码号“Ⅱ21213”的(l)图,记为“四色着色方案Ⅰ”。

G_{M12}的点数为12;获得的“相近四色着色方案集Ⅱ”所含四色着色方案的个数也是12。这两个数字均为“12”,纯属偶然,二者无必然联系。

所得12个四色着色方案中,序号为★10)的四色着色方案,即为“四色着色方案Ⅰ”。若将“四色着色方案Ⅰ”,作为G_{M12}的一个已知的四色着色方案,通过“多层次二色交换法”,则会求得一个“相近四色着色方案集”(推演过程略),记为“相近四色着色方案集Ⅰ”。实际上,“相近四色着色方案集Ⅰ”和“相近四色着色方案集Ⅱ”,是一样的,即它们是同一个“相近四色着色方案集”。显然,这是由于,G_{M12}的“四色着色方案Ⅰ”和“四色着色方案Ⅱ”同属G_{M12}的一个“相近四色着色方案集”之故。

参考文献

[1]哈拉里(Harary) F. 图论(Graph Theory)[M]. 李慰萱,译. 上海:上海科学技术出版社,1980:158 - 161.

[2]冯纪先. 最大平面图的二色子图和二色交换[C]//第二十届电路与系统年会论文集. 广州:华南理工大学,2007:770 - 777.(见目录:2.04)

[3]冯纪先. 图论中图的点数、区数和边数[J]. 高等数学研究,2007,10(4):26 - 30.(见目录:1.10)

[4]冯纪先. "一个12阶最大平面图"G_{M12}的四色着色[C]//第十九届电工理论学术年会论文集. 合肥:安徽大学,2007:241 - 246.(见目录:2.05)

[5]谈祥柏. 数学营养菜[M]. 北京:中国少年儿童出版社,2004:178 - 180.

[6]冯纪先. 四色着色的"简化降阶法"[J]. 汕头大学学报(自然科学版),2008,23(4):52 - 59.(见目录:2.07)

2.10 最大平面图 G_M 的孪生图 G_M^T 和对角线变换 DT

【摘要】提出了最大平面图 G_M 的孪生图 G_M^T 和"孪生图对"的概念和定义,探讨了"孪生图对"的特性,分析了"孪生图对"的四色着色方案彼此间的关系,并由此形成了最大平面图着色的"对角线变换法"。文中以两个实例("正二十面体的平面嵌入图";"Appel 和 Haken 之例")验证了研究的结果,同时也显示了孪生图 G_M^T 可被应用的场合及其实用性。

【关键词】最大平面图;对角线变换;孪生图;"孪生图对";四色着色方案;"Appel 和 Haken 之例"

The twin graph G_M^T of maximal plane graph G_M and diagonal transformation DT

Abstract: This paper presents concepts and definitions of twin graph G_M^T and "twins" (twin graph pair) of maximal plane graph G_M, explores properties of "twins", and analyses relations between Four - colorings of "twins". In this paper, "method of diagonal transformation" for Four - coloring in maximal plane graph is given, results of studies are testified, and applications of "twins" are showed by two practical examples ("graph embedded in plane on regular icosahedron (Twenty - Face - Body)"; "Appel and Haken's Example").

Keywords: maximal plane graph; diagonal transformation; twin graph; "twins" (twin graph pair); Four - coloring; "Appel and Haken's Example"

1 引言

最大平面图(maximal plane graph) G_M 是一种"约束"最多,即边数最多,区数也最多的平面图。它的每个区均为三边形 K_3(这是一个充要条件),因而 G_M 是一种特殊类型的平面图。当 $n \geq 3$ 时,n 阶(n 点)最大平面图 G_{Mn} 的边数 $e = 3n - 6$,区数 $r = 2n - 4$,度数 $d = 6n - 12$。当 $n \geq 4$ 时,G_{Mn} 没有 1 度点和 2 度点,即 $n_1 = n_2 = 0$。当 $n < \infty$ 时,G_{Mn} 总含有等于或小于 5 度的点。本文在分析 n 阶(n 点)最大平面图 G_{Mn} 的特性的基础上,提出了"孪生图"(twin graph) G_{Mn}^T 和"孪生图对"(twin graph pair)的概念,并探讨了它们的内在规律。

1976 年美国数学家 K. Appel 和 W. Haken 等证明了"四色定理",即任何平面图都是 4 可着色的。因而每个最大平面图都存在"四色着色方案"。本文探讨了孪生图和"孪生图对"的"四色着色方案"及它们之间的关系,并由此形成了最大平面图着色的"对角线变换法"。随后的两个实例"正二十面体的平面嵌入图"("graph embedded in plane on regular icosahedron (Twenty - Face - Body)")和"Appel 和 Haken 之例"("Appel and Haken's Example"),验证了研究的结果。

2 对角线变换 DT 和孪生图 G_M^T 及“孪生图对”

如图1所示，在n阶最大平面图 G_{Mn} 中，端点为i和k的一条边ik，与两个点i和k关联，此两个点i和k为相邻点。ik这条边又与两个区（K_3）关联，即与△ijk和△ikl关联，此两个区（K_3）为相邻区。两个区（K_3）各有一个顶点j和l。由此可见 G_{Mn} 中，一条边关联四个点。这儿，边ik即关联四个点i、j、k、l。显然，一条边又关联四条边，此四条边形成4阶圈 C_4。这儿，边ik即关联一个4阶圈 C_4(i、j、k、l)。

这里出现两种情况：

第一种情况是，两个区（K_3）的顶点j和l彼此为非相邻点，即点j与l之间无边jl相连，也即此时i、j、k、l四点未构成 K_4（4阶完全图），图1所示即是。

第二种情况是，两个区（K_3）的顶点j和l彼此为相邻点，即点j与l之间有边jl相连，也即此时i、j、k、l四点构成了 K_4，图2所示即是。

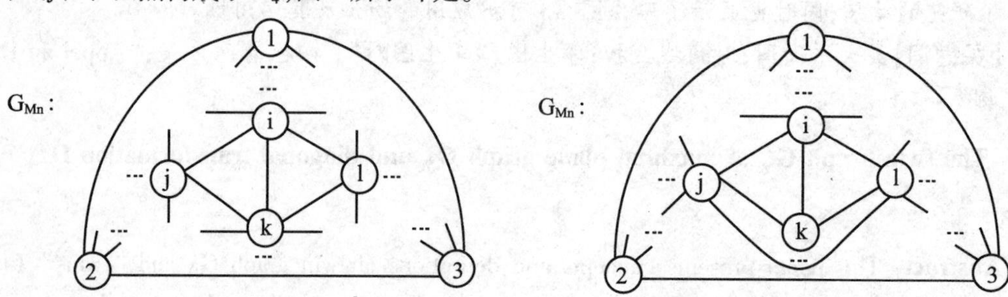

图1 C_4 的四个点未构成 K_4 的 G_{MN}　　图2 C_4 的四个点构成 K_4 的 G_{MN}

当第一种情况的时候，未构成 K_4 的四个点i、j、k、l，也还是构成了一个四边形 C_4 的。现，试想，先“移去”边ik，这条边实为四边形 C_4 的一条对角线；再“加入”另一条边jl，这条边实为四边形 C_4 的另一条对角线。这样，通过“移去”和“加入”两道手续，将对角线进行了改变的操作，称为“对角线变换”。

当第二种情况的时候，显然就不存在“对角线变换”的操作。

可以看到，一个最大平面图经过“对角线变换”的操作，将变为另一个平面图。这个平面图是一个最大平面图。因为它的所有区都为 K_3，满足最大平面图的充要条件。由此，一个n阶最大平面图 G_{Mn} 通过“对角线变换”，将得到另一个n阶最大平面图 G_{Mn}^T，称其为n阶最大平面图 G_{Mn} 的孪生图 G_{Mn}^T（英文术语拟用 twin graph），因为 G_{Mn} 与 G_{Mn}^T 相比，彼此在拓扑结构上除一个四边形 C_4 的对角线不同外，其余部分是完全一样的。这有如孪生子（双胞胎），粗看起来“一模一样”，但实际上还是“稍有”差别的。

由定义可知，孪生图 G_{Mn}^T 是相对 G_{Mn} 的一条边ik而言的，故孪生图 G_{Mn}^T 应表示为 G_{Mn}^T(ik)。孪生图 G_{Mn}^T 也是相对 G_{Mn} 的四个点i、j、k、l，也即相对 G_{Mn} 的一个四边形 C_4(i、j、k、l)而言的，故孪生图也应可表示为 G_{Mn}^T(i、j、k、l)。为了方便，一般情况下仍简单表示为 G_{Mn}^T。由上可知，同一个最大平面图 G_{Mn}，相对不同的边，将有其不同的孪生图 G_{Mn}^T，所以一个n阶最大平面图 G_{Mn} 的孪生图 G_{Mn}^T 可能不只一个，一般情况可以是多于一个的。

一个n阶最大平面图 G_{Mn}，若相对于一个四边形 C_4 有孪生图 G_{Mn}^T，则从孪生图的定义来看，孪生图 G_{Mn}^T 相对于同一个四边形 C_4 应有它的孪生图，显然就是 G_{Mn}，所以我们有

$$(G_{Mn})^T = G_{Mn}^T; \qquad (G_{Mn}^T)^T = G_{Mn} \tag{1}$$

于是,可以将 n 阶最大平面图 G_{Mn} 和它的孪生图 G_{Mn}^T,合称为"孪生图对"(英文术语拟用 twin graph pair ,或用"twins"表示)。

3 "孪生图对"的特性

n 阶最大平面图 G_{Mn} 是通过对角线变换 DT 获得对应的孪生图 G_{Mn}^T,因而有特性 1 如下。

特性1:当 $n\geqslant5$ 时,n 阶最大平面图 G_{Mn} 与其孪生图 G_{Mn}^T 相比,它们的点数 n 一样,边数 e($=3n-6$)、区数 r($=2n-4$),度数 d($=6n-12$)也相同,也都没有 1 度点和 2 度点,即 $n_1=n_2=0$。它们所有的区均为三边形 K_3(三阶完全图,也即三阶圈 C_3)。

如图 1 所示的,C_4 的 i、j、k、l 四个点未构成 K_4 的最大平面图 G_{Mn},有对应的孪生图 G_{Mn}^T。G_{Mn} 和 G_{Mn}^T 在拓扑结构上,除四边形 C_4(i、j、k、l)的对角线不同外,其余部分是完全一样的。因此,G_{Mn}^T 与 G_{Mn} 相比,其他所有点的度数都是不变的,只是构成 C_4 的四个点的度数有变化。那就是经过对角线变换后,G_{Mn}^T 的 i、k 两个点的度数将较 G_{Mn} 的各减一;而 G_{Mn}^T 的 j、l 两个点的度数将较 G_{Mn} 的各增一。譬如,G_{Mn} 的四个点 i、j、k、l 的度数均为 5,那么 G_{Mn}^T 的 i、k 两个点的度数将为 4,而 j、l 两个点的度数将为 6。因而有特性 2 如下。

特性2:相对一个四边形 C_4 作对角线变换后,孪生图 G_{Mn}^T 中四边形 C_4 的一对顶点的度数较最大平面图 G_{Mn} 的各减一;另一对顶点的度数较最大平面图 G_{Mn} 的各增一。

如图 2 所示的,C_4 的 i、j、k、l 四个点构成 K_4 的最大平面图 G_{Mn},没有对应的孪生图 G_{Mn}^T,即相对于边 ik,G_{Mn} 没有对应的孪生图 G_{Mn}^T。这儿,又有两种可能情况。第一种可能情况是,图 2 中△jkl 内含有其他的点,当然也就含有其他的边,这就正如图 2 所描述的情况,△jkl 就不是 G_{Mn} 的一个区(K_3),而只是 G_{Mn} 的一个三阶圈 C_3。第二种可能情况是,图 2 中△jkl 内没有其他的点,当然也就没有其他的边,△jkl 就是 G_{Mn} 的一个区(K_3),显然点 k 就是 G_{Mn} 的一个 3 度点,边 ik 就是与 3 度点 k 关联的一条边。同样道理,相对于与 G_{Mn} 的一个 3 度点 k 关联的另两条边 jk 和 kl 而言,G_{Mn} 也就没有与其对应的孪生图 G_{Mn}^T。因而有特性 3 如下。

特性3:相对于与 n 阶最大平面图 G_{Mn} 的一个 3 度点所关联的三条边,都不能进行对角线变换,G_{Mn} 也就不存在对应的孪生图 G_{Mn}^T。

文献[1]、[2]中曾经指出,$n\geqslant5$ 时,n 阶最大平面图 G_{Mn} 的 3 度点,彼此为非相邻点。那就是 G_{Mn} 中不存在这样一条边,其两个端点同时为 3 度点,也即不同的 3 度点之间不可能同时关联同一条边。设 n 阶最大平面图 G_{Mn} 的 3 度点有 n_3 个,那么就有 $3*n_3$ 条边,不能通过对角线变换,使 G_{Mn} 变为对应的孪生图 G_{Mn}^T。$n\geqslant3$ 时,n 阶最大平面图 G_{Mn} 的边数 $e=3n-6$,因而有特性 4 如下。

特性4:$n\geqslant5$ 时,n 阶最大平面图 G_{Mn} 有 n_3 个 3 度点,其所对应的孪生图 G_{Mn}^T 的数目的最大值可如下式所示:

$$\text{一个 } G_{Mn} \text{ 的 } G_{Mn}^T \text{ 的数目} \leqslant 3n-6-3n_3=3(n-2-n_3),\quad n\geqslant5, n_3\geqslant0 \tag{2}$$

众所周知,Kuratowski 定理给出了平面图的一个充要条件,即无同胚于 K_5 或 $K_{3,3}$ 的子图。这个条件,对平面图的特例——最大平面图 G_{Mn} 就是一个必要条件。大家知道,每个区均为三边形 K_3 是最大平面图 G_{Mn} 的一个充要条件。于是,可以将最大平面图 G_{Mn} 分为两类,一类是有同胚于 K_4 的子图的;另一类是无同胚于 K_4 的子图的。由此可见,无同胚于 K_4 的子图的最大平面图 G_{Mn} 的孪生图 G_{Mn}^T 的数目应等于最大平面图 G_{Mn} 的边数 e。因此有特性 5 如下。

特性5:$n\geqslant5$ 时,一个无同胚于 K_4 的子图的 n 阶最大平面图 G_{Mn} 的孪生图 G_{Mn}^T 的数目,可如下式所示：

$$一个无同胚于K_4的子图的G_{Mn}的孪生图G_{Mn}^T的数目=3n-6,\quad n\geqslant 5 \tag{3}$$

一个四边形 C_4 有两条对角线。在一个"孪生图对"中，n 阶最大平面图 G_{Mn} 和它的孪生图 G_{Mn}^T，各以同一个四边形 C_4(i、j、k、l) 中的不同对角线作为边。图 1 所示，G_{Mn} 以对角线 ik 为边；显然，G_{Mn}^T 将以对角线 jl 作为边。由此可见，当 G_{Mn} 的一个四色着色方案中，点 j 与点 l 同色，则此四色着色方案将不可能是 G_{Mn}^T 的四色着色方案；若 G_{Mn} 的一个四色着色方案中，点 j 与点 l 异色，则此四色着色方案也将是 G_{Mn}^T 的四色着色方案。反之，当 G_{Mn}^T 的一个四色着色方案中，点 i 与点 k 同色，则此四色着色方案将不可能是 G_{Mn} 的四色着色方案；若 G_{Mn}^T 的一个四色着色方案中，点 i 与点 k 异色，则此四色着色方案也将是 G_{Mn} 的四色着色方案。那就是，四边形 C_4 的四个点 i、j、k、l 彼此异色，也即四点各着一色时，这个四色着色方案才可能既是 G_{Mn} 的又是 G_{Mn}^T 的，即它俩共同的四色着色方案。因此有特性 6 如下。

特性 6：一个四色着色方案，若在 n 阶最大平面图 G_{Mn} 和对应的孪生图 G_{Mn}^T 所共有的四边形 C_4 中，四个顶点异色，即各着四色中之一色，则该四色着色方案为 G_{Mn} 和 G_{Mn}^T 所共有；反之亦然。

4　最大平面图着色的"对角线变换法"

图 3 中，"点线圈"表示最大平面图 G_{Mn} 的一个"相近四色着色方案集"s；"划线圈"表示 G_{Mn} 的孪生图 G_{Mn}^T(i、j、k、l) 的一个"相近四色着色方案集" s^T。s 与 s^T 的交集，即 $s\wedge s^T$，可写为

$$s\wedge s^T=四色着色方案\{C_4的i、j、k、l四个点各着一色\} \tag{4}$$

其意义是表示，s 与 s^T 的交集就是，G_{Mn} 的一个"相近四色着色方案集" s 和 G_{Mn}^T 的一个"相近四色着色方案集" s^T 中，C_4 的四个点 i、j、k、l 异色，即四个点各着一色的四色着色方案所形成的一个子集合。

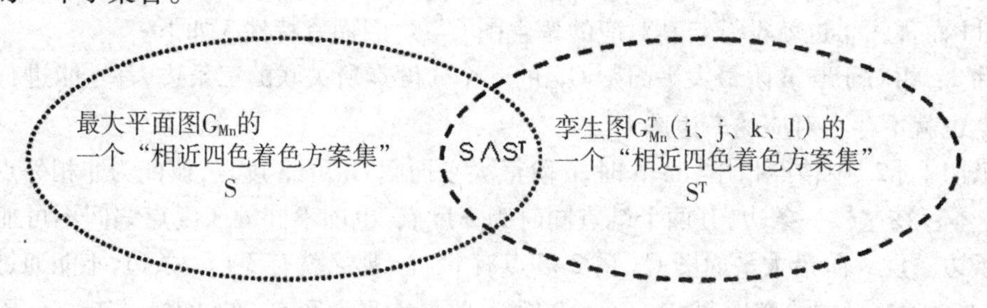

图 3　G_{Mn} 的一个 S 和 G_{Mn}^T 的一个 S^T 及其交集 $S\wedge S^T$

由上可见，如果一个最大平面图 G_{Mn} 无法直接获得四色着色方案，则可先用"降阶法"直接求得它的孪生图 G_{Mn}^T 的四色着色方案，再用"多层次二色交换法"求得 G_{Mn}^T 的一个"相近四色着色方案集" s^T，则在交集中即得 G_{Mn} 的四色着色方案。再对 G_{Mn} 使用"多层次二色交换法"，即可获得 G_{Mn} 的一个"相近四色着色方案集" s。由(2)式可知，一个 G_{Mn} 的孪生图 G_{Mn}^T 是"很多"的。显然根据不同的 G_{Mn}^T，可以求得 G_{Mn} 的不同的"相近四色着色方案集" s。

由此可见，通过"对角线变换"得到"孪生图对"，配以"降阶法"和"多层次二色交换法"，就可以解决无法直接求得四色着色方案的那些最大平面图 G_{Mn} 所存在的困难。这也就显示出"孪生图对"这一概念，是有它的实用价值的。

这儿，形成了一种最大平面图着色的方法。由于是首先操作了"对角线变换"，故可将这

种着色方法称为最大平面图着色的“对角线变换法”。

5 “孪生图对”的两个实例

第一个实例：

图 4 所示为“一个 12 阶最大平面图”G_{M12}，也即文献[3]中的图 1。

图 5 为图 4 所示 G_{M12} 相对于边⑥⑫，即相对于点⑥、⑩、⑫、⑪四个点，也即相对于四边形 C_4(⑥、⑩、⑫、⑪)的孪生图 G_{M12}^T。从拓扑结构看，图 5 实际上就是文献[4]中的图 7.4.1 及图 9.4.5。又，图 5 可称为“5 度 12 阶正则最大平面图”[5]，也可称为“3 长 5 度 12 阶完整正则平面图”[6]。W. Hamilton 在 1857 年提出了一种“绕行世界”的游戏，这种游戏用了一个实心的正十二面体[7]。“正十二面体的平面嵌入图”(即文献[4]中的图 9.4.4 和文献[7]中的图 1.5)与“正二十面体的平面嵌入图”(即文献[4]中的图 7.4.1 及图 9.4.5)是一对互对偶图[6]。从拓扑结构看，图 5 就是“正二十面体的平面嵌入图”，实为一个 12 阶最大平面图，其点数 $n=12$，边数 $e=3n-6=30$，区数 $r=2n-4=20$，度数 $d=6n-12=60$。其 12 个点均为 5 度点，即 $n_5=12$；其余均为 0。这样的最大平面图，直接求得四色着色方案，有困难，可用“对角线变换法”，间接的求，其法如下所述。

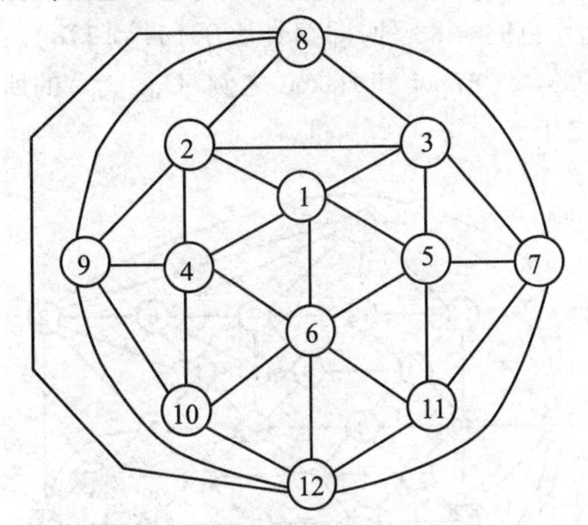

图 4 “一个 12 阶最大平面图”G_{M12}

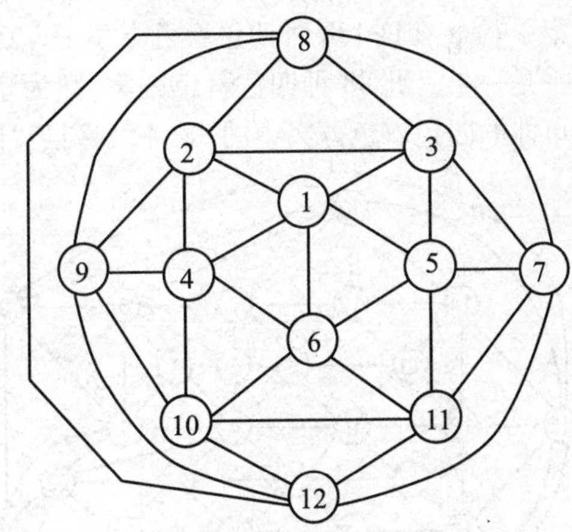

图 5 一个 G_{M12} 的孪生图 G_{M12}^T
(即“正二十面体的平面嵌入图”)

在文献[3]中，求出了本文图 4 所示 G_{M12} 的 12 种四色着色方案(一个“相近四色着色方案集Ⅱ”)。在这 12 种四色着色方案中，点⑩与点⑪异色的有 6 种，即编号为★01).、★02).、★03).、★10).、★11).、★12).，恰巧是一半。此 6 种四色着色方案即为孪生图 G_{M12}^T(“正二十面体的平面嵌入图”)的所有四色着色方案中的 6 种，是为：

G_{M12} 的孪生图 G_{M12}^T(“正二十面体的平面嵌入图”)的四色着色方案(4 点集划分)

[1] ★01). {1、7、10}；{2、5、12}；{3、6、9}；{4、8、11}，
[2] ★02). {1、8、10}；{2、5、12}；{3、4、11}；{6、7、9}，
[3] ★03). {1、8、10}；{2、6、7}；{3、9、11}；{4、5、12}，
[4] ★10). {1、8、11}；{2、5、10}；{3、4、12}；{6、7、9}，
[5] ★11). {1、8、11}；{2、7、10}；{3、6、9}；{4、5、12}，
[6] ★12). {1、9、11}；{2、6、7}；{3、4、12}；{5、8、10}。

第二个实例：

图6所示为“一个25阶最大平面图”G_{M25}，也即文献[3]中的图2。

图7为图6所示G_{M25}相对于边⑥③，即相对于点⑥、①、③、②四个点，也即相对于四边形C_4(⑥、①、③、②)的孪生图G_{M25}^T。L. A. Steen主编的《今日数学——随笔十二篇》(MATHEMATICS TODAY——Twelve Informal Essays)的第六篇，即第二部分的第五篇，为K. Appel和W. Haken所写的“四色问题”(Four-color problem)[8]。文献[8]中的图13为其中的例子。本文的图7就是文献[8]中的图13，两者的拓扑结构是完全一样的，只是图7给点加了标号。为了叙述的方便，我们称其为“Appel和Haken之例”(“Appel and Haken's Example”，AHE)，记为$G_{M25.AHE}$。因而我们有

$$(G_{M25})^T = G_{M25}^T = G_{M25.AHE}; \qquad (G_{M25.AHE})^T = (G_{M25}^T)^T = G_{M25} \tag{5}$$

图7所示“Appel和Haken之例”$G_{M25.AHE}$实为一个25阶的最大平面图，其点数$n=25$，边数$e=3n-6=69$，区数$r=2n-4=46$，度数$d=6n-12=138$。其5度(最小度)点数$n_5=15$(5度点数n_5占总点数n的$15/25=60\%$)，6度点数$n_6=8$，7度点数$n_7=1$，8度(最大度)点数$n_8=1$，其余点数均为0。像这样，没有3度点和4度点，点的最小度数为5的最大平面图，直接求得四色着色方案是困难的，但可用间接的“对角线变换法”，其法如同上例。

在文献[3]中，求出了本文图6所示G_{M25}的178种四色着色方案(一个“相近四色着色方案集甲”)。在这178种四色着色方案中，点①与②异色的有88种，即编号从091).到178).，几乎是一半。此88种四色着色方案，即为孪生图G_{M25}^T(“Appel和Haken之例”$G_{M25.AHE}$)的所有可能的四色着色方案中的88种，现列于“附录”之中。

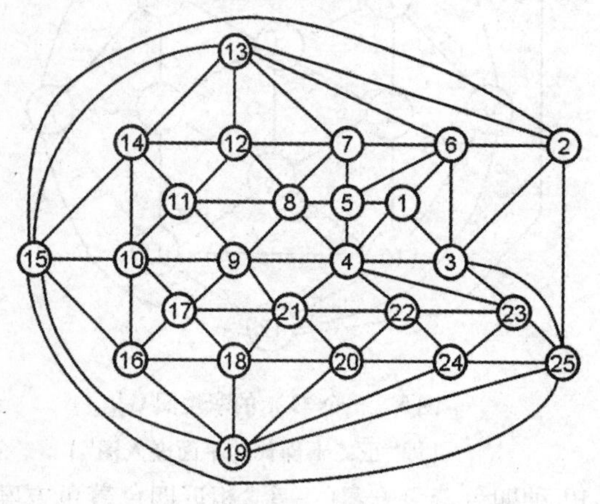

图6 “一个25阶最大平面图”G_{M25}

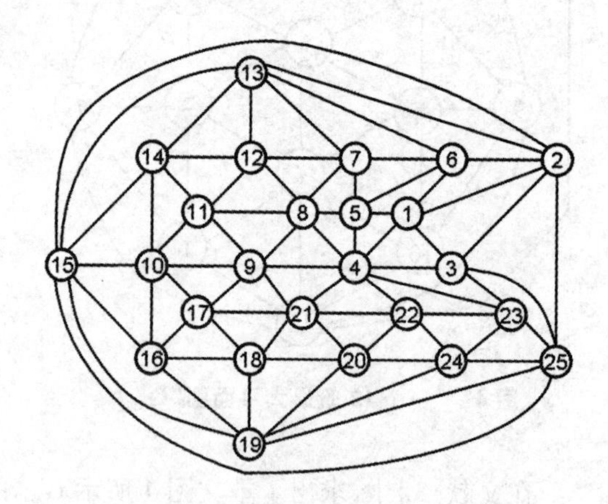

图7 一个G_{M25}的孪生图G_{M25}^T(⑥、①、③、②)
(即“Appel和Haken之例”$G_{M25.AHE}$)

6 结语

图5所示的“正二十面体的平面嵌入图”和图7所示的“Appel和Haken之例”都是点的最小度数为5的最大平面图，直接求得四色着色方案有困难，可用“对角线变换法”，间接求解。先通过“对角线变换”，获得它们的孪生图。孪生图中就含有两个4度点或一个4度点。此时，它们的孪生图就都是点的最小度数为4的最大平面图，那就可以直接求得它们的孪生图的四色着色方案。然后，再通过“多层次二色交换法”获得它们的孪生图的“相近四色着色方案集”，从而由“交集”得到图5和图7的四色着色方案。所以可以看出“对角线变换法”实为一

种"降度法",即通过"对角线变换",获得了点的最小度数被降低了的孪生图,因而得以求解。

图 2 所示的,点 i、j、k、l 四个点构成 K_4 的最大平面图 G_{Mn},没有对应的孪生图 G_{Mn}^T,当然就不能通过 C_4(i、j、k、l)来使用"对角线变换"求解 G_{Mn}的四色着色方案。此时,可对两种可能的情况,分别作如下的处理:

若为第一种可能情况,即图 2 中△jkl 内含有其他的点及边。此时,由于点 j、k、l 三个点形成 C_3,就可利用"C_3 分隔法"取得 G_{Mn}的阶数较低的子图("降阶"),再求解四色着色方案[9]。

若为第二种可能情况,即图 2 中△jkl 内没有其他的点及边。此时,点 k 就是 G_{Mn}的一个 3 度点,则可利用"移 3 度点法",取得 G_{Mn} 的降了一阶的子图("降阶"),再求解四色着色方案[10]。

此外,图 2 所示的 G_{Mn},没有孪生图 G_{Mn}^T,那是对点 i、j、k、l 四个点而言的,也即对构成 K_4 的圈 C_4(i、j、k、l)而言的。若同一个 G_{Mn}尚存在不构成 K_4 的其他的圈 C_4,那就有对应的孪生图 G_{Mn}^T,那就可以通过该圈 C_4 来使用"对角线变换法",以求解该 G_{Mn}的四色着色方案。

新浪网"别客的博客"http://blog. sina. com. cn/buickidea 中,有其他有关论文,敬请审阅指正。

附录："Appel 和 Haken 之例"$G_{M25.AHE}$的四色着色方案(4 点集划分)(共 88 个)

[01]{1、7、9、14、16、20、25}；{2、4、10、12、18、24}；{3、5、11、13、17、19、22}；{6、8、15、21、23}
[02]{1、7、9、14、16、20、25}；{2、5、10、12、19、21、23}；{3、8、13、17、22}；{4、6、11、15、18、24}
[03]{1、7、9、14、16、20、25}；{2、5、10、12、19、21、23}；{3、8、13、18、22}；{4、6、11、15、17、24}
[04]{1、7、9、14、16、20、25}；{2、5、10、12、21、23}；{3、8、13、17、19、22}；{4、6、11、15、18、24}
[05]{1、7、9、14、16、20、25}；{2、5、11、19、21、23}；{3、8、10、13、18、22}；{4、6、12、15、17、24}
[06]{1、7、9、14、16、20、25}；{2、5、12、19、21、23}；{3、8、10、13、18、22}；{4、6、11、15、17、24}
[07]{1、7、9、14、16、20、25}；{2、8、10、19、21、23}；{3、5、11、13、17、22}；{4、6、12、15、18、24}
[08]{1、7、9、14、16、20、25}；{2、8、10、19、21、23}；{3、5、11、13、18、22}；{4、6、12、15、17、24}
[09]{1、7、9、14、16、20、25}；{2、8、10、21、23}；{3、5、11、13、17、19、22}；{4、6、12、15、18、24}
[10]{1、7、9、14、16、22、25}；{2、5、10、12、19、21、23}；{3、8、13、17、20}；{4、6、11、15、18、24}
[11]{1、7、9、14、16、22、25}；{2、5、10、12、19、21、23}；{3、8、13、18、24}；{4、6、11、15、17、20}
[12]{1、7、9、14、16、22、25}；{2、5、11、17、20、23}；{3、8、10、13、19、21}；{4、6、12、15、18、24}
[13]{1、7、9、14、16、22、25}；{2、5、11、19、21、23}；{3、8、10、13、18、24}；{4、6、12、15、17、20}
[14]{1、7、9、14、16、22、25}；{2、5、12、17、20、23}；{3、8、10、13、19、21}；{4、6、11、15、18、24}
[15]{1、7、9、14、16、22、25}；{2、5、12、19、21、23}；{3、8、10、13、18、24}；{4、6、11、15、17、20}
[16]{1、7、9、14、16、22、25}；{2、8、10、19、21、23}；{3、5、11、13、17、20}；{4、6、12、15、18、24}
[17]{1、7、9、14、16、22、25}；{2、8、10、19、21、23}；{3、5、11、13、18、24}；{4、6、12、15、17、20}
[18]{1、7、9、14、18、22、25}；{2、4、10、12、19}；{3、5、11、13、16、21、24}；{6、8、15、17、20、23}
[19]{1、7、9、14、18、22、25}；{2、5、10、12、19、21、23}；{3、8、13、16、20}；{4、6、11、15、17、24}
[20]{1、7、9、14、18、22、25}；{2、5、10、12、19、21、23}；{3、8、13、16、24}；{4、6、11、15、17、20}
[21]{1、7、9、14、18、22、25}；{2、5、10、12、19、23}；{3、8、13、16、21、24}；{4、6、11、15、17、20}
[22]{1、7、9、14、18、22、25}；{2、5、11、16、20、23}；{3、8、10、13、19、21}；{4、6、12、15、17、24}
[23]{1、7、9、14、18、22、25}；{2、5、12、16、20、23}；{3、8、10、13、19、21}；{4、6、11、15、17、24}
[24]{1、7、9、14、18、22、25}；{2、8、10、19、21、23}；{3、5、11、13、16、20}；{4、6、12、15、17、24}
[25]{1、7、9、14、18、22、25}；{2、8、10、19、21、23}；{3、5、11、13、16、24}；{4、6、12、15、17、20}
[26]{1、7、9、14、18、22、25}；{2、8、10、19、23}；{3、5、11、13、16、21、24}；{4、6、12、15、17、20}
[27]{1、7、9、15、18、22}；{2、8、14、17、19、23}；{3、5、11、13、16、21、24}；{4、6、10、12、20、25}
[28]{1、7、9、15、18、23}；{2、8、14、16、21、24}；{3、5、11、13、17、19、22}；{4、6、10、12、20、25}
[29]{1、7、9、15、18、23}；{2、8、14、17、19、22}；{3、5、11、13、16、21、24}；{4、6、10、12、20、25}
[30]{1、7、9、15、18、24}；{2、8、14、16、21、23}；{3、5、11、13、17、19、22}；{4、6、10、12、20、25}
[31]{1、7、9、15、20、23}；{2、4、10、12、18、24}；{3、5、11、13、17、19、22}；{6、8、14、16、21、25}
[32]{1、7、9、15、20、23}；{2、8、14、16、21、24}；{3、5、11、13、17、19、22}；{4、6、10、12、18、25}
[33]{1、7、9、15、20、23}；{2、8、14、17、19、22}；{3、5、11、13、16、21、24}；{4、6、10、12、18、25}
[34]{1、7、11、15、17、20、23}；{2、4、10、12、18、24}；{3、5、9、13、19、22}；{6、8、14、16、21、25}
[35]{1、7、11、15、17、20、23}；{2、5、9、14、19、22}；{3、8、13、16、21、24}；{4、6、10、12、18、25}
[36]{1、7、11、15、17、20、23}；{2、8、14、16、21、24}；{3、5、9、13、19、22}；{4、6、10、12、18、25}
[37]{1、7、11、15、21、24}；{2、5、9、14、16、20、23}；{3、8、13、17、19、22}；{4、6、10、12、18、25}
[38]{1、7、11、17、22、25}；{2、5、9、14、16、20、23}；{3、8、10、13、19、21}；{4、6、12、15、18、24}
[39]{1、7、11、18、22、25}；{2、5、9、14、16、20、23}；{3、8、10、13、19、21}；{4、6、12、15、17、24}
[40]{1、7、14、17、22、25}；{2、5、9、12、16、20、23}；{3、8、10、13、19、21}；{4、6、11、15、18、24}

[41]{1、7、14、18、22、25};{2、5、9、12、16、20、23};{3、8、10、13、19、21};{4、6、11、15、17、24}

[42]{1、8、10、13、18、22、25};{2、4、7、11、17、19};{3、5、12、15、21、24};{6、9、14、16、20、23}

[43]{1、8、10、13、18、22、25};{2、4、7、11、17、19};{3、5、14、16、21、24};{6、9、12、15、20、23}

[44]{1、8、10、13、18、22、25};{2、4、7、14、17、19};{3、5、11、15、21、24};{6、9、12、16、20、23}

[45]{1、8、10、13、18、22、25};{2、4、7、14、17、19};{3、5、11、16、21、24};{6、9、12、15、20、23}

[46]{1、8、10、13、18、22、25};{2、5、9、12、16、20、23};{3、7、11、15、21、24};{4、6、14、17、19}

[47]{1、8、10、13、18、22、25};{2、5、9、12、16、20、23};{3、7、14、19、21};{4、6、11、15、17、24}

[48]{1、8、10、13、18、22、25};{2、5、9、12、19、23};{3、7、14、16、21、24};{4、6、11、15、17、20}

[49]{1、8、10、13、18、22、25};{2、5、9、14、16、20、23};{3、7、11、15、21、24};{4、6、12、17、19}

[50]{1、8、10、13、18、22、25};{2、5、9、14、16、20、23};{3、7、11、19、21};{4、6、12、15、17、24}

[51]{1、8、10、13、18、22、25};{2、5、9、14、19、23};{3、7、11、16、21、24};{4、6、12、15、17、20}

[52]{1、8、10、13、18、22、25};{2、5、11、19、21、23};{3、7、9、14、16、20};{4、6、12、15、17、24}

[53]{1、8、10、13、18、22、25};{2、5、11、19、21、23};{3、7、9、14、16、24};{4、6、12、15、17、20}

[54]{1、8、10、13、18、22、25};{2、5、12、19、21、23};{3、7、9、14、16、20};{4、6、11、15、17、24}

[55]{1、8、10、13、18、22、25};{2、5、12、19、21、23};{3、7、9、14、16、24};{4、6、11、15、17、20}

[56]{1、8、10、13、18、22、25};{2、7、9、14、16、20、23};{3、5、11、15、21、24};{4、6、12、17、19}

[57]{1、8、10、13、18、22、25};{2、7、9、14、16、20、23};{3、5、11、19、21};{4、6、12、15、17、24}

[58]{1、8、10、13、18、22、25};{2、7、9、14、16、20、23};{3、5、12、15、21、24};{4、6、11、17、19}

[59]{1、8、10、13、18、22、25};{2、7、9、14、16、20、23};{3、5、12、19、21};{4、6、11、15、17、24}

[60]{1、8、10、13、18、22、25};{2、7、9、14、19、23};{3、5、11、16、21、24};{4、6、12、15、17、20}

[61]{1、8、10、13、18、22、25};{2、7、9、14、19、23};{3、5、12、16、21、24};{4、6、11、15、17、20}

[62]{1、8、10、13、18、22、25};{2、7、11、19、21、23};{3、5、9、14、16、20};{4、6、12、15、17、24}

[63]{1、8、10、13、18、22、25};{2、7、11、19、21、23};{3、5、9、14、16、24};{4、6、12、15、17、20}

[64]{1、8、10、13、18、22、25};{2、7、14、19、21、23};{3、5、9、12、16、20};{4、6、11、15、17、24}

[65]{1、8、10、13、18、22、25};{2、7、14、19、21、23};{3、5、9、12、16、24};{4、6、11、15、17、20}

[66]{1、8、10、13、21、25};{2、5、9、12、16、20、23};{3、7、14、17、19、22};{4、6、11、15、18、24}

[67]{1、8、10、13、21、25};{2、5、9、14、16、20、23};{3、7、11、17、19、22};{4、6、12、15、18、24}

[68]{1、8、10、13、21、25};{2、7、9、14、16、20、23};{3、5、11、17、19、22};{4、6、12、15、18、24}

[69]{1、8、10、13、21、25};{2、7、9、14、16、20、23};{3、5、12、17、19、22};{4、6、11、15、18、24}

[70]{1、8、10、18、22、25};{2、4、7、14、17、19};{3、5、11、13、16、21、24};{6、9、12、15、20、23}

[71]{1、8、10、18、22、25};{2、7、9、14、16、20、23};{3、5、11、13、19、21};{4、6、12、15、17、24}

[72]{1、8、10、18、22、25};{2、7、9、14、19、23};{3、5、11、13、16、21、24};{4、6、12、15、17、20}

[73]{1、8、10、21、25};{2、7、9、14、16、20、23};{3、5、11、13、17、19、22};{4、6、12、15、18、24}

[74]{1、8、13、16、20、25};{2、5、10、12、19、21、23};{3、7、9、14、18、22};{4、6、11、15、17、24}

[75]{1、8、13、16、22、25};{2、5、10、12、19、21、23};{3、7、9、14、18、24};{4、6、11、15、17、20}

[76]{1、8、13、17、19、22};{2、5、9、14、16、20、23};{3、7、11、15、21、24};{4、6、10、12、18、25}

[77]{1、8、13、17、19、22};{2、7、9、14、16、20、23};{3、5、11、15、21、24};{4、6、10、12、18、25}

[78]{1、8、13、17、20、25};{2、5、10、12、19、21、23};{3、7、9、14、16、22};{4、6、11、15、18、24}

[79]{1、8、13、17、22、25};{2、5、10、12、19、21、23};{3、7、9、14、16、20};{4、6、11、15、18、24}

[80]{1、8、13、17、22、25};{2、7、9、14、16、20、23};{3、5、10、12、19、21};{4、6、11、15、18、24}

[81]{1、8、13、18、22、25};{2、5、10、12、19、21、23};{3、7、9、14、16、20};{4、6、11、15、17、24}
[82]{1、8、13、18、22、25};{2、5、10、12、19、21、23};{3、7、9、14、16、24};{4、6、11、15、17、20}
[83]{1、8、13、18、22、25};{2、7、9、14、16、20、23};{3、5、10、12、19、21};{4、6、11、15、17、24}
[84]{1、8、14、16、21、25};{2、4、7、10、18、24};{3、5、11、13、17、19、22};{6、9、12、15、20、23}
[85]{1、8、15、17、20、23};{2、7、9、14、19、22};{3、5、11、13、16、21、24};{4、6、10、12、18、25}
[86]{1、8、15、21、24};{2、7、9、14、16、20、23};{3、5、11、13、17、19、22};{4、6、10、12、18、25}
[87]{1、9、12、15、20、23};{2、4、7、10、18、24};{3、5、11、13、17、19、22};{6、8、14、16、21、25}
[88]{1、9、12、15、20、23};{2、4、7、14、17、19};{3、5、11、13、16、21、24};{6、8、10、18、22、25}

参考文献

[1]冯纪先. 最大平面图的度的性质[C]//第十七届电路与系统年会论文集. 大连:大连海事大学,2002:VI--5-VI--9.(见目录:1.04)

[2]冯纪先. 最大平面图的最小度点和最大度点[C]//第十九届电路与系统年会论文集. 合肥:中国科技大学,2005:VIII--616-VIII--620.(见目录:1.05)

[3]冯纪先. 最大平面图 G_M 的二色子图和二色交换[C]//第二十届电路与系统年会论文集. 广州:华南理工大学,2007:770-777.(见目录:2.04)

[4]卡波边柯(Capobianco) M,莫鲁卓(Molluzzo) J. 图论的例和反例(Examples and Counter Examples in Graph Theory)[M]. 聂祖安,译. 长沙:湖南科学技术出版社,1988:114、152.

[5]冯纪先. 正则最大平面图 [C]//第十二届电工理论学术研讨会论文集. 长沙:国防科学技术大学,1999:222-227.(见目录1.01)

[6]冯纪先. 简单完整正则平面图 [J]. 数学的实践与认识, 2005,35(1):106-111.(见目录:1.02)

[7]哈拉里(Harary) F. 图论(Graph Theory) [M]. 李慰萱,译. 上海:上海科学技术出版社,1980:119-172.

[8]斯蒂恩(Steen) L. A. 今日数学——随笔十二篇(MATHEMATICS TODAY——Twelve Informal Essays){阿佩尔(Appel) K,黑肯(Haken) W. 第二部分(Part II)四色问题(Four-color problem)} [M]. 马继芳,译. 上海:上海科学技术出版社, 1982:174-204.

[9]冯纪先. 最大平面图着色的"C_3 分隔法"[C]//中国电机工程学会第六届电路理论学术研讨会论文集. 南京:东南大学,2000:49-53.(见目录:2.03)

[10]冯纪先. 最大平面图着色的"移3度点法" [C]//第十五届电路与系统年会论文集. 广州:华南理工大学,1999:254-258.(见目录:2.01)

2.11 “另一个25阶最大平面图”G'_{M25}的四色着色

【摘要】利用最大平面图着色的“简化降阶法”，对一定拓扑结构的“另一个25阶最大平面图”G'_{M25}进行了着色运作。先逐点“降阶”，再逐点“着色、升阶、着色”，直至获得G'_{M25}的四色着色方案。由于着色过程中，有些点的着色是可以选择的，在这些点作任意选色后，只是找出其中的两个G'_{M25}的四色着色方案，即“四色着色方案壹”和“四色着色方案贰”(其他的四色着色方案未作求解)。然后，在“四色着色方案壹”和“四色着色方案贰”的基础上，利用“多层次二色交换法”，相应地分别求出了G'_{M25}的两个相近四色着色方案集，即“相近四色着色方案集壹”和“相近四色着色方案集贰”。在“相近四色着色方案集壹”中，含有72个不同的四色着色方案；在“相近四色着色方案集贰”中，含有156个不同的四色着色方案。文中对这两个相近四色着色方案集进行了分析，得到了有意义的结果。

【关键词】最大平面图；着色；四色着色方案；相近四色着色方案集；“简化降阶法”；“多层次二色交换法”

On Four – coloring of “another maximal planar graph of 25 order” G'_{M25}

Abstract: In this paper, two Four – colorings (“Four – coloring YI” and “Four – coloring ER”) of “another maximal planar graph of 25 order” G'_{M25} are obtained with the “simplified method of reduction of order”; and two Near Four – coloring Sets (“Near Four – coloring Set YI” and “Near Four – coloring Set ER”) of G'_{M25} are obtained with the “method of multilayer Two – color interchange” too. There are 72 Four – colorings in the “Near Four – coloring Set YI”; and there are 156 Four – colorings in the “Near Four – coloring Set ER”. The two Near Four – coloring Sets are studied.

Keywords: maximal planar graph; coloring; Four – coloring; near Four – coloring set; “simplified method of reduction of order”; “method of multilayer Two – color interchange”

1 引言

文献[1]中，对“一个25阶最大平面图”G_{M25}，利用“降阶法”求出了G_{M25}的一个“四色着色方案甲”。文献[2]中，对与文献[1]中相同的“一个25阶最大平面图”G_{M25}，利用“简化降阶法”求出了G_{M25}的又一个“四色着色方案乙”。本文也是利用“简化降阶法”，对图1所示的，其拓扑结构与G_{M25}不同的，“另一个25阶最大平面图”G'_{M25}，进行了四色着色方案的求解。为了简单、方便，本文利用的是“简化降阶法”[2]，从而得到G'_{M25}的一个“四色着色方案壹”。由于着色过程中,有些点的着色是可以选择的,因而在对这些点作不同的选色,就又得到了 G'_{M25} 的另一个“四色着色方案贰”。当然还可以求得其他的四色着色方案,由于篇幅,本文只是求了这两个四色着色方案。然后,在这两个四色着色方案的基础上,利用“多层次二色交换法”[3],分别求出了 G'_{M25} 的两个相近四色着色方案集,即“相近四色着色方案集壹”和“相近四色着色方案集贰”。后文将会看到。在“相近四色着色法案集壹”中,包含有 72 个不同的四色着色方案;而在“相近四色着色方案集贰”中,包含有另外 156 个不同的四色着色方案。

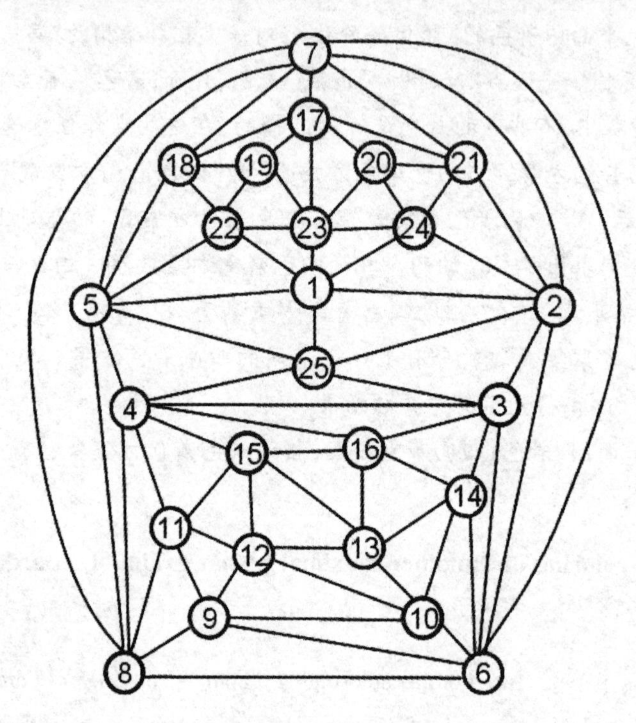

图 1 “另一个 25 阶最大平面图”G'_{M25}

2 “另一个 25 阶最大平面图”G'_{M25} 及其四色着色

图 1 中,圆圈表示点,圈内的数字为点的标号。图 1 所示的“另一个 25 阶最大平面图”G'_{M25},其点数 $n = 25$,边数 $e = 3n - 6 = 69$,区数 $r = 2n - 4 = 46$,度数 $d = 6n - 12 = 138$,这都是和文献[1]、[2]中的 G_{M25} 一样。G'_{M25} 的 3 度点数 $n_3 = 0$,即无 3 度点;4 度(最小度)点数 $n_4 = 2$,即点⑲和⑳;5 度点数 $n_5 = 13$,即点⑨、⑩、⑪、⑫、⑬、⑭、⑮、⑯、⑱、㉑、㉒、㉔和㉕;6 度点数 $n_6 = 5$,即点①、③、⑧、⑰和㉓;7 度(最大度)点数 $n_7 = 5$,即点②、④、⑤、⑥和⑦,这就和文献[1]、[2] 中的 G_{M25} 不一样。

由于图 G_{M25} 和图 G'_{M25} 均是“最小 4 度最大平面图”$\min 4G_{Mn}$,所以它们均可采用“降阶法”(即“简化降阶法”),直接求得它们的四色着色方案。为了获得四色着色方案,我们先进行逐点“降阶”,再进行逐点“着色、升阶、着色”。“降阶”的演算在邻接矩阵上进行,如图 2 所示。“着色、升阶、着色”的运作在拓扑结构图上进行,如图 3 和图 4 所示。

图 2 中,上半部分为一个变形的邻接矩阵,方括弧被省去,矩阵元素被放在格子里,对角元

素以“×”表示,“0”元素未表示出,矩阵左下部分的元素全省去了。当一个点被从拓扑结构图中移去后,与此点关联的所有的边也被移去,那么反映在邻接矩阵里,相应的矩阵元素就由“1”变为“1×”。

图2中,下半部分是一个表示在“降阶”过程中各点的度数的变化表。该表以纵向朝下变化的数字来表示当移去某点后,对其他各点度数的影响结果。夹行内的文字是说明点的度数变化的原因和影响。显然当一个点被移去后,此点的度数即为0,与此点邻接的所有点的度数均各减一。由此,我们是在邻接矩阵和点的度数变化表中,进行“降阶”运作。“降阶”将一直降至图G'_{M25}变成为子图G_4。由图2可见,G_4由点⑨、⑩、⑫和⑬组成,点⑨和⑬是2度,点⑩和⑫是3度。“降阶”过程表示在图2中,略去细述。

点	①		③		⑤		⑦		⑨		⑪		⑬		⑮		⑰		⑲		㉑		㉓		㉕	点
①	×	1×			1×																	1×	1×	1×	1×	
		×	1×			1×	1×														1×			1×	1×	②
③			×	1×		1×								1×		1×									1×	
				×	1×			1×			1×				1×	1×									1×	④
⑤					×		1×	1×										1×				1×			1×	
						×	1×	1×	1×	1×				1×												⑥
⑦							×	1×									1×	1×			1×					
								×	1×		1×															⑧
⑨									×	1	1×	1														
										×		1	1	1×												⑩
⑪											×	1×			1×											
												×	1		1×											⑫
⑬													×	1×	1×	1×										
														×		1×										⑭
⑮															×	1×										
																×										⑯
⑰																	×	1×	1×	1×	1×		1×			
																		×	1×			1×				⑱
⑲																			×			1×	1×			
																				×	1×		1×	1×		⑳
㉑																					×			1×		
																						×	1×			㉒
㉓																							×	1×		
																								×		㉔
㉕																									×	

点	①		③		⑤		⑦		⑨		⑪		⑬		⑮		⑰		⑲		㉑		㉓		㉕
度	6	7	6	7	7	7	7	6	5	5	5	5	5	5	5	5	6	5	4	4	5	5	6	5	5
	去⑳，⑰、㉑、㉓、㉔各降1度																								
																	5			0	4		5	4	
	去㉔，①、②、㉑、㉓各降1度																								
	5	6																		0	3		4	0	
	去㉑，②、⑦、⑰各降1度																								
		5					6										4			0	0			0	
	去㉓，①、⑰、⑲、㉒各降1度																								
	4																3		3	0	0	4	0	0	
	去⑰、⑲，⑦、⑱、⑲；⑱、㉒各降1度																								
							5										0	3	0	0	0	3	0	0	
	去⑱、㉒，⑤、⑦、㉒；①、⑤各降1度																								
	3				5		4										0	0	0	0	0	0	0	0	
	去①，②、⑤、㉕各降1度																								
	0	4			4												0	0	0	0	0	0	0	0	4
	去㉕，②、③、④、⑤各降1度																								
	0	3	5	6	3												0	0	0	0	0	0	0	0	0
	去②、⑤，③、⑥、⑦；④、⑦、⑧各降1度																								
	0	0	4	5	0	6	2	5									0	0	0	0	0	0	0	0	0
	去⑦，⑥、⑧各降1度																								
	0	0			0	5	0	4									0	0	0	0	0	0	0	0	0
	去③，④、⑥、⑭、⑯各降1度																								
	0	0	0	4	0	4	0							4		4	0	0	0	0	0	0	0	0	0
	去④，⑧、⑪、⑮、⑯各降1度																								
	0	0	0	0	0		0	3			4				4	3	0	0	0	0	0	0	0	0	0
	去⑧、⑯，⑥、⑨、⑪；⑬、⑭、⑮各降1度																								
	0	0	0	0	0	3	0	0	4		3		4	3	3	0	0	0	0	0	0	0	0	0	0
	去⑥、⑪、⑭、⑮，⑨、⑩、⑭；⑨、⑫、⑮；⑩、⑬；⑫、⑬各降1度																								
	0	0	0	0	0	0	0	0	2	3	0	3	2	0	0	0	0	0	0	0	0	0	0	0	0

图2　G'_{M25}的邻接矩阵和“降价”时点的度数变化表

由图2可以看到，我们首先移去的第一个点是⑳，显然，这是任意的。这儿，我们可以首先移去的第一个点是⑲，若是，则“降阶”过程和最后得到的 G_4 就将是另样的。即便是如图2中所示，首先移去的第一个点是⑳，由于其后的移点顺序也有任意性，故而若为其他的移点顺序，则其“降阶”过程和最后得到的 G_4 也将是不一样的。

图3中已把 G'_{M25} 的一个“四色着色方案壹”表示出来。本文采用的四种颜色为：红、黄、蓝、绿，约定红色点以“实线圆圈”表示；黄色点以“点线圆圈”表示；蓝色点以“划线圆圈”表示；绿色点以“点划线圆圈”表示。若一个点以数层不同的圆圈表达时，则表示该点在着色过程中换色数次，最内层的圆圈表示该点最初的着色，最外层的圆圈表示该点最后的着色，也即

现时的着色。图3即按以上约定作出。

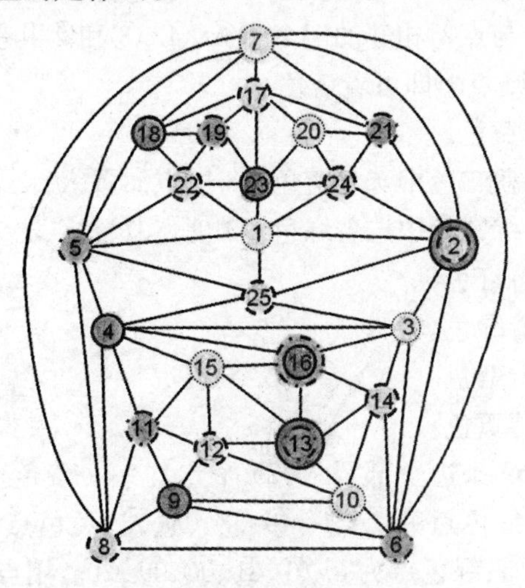

图3 G'_{M25}的升阶、着色过程及结果——“四色着色方案壹”

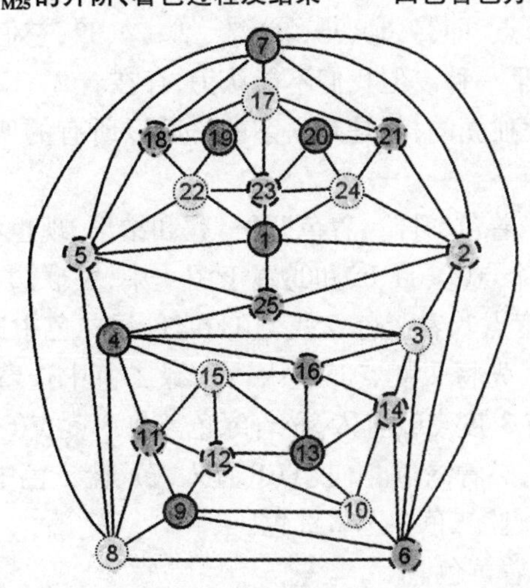

图4 G'_{M25}的升阶、着色过程及结果——“四色着色方案贰”

图3同时也表示了G'_{M25}的“着色、升阶、着色”的过程，现将其步骤叙述如下：

(1) 首先，将G_4的四个点⑨、⑩、⑫和⑬置于图3中，G_4的五条边，也就是G'_{M25}的五条边⑨⑩、⑨⑫、⑩⑫、⑩⑬和⑫⑬，也就跟着置于图3中了。随之，我们可以将2度点⑨着红色、3度点⑩着黄色，3度点⑫着蓝色。而2度点⑬可着红色或绿色，选着绿色。一个点置入后，其关联边也跟着置入，为了简单，以后不作细述。

(2) 其次，按“降阶”的反序，将2度点⑮置入，红色和黄色中选着黄色；将2度点⑭置入，红色和蓝色中选着蓝色；将3度点⑪置入，必着绿色；将3度点⑥置入，也必着绿色。

(3) 再次，3度点⑯置入，必着红色；3度点⑧置入，黄色和蓝色中选着蓝色。

(4) 继之，4度点④置入。由于与点④相邻的四个点⑧、⑪、⑮和⑯共占四色，故点⑬与⑯需作二色交换，即点⑬由绿色变为红色；点⑯由红色变为绿色，则点④即可着红色。

(5) 4度点③置入，必着黄色。

(6) 2度点⑦置入，红、黄二色中选着黄色。

(7) 3 度点⑤置入,必着绿色。3 度点②置入,红、蓝二色中选着蓝色。

(8) 4 度点㉕置入,由于与点㉕相邻的四个点⑤、④、③和②共占四色,故点②需作二色交换,即点②由蓝色变为红色,则点㉕即可着蓝色。

(9) 3 度点①置入,必着黄色。

(10) 2 度点㉒置入,红、蓝二色中选着蓝色。3 度点⑱置入,必着红色。

(11) 2 度点⑲置入,黄、绿二色中选着绿色。3 度点⑰置入,必着蓝色。

(12) 4 度点㉓置入,必着红色。

(13) 4 度点㉑置入,必着绿色。

(14) 4 度点㉔置入,必着蓝色。

(15) 4 度点⑳置入,必着黄色。

至此,25 个点及关联的 69 条边全部置入,25 个点均一一着色。由此得到图 3,同时就得到一个"四色着色方案壹"即红色点为②、④、⑨、⑬、⑱、㉓;黄色点为①、③、⑦、⑩、⑮、⑳;蓝色点为⑧、⑫、⑭、⑰、㉒、㉔、㉕;绿色点为⑤、⑥、⑪、⑯、⑲、㉑。用点集的划分表示,即为

{1、3、7、10、15、20};{2、4、9、13、18、23};{5、6、11、16、19、21};{8、12、14、17、22、24、25}。

由上可见,这儿有 8 个点,即⑬、⑭、⑮、⑧、⑦、②、㉒、⑲,它们在着色过程中,都是从两种可以考虑的颜色中任意选了一种。但我们不能认为,存在着 $2^8=256$ 种四色着色方案,因为点的颜色的选择,并不是彼此独立的,而是有联系的。所以所有的四色着色方案数,可能是不大于 256 种的。

图 4 也表达了 G'_{M25} 的"着色、升阶、着色"的过程和结果,现也将其步骤叙述如下:

(1) 首先,将 G_4 的四个点⑨、⑩、⑫和⑬置于图 4 中,关联边也随之置入。将 2 度点⑨着红色,3 度点⑩着黄色, 3 度点⑫着蓝色,2 度点⑬在红、绿二色中选着红色。

(2) 按"降阶"的反序,先将 2 度点⑮置入,黄、绿二色中选着黄色。再将 2 度点⑭置入,蓝、绿二色中选着蓝色。将 3 度点⑪置入,必着绿色。将 3 度点⑥置入,也必着绿色。

(3) 将 3 度点⑯置入,必着绿色。3 度点⑧置入,黄、蓝二色中选着黄色。

(4) 4 度点④置入,红、蓝二色中选着红色。

(5) 4 度点③置入,必着黄色。

(6) 2 度点⑦置入,红、蓝二色中选着红色。

(7) 3 度点⑤置入,蓝、绿二色中选着蓝色。3 度点②置入,必着蓝色。

(8) 4 度点㉕置入,必着绿色。

(9) 3 度点①置入,红、黄二色中选着红色。

(10) 2 度点㉒置入,黄、绿二色中选着黄色。3 度点⑱置入,必着绿色。

(11) 2 度点⑲置入,红、蓝二色中选着红色。3 度点⑰置入,黄、蓝二色中选着黄色。

(12) 4 度点㉓置入,蓝、绿二色中选着蓝色。

(13) 3 度点㉑置入,必着绿色。

(14) 4 度点㉔置入,必着黄色。

(15) 4 度点⑳置入,必着红色。

对 G'_{M25} 采用上面阐述的着色过程中,某些点选用了其他颜色,我们得到了 G'_{M25} 的另一个"四色着色方案贰",即红色点为①、④、⑦、⑨、⑬、⑲、⑳;黄色点为③、⑧、⑩、⑮、⑰、㉒、㉔;蓝色点为②、⑤、⑫、⑭、㉓;绿色点为⑥、⑪、⑯、⑱、㉑、㉕,如图 4 所示。用点集的划分来表示,即为

{1、4、7、9、13、19、20}；{2、5、12、14、23}；{3、8、10、15、17、22、24}；{6、11、16、18、21、25}。在着色过程中，有12个点是从两种可以考虑的颜色中任意选了一种。和前述同样的道理，我们并不认为G'_{M25}的所有四色着色方案数是$2^{12}=4096$种。

3 “相近四色着色方案集”

上节求得了G'_{M25}的一个“四色着色方案壹”。采用“多层次二色交换法”[3]，以“四色着色方案壹”为起始，即求得另外71个不同的相近四色着色方案（求解过程略）。这72（=1+71）个相近四色着色方案形成了一个相近四色着色方案集，记为“相近四色着色方案集壹”。现将其以“四个点集划分”的形式表述于附录1。其编号前带“★”的四色着色方案表示该四色着色方案中，点⑲与点⑳是异色的，计有36个。

上节又求得了G'_{M25}的另一个“四色着色方案贰”。检查一下，发现“四色着色方案贰”并不包含在“相近四色着色方案集壹”中。故而又采用“多层次二色交换法”，以“四色着色方案贰”为起始，求得了另外155个不同的相近四色着色方案（求解过程略）。这156（=1+155）个相近四色着色方案形成了另一个相近四色着色方案集，记为“相近四色着色方案集贰”。同样地，以“四个点集划分”的形式表述于附录2。其编号前带“★”的四色着色方案，表示该四色着色方案中点⑲与点⑳是异色的，计有48个。

编号前带“★”的四色着色方案，本文共求得84（=36+48）个。有关它们的用途，在另文中阐述。

4 结语

本文利用平面图着色的“简化降阶法”，求得“另一个25阶最大平面图”G'_{M25}的两个“四色着色方案”。以这两个四色着色方案为起始，利用“多层次二色交换法”，分别求得G'_{M25}的两个“相近四色着色方案集”。很明显，G'_{M25}不只是具有两个“相近四色着色方案集”，也即不只是含有72+156=228个四色着色方案。

G'_{M25}总共含有多少个“四色着色方案”，是一个进一步有待解决的问题。

附录1:"另一个25阶最大平面图"G'_{M25}的"相近四色着色方案集壹"(72个集元)

★001).{1、3、7、9、13、19};{2、4、12、14、18、20};{5、6、11、16、21、23};{8、10、15、17、22、24、25}
★002).{1、3、7、9、13、19};{2、4、12、14、20、22};{5、6、11、16、17、24};{8、10、15、18、21、23、25}
003).{1、3、7、9、13、19、20};{2、4、12、14、17、22};{5、6、11、16、21、23};{8、10、15、18、24、25}
004).{1、3、7、9、13、19、20};{2、4、12、14、17、22};{5、6、11、16、24};{8、10、15、18、21、23、25}
005).{1、3、7、9、13、19、20};{2、4、12、14、18};{5、6、11、16、21、23};{8、10、15、17、22、24、25}

---

006).{1、3、7、9、13、19、20};{2、4、12、14、18、23};{5、6、11、16、17、24};{8、10、15、21、22、25}
007).{1、3、7、9、13、19、20};{2、4、12、14、18、23};{5、6、11、16、21};{8、10、15、17、22、24、25}
008).{1、3、7、9、13、19、20};{2、4、12、14、22};{5、6、11、16、17、24};{8、10、15、18、21、23、25}
★009).{1、3、7、9、13、20};{2、4、12、14、17、22};{5、6、11、16、19、24};{8、10、15、18、21、23、25}
★010).{1、3、7、9、13、20};{2、4、12、14、18、23};{5、6、11、16、19、21};{8、10、15、17、22、24、25}

★011).{1、3、7、9、15、19};{2、4、12、14、18、20};{5、6、11、13、21、23};{8、10、16、17、22、24、25}
★012).{1、3、7、9、15、19};{2、4、12、14、20、22};{5、6、11、13、17、24};{8、10、16、18、21、23、25}
013).{1、3、7、9、15、19、20};{2、4、12、14、17、22};{5、6、11、13、21、23};{8、10、16、18、24、25}
014).{1、3、7、9、15、19、20};{2、4、12、14、17、22};{5、6、11、13、24};{8、10、16、18、21、23、25}
015).{1、3、7、9、15、19、20};{2、4、12、14、18};{5、6、11、13、21、23};{8、10、16、17、22、24、25}

---

016).{1、3、7、9、15、19、20};{2、4、12、14、18、23};{5、6、11、13、17、24};{8、10、16、21、22、25}
017).{1、3、7、9、15、19、20};{2、4、12、14、18、23};{5、6、11、13、21};{8、10、16、17、22、24、25}
018).{1、3、7、9、15、19、20};{2、4、12、14、22};{5、6、11、13、17、24};{8、10、16、18、21、23、25}
★019).{1、3、7、9、15、20};{2、4、12、14、17、22};{5、6、11、13、19、24};{8、10、16、18、21、23、25}
★020).{1、3、7、9、15、20};{2、4、12、14、18、23};{5、6、11、13、19、21};{8、10、16、17、22、24、25}

★021).{1、3、7、10、11、19};{2、4、9、13、18、20};{5、6、12、16、21、23};{8、14、15、17、22、24、25}
★022).{1、3、7、10、11、19};{2、4、9、13、20、22};{5、6、12、16、17、24};{8、14、15、18、21、23、25}
023).{1、3、7、10、11、19、20};{2、4、9、13、17、22};{5、6、12、16、21、23};{8、14、15、18、24、25}
024).{1、3、7、10、11、19、20};{2、4、9、13、17、22};{5、6、12、16、24};{8、14、15、18、21、23、25}
025).{1、3、7、10、11、19、20};{2、4、9、13、18};{5、6、12、16、21、23};{8、14、15、17、22、24、25}

---

026).{1、3、7、10、11、19、20};{2、4、9、13、18、23};{5、6、12、16、17、24};{8、14、15、21、22、25}
027).{1、3、7、10、11、19、20};{2、4、9、13、18、23};{5、6、12、16、21};{8、14、15、17、22、24、25}
028).{1、3、7、10、11、19、20};{2、4、9、13、22};{5、6、12、16、17、24};{8、14、15、18、21、23、25}
★029).{1、3、7、10、11、20};{2、4、9、13、17、22};{5、6、12、16、19、24};{8、14、15、18、21、23、25}
★030).{1、3、7、10、11、20};{2、4、9、13、18、23};{5、6、12、16、19、21};{8、14、15、17、22、24、25}

★031).{1、3、7、10、15、19};{2、4、9、13、18、20};{5、6、11、16、21、23};{8、12、14、17、22、24、25}
★032).{1、3、7、10、15、19};{2、4、9、13、20、22};{5、6、11、16、17、24};{8、12、14、18、21、23、25}
★033).{1、3、7、10、15、19};{2、4、9、14、18、20};{5、6、11、13、21、23};{8、12、16、17、22、24、25}
★034).{1、3、7、10、15、19};{2、4、9、14、20、22};{5、6、11、13、17、24};{8、12、16、18、21、23、25}
035).{1、3、7、10、15、19、20};{2、4、9、13、17、22};{5、6、11、16、21、23};{8、12、14、18、24、25}

---

036).{1、3、7、10、15、19、20};{2、4、9、13、17、22};{5、6、11、16、24};{8、12、14、18、22、24、25}
037).{1、3、7、10、15、19、20};{2、4、9、13、18};{5、6、11、16、21、23};{8、12、14、17、22、24、25}
038).{1、3、7、10、15、19、20};{2、4、9、13、18、23};{5、6、11、16、17、24};{8、12、14、21、22、25}
039).{1、3、7、10、15、19、20};{2、4、9、13、18、23};{5、6、11、16、21};{8、12、14、17、22、24、25}
040).{1、3、7、10、15、19、20};{2、4、9、13、22};{5、6、11、16、17、24};{8、12、14、18、21、23、25}

---

041).{1、3、7、10、15、19、20};{2、4、9、14、17、22};{5、6、11、13、21、23};{8、12、16、18、24、25}
042).{1、3、7、10、15、19、20};{2、4、9、14、17、22};{5、6、11、13、24};{8、12、16、18、21、23、25}
043).{1、3、7、10、15、19、20};{2、4、9、14、18};{5、6、11、13、21、23};{8、12、16、17、22、24、25}
044).{1、3、7、10、15、19、20};{2、4、9、14、18、23};{5、6、11、13、17、23};{8、12、16、21、22、25}
045).{1、3、7、10、15、19、20};{2、4、9、14、18、23};{5、6、11、13、21};{8、12、16、17、22、24、25}
046).{1、3、7、10、15、19、20};{2、4、9、14、22};{5、6、11、13、17、23};{8、12、16、18、21、23、25}
★047).{1、3、7、10、15、20};{2、4、9、13、17、22};{5、6、11、16、19、24};{8、12、14、18、21、23、25}
★048).{1、3、7、10、15、20};{2、4、9、13、18、23};{5、6、11、16、19、21};{8、12、14、17、22、24、25}
★049).{1、3、7、10、15、20};{2、4、9、14、17、22};{5、6、11、13、19、24};{8、12、16、18、21、23、25}
★050).{1、3、7、10、15、20};{2、4、9、14、18、23};{5、6、11、13、19、21};{8、12、16、17、22、24、25}
★051).{1、3、7、11、13、19};{2、4、9、14、18、20};{5、6、12、16、21、23};{8、10、15、17、22、24、25}
★052).{1、3、7、11、13、19};{2、4、9、14、20、22};{5、6、12、16、17、24};{8、10、15、18、21、23、25}
053).{1、3、7、11、13、19、20};{2、4、9、14、17、22};{5、6、12、16、21、23};{8、10、15、18、24、25}
054).{1、3、7、11、13、19、20};{2、4、9、14、17、22};{5、6、12、16、24};{8、10、15、18、21、23、25}
055).{1、3、7、11、13、19、20};{2、4、9、14、18};{5、6、12、16、21、23};{8、10、15、17、22、24、25}
056).{1、3、7、11、13、19、20};{2、4、9、14、18、23};{5、6、12、16、17、24};{8、10、15、21、22、25}
057).{1、3、7、11、13、19、20};{2、4、9、14、18、23};{5、6、12、16、21};{8、10、15、17、22、24、25}
058).{1、3、7、11、13、19、20};{2、4、9、14、12};{5、6、12、16、17、24};{8、10、15、18、21、23、25}
★059).{1、3、7、11、13、20};{2、4、9、14、17、22};{5、6、12、16、19、24};{8、10、15、18、21、23、25}
★060).{1、3、7、11、13、20};{2、4、9、14、18、23};{5、6、12、16、19、21};{8、10、15、17、22、24、25}
★061).{1、3、8、10、15、18、20};{2、4、9、13、17、22};{5、6、11、16、21、23};{7、12、14、19、24、25}
★062).{1、3、8、10、15、18、20};{2、4、9、13、17、22};{5、6、12、16、21、23};{7、11、14、19、24、25}
★063).{1、3、8、10、15、18、20};{2、4、9、14、17、22};{5、6、11、13、21、23};{7、12、16、19、24、25}
★064).{1、3、8、10、15、18、20};{2、4、9、14、17、22};{5、6、12、16、21、23};{7、11、13、19、24、25}
★065).{1、3、8、10、15、18、20};{2、4、12、14、17、22};{5、6、11、13、21、23};{7、9、16、19、24、25}
★066).{1、3、8、10、15、18、20};{2、4、12、14、17、22};{5、6、11、16、21、23};{7、9、13、19、24、25}
★067).{1、3、8、10、15、19、21};{2、4、9、13、18、23};{5、6、11、16、17、24};{7、12、14、20、22、25}
★068).{1、3、8、10、15、19、21};{2、4、9、13、18、23};{5、6、12、16、17、24};{7、11、14、20、22、25}
★069).{1、3、8、10、15、19、21};{2、4、9、14、18、23};{5、6、11、13、17、24};{7、12、16、20、22、25}
★070).{1、3、8、10、15、19、21};{2、4、9、14、18、23};{5、6、12、16、17、24};{7、11、13、20、22、25}
★071).{1、3、8、10、15、19、21};{2、4、12、14、18、23};{5、6、11、13、17、24};{7、9、16、20、22、25}
★072).{1、3、8、10、15、19、21};{2、4、12、14、18、23};{5、6、11、16、17、24};{7、9、13、20、22、25}

附录 2：“另一个 25 阶最大平面图” G'_{M25} 的“相近四色着色方案集贰”(156 个集元)

001).{1、3、8、10、15、17}；{2、5、9、13、19、20}；{4、7、12、14、22、24}；{6、11、16、18、21、23、25}
002).{1、3、8、10、15、17}；{2、5、9、16、19、20}；{4、7、12、14、22、24}；{6、11、13、18、21、23、25}
003).{1、3、8、10、15、17}；{2、5、11、13、19、20}；{4、7、9、14、22、24}；{6、12、16、18、21、23、25}
004).{1、3、8、10、15、17}；{2、5、11、14、19、20}；{4、7、9、13、22、24}；{6、12、16、18、21、23、25}
005).{1、3、8、10、15、17}；{2、5、12、14、19、20}；{4、7、9、13、22、24}；{6、11、16、18、21、23、25}

006).{1、3、8、10、15、17}；{2、5、12、16、19、20}；{4、7、9、14、22、24}；{6、11、13、18、21、23、25}
007).{1、3、8、10、15、18、21}；{2、5、9、13、19、20}；{4、7、12、14、23}；{6、11、16、17、22、24、25}
008).{1、3、8、10、15、18、21}；{2、5、9、13、23}；{4、7、12、14、19、20}；{6、11、16、17、22、24、25}
009).{1、3、8、10、15、18、21}；{2、5、9、16、19、20}；{4、7、12、14、23}；{6、11、13、17、22、24、25}
010).{1、3、8、10、15、18、21}；{2、5、9、16、23}；{4、7、12、14、19、20}；{6、11、13、17、22、24、25}

011).{1、3、8、10、15、18、21}；{2、5、11、13、19、20}；{4、7、9、14、23}；{6、12、16、17、22、24、25}
012).{1、3、8、10、15、18、21}；{2、5、11、13、23}；{4、7、9、14、19、20}；{6、12、16、17、22、24、25}
013).{1、3、8、10、15、18、21}；{2、5、11、14、19、20}；{4、7、9、13、23}；{6、12、16、17、22、24、25}
014).{1、3、8、10、15、18、21}；{2、5、11、14、23}；{4、7、9、13、19、20}；{6、12、16、17、22、24、25}
015).{1、3、8、10、15、18、21}；{2、5、12、14、19、20}；{4、7、9、13、23}；{6、11、16、17、22、24、25}

016).{1、3、8、10、15、18、21}；{2、5、12、14、23}；{4、7、9、13、19、20}；{6、11、16、17、22、24、25}
017).{1、3、8、10、15、18、21}；{2、5、12、16、19、20}；{4、7、9、14、23}；{6、11、13、17、22、24、25}
018).{1、3、8、10、15、18、21}；{2、5、12、16、23}；{4、7、9、14、19、20}；{6、11、13、17、22、24、25}
019).{1、3、8、10、15、19、20}；{2、5、9、13、17}；{4、7、12、14、22、24}；{6、11、16、18、21、23、25}
020).{1、3、8、10、15、19、20}；{2、5、9、16、17}；{4、7、12、14、22、24}；{6、11、13、18、21、23、25}

021).{1、3、8、10、15、19、20}；{2、5、11、13、17}；{4、7、9、14、22、24}；{6、12、16、18、21、23、25}
022).{1、3、8、10、15、19、20}；{2、5、11、14、17}；{4、7、9、13、22、24}；{6、11、16、18、21、23、25}
023).{1、3、8、10、15、19、20}；{2、5、12、14、17}；{4、7、9、13、22、24}；{6、11、16、18、21、23、25}
024).{1、3、8、10、15、19、20}；{2、5、12、16、17}；{4、7、9、14、22、24}；{6、11、13、18、21、23、25}
025).{1、4、7、9、13}；{2、5、11、14、19、20}；{3、8、10、15、17、22、24}；{6、12、16、18、21、23、25}

026).{1、4、7、9、13}；{2、5、11、14、19、20}；{3、8、10、15、18、21、23}；{6、12、16、17、22、24、25}
027).{1、4、7、9、13}；{2、5、12、14、19、20}；{3、8、10、15、17、22、24}；{6、11、16、18、21、23、25}
028).{1、4、7、9、13}；{2、5、12、14、19、20}；{3、8、10、15、18、21、23}；{6、11、16、17、22、24、25}
★029).{1、4、7、9、13、19}；{2、5、11、14、20}；{3、8、10、15、17、22、24}；{6、12、16、18、21、23、25}
★030).{1、4、7、9、13、19}；{2、5、11、14、20}；{3、8、10、15、18、21、23}；{6、12、16、17、22、24、25}

★031).{1、4、7、9、13、19}；{2、5、12、14、20}；{3、8、10、15、17、22、24}；{6、11、16、18、21、23、25}
★032).{1、4、7、9、13、19}；{2、5、12、14、20}；{3、8、10、15、18、21、23}；{6、11、16、17、22、24、25}
★033).{1、4、7、9、13、19}；{2、8、12、14、18、20}；{3、5、10、15、21、23}；{6、11、16、17、22、24、25}
★034).{1、4、7、9、13、19}；{2、8、12、14、20、22}；{3、5、10、15、17、24}；{6、11、16、18、21、23、25}
★035).{1、4、7、9、13、19}；{2、8、14、15、18、20}；{3、5、10、11、21、23}；{6、12、16、17、22、24、25}

★036). {1、4、7、9、13、19}; {2、8、14、15、20、22}; {3、5、10、11、17、24}; {6、12、16、18、21、23、25}
037). {1、4、7、9、13、19、20}; {2、5、11、14}; {3、8、10、15、17、22、24}; {6、12、16、18、21、23、25}
038). {1、4、7、9、13、19、20}; {2、5、11、14}; {3、8、10、15、18、21、23}; {6、12、16、17、22、24、25}
039). {1、4、7、9、13、19、20}; {2、5、11、14、17}; {3、8、10、15、18、21、23}; {6、12、16、22、24、25}
040). {1、4、7、9、13、19、20}; {2、5、11、14、17}; {3、8、10、15、22、24}; {6、12、16、18、21、23、25}

---

041). {1、4、7、9、13、19、20}; {2、5、11、14、23}; {3、8、10、15、17、22、24}; {6、12、16、18、21、25}
042). {1、4、7、9、13、19、20}; {2、5、11、14、23}; {3、8、10、15、18、21}; {6、12、16、17、22、24、25}
043). {1、4、7、9、13、19、20}; {2、5、12、14}; {3、8、10、15、17、22、24}; {6、11、16、18、21、23、25}
044). {1、4、7、9、13、19、20}; {2、5、12、14}; {3、8、10、15、18、21、23}; {6、11、16、17、22、24、25}
045). {1、4、7、9、13、19、20}; {2、5、12、14、17}; {3、8、10、15、18、21、23}; {6、11、16、22、24、25}

---

046). {1、4、7、9、13、19、20}; {2、5、12、14、17}; {3、8、10、15、22、24}; {6、11、16、18、21、23、25}
047). {1、4、7、9、13、19、20}; {2、5、12、14、23}; {3、8、10、15、17、22、24}; {6、11、16、18、21、25}
048). {1、4、7、9、13、19、20}; {2、5、12、14、23}; {3、8、10、15、18、21}; {6、11、16、17、22、24、25}
049). {1、4、7、9、13、19、20}; {2、8、12、14、17、22}; {3、5、10、15、21、23}; {6、11、16、18、24、25}
050). {1、4、7、9、13、19、20}; {2、8、12、14、17、22}; {3、5、10、15、24}; {6、11、16、18、21、23、25}

---

051). {1、4、7、9、13、19、20}; {2、8、12、14、18}; {3、5、10、15、21、23}; {6、11、16、17、22、24、25}
052). {1、4、7、9、13、19、20}; {2、8、12、14、18、23}; {3、5、10、15、17、24}; {6、11、16、21、23、25}
053). {1、4、7、9、13、19、20}; {2、8、12、14、18、23}; {3、5、10、15、21}; {6、11、16、17、22、24、25}
054). {1、4、7、9、13、19、20}; {2、8、12、14、22}; {3、5、10、15、17、24}; {6、11、16、18、21、23、25}
055). {1、4、7、9、13、19、20}; {2、8、14、15、17、22}; {3、5、10、11、21、23}; {6、12、16、18、24、25}

---

056). {1、4、7、9、13、19、20}; {2、8、14、15、17、22}; {3、5、10、11、24}; {6、12、16、18、21、23、25}
057). {1、4、7、9、13、19、20}; {2、8、14、15、18}; {3、5、10、11、21、23}; {6、12、16、17、22、24、25}
058). {1、4、7、9、13、19、20}; {2、8、14、15、18、23}; {3、5、10、11、17、24}; {6、12、16、21、22、25}
059). {1、4、7、9、13、19、20}; {2、8、14、15、18、23}; {3、5、10、11、21}; {6、12、16、17、22、24、25}
060). {1、4、7、9、13、19、20}; {2、8、14、15、22}; {3、5、10、11、17、24}; {6、12、16、18、21、23、25}

★061). {1、4、7、9、13、20}; {2、5、11、14、19}; {3、8、10、15、17、22、24}; {6、12、16、18、21、23、25}
★062). {1、4、7、9、13、20}; {2、5、11、14、19}; {3、8、10、15、18、21、23}; {6、12、16、17、22、24、25}
★063). {1、4、7、9、13、20}; {2、5、12、14、19}; {3、8、10、15、17、22、24}; {6、11、16、18、21、23、25}
★064). {1、4、7、9、13、20}; {2、5、12、14、19}; {3、8、10、15、18、21、23}; {6、11、16、17、22、24、25}
★065). {1、4、7、9、13、20}; {2、8、12、14、17、22}; {3、5、10、15、19、24}; {6、11、16、18、21、23、25}

★066). {1、4、7、9、13、20}; {2、8、12、14、18、23}; {3、5、10、15、19、21}; {6、11、16、17、22、24、25}
★067). {1、4、7、9、13、20}; {2、8、14、15、17、22}; {3、5、10、11、19、24}; {6、12、16、18、21、23、25}
★068). {1、4、7、9、13、20}; {2、8、14、15、18、23}; {3、5、10、11、19、21}; {6、12、16、17、22、24、25}
069). {1、4、7、9、14}; {2、5、11、13、19、20}; {3、8、10、15、17、22、24}; {6、12、16、18、21、23、25}
070). {1、4、7、9、14}; {2、5、11、13、19、20}; {3、8、10、15、18、21、23}; {6、12、16、17、22、24、25}

---

071). {1、4、7、9、14};{2、5、12、16、19、20};{3、8、10、15、17、22、24};{6、11、13、18、21、23、25}
072). {1、4、7、9、14};{2、5、12、16、19、20};{3、8、10、15、18、21、23};{6、11、13、17、22、24、25}
★073). {1、4、7、9、14、19};{2、5、11、13、20};{3、8、10、15、17、22、24};{6、12、16、18、21、23、25}
★074). {1、4、7、9、14、19};{2、5、11、13、20};{3、8、10、15、18、21、23};{6、12、16、17、22、24、25}
★075). {1、4、7、9、14、19};{2、5、12、16、20};{3、8、10、15、17、22、24};{6、11、13、18、21、23、25}
★076). {1、4、7、9、14、19};{2、5、12、16、20};{3、8、10、15、18、21、23};{6、11、13、17、22、24、25}
★077). {1、4、7、9、14、19};{2、8、10、15、18、20};{3、5、11、13、21、23};{6、12、16、17、22、24、25}
★078). {1、4、7、9、14、19};{2、8、10、15、20、22};{3、5、11、13、17、24};{6、12、16、18、21、23、25}
★079). {1、4、7、9、14、19};{2、8、12、16、18、20};{3、5、10、15、21、23};{6、11、13、17、22、24、25}
★080). {1、4、7、9、14、19};{2、8、12、16、20、22};{3、5、10、15、17、24};{6、11、13、18、21、23、25}
081). {1、4、7、9、14、19、20};{2、5、11、13};{3、8、10、15、17、22、24};{6、12、16、18、21、23、25}
082). {1、4、7、9、14、19、20};{2、5、11、13};{3、8、10、15、18、21、23};{6、12、16、17、22、24、25}
083). {1、4、7、9、14、19、20};{2、5、11、13、17};{3、8、10、15、18、21、23};{6、12、16、22、24、25}
084). {1、4、7、9、14、19、20};{2、5、11、13、17};{3、8、10、15、22、24};{6、12、16、18、21、23、25}
085). {1、4、7、9、14、19、20};{2、5、11、13、23};{3、8、10、15、17、22、24};{6、12、16、18、21、25}
086). {1、4、7、9、14、19、20};{2、5、11、13、23};{3、8、10、15、18、21};{6、12、16、17、22、24、25}
087). {1、4、7、9、14、19、20};{2、5、12、16};{3、8、10、15、17、22、24};{6、11、13、18、21、23、25}
088). {1、4、7、9、14、19、20};{2、5、12、16};{3、8、10、15、18、21、23};{6、11、13、17、22、24、25}
089). {1、4、7、9、14、19、20};{2、5、12、16、17};{3、8、10、15、18、21、23};{6、11、13、22、24、25}
090). {1、4、7、9、14、19、20};{2、5、12、16、17};{3、8、10、15、22、24};{6、11、13、18、21、23、25}
091). {1、4、7、9、14、19、20};{2、5、12、16、23};{3、8、10、15、17、22、24};{6、11、13、18、21、25}
092). {1、4、7、9、14、19、20};{2、5、12、16、23};{3、8、10、15、18、21};{6、11、13、17、22、24、25}
093). {1、4、7、9、14、19、20};{2、8、10、15、17、22};{3、5、11、13、21、23};{6、12、16、18、24、25}
094). {1、4、7、9、14、19、20};{2、8、10、15、17、22};{3、5、11、13、24};{6、12、16、18、21、23、25}
095). {1、4、7、9、14、19、20};{2、8、10、15、18};{3、5、11、13、21、23};{6、12、16、17、22、24、25}
096). {1、4、7、9、14、19、20};{2、8、10、15、18、23};{3、5、11、13、17、24};{6、12、16、21、22、25}
097). {1、4、7、9、14、19、20};{2、8、10、15、18、23};{3、5、11、13、21};{6、12、16、17、22、24、25}
098). {1、4、7、9、14、19、20};{2、8、10、15、22};{3、5、11、13、17、24};{6、12、16、18、21、23、25}
099). {1、4、7、9、14、19、20};{2、8、12、16、17、22};{3、5、10、15、21、23};{6、11、13、18、24、25}
100). {1、4、7、9、14、19、20};{2、8、12、16、17、22};{3、5、10、15、24};{6、11、13、18、21、23、25}
101). {1、4、7、9、14、19、20};{2、8、12、16、18};{3、5、10、15、21、23};{6、11、13、17、22、24、25}
102). {1、4、7、9、14、19、20};{2、8、12、16、18、23};{3、5、10、15、17、24};{6、11、13、21、22、25}
103). {1、4、7、9、14、19、20};{2、8、12、16、18、23};{3、5、10、15、21};{6、11、13、17、22、24、25}
104). {1、4、7、9、14、19、20};{2、8、12、16、22};{3、5、10、15、17、24};{6、11、13、18、21、23、25}
★105). {1、4、7、9、14、20};{2、5、11、13、19};{3、8、10、15、17、22、24};{6、12、16、18、21、23、25}

★106).{1、4、7、9、14、20};{2、5、11、13、19};{3、8、10、15、18、21、23};{6、12、16、17、22、24、25}
★107).{1、4、7、9、14、20};{2、5、12、16、19};{3、8、10、15、17、22、24};{6、11、13、18、21、23、25}
★108).{1、4、7、9、14、20};{2、5、12、16、19};{3、8、10、15、18、21、23};{6、11、13、17、22、24、25}
★109).{1、4、7、9、14、20};{2、8、10、15、17、22};{3、5、11、13、19、24};{6、12、16、18、21、23、25}
★110).{1、4、7、9、14、20};{2、8、10、15、18、23};{3、5、11、13、19、21};{6、12、16、17、22、24、25}

★111).{1、4、7、9、14、20};{2、8、12、16、17、22};{3、5、10、15、19、24};{6、11、13、18、21、23、25}
★112).{1、4、7、9、14、20};{2、8、12、16、18、23};{3、5、10、15、19、21};{6、11、13、17、22、24、25}
113).{1、4、7、12、14};{2、5、9、13、19、20};{3、8、10、15、17、22、24};{6、11、16、18、21、23、25}
114).{1、4、7、12、14};{2、5、9、13、19、20};{3、8、10、15、18、21、23};{6、11、16、17、22、24、25}
115).{1、4、7、12、14};{2、5、9、16、19、20};{3、8、10、15、17、22、24};{6、11、13、18、21、23、25}

116).{1、4、7、12、14};{2、5、9、16、19、20};{3、8、10、15、18、21、23};{6、11、13、17、22、24、25}
★117).{1、4、7、12、14、19};{2、5、9、13、20};{3、8、10、15、17、22、24};{6、11、16、18、21、23、25}
★118).{1、4、7、12、14、19};{2、5、9、13、20};{3、8、10、15、18、21、23};{6、11、16、17、22、24、25}
★119).{1、4、7、12、14、19};{2、5、9、16、20};{3、8、10、15、17、22、24};{6、11、13、18、21、23、25}
★120).{1、4、7、12、14、19};{2、5、9、16、20};{3、8、10、15、18、21、23};{6、11、13、17、22、24、25}

★121).{1、4、7、12、14、19};{2、8、10、15、18、20};{3、5、9、13、21、23};{6、11、16、17、22、24、25}
★122).{1、4、7、12、14、19};{2、8、10、15、20、22};{3、5、9、13、17、24};{6、11、16、18、21、23、25}
★123).{1、4、7、12、14、19};{2、8、10、16、18、20};{3、5、9、15、21、23};{6、11、13、17、22、24、25}
★124).{1、4、7、12、14、19};{2、8、10、16、20、22};{3、5、9、15、17、24};{6、11、13、18、21、23、25}
125).{1、4、7、12、14、19、20};{2、5、9、13};{3、8、10、15、17、22、24};{6、11、16、18、21、23、25}

126).{1、4、7、12、14、19、20};{2、5、9、13};{3、8、10、15、18、21、23};{6、11、16、17、22、24、25}
127).{1、4、7、12、14、19、20};{2、5、9、13、17};{3、8、10、15、18、21、23};{6、11、16、22、24、25}
128).{1、4、7、12、14、19、20};{2、5、9、13、17};{3、8、10、15、22、24};{6、11、16、18、21、23、25}
129).{1、4、7、12、14、19、20};{2、5、9、13、23};{3、8、10、15、17、22、24};{6、11、16、18、21、25}
130).{1、4、7、12、14、19、20};{2、5、9、13、23};{3、8、10、15、18、21};{6、11、16、17、22、24、25}

131).{1、4、7、12、14、19、20};{2、5、9、16};{3、8、10、15、17、22、24};{6、11、13、18、21、23、25}
132).{1、4、7、12、14、19、20};{2、5、9、16};{3、8、10、15、18、21、23};{6、11、13、17、22、24、25}
133).{1、4、7、12、14、19、20};{2、5、9、16、17};{3、8、10、15、18、21、23};{6、11、13、22、24、25}
134).{1、4、7、12、14、19、20};{2、5、9、16、17};{3、8、10、15、22、24};{6、11、13、18、21、23、25}
135).{1、4、7、12、14、19、20};{2、5、9、16、23};{3、8、10、15、17、22、24};{6、11、13、18、21、25}

136).{1、4、7、12、14、19、20};{2、5、9、16、23};{3、8、10、15、18、21};{6、11、13、17、22、24、25}
137).{1、4、7、12、14、19、20};{2、8、10、15、17、22};{3、5、9、13、21、23};{6、11、16、18、24、25}
138).{1、4、7、12、14、19、20};{2、8、10、15、17、22};{3、5、9、13、24};{6、11、16、18、21、23、25}
139).{1、4、7、12、14、19、20};{2、8、10、15、18};{3、5、9、13、21、23};{6、11、16、17、22、24、25}
140).{1、4、7、12、14、19、20};{2、8、10、15、18、23};{3、5、9、13、17、24};{6、11、16、21、22、25}

141).{1、4、7、12、14、19、20};{2、8、10、15、18、23};{3、5、9、13、21};{6、11、16、17、22、24、25}
142).{1、4、7、12、14、19、20};{2、8、10、15、22};{3、5、9、13、17、24};{6、11、16、18、21、23、25}
143).{1、4、7、12、14、19、20};{2、8、10、16、17、22};{3、5、9、15、21、23};{6、11、13、18、24、25}
144).{1、4、7、12、14、19、20};{2、8、10、16、17、22};{3、5、9、15、24};{6、11、13、18、21、23、25}
145).{1、4、7、12、14、19、20};{2、8、10、16、18};{3、5、9、15、21、23};{6、11、13、17、22、24、25}

146).{1、4、7、12、14、19、20};{2、8、10、16、18、23};{3、5、9、15、17、24};{6、11、13、21、22、25}
147).{1、4、7、12、14、19、20};{2、8、10、16、18、23};{3、5、9、15、21};{6、11、13、17、22、24、25}
148).{1、4、7、12、14、19、20};{2、8、10、16、22};{3、5、9、15、17、24};{6、11、13、18、21、23、25}
★149).{1、4、7、12、14、20};{2、5、9、13、19};{3、8、10、15、17、22、24};{6、11、16、18、21、23、25}
★150).{1、4、7、12、14、20};{2、5、9、13、19};{3、8、10、15、18、21、23};{6、11、16、17、22、24、25}

★151).{1、4、7、12、14、20};{2、5、9、16、19};{3、8、10、15、17、22、24};{6、11、13、18、21、23、25}
★152).{1、4、7、12、14、20};{2、5、9、16、19};{3、8、10、15、18、21、23};{6、11、13、17、22、24、25}
★153).{1、4、7、12、14、20};{2、8、10、15、17、22};{3、5、9、13、19、24};{6、11、16、18、21、23、25}
★154).{1、4、7、12、14、20};{2、8、10、15、18、23};{3、5、9、13、19、21};{6、11、16、17、22、24、25}
★155).{1、4、7、12、14、20};{2、8、10、16、17、22};{3、5、9、15、19、24};{6、11、13、18、21、23、25}

★156).{1、4、7、12、14、20};{2、8、10、16、18、23};{3、5、9、15、19、21};{6、11、13、17、22、24、25}

参考文献

[1]冯纪先."一个25阶最大平面图"G_{M25}的四色着色[C]//全国电工理论与新技术学术年会CTATEE'07论文集.长沙:湖南大学,2007:99-102.(见目录:2.06)
[2]冯纪先.四色着色的"简化降阶法"[J].汕头大学学报(自然科学版),2008,23(4):52-59.(见目录:2.07)
[3]冯纪先.最大平面图G_M的二色子图和二色交换[C]//第二十届电路与系统年会论文集.广州:华南理工大学,2007:770-777.(见目录:2.04)

2.12 “Heawood 反例 HCE”$G_{M25.HCE}$的四色着色

【摘要】应用“对角线变换法”及“多层次二色交换法”，通过“Heawood 反例 HCE”$G_{M25.HCE}$的孪生图 $G^T_{M25.HCE}$，求得 84 个 $G_{M25.HCE}$的四色着色方案。可以判断：这 84 个四色着色方案只是“Heawood 反例 HCE”$G_{M25.HCE}$的所有四色着色方案的一部分。

【关键词】“Heawood 反例”；最大平面图；孪生图；“对角线变换法”；“多层次二色交换法”；四色着色方案。

On Four - coloring of“Heawood’s Counter - Example, HCE” $G_{M25.HCE}$

Abstract: In this paper, 84 Four - colorings of “Heawood’s Counter - Example, HCE” $G_{M25.HCE}$ are obtained with “twin graph” $G^T_{M25.HCE}$ of $G_{M25.HCE}$, using “method of diagonal transformation” and “method of multilayer Two - color interchange”. These 84 Four - colorings are only a part of all Four - colorings of “Heawood’s Counter - Example” $G_{M25.HCE}$.

Keywords: “Heawood’s Counter - Example”; maximal planar graph; Twin graph; “method of diagonal transformation”; “method of multilayer Two - color interchange”; Four - coloring

1 引言

德国数学家 Möbius 于 1840 年提出“四色猜想”。1879 年英国律师、数学家 Kempe 给出了“四色定理”的证明。1890 年英国数学家 Heawood 指出 Kempe 证法存在的问题，并给出“五色定理”的证明。在 Heawood 的文章中，Heawood 列出一个例子，这就是有名的所谓“Heawood 反例(Heawood’s Counter - Example, HCE)”$G_{M25.HCE}$。本文的目的是求解“Heawood 反例 HCE”$G_{M25.HCE}$的四色着色方案。

2 “Heawood 反例 HCE”$G_{M25.HCE}$

图 1 即为“Heawood 反例 HCE”$G_{M25.HCE}$，图中圆圈表示点，圈内的数字是点的标号。图 1 与文献[1]中的图 1.12.3、文献[2]中的 figure 2 -15、文献[3]中的 Fig. 4，在拓扑结构上是完全一样的，且补足了点的标号。图 1 $G_{M25.HCE}$是一个 25 阶的，点的度最小为 5 的最大平面图，其点数 $n = 25$，边数 $e = 3n - 6 = 69$，区数 $r = 2n - 4 = 46$，度数 $d = 6n - 12 = 138$。图 1 $G_{M25.HCE}$中，$n_3 = n_4 = 0$，即无 3 度点和 4 度点；5 度(最小度)点数 $n_5 = 17$，即点⑨至点㉕；6 度点数 $n_6 = 3$，即点①、③和⑧；7 度(最大度)点数 $n_7 = 5$，即点②、④、⑤、⑥、⑦。因而，图 1 $G_{M25.HCE}$是属于文献[4]中所划分的第三种最大平面图，即所谓“最小 5 度最大平面图”$\min 5G_{Mn}$。本文将“Heawood 反例 HCE”记为 $\min 5G_{M25.HCE}$，或记为 $G_{M25.HCE}$。这一种类型的最大平面图尚无法直接地用文献[4]中所述的“降阶法”来求解 $G_{M25.HCE}$的四色着色方案，但可用文献[4]中所述的“降度法”之一的“对角线变换法”来获得 $G_{M25.HCE}$的四色着色方案，下节将试作求解。

3 “Heawood 反例”$G_{M25.HCE}$的四色着色方案

图2所示为“另一个25阶最大平面图”G'_{M25}，即文献[5]中之图1。图2的点数 $n = 25$，边数 $e = 3n - 6 = 69$，区数 $r = 2n - 4 = 46$，度数 $d = 6n - 12 = 138$，这都和“Heawood 反

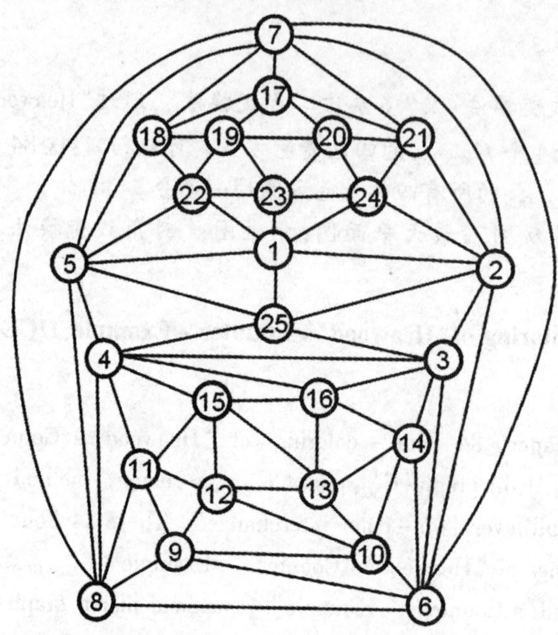

图1 “Heawood 反例 HCE”$G_{M25.HCE}$

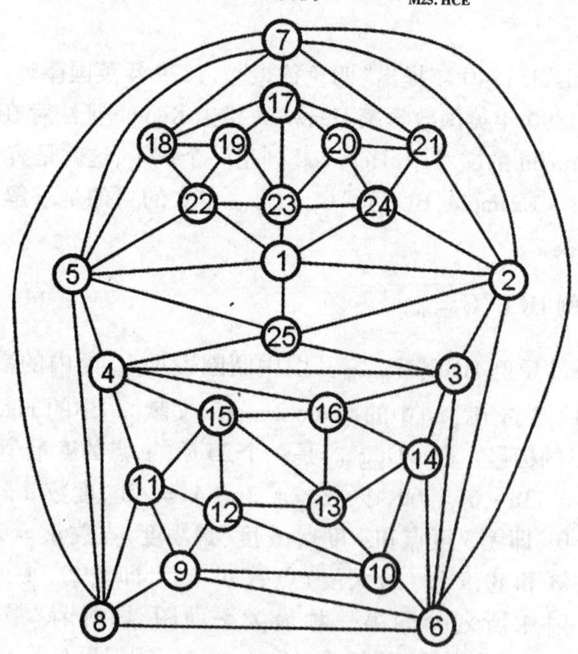

图2 “另一个25阶最大平面图”G'_{M25}

例”$G_{M25.HCE}$一样。图2的3度点数 $n_3 = 0$，即无3度点；但4度(最小度)点数 $n_4 = 2$，即点⑲、⑳，5度点数 $n_5 = 13$，即点⑨、⑩、⑪、⑫、⑬、⑭、⑮、⑯、⑱、㉑、㉒、㉔和㉕；6度点数 $n_6 = 5$，即

点①、③、⑧、⑰和㉓；7 度（最大度）点数 $n_7 = 5$，即点②、④、⑤、⑥、⑦，这就和 $G_{M25.HCE}$ 稍有差别。从拓扑结构图上可以看出，$G_{M25.HCE}$ 与 G'_{M25} 是相对于四边形 C_4（⑰、⑲、㉓、⑳）的"孪生图对"（Twins）[6]。这就可表示为：

$$G_{M25.HCE} \xleftrightarrow{\text{对角线变换DT（}C_4\text{（⑰、⑲、㉓、⑳））}} G'_{M25} \tag{1}$$

也即

$$G'_{M25} = G^{T}_{M25.HCE}(\text{⑰、⑲、㉓、⑳}) \tag{2}$$

$$G_{M25.HCE} = G'^{T}_{M25}(\text{⑰、⑲、㉓、⑳}) \tag{3}$$

文献[5]中用文献[4]中所述的"简化降阶法"和"多层次二色交换法"，求解出"另一个 25 阶最大平面图" G'_{M25} 的两个"相近四色着色方案集"，即"相近四色着色方案集壹"和"相近四色着色方案集贰"，前者含有 72 个不同的四色着色方案；后者含有 156 个不同的四色着色方案。这两个"集"（即"集壹"和"集贰"），分列在文献[5]的附录 1 和附录 2 中。在这些四色着色方案中，若点⑲和点⑳异色，则在该四色着色方案的编号的前面加注符号"★"。前者有"★"的四色着色方案为 36 个；后者有"★"的四色着色方案为 48 个，共计 36 + 48 = 84 个。

在这些加注符号"★"的四色着色方案中，由于点⑲与点⑳异色，显然这 84 个四色着色方案，即为"另一个 25 阶最大平面图" G'_{M25} 的孪生图"Heawood 反例" $G_{M25.HCE}$ 的四色着色方案。现将其综合归纳、重新编号，列于本文的附录中。为了便于查对，在本文的附录中，原编号（即文献[5]中之编号）仍保留在新编号（即本文中之编号）之后。

4 结语

由于"Heawood 反例" $G_{M25.HCE}$ 是"最小 5 度最大平面图"，故可采用"对角线变换法"来获得它的四色着色方案，即通过它的孪生图 $G^{T}_{M25.HCE}$（$= G'_{M25}$，即"另一个 25 阶最大平面图"）的四色着色方案，来间接得到 $G_{M25.HCE}$ 的四色着色方案。故，不妨可戏言曰：此乃"曲线求色"也！

由于 G'_{M25} 可能不止两个"相近四色着色方案集"（文献[5]中只求了两个），显然 $G_{M25.HCE}$ 就可能不止 84 个四色着色方案。可进一步用上述方法求解出 $G_{M25.HCE}$ 的其他的四色着色方案，也还可以用其他的方法来求解 $G_{M25.HCE}$ 的四色着色方案。

附录:"Heawood 反例"$G_{M25.HCE}$的四色着色方案(4点集划分)(共84个)

<01>★001).{1、3、7、9、13、19};{2、4、12、14、18、20};{5、6、11、16、21、23};{8、10、15、17、22、24、25}
<02>★002).{1、3、7、9、13、19};{2、4、12、14、20、22};{5、6、11、16、17、24};{8、10、15、18、21、23、25}
<03>★009).{1、3、7、9、13、20};{2、4、12、14、17、22};{5、6、11、16、19、24};{8、10、15、18、21、23、25}
<04>★010).{1、3、7、9、13、20};{2、4、12、14、18、23};{5、6、11、16、19、21};{8、10、15、17、22、24、25}
<05>★011).{1、3、7、9、15、19};{2、4、12、14、18、20};{5、6、11、13、21、23};{8、10、16、17、22、24、25}

<06>★012).{1、3、7、9、15、19};{2、4、12、14、20、22};{5、6、11、13、17、24};{8、10、16、18、21、23、25}
<07>★019).{1、3、7、9、15、20};{2、4、12、14、17、22};{5、6、11、13、19、24};{8、10、16、18、21、23、25}
<08>★020).{1、3、7、9、15、20};{2、4、12、14、18、23};{5、6、11、13、19、21};{8、10、16、17、22、24、25}
<09>★021).{1、3、7、10、11、19};{2、4、9、13、18、20};{5、6、12、16、21、23};{8、14、15、17、22、24、25}
<10>★022).{1、3、7、10、11、19};{2、4、9、13、20、22};{5、6、12、16、17、24};{8、14、15、18、21、23、25}

<11>★029).{1、3、7、10、11、20};{2、4、9、13、17、22};{5、6、12、16、19、24};{8、14、15、18、21、23、25}
<12>★030).{1、3、7、10、11、20};{2、4、9、13、18、23};{5、6、12、16、19、21};{8、14、15、17、22、24、25}
<13>★031).{1、3、7、10、15、20};{2、4、9、13、18、20};{5、6、11、16、21、23};{8、12、14、17、22、24、25}
<14>★032).{1、3、7、10、15、20};{2、4、9、13、20、22};{5、6、11、16、17、24};{8、12、14、18、21、23、25}
<15>★033).{1、3、7、10、15、20};{2、4、9、14、18、20};{5、6、11、13、21、23};{8、12、16、17、22、24、25}

<16>★034).{1、3、7、10、15、19};{2、4、9、14、20、22};{5、6、11、13、17、24};{8、12、16、18、21、23、25}
<17>★047).{1、3、7、10、15、20};{2、4、9、13、17、22};{5、6、11、16、19、24};{8、12、14、18、21、23、25}
<18>★048).{1、3、7、10、15、19};{2、4、9、13、18、23};{5、6、11、16、19、21};{8、12、14、17、22、24、25}
<19>★049).{1、3、7、10、15、19};{2、4、9、14、17、22};{5、6、11、13、19、24};{8、12、16、18、21、23、25}
<20>★050).{1、3、7、10、15、19};{2、4、9、14、18、23};{5、6、11、13、19、21};{8、12、16、17、22、24、25}

<21>★051).{1、3、7、11、13、19};{2、4、9、14、18、20};{5、6、12、16、21、23};{8、10、15、17、22、24、25}
<22>★052).{1、3、7、11、13、19};{2、4、9、14、20、22};{5、6、12、16、17、24};{8、10、15、18、21、23、25}
<23>★059).{1、3、7、11、13、20};{2、4、9、14、17、22};{5、6、12、16、19、24};{8、10、15、18、21、23、25}
<24>★060).{1、3、7、11、13、20};{2、4、9、14、18、23};{5、6、12、16、19、21};{8、10、15、17、22、24、25}
<25>★061).{1、3、8、10、15、18、20};{2、4、9、13、17、22};{5、6、11、16、21、23};{7、12、14、19、24、25}

<26>★062).{1、3、8、10、15、18、20};{2、4、9、13、17、22};{5、6、12、16、21、23};{7、11、14、19、24、25}
<27>★063).{1、3、8、10、15、18、20};{2、4、9、14、17、22};{5、6、11、13、21、23};{7、12、16、19、24、25}
<28>★064).{1、3、8、10、15、18、20};{2、4、9、14、17、22};{5、6、12、16、21、23};{7、11、13、19、24、25}
<29>★065).{1、3、8、10、15、18、20};{2、4、12、14、17、22};{5、6、11、13、21、23};{7、9、16、19、24、25}
<30>★066).{1、3、8、10、15、18、20};{2、4、12、14、17、22};{5、6、11、16、21、23};{7、9、13、19、24、25}

<31>★067).{1、3、8、10、15、19、21};{2、4、9、13、18、23};{5、6、11、16、17、24};{7、12、14、20、22、25}
<32>★068).{1、3、8、10、15、19、21};{2、4、9、13、18、23};{5、6、12、16、17、24};{7、11、14、20、22、25}
<33>★069).{1、3、8、10、15、19、21};{2、4、9、14、18、23};{5、6、11、13、17、24};{7、12、16、20、22、25}
<34>★070).{1、3、8、10、15、19、21};{2、4、9、14、18、23};{5、6、12、16、17、24};{7、11、13、20、22、25}
<35>★071).{1、3、8、10、15、19、21};{2、4、12、14、18、23};{5、6、11、13、17、24};{7、9、16、20、22、25}

<36>★072).{1、3、8、10、15、19、21};{2、4、12、14、18、23};{5、6、11、16、17、24};{7、9、13、20、22、25}
<37>★029).{1、4、7、9、13、19};{2、5、11、14、20};{3、8、10、15、17、22、24};{6、12、16、18、21、23、25}
<38>★030).{1、4、7、9、13、19};{2、5、11、14、20};{3、8、10、15、18、21、23};{6、12、16、17、22、24、25}
<39>★031).{1、4、7、9、13、19};{2、5、12、14、20};{3、8、10、15、17、22、24};{6、11、16、18、21、23、25}
<40>★032).{1、4、7、9、13、19};{2、5、12、14、20};{3、8、10、15、18、21、23};{6、11、16、17、22、24、25}

<41>★033). {1、4、7、9、13、19}; {2、8、12、14、18、20}; {3、5、10、15、21、23}; {6、11、16、17、22、24、25}

<42>★034). {1、4、7、9、13、19}; {2、8、12、14、20、22}; {3、5、10、15、17、24}; {6、11、16、18、21、23、25}

<43>★035). {1、4、7、9、13、19}; {2、8、14、15、18、20}; {3、5、10、11、21、23}; {6、12、16、17、22、24、25}

<44>★036). {1、4、7、9、13、19}; {2、8、14、15、20、22}; {3、5、10、11、17、24}; {6、12、16、18、21、23、25}

<45>★061). {1、4、7、9、13、20}; {2、5、11、14、19}; {3、8、10、15、17、22、24}; {6、12、16、18、21、23、25}

<46>★062). {1、4、7、9、13、20}; {2、5、11、14、19}; {3、8、10、15、18、21、23}; {6、12、16、17、22、24、25}

<47>★063). {1、4、7、9、13、20}; {2、5、12、14、19}; {3、8、10、15、17、22、24}; {6、11、16、18、21、23、25}

<48>★064). {1、4、7、9、13、20}; {2、5、12、14、19}; {3、8、10、15、18、21、23}; {6、11、16、17、22、24、25}

<49>★065). {1、4、7、9、13、20}; {2、8、12、14、17、22}; {3、5、10、15、19、24}; {6、11、16、18、21、23、25}

<50>★066). {1、4、7、9、13、20}; {2、8、12、14、18、23}; {3、5、10、15、19、21}; {6、11、16、17、22、24、25}

<51>★067). {1、4、7、9、13、20}; {2、8、14、15、17、22}; {3、5、10、11、19、24}; {6、12、16、18、21、23、25}

<52>★068). {1、4、7、9、13、20}; {2、8、14、15、18、23}; {3、5、10、11、19、21}; {6、12、16、17、22、24、25}

<53>★073). {1、4、7、9、14、19}; {2、5、11、13、20}; {3、8、10、15、17、22、24}; {6、12、16、18、21、23、25}

<54>★074). {1、4、7、9、14、19}; {2、5、11、13、20}; {3、8、10、15、18、21、23}; {6、12、16、17、22、24、25}

<55>★075). {1、4、7、9、14、19}; {2、5、12、16、20}; {3、8、10、15、17、22、24}; {6、11、13、18、21、23、25}

<56>★076). {1、4、7、9、14、19}; {2、5、12、16、20}; {3、8、10、15、18、21、23}; {6、11、13、17、22、24、25}

<57>★077). {1、4、7、9、14、19}; {2、8、10、15、18、20}; {3、5、11、13、21、23}; {6、12、16、17、22、24、25}

<58>★078). {1、4、7、9、14、19}; {2、8、10、15、20、22}; {3、5、11、13、17、24}; {6、12、16、18、21、23、25}

<59>★079). {1、4、7、9、14、19}; {2、8、12、16、18、20}; {3、5、10、15、21、23}; {6、11、13、17、22、24、25}

<60>★080). {1、4、7、9、14、19}; {2、8、12、16、20、22}; {3、5、10、15、17、24}; {6、11、13、18、21、23、25}

<61>★105). {1、4、7、9、14、20}; {2、5、11、13、19}; {3、8、10、15、17、22、24}; {6、12、16、18、21、23、25}

<62>★106). {1、4、7、9、14、20}; {2、5、11、13、19}; {3、8、10、15、18、21、23}; {6、12、16、17、22、24、25}

<63>★107). {1、4、7、9、14、20}; {2、5、12、16、19}; {3、8、10、15、17、22、24}; {6、11、13、18、21、23、25}

<64>★108). {1、4、7、9、14、20}; {2、5、12、16、19}; {3、8、10、15、18、21、23}; {6、11、13、17、22、24、25}

<65>★109). {1、4、7、9、14、20}; {2、8、10、15、17、22}; {3、5、11、13、19、24}; {6、12、16、18、21、23、25}

<66>★110). {1、4、7、9、14、20}; {2、8、10、15、18、23}; {3、5、11、13、19、21}; {6、12、16、17、22、24、25}

<67>★111). {1、4、7、9、14、20}; {2、8、12、16、17、22}; {3、5、10、15、19、24}; {6、11、13、18、21、23、25}

<68>★112). {1、4、7、9、14、20}; {2、8、12、16、18、23}; {3、5、10、15、19、21}; {6、11、13、17、22、24、25}

<69>★117). {1、4、7、12、14、19}; {2、5、9、13、20}; {3、8、10、15、17、22、24}; {6、11、16、18、21、23、25}

<70>★118). {1、4、7、12、14、19}; {2、5、9、13、20}; {3、8、10、15、18、21、23}; {6、11、16、17、22、24、25}

<71>★119). {1、4、7、12、14、19}; {2、5、9、16、20}; {3、8、10、15、17、22、24}; {6、11、13、18、21、23、25}

<72>★120). {1、4、7、12、14、19}; {2、5、9、16、20}; {3、8、10、15、18、21、23}; {6、11、13、17、22、24、25}

<73>★121). {1、4、7、12、14、19}; {2、8、10、15、18、20}; {3、5、9、13、21、23}; {6、11、16、17、22、24、25}

<74>★122). {1、4、7、12、14、19}; {2、8、10、15、20、22}; {3、5、9、13、17、24}; {6、11、16、18、21、23、25}

<75>★123). {1、4、7、12、14、19}; {2、8、10、16、18、20}; {3、5、9、15、21、23}; {6、11、13、17、22、24、25}

<76>★124). {1、4、7、12、14、19}; {2、8、10、16、20、22}; {3、5、9、15、17、24}; {6、11、13、18、21、23、25}

<77>★149). {1、4、7、12、14、20}; {2、5、9、13、19}; {3、8、10、15、17、22、24}; {6、11、16、18、21、23、25}

<78>★150). {1、4、7、12、14、20}; {2、5、9、13、19}; {3、8、10、15、18、21、23}; {6、11、16、17、22、24、25}

<79>★151). {1、4、7、12、14、20}; {2、5、9、16、19}; {3、8、10、15、17、22、24}; {6、11、13、18、21、23、25}

<80>★152). {1、4、7、12、14、20}; {2、5、9、16、19}; {3、8、10、15、18、21、23}; {6、11、13、17、22、24、25}

<81>★153). {1、4、7、12、14、20}; {2、8、10、15、17、22}; {3、5、9、13、19、24}; {6、11、16、18、21、23、25}

<82>★154). {1、4、7、12、14、20}; {2、8、10、15、18、23}; {3、5、9、13、19、21}; {6、11、16、17、22、24、25}

<83>★155). {1、4、7、12、14、20}; {2、8、10、16、17、22}; {3、5、9、15、19、24}; {6、11、13、18、21、23、25}

<84>★156). {1、4、7、12、14、20}; {2、8、10、16、18、23}; {3、5、9、15、19、21}; {6、11、13、17、22、24、25}

参考文献

[1]卡波边柯(Capobianco)M,莫鲁卓(Molluzzo)J. 图论的例和反例(Examples and Counter Examples in Graph Theory)[M]. 聂祖安,译. 长沙:湖南科学技术出版社, 1988:10-11.

[2] Saaty T L, Kainen P C. The Four Color Problem [M]. New York :McGraw - Hill International Book Company ,1977:31-34.

[3] Saaty T L. Thirteen coloful variations on Gathrie's four - color conjecture[J]. The American Mathematical Monthly,1972,79,No.1:2-43.

[4]冯纪先. 平面图的四色着色 ——“降阶法”和“降度法”[C]//第二十一届电路与系统年会论文集. 天津:天津商业大学, 2008:88-98.(见目录:2.22)

[5]冯纪先.“另一个25阶最大平面图”G'_{M25}的四色着色[J]. 数学的实践与认识,2010,():-.(见目录:2.11)

[6]冯纪先. 最大平面图GM的孪生图GTM和对角线变换DT[J]. 数学的实践与认识,2010,40(11):165-173.(见目录:2.10)

2.13 “一个24阶平面图”G_{24}的“相近四色着色方案集A”

【摘要】将一个已知的“四色着色方案A”作为起始，应用“多层次二色交换法”，求得“一个24阶平面图”G_{24}的另外不同的287个四色着色方案。这288(=1+287)个四色着色方案形成了一个“相近四色着色方案集A”。可以推测：这个24阶平面图G_{24}，可能还存在其他的相近四色着色方案集，即还可能存在其他的四色着色方案。

【关键词】平面图；“多层次二色交换法”；四色着色方案；相近四色着色方案集

The “near Four - coloring set A” of “a planar graph of 24 order” G_{24}

Abstract: In this paper, a “Near Four - Coloring Set A”(288 Four - Colorings) of “a planar graph of 24 order”G_{24} is obtained with a “Four - Coloring A”, using “method of multilayer Two - color interchange”. These 288 Four colorings are only a part of all Four - Coloring of the planar graph of 24 order G_{24}.

Keywords: planar graph; “method of multilayer Two - color interchange”; Four - Coloring; near Four - coloring set

1 引言

文献[1]中提出了n阶最大平面图G_{Mn}着色的“多层次二色交换法”。对一个一定阶数(点数)、一定拓扑结构的n阶最大平面图G_{Mn}，若已知G_{Mn}的一个四色着色方案，以此四色着色方案作为起始，通过“多层次二色交换法”的运作，即可求得G_{Mn}的包含该已知四色着色方案在内的一个“相近四色着色方案集”。

一个一定阶数(点数)、一定拓扑结构的n阶一般平面图G_n，它的边数是小于同阶数(点数)n的最大平面图G_{Mn}的。任何n阶(n点)、一定拓扑结构的一般平面图G_n，总可以通过添加一定数目的附加边，使边数$e=3n-6$，且使各区均为K_3，区数$r=2n-4$，而得到图G_n所对应的n阶、一定拓扑结构的最大平面图G_{Mn}。该G_{Mn}即为G_n的一个含有所加附加边的最小母图。以此可以推断，若已知G_n的一个四色着色方案，且此四色着色方案也为G_{Mn}的四色着色方案，以此四色着色方案作为起始，通过“多层次二色交换法”的运作，即可求得G_{Mn}的包含该四色着色方案在内的一个“相近四色着色方案集”。显然，该“集”中的四色着色方案即为G_n的四色着色方案。

可以想到，一个一定阶数、一定拓扑结构的n阶一般平面图G_n也可以直接利用“多层次二色交换法”，以一个已知的G_n的四色着色方案为起始，推演得G_n的一个“相近四色着色方案集”。本文通过对一个24阶、一定拓扑结构的一般平面图G_{24}，利用“多层次二色交换法”来

求得 G_{24}的一个"相近四色着色方案集",以验证上述推断的正确。后文即将叙述,以已知的 G_{24}的"四色着色方案 A"为起始,确实求得了 G_{24}的一个"相近四色着色方案集",记为"相近四色着色方案集 A"。在该"集 A"中,含有 G_{24}的 288 个不同的四色着色方案。

2 "一个 24 阶平面图" G_{24}及其着色

图 1 所示为"一个 24 阶平面图" G_{24},图中圆圈表示点,圈内的数字是点的标号。图 1 为非最大平面图,很明显其中有一个区的周长为 5,该区的周界为 C_5(①、②、③、④、⑤)。图 1 中,G_{24}的点数 $n=24$,边数 $e=64$,区数 $r=42$,度数 $d=128$。又,图 1 中,$n_3=n_4=0$,即无 3 度点和 4 度点;5 度(最小度)点数 $n_5=18$,即点①、点③、点⑨至点㉔;6 度点数 $n_6=4$,即点②、④、⑤、⑧;7 度(最大度)点数 $n_7=2$,即点⑥、⑦。因而图 1 所示的 G_{24}是属于"最小 5 度平面图"的一类的。

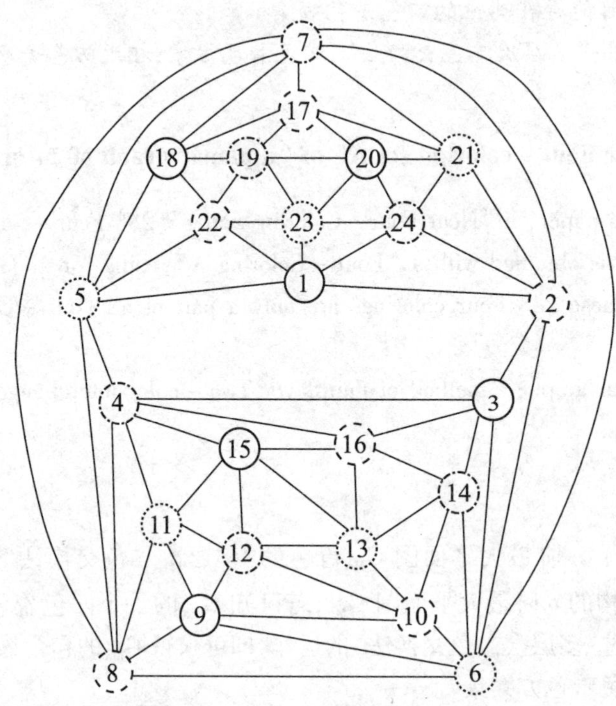

图 1 "一个 24 阶平面图" G_{24}(着"四色着色方案 A")

图 1 实为文献[2]中的图 1.12.3、文献[3]中的 Figure 2-15 和文献[4]中的 Fig. 4 中,移去 5 度点"ν"及关联的五条边而得。各文献中给出了部分点的标号,且彼此是一致的,本文补足了其余点的标号。文献[2]、[3]和[4]中共同提供了一个图 1 中 G_{24}的四色着色方案,即红色点为①、③、⑨、⑮、⑱、⑳;黄色点为⑤、⑥、⑪、⑬、㉑、㉓;蓝色点为②、⑧、⑩、⑯、⑰、㉒;绿色点为④、⑦、⑫、⑭、⑲、㉔。本文记 G_{24}的这个四色着色方案为"四色着色方案 A"。图 1 表达了这个"四色着色方案 A",图中"实线圆圈"表示红色点;"点线圆圈"表示黄色点;"划线圆圈"表示蓝色点;"点划线圆圈"表示绿色点。由"四色着色方案 A"可见,该方案中点①、③占一色;点②占一色,点④占一色,点⑤占一色,即点①、②、③、④、⑤五个点共占四色。"四色着色方案 A"若以"4 个点集的划分"表示,则为:

{1、3、9、15、18、20};{2、8、10、16、17、22};{4、7、12、14、19、24};{5、6、11、13、21、23}。

以“四色着色方案A”为起始,采用文献[1]中所述“多层次二色交换法”,就推演出G_{24}的一个“相近四色着色方案集”,记为“相近四色着色方案集A”(推演过程略)。该“相近四色着色方案集A”中含有288个不同的四色着色方案,已将其列写于附录中。其中,编号为115).的四色着色方案,即为给出的“四色着色方案A”。又,很易判断,在编号前面注有“★”的四色着色方案中,点①、②、③、④、⑤五个点,仅共占三色。编号为115).的四色着色方案前无“★”。注有“★”的四色着色方案有72个,恰巧是总数288个的1/4。这不是规律,只是偶遇。

3 结语

我们以已知的“四色着色方案A”为起始,通过“多层次二色交换法”推演出G_{24}的一个“相近四色着色方案集A”。可以想见,若我们已知不属于“相近四色着色方案集A”的另一个“四色着色方案”,以其为起始,当然可以推演出G_{24}的另一个“相近四色着色方案集”。可以推测,G_{24}可能具有一个或多个“相近四色着色方案集”,它的所有的四色着色方案,很可能大于288个。

若在图1所示G_{24}的C5(①、②、③、④、⑤)中加一个5度点㉕,则得一个25阶的最大平面图G_{M25}。显然,将所加5度点㉕置附录中注“★”的四色着色方案的第4点集(即着第4色),就将得到G_{M25}的一个四色着色方案。那么,这儿就求得了G_{M25}的72个四色着色方案。这个G_{M25},实际上就是著名的“Heawood反例HCE”$G_{M25.HCE}$。

附录：图1所示 G_{24} 的一个"相近四色着色方案集A"（288个集元）

★001）.{1、3、8、10、15、18、20}；{2、4、9、13、17、22}；{5、6、11、16、21、23}；{7、12、14、19、24}

★002）.{1、3、8、10、15、18、20}；{2、4、9、13、17、22}；{5、6、12、16、21、23}；{7、11、14、19、24}

★003）.{1、3、8、10、15、18、20}；{2、4、9、13、17、23}；{5、6、11、16、19、21}；{7、12、14、22、24}

★004）.{1、3、8、10、15、18、20}；{2、4、9、13、17、23}；{5、6、12、16、19、21}；{7、11、14、22、24}

★005）.{1、3、8、10、15、18、20}；{2、4、9、14、17、22}；{5、6、11、13、21、23}；{7、12、16、19、24}

★006）.{1、3、8、10、15、18、20}；{2、4、9、14、17、22}；{5、6、12、16、21、23}；{7、11、13、19、24}

★007）.{1、3、8、10、15、18、20}；{2、4、9、14、17、23}；{5、6、11、13、19、21}；{7、12、16、22、24}

★008）.{1、3、8、10、15、18、20}；{2、4、9、14、17、23}；{5、6、12、16、19、21}；{7、11、13、22、24}

★009）.{1、3、8、10、15、18、20}；{2、4、12、14、17、22}；{5、6、11、13、21、23}；{7、9、16、19、24}

★010）.{1、3、8、10、15、18、20}；{2、4、12、14、17、22}；{5、6、11、16、21、23}；{7、9、13、19、24}

★011）.{1、3、8、10、15、18、20}；{2、4、12、14、17、23}；{5、6、11、13、19、21}；{7、9、16、22、24}

★012）.{1、3、8、10、15、18、20}；{2、4、12、14、17、23}；{5、6、11、16、19、21}；{7、9、13、22、24}

★013）.{1、3、8、10、15、18、20}；{2、5、9、13、17、23}；{4、7、12、14、19、24}；{6、11、16、21、22}

★014）.{1、3、8、10、15、18、20}；{2、5、9、13、17、23}；{4、7、12、14、22、24}；{6、11、16、19、21}

★015）.{1、3、8、10、15、18、20}；{2、5、9、16、17、23}；{4、7、12、14、19、24}；{6、11、13、21、22}

★016）.{1、3、8、10、15、18、20}；{2、5、9、16、17、23}；{4、7、12、14、22、24}；{6、11、13、19、21}

★017）.{1、3、8、10、15、18、20}；{2、5、11、13、17、23}；{4、7、9、14、19、24}；{6、12、16、21、22}

★018）.{1、3、8、10、15、18、20}；{2、5、11、13、17、23}；{4、7、9、14、22、24}；{6、12、16、19、21}

★019）.{1、3、8、10、15、18、20}；{2、5、11、14、17、23}；{4、7、9、13、19、24}；{6、12、16、21、22}

★020）.{1、3、8、10、15、18、20}；{2、5、11、14、17、23}；{4、7、9、13、22、24}；{6、12、16、19、21}

★021）.{1、3、8、10、15、18、20}；{2、5、12、14、17、23}；{4、7、9、13、19、24}；{6、11、16、21、22}

★022）.{1、3、8、10、15、18、20}；{2、5、12、14、17、23}；{4、7、9、13、22、24}；{6、11、16、19、21}

★023）.{1、3、8、10、15、18、20}；{2、5、12、16、17、23}；{4、7、9、14、19、24}；{6、11、13、21、22}

★024）.{1、3、8、10、15、18、20}；{2、5、12、16、17、23}；{4、7、9、14、22、24}；{6、11、13、19、21}

025）.{1、3、8、10、15、18、20}；{2、9、13、17、22}；{4、7、12、14、19、24}；{5、6、11、16、21、23}

026）.{1、3、8、10、15、18、20}；{2、9、13、17、23}；{4、7、12、14、22、24}；{5、6、11、16、19、21}

027）.{1、3、8、10、15、18、20}；{2、9、16、17、22}；{4、7、12、14、19、24}；{5、6、11、13、21、23}

028）.{1、3、8、10、15、18、20}；{2、9、16、17、23}；{4、7、12、14、22、24}；{5、6、11、13、19、21}

029）.{1、3、8、10、15、18、20}；{2、11、13、17、22}；{4、7、9、14、19、24}；{5、6、12、16、21、23}

030）.{1、3、8、10、15、18、20}；{2、11、13、17、23}；{4、7、9、14、22、24}；{5、6、12、16、19、21}

031）.{1、3、8、10、15、18、20}；{2、11、14、17、22}；{4、7、9、13、19、24}；{5、6、12、16、21、23}

032）.{1、3、8、10、15、18、20}；{2、11、14、17、23}；{4、7、9、13、22、24}；{5、6、12、16、19、21}

033）.{1、3、8、10、15、18、20}；{2、12、14、17、22}；{4、7、9、13、19、24}；{5、6、11、16、21、23}

034）.{1、3、8、10、15、18、20}；{2、12、14、17、23}；{4、7、9、13、22、24}；{5、6、11、16、19、21}

035）.{1、3、8、10、15、18、20}；{2、12、16、17、22}；{4、7、9、14、19、24}；{5、6、11、13、21、23}

036）.{1、3、8、10、15、18、20}；{2、12、16、17、23}；{4、7、9、14、22、24}；{5、6、11、13、19、21}

★037）.{1、3、8、10、15、18、21}；{2、4、9、13、17、23}；{5、6、11、16、19、24}；{7、12、14、20、22}

★038）.{1、3、8、10、15、18、21}；{2、4、9、13、17、23}；{5、6、12、16、19、24}；{7、11、14、20、22}

★039）.{1、3、8、10、15、18、21}；{2、4、9、13、20、22}；{5、6、11、16、17、23}；{7、12、14、19、24}

★040）.{1、3、8、10、15、18、21}；{2、4、9、13、20、22}；{5、6、12、16、17、23}；{7、11、14、19、24}

★041). {1、3、8、10、15、18、21}；{2、4、9、14、17、23}；{5、6、11、13、19、24}；{7、12、16、20、22}
★042). {1、3、8、10、15、18、21}；{2、4、9、14、17、23}；{5、6、12、16、19、24}；{7、11、13、20、22}
★043). {1、3、8、10、15、18、21}；{2、4、9、14、20、22}；{5、6、11、13、17、23}；{7、12、16、19、24}
★044). {1、3、8、10、15、18、21}；{2、4、9、14、20、22}；{5、6、12、16、17、23}；{7、11、13、19、24}
★045). {1、3、8、10、15、18、21}；{2、4、12、14、17、23}；{5、6、11、13、19、24}；{7、9、16、20、22}
★046). {1、3、8、10、15、18、21}；{2、4、12、14、17、23}；{5、6、11、16、19、24}；{7、9、13、20、22}
★047). {1、3、8、10、15、18、21}；{2、4、12、14、20、22}；{5、6、11、13、17、23}；{7、9、16、19、24}
★048). {1、3、8、10、15、18、21}；{2、4、12、14、20、22}；{5、6、11、16、17、23}；{7、9、13、19、24}
★049). {1、3、8、10、15、18、21}；{2、5、9、13、17、23}；{4、7、12、14、19、24}；{6、11、16、20、22}
★050). {1、3、8、10、15、18、21}；{2、5、9、13、17、23}；{4、7、12、14、20、22}；{6、11、16、19、24}
★051). {1、3、8、10、15、18、21}；{2、5、9、16、17、23}；{4、7、12、14、19、24}；{6、11、13、20、22}
★052). {1、3、8、10、15、18、21}；{2、5、9、16、17、23}；{4、7、12、14、20、22}；{6、11、13、19、24}
★053). {1、3、8、10、15、18、21}；{2、5、11、13、17、23}；{4、7、9、14、19、24}；{6、12、16、20、22}
★054). {1、3、8、10、15、18、21}；{2、5、11、13、17、23}；{4、7、9、14、20、22}；{6、12、16、19、24}
★055). {1、3、8、10、15、18、21}；{2、5、11、14、17、23}；{4、7、9、13、19、24}；{6、12、16、20、22}
★056). {1、3、8、10、15、18、21}；{2、5、11、14、17、23}；{4、7、9、13、20、22}；{6、12、16、19、24}
★057). {1、3、8、10、15、18、21}；{2、5、12、14、17、23}；{4、7、9、13、19、24}；{6、11、16、20、22}
★058). {1、3、8、10、15、18、21}；{2、5、12、14、17、23}；{4、7、9、13、20、22}；{6、11、16、19、24}
★059). {1、3、8、10、15、18、21}；{2、5、12、16、17、23}；{4、7、9、14、19、24}；{6、11、13、20、22}
★060). {1、3、8、10、15、18、21}；{2、5、12、16、17、23}；{4、7、9、14、20、22}；{6、11、13、19、24}
061). {1、3、8、10、15、18、21}；{2、9、13、17、23}；{4、7、12、14、20、22}；{5、6、11、16、19、24}
062). {1、3、8、10、15、18、21}；{2、9、13、20、22}；{4、7、12、14、19、24}；{5、6、11、16、17、23}
063). {1、3、8、10、15、18、21}；{2、9、16、17、23}；{4、7、12、14、20、22}；{5、6、11、13、19、24}
064). {1、3、8、10、15、18、21}；{2、9、16、20、22}；{4、7、12、14、19、24}；{5、6、11、13、17、23}
065). {1、3、8、10、15、18、21}；{2、11、13、17、23}；{4、7、9、14、20、22}；{5、6、12、16、19、24}
066). {1、3、8、10、15、18、21}；{2、11、13、20、22}；{4、7、9、14、19、24}；{5、6、12、16、17、23}
067). {1、3、8、10、15、18、21}；{2、11、14、17、23}；{4、7、9、13、20、22}；{5、6、12、16、19、24}
068). {1、3、8、10、15、18、21}；{2、11、14、20、22}；{4、7、9、13、19、24}；{5、6、12、16、17、23}
069). {1、3、8、10、15、18、21}；{2、12、14、17、23}；{4、7、9、13、20、22}；{5、6、11、16、19、24}
070). {1、3、8、10、15、18、21}；{2、12、14、20、22}；{4、7、9、13、19、24}；{5、6、11、16、17、23}
071). {1、3、8、10、15、18、21}；{2、12、16、17、23}；{4、7、9、14、20、22}；{5、6、11、13、19、24}
072). {1、3、8、10、15、18、21}；{2、12、16、20、22}；{4、7、9、14、19、24}；{5、6、11、13、17、23}
★073). {1、3、8、10、15、19、21}；{2、4、9、13、18、20}；{5、6、11、16、17、23}；{7、12、14、22、24}
★074). {1、3、8、10、15、19、21}；{2、4、9、13、18、20}；{5、6、12、16、17、23}；{7、11、14、22、24}
★075). {1、3、8、10、15、19、21}；{2、4、9、13、18、23}；{5、6、11、16、17、24}；{7、12、14、20、22}
★076). {1、3、8、10、15、19、21}；{2、4、9、13、18、23}；{5、6、12、16、17、24}；{7、11、14、20、22}
★077). {1、3、8、10、15、19、21}；{2、4、9、14、18、20}；{5、6、11、13、17、23}；{7、12、16、22、24}
★078). {1、3、8、10、15、19、21}；{2、4、9、14、18、20}；{5、6、12、16、17、23}；{7、11、13、22、24}
★079). {1、3、8、10、15、19、21}；{2、4、9、14、18、23}；{5、6、11、13、17、24}；{7、12、16、20、22}
★080). {1、3、8、10、15、19、21}；{2、4、9、14、18、23}；{5、6、12、16、17、24}；{7、11、13、20、22}

★081). {1、3、8、10、15、19、21};{2、4、12、14、18、20};{5、6、11、13、17、23};{7、9、16、22、24}

★082). {1、3、8、10、15、19、21};{2、4、12、14、18、20};{5、6、11、16、17、23};{7、9、13、22、24}

★083). {1、3、8、10、15、19、21};{2、4、12、14、18、23};{5、6、11、13、17、24};{7、9、16、20、22}

★084). {1、3、8、10、15、19、21};{2、4、12、14、18、23};{5、6、11、16、17、24};{7、9、13、20、22}

★085). {1、3、8、10、15、19、21};{2、5、9、13、17、23};{4、7、12、14、20、22};{6、11、16、18、24}

★086). {1、3、8、10、15、19、21};{2、5、9、13、17、23};{4、7、12、14、22、24};{6、11、16、18、20}

★087). {1、3、8、10、15、19、21};{2、5、9、16、17、23};{4、7、12、14、20、22};{6、11、13、18、24}

★088). {1、3、8、10、15、19、21};{2、5、9、16、17、23};{4、7、12、14、22、24};{6、11、13、18、20}

★089). {1、3、8、10、15、19、21};{2、5、11、13、17、23};{4、7、9、14、20、22};{6、12、16、18、24}

★090). {1、3、8、10、15、19、21};{2、5、11、13、17、23};{4、7、9、14、22、24};{6、12、16、18、20}

★091). {1、3、8、10、15、19、21};{2、5、11、14、17、23};{4、7、9、13、20、22};{6、12、16、18、24}

★092). {1、3、8、10、15、19、21};{2、5、11、14、17、23};{4、7、9、13、22、24};{6、12、16、18、20}

★093). {1、3、8、10、15、19、21};{2、5、12、14、17、23};{4、7、9、13、20、22};{6、11、16、18、24}

★094). {1、3、8、10、15、19、21};{2、5、12、14、17、23};{4、7、9、13、22、24};{6、11、16、18、20}

★095). {1、3、8、10、15、19、21};{2、5、12、16、17、23};{4、7、9、14、20、22};{6、11、13、18、24}

★096). {1、3、8、10、15、19、21};{2、5、12、16、17、23};{4、7、9、14、22、24};{6、11、13、18、20}

097). {1、3、8、10、15、19、21};{2、9、13、18、20};{4、7、12、14、22、24};{5、6、11、16、17、23}

098). {1、3、8、10、15、19、21};{2、9、13、18、23};{4、7、12、14、20、22};{5、6、11、16、17、24}

099). {1、3、8、10、15、19、21};{2、9、16、18、20};{4、7、12、14、22、24};{5、6、11、13、17、23}

100). {1、3、8、10、15、19、21};{2、9、16、18、23};{4、7、12、14、20、22};{5、6、11、13、17、24}

101). {1、3、8、10、15、19、21};{2、11、13、18、20};{4、7、9、14、22、24};{5、6、12、16、17、23}

102). {1、3、8、10、15、19、21};{2、11、13、18、23};{4、7、9、14、20、22};{5、6、12、16、17、24}

103). {1、3、8、10、15、19、21};{2、11、14、18、20};{4、7、9、13、22、24};{5、6、12、16、17、23}

104). {1、3、8、10、15、19、21};{2、11、14、18、23};{4、7、9、13、20、22};{5、6、12、16、17、24}

105). {1、3、8、10、15、19、21};{2、12、14、18、20};{4、7、9、13、22、24};{5、6、11、16、17、23}

106). {1、3、8、10、15、19、21};{2、12、14、18、23};{4、7、9、13、20、22};{5、6、11、16、17、24}

107). {1、3、8、10、15、19、21};{2、12、16、18、20};{4、7、9、14、22、24};{5、6、11、13、17、23}

108). {1、3、8、10、15、19、21};{2、12、16、18、23};{4、7、9、14、20、22};{5、6、11、13、17、24}

109). {1、3、9、13、18、20};{2、8、10、15、17、22};{4、7、12、14、19、24};{5、6、11、16、21、23}

110). {1、3、9、13、18、20};{2、8、10、15、17、23};{4、7、12、14、22、24};{5、6、11、16、19、21}

111). {1、3、9、13、18、21};{2、8、10、15、17、23};{4、7、12、14、20、22};{5、6、11、16、19、24}

112). {1、3、9、13、18、21};{2、8、10、15、20、22};{4、7、12、14、19、24};{5、6、11、16、17、23}

113). {1、3、9、13、19、21};{2、8、10、15、18、20};{4、7、12、14、22、24};{5、6、11、16、17、23}

114). {1、3、9、13、19、21};{2、8、10、15、18、23};{4、7、12、14、20、22};{5、6、11、16、17、24}

115). {1、3、9、15、18、20};{2、8、10、16、17、22};{4、7、12、14、19、24};{5、6、11、13、21、23}

116). {1、3、9、15、18、20};{2、8、10、16、17、23};{4、7、12、14、22、24};{5、6、11、13、19、21}

117). {1、3、9、15、18、21};{2、8、10、16、17、23};{4、7、12、14、20、22};{5、6、11、13、19、24}

118). {1、3、9、15、18、21};{2、8、10、16、20、22};{4、7、12、14、19、24};{5、6、11、13、17、23}

119). {1、3、9、15、19、21};{2、8、10、16、18、20};{4、7、12、14、22、24};{5、6、11、13、17、23}

120). {1、3、9、15、19、21};{2、8、10、16、18、23};{4、7、12、14、20、22};{5、6、11、13、17、24}

121). {1、3、10、11、18、20}；{2、8、14、15、17、22}；{4、7、9、13、19、24}；{5、6、12、16、21、23}
122). {1、3、10、11、18、20}；{2、8、14、15、17、23}；{4、7、9、13、22、24}；{5、6、12、16、19、21}
123). {1、3、10、11、18、21}；{2、8、14、15、17、23}；{4、7、9、13、20、22}；{5、6、12、16、19、24}
124). {1、3、10、11、18、21}；{2、8、14、15、20、22}；{4、7、9、13、19、24}；{5、6、12、16、17、23}
125). {1、3、10、11、19、21}；{2、8、14、15、18、20}；{4、7、9、13、22、24}；{5、6、12、16、17、23}

---

126). {1、3、10、11、19、21}；{2、8、14、15、18、23}；{4、7、9、13、20、22}；{5、6、12、16、17、24}
127). {1、3、10、15、18、20}；{2、8、12、14、17、22}；{4、7、9、13、19、24}；{5、6、11、16、21、23}
128). {1、3、10、15、18、20}；{2、8、12、14、17、23}；{4、7、9、13、22、24}；{5、6、11、16、19、21}
129). {1、3、10、15、18、20}；{2、8、12、16、17、22}；{4、7、9、14、19、24}；{5、6、11、13、21、23}
130). {1、3、10、15、18、20}；{2、8、12、16、17、23}；{4、7、9、14、22、24}；{5、6、11、13、19、21}

---

131). {1、3、10、15、18、21}；{2、8、12、14、17、23}；{4、7、9、13、20、22}；{5、6、11、16、19、24}
132). {1、3、10、15、18、21}；{2、8、12、14、20、22}；{4、7、9、13、19、24}；{5、6、11、16、17、23}
133). {1、3、10、15、18、21}；{2、8、12、16、17、23}；{4、7、9、14、20、22}；{5、6、11、13、19、24}
134). {1、3、10、15、18、21}；{2、8、12、16、20、22}；{4、7、9、14、19、24}；{5、6、11、13、17、23}
135). {1、3、10、15、19、21}；{2、8、12、14、18、20}；{4、7、9、13、22、24}；{5、6、11、16、17、23}

---

136). {1、3、10、15、19、21}；{2、8、12、14、18、23}；{4、7、9、13、20、22}；{5、6、11、16、17、24}
137). {1、3、10、15、19、21}；{2、8、12、16、18、20}；{4、7、9、14、22、24}；{5、6、11、13、17、23}
138). {1、3、10、15、19、21}；{2、8、12、16、18、23}；{4、7、9、14、20、22}；{5、6、11、13、17、24}
139). {1、3、11、13、18、20}；{2、8、10、15、17、22}；{4、7、9、14、19、24}；{5、6、12、16、21、23}
140). {1、3、11、13、18、20}；{2、8、10、15、17、23}；{4、7、9、14、22、24}；{5、6、12、16、19、21}

---

141). {1、3、11、13、18、21}；{2、8、10、15、17、23}；{4、7、9、14、20、22}；{5、6、12、16、19、24}
142). {1、3、11、13、18、21}；{2、8、10、15、20、22}；{4、7、9、14、19、24}；{5、6、12、16、17、23}
143). {1、3、11、13、19、21}；{2、8、10、15、18、20}；{4、7、9、14、22、24}；{5、6、12、16、17、23}
144). {1、3、11、13、19、21}；{2、8、10、15、18、23}；{4、7、9、14、20、22}；{5、6、12、16、17、24}
145). {1、4、9、13、18、20}；{2、8、12、14、17、22}；{3、7、10、15、19、24}；{5、6、11、16、21、23}

---

146). {1、4、9、13、18、20}；{2、8、12、14、17、23}；{3、7、10、15、22、24}；{5、6、11、16、19、21}
147). {1、4、9、13、18、20}；{2、8、14、15、17、22}；{3、7、10、11、19、24}；{5、6、12、16、21、23}
148). {1、4、9、13、18、20}；{2、8、14、15、17、23}；{3、7、10、11、22、24}；{5、6、12、16、19、21}
149). {1、4、9、13、18、21}；{2、8、12、14、17、23}；{3、7、10、15、20、22}；{5、6、11、16、19、24}
150). {1、4、9、13、18、21}；{2、8、12、14、20、22}；{3、7、10、15、19、24}；{5、6、11、16、17、23}

---

151). {1、4、9、13、18、21}；{2、8、14、15、17、23}；{3、7、10、11、20、22}；{5、6、12、16、19、24}
152). {1、4、9、13、18、21}；{2、8、14、15、20、22}；{3、7、10、11、19、24}；{5、6、12、16、17、23}
153). {1、4、9、13、19、21}；{2、8、12、14、18、20}；{3、7、10、15、22、24}；{5、6、11、16、17、23}
154). {1、4、9、13、19、21}；{2、8、12、14、18、23}；{3、7、10、15、20、22}；{5、6、11、16、17、24}
155). {1、4、9、13、19、21}；{2、8、14、15、18、20}；{3、7、10、11、22、24}；{5、6、12、16、17、23}

---

156). {1、4、9、13、19、21}；{2、8、14、15、18、23}；{3、7、10、11、20、22}；{5、6、12、16、17、24}
157). {1、4、9、14、18、20}；{2、8、10、15、17、22}；{3、7、11、13、19、24}；{5、6、12、16、21、23}
158). {1、4、9、14、18、20}；{2、8、10、15、17、23}；{3、7、11、13、22、24}；{5、6、12、16、19、21}
159). {1、4、9、14、18、20}；{2、8、12、16、17、22}；{3、7、10、15、19、24}；{5、6、11、13、21、23}
160). {1、4、9、14、18、20}；{2、8、12、16、17、23}；{3、7、10、15、22、24}；{5、6、11、13、19、21}

---

161). {1、4、9、14、18、21}；{2、8、10、15、17、23}；{3、7、11、13、20、22}；{5、6、12、16、19、24}
162). {1、4、9、14、18、21}；{2、8、10、15、20、22}；{3、7、11、13、19、24}；{5、6、12、16、17、23}
163). {1、4、9、14、18、21}；{2、8、12、16、17、23}；{3、7、10、15、20、22}；{5、6、11、13、19、24}
164). {1、4、9、14、18、21}；{2、8、12、16、20、22}；{3、7、10、15、19、24}；{5、6、11、13、17、23}
165). {1、4、9、14、19、21}；{2、8、10、15、18、20}；{3、7、11、13、22、24}；{5、6、12、16、17、23}
166). {1、4、9、14、19、21}；{2、8、10、15、18、23}；{3、7、11、13、20、22}；{5、6、12、16、17、24}
167). {1、4、9、14、19、21}；{2、8、12、16、18、20}；{3、7、10、15、22、24}；{5、6、11、13、17、23}
168). {1、4、9、14、19、21}；{2、8、12、16、18、23}；{3、7、10、15、20、22}；{5、6、11、13、17、24}
169). {1、4、12、14、18、20}；{2、8、10、15、17、22}；{3、7、9、13、19、24}；{5、6、11、16、21、23}
170). {1、4、12、14、18、20}；{2、8、10、15、17、23}；{3、7、9、13、22、24}；{5、6、11、16、19、21}
171). {1、4、12、14、18、20}；{2、8、10、16、17、22}；{3、7、9、15、19、24}；{5、6、11、13、21、23}
172). {1、4、12、14、18、20}；{2、8、10、16、17、23}；{3、7、9、15、19、24}；{5、6、11、13、19、21}
173). {1、4、12、14、18、21}；{2、8、10、15、17、23}；{3、7、9、13、20、22}；{5、6、11、16、19、24}
174). {1、4、12、14、18、21}；{2、8、10、15、20、22}；{3、7、9、13、19、24}；{5、6、11、16、17、23}
175). {1、4、12、14、18、21}；{2、8、10、16、17、23}；{3、7、9、15、20、22}；{5、6、11、13、19、24}
176). {1、4、12、14、18、21}；{2、8、10、16、20、22}；{3、7、9、15、19、24}；{5、6、11、13、17、23}
177). {1、4、12、14、19、21}；{2、8、10、15、18、20}；{3、7、9、13、22、24}；{5、6、11、16、17、23}
178). {1、4、12、14、19、21}；{2、8、10、15、18、23}；{3、7、9、13、20、22}；{5、6、11、16、17、24}
179). {1、4、12、14、19、21}；{2、8、10、16、18、20}；{3、7、9、15、22、24}；{5、6、11、13、17、23}
180). {1、4、12、14、19、21}；{2、8、10、16、18、23}；{3、7、9、15、20、22}；{5、6、11、13、17、24}
181). {1、6、11、13、18、20}；{2、5、9、16、17、23}；{3、8、10、15、19、21}；{4、7、12、14、22、24}
182). {1、6、11、13、18、20}；{2、5、9、16、17、23}；{3、8、10、15、21、22}；{4、7、12、14、19、24}
183). {1、6、11、13、18、20}；{2、5、12、16、17、23}；{3、8、10、15、19、21}；{4、7、9、14、22、24}
184). {1、6、11、13、18、20}；{2、5、12、16、17、23}；{3、8、10、15、21、22}；{4、7、9、14、19、24}
185). {1、6、11、13、18、20}；{2、8、10、16、17、22}；{3、5、9、15、21、23}；{4、7、12、14、19、24}
186). {1、6、11、13、18、20}；{2、8、10、16、17、23}；{3、5、9、15、19、21}；{4、7、12、14、22、24}
187). {1、6、11、13、18、20}；{2、8、12、16、17、22}；{3、5、10、15、21、23}；{4、7、9、14、19、24}
188). {1、6、11、13、18、20}；{2、8、12、16、17、23}；{3、5、10、15、19、21}；{4、7、9、14、22、24}
189). {1、6、11、13、18、21}；{2、5、9、16、17、23}；{3、8、10、15、19、24}；{4、7、12、14、20、22}
190). {1、6、11、13、18、21}；{2、5、9、16、17、23}；{3、8、10、15、20、22}；{4、7、12、14、19、24}
191). {1、6、11、13、18、21}；{2、5、12、16、17、23}；{3、8、10、15、19、24}；{4、7、9、14、20、22}
192). {1、6、11、13、18、21}；{2、5、12、16、17、23}；{3、8、10、15、20、22}；{4、7、9、14、19、24}
193). {1、6、11、13、18、21}；{2、8、10、16、17、23}；{3、5、9、15、19、24}；{4、7、12、14、20、22}
194). {1、6、11、13、18、21}；{2、8、10、16、20、22}；{3、5、9、15、17、23}；{4、7、12、14、19、24}
195). {1、6、11、13、18、21}；{2、8、12、16、17、23}；{3、5、10、15、19、24}；{4、7、9、14、20、22}
196). {1、6、11、13、18、21}；{2、8、12、16、20、22}；{3、5、10、15、17、23}；{4、7、9、14、19、24}
197). {1、6、11、13、19、21}；{2、5、9、16、17、23}；{3、8、10、15、18、20}；{4、7、12、14、22、24}
198). {1、6、11、13、19、21}；{2、5、9、16、17、23}；{3、8、10、15、18、24}；{4、7、12、14、20、22}
199). {1、6、11、13、19、21}；{2、5、12、16、17、23}；{3、8、10、15、18、20}；{4、7、9、14、22、24}
200). {1、6、11、13、19、21}；{2、5、12、16、17、23}；{3、8、10、15、18、24}；{4、7、9、14、20、22}

201). {1、6、11、13、19、21};{2、8、10、16、18、20};{3、5、9、15、17、23};{4、7、12、14、22、24}
202). {1、6、11、13、19、21};{2、8、10、16、18、23};{3、5、9、15、17、24};{4、7、12、14、20、22}
203). {1、6、11、13、19、21};{2、8、12、16、18、20};{3、5、10、15、17、23};{4、7、9、14、22、24}
204). {1、6、11、13、19、21};{2、8、12、16、18、23};{3、5、10、15、17、24};{4、7、9、14、20、22}
205). {1、6、11、16、18、20};{2、5、9、13、17、23};{3、8、10、15、19、21};{4、7、12、14、22、24}
206). {1、6、11、16、18、20};{2、5、9、13、17、23};{3、8、10、15、21、22};{4、7、12、14、19、24}
207). {1、6、11、16、18、20};{2、5、12、14、17、23};{3、8、10、15、19、21};{4、7、9、13、22、24}
208). {1、6、11、16、18、20};{2、5、12、14、17、23};{3、8、10、15、21、22};{4、7、9、13、19、24}
209). {1、6、11、16、18、20};{2、8、10、15、17、22};{3、5、9、13、21、23};{4、7、12、14、19、24}
210). {1、6、11、16、18、20};{2、8、10、15、17、23};{3、5、9、13、19、21};{4、7、12、14、22、24}
211). {1、6、11、16、18、20};{2、8、12、14、17、22};{3、5、10、15、21、23};{4、7、9、13、19、24}
212). {1、6、11、16、18、20};{2、8、12、14、17、23};{3、5、10、15、19、21};{4、7、9、13、22、24}
213). {1、6、11、16、18、21};{2、5、9、13、17、23};{3、8、10、15、19、24};{4、7、12、14、20、22}
214). {1、6、11、16、18、21};{2、5、9、13、17、23};{3、8、10、15、20、22};{4、7、12、14、19、24}
215). {1、6、11、16、18、21};{2、5、12、14、17、23};{3、8、10、15、19、24};{4、7、9、13、20、22}
216). {1、6、11、16、18、21};{2、5、12、14、17、23};{3、8、10、15、20、22};{4、7、9、13、19、24}
217). {1、6、11、16、18、21};{2、8、10、15、17、23};{3、5、9、13、19、24};{4、7、12、14、20、22}
218). {1、6、11、16、18、21};{2、8、10、15、20、22};{3、5、9、13、17、23};{4、7、12、14、19、24}
219). {1、6、11、16、18、21};{2、8、12、14、17、23};{3、5、10、15、19、24};{4、7、9、13、20、22}
220). {1、6、11、16、18、21};{2、8、12、14、20、22};{3、5、10、15、17、23};{4、7、9、13、19、24}
221). {1、6、11、16、19、21};{2、5、9、13、17、23};{3、8、10、15、18、20};{4、7、12、14、22、24}
222). {1、6、11、16、19、21};{2、5、9、13、17、23};{3、8、10、15、18、24};{4、7、12、14、20、22}
223). {1、6、11、16、19、21};{2、5、12、14、17、23};{3、8、10、15、18、20};{4、7、9、13、22、24}
224). {1、6、11、16、19、21};{2、5、12、14、17、23};{3、8、10、15、18、24};{4、7、9、13、20、22}
225). {1、6、11、16、19、21};{2、8、10、15、18、20};{3、5、9、13、17、23};{4、7、12、14、22、24}
226). {1、6、11、16、19、21};{2、8、10、15、18、23};{3、5、9、13、17、24};{4、7、12、14、20、22}
227). {1、6、11、16、19、21};{2、8、12、14、18、20};{3、5、10、15、17、23};{4、7、9、13、22、24}
228). {1、6、11、16、19、21};{2、8、12、14、18、23};{3、5、10、15、17、24};{4、7、9、13、20、22}
229). {1、6、12、16、18、20};{2、5、11、13、17、23};{3、8、10、15、19、21};{4、7、9、14、22、24}
230). {1、6、12、16、18、20};{2、5、11、13、17、23};{3、8、10、15、21、22};{4、7、9、14、19、24}
231). {1、6、12、16、18、20};{2、5、11、14、17、23};{3、8、10、15、19、21};{4、7、9、13、22、24}
232). {1、6、12、16、18、20};{2、5、11、14、17、23};{3、8、10、15、21、22};{4、7、9、13、19、24}
233). {1、6、12、16、18、20};{2、8、10、15、17、22};{3、5、11、13、21、23};{4、7、9、14、19、24}
234). {1、6、12、16、18、20};{2、8、10、15、17、23};{3、5、11、13、19、21};{4、7、9、14、22、24}
235). {1、6、12、16、18、20};{2、8、14、15、17、22};{3、5、10、11、21、23};{4、7、9、13、19、24}
236). {1、6、12、16、18、20};{2、8、14、15、17、23};{3、5、10、11、19、21};{4、7、9、13、22、24}
237). {1、6、12、16、18、21};{2、5、11、13、17、23};{3、8、10、15、19、24};{4、7、9、14、20、22}
238). {1、6、12、16、18、21};{2、5、11、13、17、23};{3、8、10、15、20、22};{4、7、9、14、19、24}
239). {1、6、12、16、18、21};{2、5、11、14、17、23};{3、8、10、15、19、24};{4、7、9、13、20、22}
240). {1、6、12、16、18、21};{2、5、11、14、17、23};{3、8、10、15、20、22};{4、7、9、13、19、24}

241). {1、6、12、16、18、21} ; {2、8、10、15、17、23} ; {3、5、11、13、19、24} ; {4、7、9、14、20、22}
242). {1、6、12、16、18、21} ; {2、8、10、15、20、22} ; {3、5、11、13、17、23} ; {4、7、9、14、19、24}
243). {1、6、12、16、18、21} ; {2、8、14、15、17、23} ; {3、5、10、11、19、24} ; {4、7、9、13、20、22}
244). {1、6、12、16、18、21} ; {2、8、14、15、20、22} ; {3、5、10、11、17、23} ; {4、7、9、13、19、24}
245). {1、6、12、16、19、21} ; {2、5、11、13、17、23} ; {3、8、10、15、18、20} ; {4、7、9、14、22、24}

246). {1、6、12、16、19、21} ; {2、5、11、13、17、23} ; {3、8、10、15、18、24} ; {4、7、9、14、20、22}
247). {1、6、12、16、19、21} ; {2、5、11、14、17、23} ; {3、8、10、15、18、20} ; {4、7、9、13、22、24}
248). {1、6、12、16、19、21} ; {2、5、11、14、17、23} ; {3、8、10、15、18、24} ; {4、7、9、13、20、22}
249). {1、6、12、16、19、21} ; {2、8、10、15、18、20} ; {3、5、11、13、17、23} ; {4、7、9、14、22、24}
250). {1、6、12、16、19、21} ; {2、8、10、15、18、23} ; {3、5、11、13、17、24} ; {4、7、9、14、20、22}

251). {1、6、12、16、19、21} ; {2、8、14、15、18、20} ; {3、5、10、11、17、23} ; {4、7、9、13、22、24}
252). {1、6、12、16、19、21} ; {2、8、14、15、18、23} ; {3、5、10、11、17、24} ; {4、7、9、13、20、22}
253). {1、8、10、15、18、20} ; {2、4、9、14、17、22} ; {3、7、11、13、19、24} ; {5、6、12、16、21、23}
254). {1、8、10、15、18、20} ; {2、4、9、14、17、23} ; {3、7、11、13、22、24} ; {5、6、12、16、19、21}
255). {1、8、10、15、18、20} ; {2、4、12、14、17、22} ; {3、7、9、13、19、24} ; {5、6、11、16、21、23}

256). {1、8、10、15、18、20} ; {2、4、12、14、17、23} ; {3、7、9、13、22、24} ; {5、6、11、16、19、21}
257). {1、8、10、15、18、21} ; {2、4、9、14、17、23} ; {3、7、11、13、20、22} ; {5、6、12、16、19、24}
258). {1、8、10、15、18、21} ; {2、4、9、14、20、22} ; {3、7、11、13、19、24} ; {5、6、12、16、17、23}
259). {1、8、10、15、18、21} ; {2、4、12、14、17、23} ; {3、7、9、13、20、22} ; {5、6、11、16、19、24}
260). {1、8、10、15、18、21} ; {2、4、12、14、20、22} ; {3、7、9、13、19、24} ; {5、6、11、16、17、23}

261). {1、8、10、15、19、21} ; {2、4、9、14、18、20} ; {3、7、11、13、22、24} ; {5、6、12、16、17、23}
262). {1、8、10、15、19、21} ; {2、4、9、14、18、23} ; {3、7、11、13、20、22} ; {5、6、12、16、17、24}
263). {1、8、10、15、19、21} ; {2、4、12、14、18、20} ; {3、7、9、13、22、24} ; {5、6、11、16、17、23}
264). {1、8、10、15、19、21} ; {2、4、12、14、18、23} ; {3、7、9、13、20、22} ; {5、6、11、16、17、24}
265). {1、8、10、16、18、20} ; {2、4、12、14、17、22} ; {3、7、9、15、19、24} ; {5、6、11、13、21、23}

266). {1、8、10、16、18、20} ; {2、4、12、14、17、23} ; {3、7、9、15、22、24} ; {5、6、11、13、19、21}
267). {1、8、10、16、18、21} ; {2、4、12、14、17、23} ; {3、7、9、15、20、22} ; {5、6、11、13、19、24}
268). {1、8、10、16、18、21} ; {2、4、12、14、20、22} ; {3、7、9、15、19、24} ; {5、6、11、13、17、23}
269). {1、8、10、16、19、21} ; {2、4、12、14、18、20} ; {3、7、9、15、22、24} ; {5、6、11、13、17、23}
270). {1、8、10、16、19、21} ; {2、4、12、14、18、23} ; {3、7、9、15、20、22} ; {5、6、11、13、17、24}

271). {1、8、12、14、18、20} ; {2、4、9、13、17、22} ; {3、7、10、15、19、24} ; {5、6、11、16、21、23}
272). {1、8、12、14、18、20} ; {2、4、9、13、17、23} ; {3、7、10、15、22、24} ; {5、6、11、16、19、21}
273). {1、8、12、14、18、21} ; {2、4、9、13、17、23} ; {3、7、10、15、20、22} ; {5、6、11、16、19、24}
274). {1、8、12、14、18、21} ; {2、4、9、13、20、22} ; {3、7、10、15、19、24} ; {5、6、11、16、17、23}
275). {1、8、12、14、19、21} ; {2、4、9、13、18、20} ; {3、7、10、15、22、24} ; {5、6、11、16、17、23}

276). {1、8、12、14、19、21} ; {2、4、9、13、18、23} ; {3、7、10、15、20、22} ; {5、6、11、16、17、24}
277). {1、8、12、16、18、20} ; {2、4、9、14、17、22} ; {3、7、10、15、19、24} ; {5、6、11、13、21、23}
278). {1、8、12、16、18、20} ; {2、4、9、14、17、23} ; {3、7、10、15、22、24} ; {5、6、11、13、19、21}
279). {1、8、12、16、18、21} ; {2、4、9、14、17、23} ; {3、7、10、15、20、22} ; {5、6、11、13、19、24}
280). {1、8、12、16、18、21} ; {2、4、9、14、20、22} ; {3、7、10、15、19、24} ; {5、6、11、13、17、23}

281). {1、8、12、16、19、21}；{2、4、9、14、18、20}；{3、7、10、15、22、24}；{5、6、11、13、17、23}
282). {1、8、12、16、19、21}；{2、4、9、14、18、23}；{3、7、10、15、20、22}；{5、6、11、13、17、24}
283). {1、8、14、15、18、20}；{2、4、9、13、17、22}；{3、7、10、11、19、24}；{5、6、12、16、21、23}
284). {1、8、14、15、18、20}；{2、4、9、13、17、23}；{3、7、10、11、22、24}；{5、6、12、16、19、21}
285). {1、8、14、15、18、21}；{2、4、9、13、17、23}；{3、7、10、11、20、22}；{5、6、12、16、19、24}

286). {1、8、14、15、18、21}；{2、4、9、13、20、22}；{3、7、10、11、19、24}；{5、6、12、16、17、23}
287). {1、8、14、15、19、21}；{2、4、9、13、18、20}；{3、7、10、11、22、24}；{5、6、12、16、17、23}
288). {1、8、14、15、19、21}；{2、4、9、13、18、23}；{3、7、10、11、20、22}；{5、6、12、16、17、24}

参考文献

[1]冯纪先.最大平面图 G_M 的二色子图和二色交换[C]//第二十届电路与系统年会论文集.广州:华南理工大学,2007:770－777.(见目录:2.04)

[2]卡波边柯(Capobianco)M,莫鲁卓(Molluzzo) J. 图论的例和反例(Examples and Counter Examples in Graph Theory)[M]. 聂祖安,译.长沙:湖南科学技术出版社,1988:10－11.

[3]Saaty T L, Kainen P C . The Four Color Problem[M]. New York:McGraw－Hill International Book Company,1977:31－34.

[4]Saaty T L. Thirteen colorful variations on Guthrie's four－color conjecture[J]. The American Mathematical Monthly,1972,79,NO.1:2－43.

2.14 "Heawood 反例"$G_{M25.HCE}$的一些四色着色方案

【摘要】综合使用不同的方法("降阶法"、"降度法"、"对角线变换法"、"多层次二色交换法"、……),归纳求得的"Heawood 反例" $G_{M25.HCE}$ 的四色着色方案,共 144 种。可以推断:$G_{M25.HCE}$还有其他的四色着色方案,不止 144 种。

【关键词】"Heawood 反例";最大平面图;四色着色方案;"降阶法";"降度法";"对角线变换法";"多层次二色交换法"

Some Four - colorings of "Heawood's Counter - Example" $G_{M25.HCE}$

Abstract: In this paper, 144 Four - colorings of "Heawood's Counter - Example, HCE" $G_{M25.HCE}$ are obtained synthetically, using different methods ("method of reduction of order"; "method of reduction of degree"; "method of diagonal transformation"; "method of multilayer Two - color interchange"; ……). These 144 Four - colorings are only a part of all Four - colorings of "Heawood's Counter - Example" $G_{M25.HCE}$.

Keywords: "Heawood's Counter - Example"; maximal planar graph; Four - coloring; "method of reduction of order"; "method of reduction of degree"; "method of diagonal transformation"; "method of multilayer Two - color interchange"

1 引言

英国数学家 Heawood 于 1890 年所写的文章中含有一个例子,就是所谓"Heawood 反例"("Heawood's Counter - Example, HCE") $G_{M25.HCE}$[1]。如图 1 所示即为"Heawood 反例 HCE" $G_{M25.HCE}$,图中圆圈表示点,圈内的数字是点的标号。图 1 与文献[1]中的图 1.12.3 在拓扑结构上是完全一样的,不同的只是补足了所有点的标号。图 1 $G_{M25.HCE}$实际上是一个 25 阶的、点度最小为 5 的最大平面图,其点数 $n=25$,边数 $e=3n-6=69$,区数 $r=2n-4=46$,度数 $d=6n-12=138$。图 1 $G_{M25.HCE}$中,$n_3=n_4=0$,即无 3 度点和 4 度点;5 度(最小度)点数$n_5=17$,即点⑨、⑩、⑪、⑫、⑬、⑭、⑮、⑯、⑰、⑱、⑲、⑳、㉑、㉒、㉓、㉔和㉕;6 度点数 $n_6=3$,即点①、③和⑧;7 度(最大度)点数 $n_7=5$,即点②、④、⑤、⑥和⑦。本文的目的就是求解和研究"Heawood 反例 HCE" $G_{M25.HCE}$的四色着色方案。

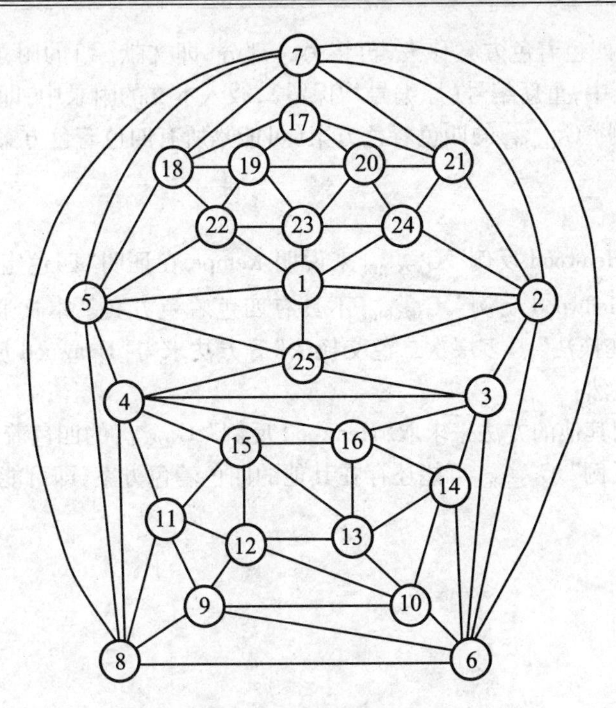

图 1 “Heawood 反例 HCE”$G_{M25.HCE}$

2 “Heawood 反例” $G_{M25.HCE}$的四色着色方案

由于“Heawood 反例” $G_{M25.HCE}$为一种“最小 5 度的最大平面图”,直接获得四色着色方案是困难的。利用文献[2]和[4]中所得到的其他有关图的四色着色方案,可间接得到 $G_{M25.HCE}$的四色着色方案。

文献[2]中,得到“另一个 25 阶最大平面图”G'_{M25}的两个相近四色着色方案集,即“相近四色着色方案集壹”和“相近四色着色方案集贰”,分别载于文献[2]的附录 1 和附录 2 中。前者有 72 种不同的四色着色方案;而后者有 156 种不同的四色着色方案。

文献[2]中的 G'_{M25}与 $G_{M25.HCE}$相对 C_4(⑰、⑲、㉓、⑳)形成“孪生图对”。因而点⑲与点⑳异色的 G'_{M25}的四色着色方案也就是 $G_{M25.HCE}$的四色着色方案,在文献[2]的附录 1 和附录 2 中,相应的四色着色方案的编号前,加注“★”。带“★”的四色着色方案,其附录 1 中有 36 种;其附录 2 中有 48 种。文献[3]中将这 36 + 48 = 84 种 $G_{M25.HCE}$的四色着色方案,汇在一起,载于文献[3]的附录中。

文献[4]中,得到“一个 24 阶平面图”G_{24}的一个相近四色着色方案集,即“相近四色着色方案集 A”,载于文献[4]的附录中。该“集 A”含有 288 种不同的四色着色方案。

文献[4]中的 G_{24},即是 $G_{M25.HCE}$被移去 5 度点“v”(即图 1 中的点㉕)及与其关联的五条边而得的子图。因而点①、②、③、④、⑤(五个点)共占三色的 G_{24}的一个四色着色方案,就对应 $G_{M25.HCE}$的一个四色着色方案(该方案中,点㉕着第四色)。相应地,在文献[4]的附录中的这类四色着色方案,编号前加注“★”。由此,可获得 $G_{M25.HCE}$的 72 种四色着色方案。

比较文献[3]的附录中带“★”的四色着色方案和文献[4]的附录中带“★”的四色着色方案,我们发现重复的有 12 种。即文献[3]的附录中的〈25〉~〈36〉的 12 种四色着色方案,分别与文献[4]中的附录中的★001)、★002)、★005)、★006)、★009)、★010)、★075)、★076)、★079)、★080)、★083)、★084)等 12 种四色着色方案相同。所以,我们将文献[3]的附录中

〈25〉~〈36〉的12种四色着色方案移去,再将另一部分,即文献[4]的附录中72种带"★"的四色着色方案插入其中,重新编号(原编号均保留),载入本文的附录中,即得到84+72-12=144种"Heawood反例" $G_{M25.HCE}$的四色着色方案(可能是所有四色着色方案中的一部分)。

3 结语

Heawood是用"Heawood反例" $G_{M25.HCE}$来说明Kempe在证明"四色定理"时存在的问题。Heawood并未论述"Heawood反例" $G_{M25.HCE}$不具有四色着色方案。本文通过采用"降阶法"、"降度法"、"对角线变换法"、"多层次二色交换法"等方法求得"Heawood反例" $G_{M25.HCE}$的144种四色着色方案。显然:

(1) 还可以采用其他的方法来求取"Heawood反例" $G_{M25.HCE}$的四色着色方案。

(2)"Heawood反例" $G_{M25.HCE}$可能还存在其他的四色着色方案,即可能不止144种。

附录：“Heawood 反例”$G_{M25.HCE}$的一些四色着色方案(4 点集划分)(共 144 个)

[001]<01>★001).{1、3、7、9、13、19};{2、4、12、14、18、20};{5、6、11、16、21、23};{8、10、15、17、22、24、25}
[002]<02>★002).{1、3、7、9、13、19};{2、4、12、14、20、22};{5、6、11、16、17、24};{8、10、15、18、21、23、25}
[003]<03>★009).{1、3、7、9、13、20};{2、4、12、14、17、22};{5、6、11、16、19、24};{8、10、15、18、21、23、25}
[004]<04>★010).{1、3、7、9、13、20};{2、4、12、14、18、23};{5、6、11、16、19、21};{8、10、15、17、22、24、25}
[005]<05>★011).{1、3、7、9、15、19};{2、4、12、14、18、20};{5、6、11、13、21、23};{8、10、16、17、22、24、25}

[006]<06>★012).{1、3、7、9、15、19};{2、4、12、14、20、22};{5、6、11、13、17、24};{8、10、16、18、21、23、25}
[007]<07>★019).{1、3、7、9、15、20};{2、4、12、14、17、22};{5、6、11、13、19、24};{8、10、16、18、21、23、25}
[008]<08>★020).{1、3、7、9、15、20};{2、4、12、14、18、23};{5、6、11、13、19、21};{8、10、16、17、22、24、25}
[009]<09>★021).{1、3、7、10、11、19};{2、4、9、13、18、20};{5、6、12、16、21、23};{8、14、15、17、22、24、25}
[010]<10>★022).{1、3、7、10、11、19};{2、4、9、13、20、22};{5、6、12、16、17、24};{8、14、15、18、21、23、25}

[011]<11>★029).{1、3、7、10、11、20};{2、4、9、13、17、22};{5、6、12、16、19、24};{8、14、15、18、21、23、25}
[012]<12>★030).{1、3、7、10、11、20};{2、4、9、13、18、23};{5、6、12、16、19、21};{8、14、15、17、22、24、25}
[013]<13>★031).{1、3、7、10、15、19};{2、4、9、13、18、20};{5、6、11、16、21、23};{8、12、14、17、22、24、25}
[014]<14>★032).{1、3、7、10、15、19};{2、4、9、13、20、22};{5、6、11、16、17、24};{8、12、14、18、21、23、25}
[015]<15>★033).{1、3、7、10、15、19};{2、4、9、14、18、20};{5、6、11、13、21、23};{8、12、16、17、22、24、25}

[016]<16>★034).{1、3、7、10、15、19};{2、4、9、14、20、22};{5、6、11、13、17、24};{8、12、16、18、21、23、25}
[017]<17>★047).{1、3、7、10、15、20};{2、4、9、13、17、22};{5、6、11、16、19、24};{8、12、14、18、21、23、25}
[018]<18>★048).{1、3、7、10、15、20};{2、4、9、13、18、23};{5、6、11、16、19、21};{8、12、14、17、22、24、25}
[019]<19>★049).{1、3、7、10、15、20};{2、4、9、14、17、22};{5、6、11、13、19、24};{8、12、16、18、21、23、25}
[020]<20>★050).{1、3、7、10、15、20};{2、4、9、14、18、23};{5、6、11、13、19、21};{8、12、16、17、22、24、25}

[021]<21>★051).{1、3、7、11、13、19};{2、4、9、14、18、20};{5、6、12、16、21、23};{8、10、15、17、22、24、25}
[022]<22>★052).{1、3、7、11、13、19};{2、4、9、14、20、22};{5、6、12、16、17、24};{8、10、15、18、21、23、25}
[023]<23>★059).{1、3、7、11、13、20};{2、4、9、14、17、22};{5、6、12、16、19、24};{8、10、15、18、21、23、25}
[024]<24>★060).{1、3、7、11、13、20};{2、4、9、14、18、23};{5、6、12、16、19、21};{8、10、15、17、22、24、25}
[025]<25>★001).{1、3、8、10、15、18、20};{2、4、9、13、17、22};{5、6、11、16、21、23};{7、12、14、19、24、25}

[026]<26>★002).{1、3、8、10、15、18、20};{2、4、9、13、17、22};{5、6、12、16、21、23};{7、11、14、19个、24、25}
[027] ★003).{1、3、8、10、15、18、20};{2、4、9、13、17、23};{5、6、11、16、19、21};{7、12、14、22、24、25}
[028] ★004).{1、3、8、10、15、18、20};{2、4、9、13、17、23};{5、6、12、16、19、21};{7、11、14、22、24、25}
[029]<27>★005).{1、3、8、10、15、18、20};{2、4、9、14、17、22};{5、6、11、13、21、23};{7、12、16、19、24、25}
[030]<28>★006).{1、3、8、10、15、18、20};{2、4、9、14、17、22};{5、6、12、16、21、23};{7、11、13、19、24、25}

[031] ★007).{1、3、8、10、15、18、20};{2、4、9、14、17、23};{5、6、11、13、19、21};{7、12、16、22、24、25}
[032] ★008).{1、3、8、10、15、18、20};{2、4、9、14、17、23};{5、6、12、16、19、21};{7、11、13、22、24、25}
[033]<29>★009).{1、3、8、10、15、18、20};{2、4、12、14、17、22};{5、6、11、13、21、23};{7、9、16、19、24、25}
[034]<30>★010).{1、3、8、10、15、18、20};{2、4、12、14、17、22};{5、6、11、16、21、23};{7、9、13、19、24、25}
[035] ★011).{1、3、8、10、15、18、20};{2、4、12、14、17、23};{5、6、11、13、19、21};{7、9、16、22、24、25}

[036] ★012).{1、3、8、10、15、18、20};{2、4、12、14、17、23};{5、6、11、16、19、21};{7、9、13、22、24、25}
[037] ★013).{1、3、8、10、15、18、20};{2、5、9、13、17、23};{4、7、12、14、19、24};{6、11、16、21、22、25}
[038] ★014).{1、3、8、10、15、18、20};{2、5、9、13、17、23};{4、7、12、14、22、24};{6、11、16、19、21、25}
[039] ★015).{1、3、8、10、15、18、20};{2、5、9、16、17、23};{4、7、12、14、19、24};{6、11、13、21、22、25}
[040] ★016).{1、3、8、10、15、18、20};{2、5、9、16、17、23};{4、7、12、14、22、24};{6、11、13、19、21、25}

[041] ★017).{1、3、8、10、15、18、20};{2、5、11、13、17、23};{4、7、9、14、19、24};{6、12、16、21、22、25}
[042] ★018).{1、3、8、10、15、18、20};{2、5、11、13、17、23};{4、7、9、14、22、24};{6、12、16、19、21、25}
[043] ★019).{1、3、8、10、15、18、20};{2、5、11、14、17、23};{4、7、9、13、19、24};{6、12、16、21、22、25}
[044] ★020).{1、3、8、10、15、18、20};{2、5、11、14、17、23};{4、7、9、13、22、24};{6、12、16、19、21、25}
[045] ★021).{1、3、8、10、15、18、20};{2、5、12、14、17、23};{4、7、9、13、19、24};{6、11、16、21、22、25}

[046]　★022). {1、3、8、10、15、18、20}；{2、5、12、14、17、23}；{4、7、9、13、22、24}；{6、11、16、19、21、25}

[047]　★023). {1、3、8、10、15、18、20}；{2、5、12、16、17、23}；{4、7、9、14、19、24}；{6、11、13、21、22、25}

[048]　★024). {1、3、8、10、15、18、20}；{2、5、12、16、17、23}；{4、7、9、14、22、24}；{6、11、13、19、21、25}

[049]　★037). {1、3、8、10、15、18、21}；{2、4、9、13、17、23}；{5、6、11、16、19、24}；{7、12、14、20、22、25}

[050]　★038). {1、3、8、10、15、18、21}；{2、4、9、13、17、23}；{5、6、12、16、19、24}；{7、11、14、20、22、25}

[051]　★039). {1、3、8、10、15、18、21}；{2、4、9、13、20、22}；{5、6、11、16、17、23}；{7、12、14、19、24、25}

[052]　★040). {1、3、8、10、15、18、21}；{2、4、9、13、20、22}；{5、6、12、16、17、23}；{7、11、14、19、24、25}

[053]　★041). {1、3、8、10、15、18、21}；{2、4、9、14、17、23}；{5、6、11、13、19、24}；{7、12、16、20、22、25}

[054]　★042). {1、3、8、10、15、18、21}；{2、4、9、14、17、23}；{5、6、12、16、19、24}；{7、11、13、20、22、25}

[055]　★043). {1、3、8、10、15、18、21}；{2、4、9、14、20、22}；{5、6、11、13、17、23}；{7、12、16、19、24、25}

[056]　★044). {1、3、8、10、15、18、21}；{2、4、9、14、20、22}；{5、6、12、16、17、23}；{7、11、13、19、24、25}

[057]　★045). {1、3、8、10、15、18、21}；{2、4、12、14、17、23}；{5、6、11、13、19、24}；{7、9、16、20、22、25}

[058]　★046). {1、3、8、10、15、18、21}；{2、4、12、14、17、23}；{5、6、11、16、19、24}；{7、9、13、20、22、25}

[059]　★047). {1、3、8、10、15、18、21}；{2、4、12、14、20、22}；{5、6、11、13、17、23}；{7、9、16、19、24、25}

[060]　★048). {1、3、8、10、15、18、21}；{2、4、12、14、20、22}；{5、6、11、16、17、23}；{7、9、13、19、24、25}

[061]　★049). {1、3、8、10、15、18、21}；{2、5、9、13、17、23}；{4、7、12、14、19、24}；{6、11、16、20、22、25}

[062]　★050). {1、3、8、10、15、18、21}；{2、5、9、13、17、23}；{4、7、12、14、20、22}；{6、11、16、19、24、25}

[063]　★051). {1、3、8、10、15、18、21}；{2、5、9、16、17、23}；{4、7、12、14、19、24}；{6、11、13、20、22、25}

[064]　★052). {1、3、8、10、15、18、21}；{2、5、9、16、17、23}；{4、7、12、14、20、22}；{6、11、13、19、24、25}

[065]　★053). {1、3、8、10、15、18、21}；{2、5、11、13、17、23}；{4、7、9、14、19、24}；{6、12、16、20、22、25}

[066]　★054). {1、3、8、10、15、18、21}；{2、5、11、13、17、23}；{4、7、9、14、20、22}；{6、12、16、19、24、25}

[067]　★055). {1、3、8、10、15、18、21}；{2、5、11、14、17、23}；{4、7、9、13、19、24}；{6、12、16、20、22、25}

[068]　★056). {1、3、8、10、15、18、21}；{2、5、11、14、17、23}；{4、7、9、13、20、22}；{6、12、16、19、24、25}

[069]　★057). {1、3、8、10、15、18、21}；{2、5、12、14、17、23}；{4、7、9、13、19、24}；{6、11、16、20、22、25}

[070]　★058). {1、3、8、10、15、18、21}；{2、5、12、14、17、23}；{4、7、9、13、20、22}；{6、11、16、19、24、25}

[071]　★059). {1、3、8、10、15、18、21}；{2、5、12、16、17、23}；{4、7、9、14、19、24}；{6、11、13、20、22、25}

[072]　★060). {1、3、8、10、15、18、21}；{2、5、12、16、17、23}；{4、7、9、14、20、22}；{6、11、13、19、24、25}

[073]　★073). {1、3、8、10、15、19、21}；{2、4、9、13、18、20}；{5、6、11、16、17、23}；{7、12、14、22、24、25}

[074]　★074). {1、3、8、10、15、19、21}；{2、4、9、13、18、20}；{5、6、12、16、17、23}；{7、11、14、22、24、25}

[075] <31 > ★075). {1、3、8、10、15、19、21}；{2、4、9、13、18、23}；{5、6、11、16、17、24}；{7、12、14、20、22、25}

[076] <32 > ★076). {1、3、8、10、15、19、21}；{2、4、9、13、18、23}；{5、6、12、16、17、24}；{7、11、14、20、22、25}

[077]　★077). {1、3、8、10、15、19、21}；{2、4、9、14、18、20}；{5、6、11、13、17、23}；{7、12、16、22、24、25}

[078]　★078). {1、3、8、10、15、19、21}；{2、4、9、14、18、20}；{5、6、12、16、17、23}；{7、11、13、22、24、25}

[079] <33 > ★079). {1、3、8、10、15、19、21}；{2、4、9、14、18、23}；{5、6、11、13、17、24}；{7、12、16、20、22、25}

[080] <34 > ★080). {1、3、8、10、15、19、21}；{2、4、9、14、18、23}；{5、6、12、16、17、24}；{7、11、13、20、22、25}

[081]　★081). {1、3、8、10、15、19、21}；{2、4、12、14、18、20}；{5、6、11、13、17、23}；{7、9、16、22、24、25}

[082]　★082). {1、3、8、10、15、19、21}；{2、4、12、14、18、20}；{5、6、11、16、17、23}；{7、9、13、22、24、25}

[083] <35 > ★083). {1、3、8、10、15、19、21}；{2、4、12、14、18、23}；{5、6、11、13、17、24}；{7、9、16、20、22、25}

[084] <36 > ★084). {1、3、8、10、15、19、21}；{2、4、12、14、18、23}；{5、6、11、16、17、24}；{7、9、13、20、22、25}

[085]　★085). {1、3、8、10、15、19、21}；{2、5、9、13、17、23}；{4、7、12、14、20、22}；{6、11、16、18、24、25}

[086]　★086). {1、3、8、10、15、19、21}；{2、5、9、13、17、23}；{4、7、12、14、22、24}；{6、11、16、18、20、25}

[087]　★087). {1、3、8、10、15、19、21}；{2、5、9、16、17、23}；{4、7、12、14、20、22}；{6、11、13、18、24、25}

[088]　★088). {1、3、8、10、15、19、21}；{2、5、9、16、17、23}；{4、7、12、14、22、24}；{6、11、13、18、20、25}

[089]　★089). {1、3、8、10、15、19、21}；{2、5、11、13、17、23}；{4、7、9、14、20、22}；{6、12、16、18、24、25}

[090]　★090). {1、3、8、10、15、19、21}；{2、5、11、13、17、23}；{4、7、9、14、22、24}；{6、12、16、18、20、25}

[091] ★091). {1、3、8、10、15、19、21}；{2、5、11、14、17、23}；{4、7、9、13、20、22}；{6、12、16、18、24、25}

[092] ★092). {1、3、8、10、15、19、21}；{2、5、11、14、17、23}；{4、7、9、13、22、24}；{6、12、16、18、20、25}

[093] ★093). {1、3、8、10、15、19、21}；{2、5、12、14、17、23}；{4、7、9、13、20、22}；{6、11、16、18、24、25}

[094] ★094). {1、3、8、10、15、19、21}；{2、5、12、14、17、23}；{4、7、9、13、22、24}；{6、11、16、18、20、25}

[095] ★095). {1、3、8、10、15、19、21}；{2、5、12、16、17、23}；{4、7、9、14、20、22}；{6、11、13、18、24、25}

[096] ★096). {1、3、8、10、15、19、21}；{2、5、12、16、17、23}；{4、7、9、14、22、24}；{6、11、13、18、20、25}

[097] <37> ★029). {1、4、7、9、13、19}；{2、5、11、14、20}；{3、8、10、15、17、22、24}；{6、12、16、18、21、23、25}

[098] <38> ★030). {1、4、7、9、13、19}；{2、5、11、14、20}；{3、8、10、15、18、21、23}；{6、12、16、17、22、24、25}

[099] <39> ★031). {1、4、7、9、13、19}；{2、5、12、14、20}；{3、8、10、15、17、22、24}；{6、11、16、18、21、23、25}

[100] <40> ★032). {1、4、7、9、13、19}；{2、5、12、14、20}；{3、8、10、15、18、21、23}；{6、11、16、17、22、24、25}

[101] <41> ★033). {1、4、7、9、13、19}；{2、8、12、14、18、20}；{3、5、10、15、21、23}；{6、11、16、17、22、24、25}

[102] <42> ★034). {1、4、7、9、13、19}；{2、8、12、14、20、22}；{3、5、10、15、17、24}；{6、11、16、18、21、23、25}

[103] <43> ★035). {1、4、7、9、13、19}；{2、8、14、15、18、20}；{3、5、10、11、21、23}；{6、12、16、17、22、24、25}

[104] <44> ★036). {1、4、7、9、13、19}；{2、8、14、15、20、22}；{3、5、10、11、17、24}；{6、12、16、18、21、23、25}

[105] <45> ★061). {1、4、7、9、13、20}；{2、5、11、14、19}；{3、8、10、15、17、22、24}；{6、12、16、18、21、23、25}

[106] <46> ★062). {1、4、7、9、13、20}；{2、5、11、14、19}；{3、8、10、15、18、21、23}；{6、12、16、17、22、24、25}

[107] <47> ★063). {1、4、7、9、13、20}；{2、5、12、14、19}；{3、8、10、15、17、22、24}；{6、11、16、18、21、23、25}

[108] <48> ★064). {1、4、7、9、13、20}；{2、5、12、14、19}；{3、8、10、15、18、21、23}；{6、11、16、17、22、24、25}

[109] <49> ★065). {1、4、7、9、13、20}；{2、8、12、14、17、22}；{3、5、10、15、19、24}；{6、11、16、18、21、23、25}

[110] <50> ★066). {1、4、7、9、13、20}；{2、8、12、14、18、23}；{3、5、10、15、19、21}；{6、11、16、17、22、24、25}

[111] <51> ★067). {1、4、7、9、13、20}；{2、8、14、15、17、22}；{3、5、10、11、19、24}；{6、12、16、18、21、23、25}

[112] <52> ★068). {1、4、7、9、13、20}；{2、8、14、15、18、23}；{3、5、10、11、19、21}；{6、12、16、17、22、24、25}

[113] <53> ★073). {1、4、7、9、14、19}；{2、5、11、13、20}；{3、8、10、15、17、22、24}；{6、12、16、18、21、23、25}

[114] <54> ★074). {1、4、7、9、14、19}；{2、5、11、13、20}；{3、8、10、15、18、21、23}；{6、12、16、17、22、24、25}

[115] <55> ★075). {1、4、7、9、14、19}；{2、5、12、16、20}；{3、8、10、15、17、22、24}；{6、11、13、18、21、23、25}

[116] <56> ★076). {1、4、7、9、14、19}；{2、5、12、16、20}；{3、8、10、15、18、21、23}；{6、11、13、17、22、24、25}

[117] <57> ★077). {1、4、7、9、14、19}；{2、8、10、15、18、20}；{3、5、11、13、21、23}；{6、12、16、17、22、24、25}

[118] <58> ★078). {1、4、7、9、14、19}；{2、8、10、15、20、22}；{3、5、11、13、17、24}；{6、12、16、18、21、23、25}

[119] <59> ★079). {1、4、7、9、14、19}；{2、8、12、16、18、20}；{3、5、10、15、21、23}；{6、11、13、17、22、24、25}

[120] <60> ★080). {1、4、7、9、14、19}；{2、8、12、16、20、22}；{3、5、10、15、17、24}；{6、11、13、18、21、23、25}

[121] <61> ★105). {1、4、7、9、14、20}；{2、5、11、13、19}；{3、8、10、15、17、22、24}；{6、12、16、18、21、23、25}

[122] <62> ★106). {1、4、7、9、14、20}；{2、5、11、13、19}；{3、8、10、15、18、21、23}；{6、12、16、17、22、24、25}

[123] <63> ★107). {1、4、7、9、14、20}；{2、5、12、16、19}；{3、8、10、15、17、22、24}；{6、11、13、18、21、23、25}

[124] <64> ★108). {1、4、7、9、14、20}；{2、5、12、16、19}；{3、8、10、15、18、21、23}；{6、11、13、17、22、24、25}

[125] <65> ★109). {1、4、7、9、14、20}；{2、8、10、15、17、22}；{3、5、11、13、19、24}；{6、12、16、18、21、23、25}

[126] <66> ★110). {1、4、7、9、14、20}；{2、8、10、15、18、23}；{3、5、11、13、19、21}；{6、12、16、17、22、24、25}

[127] <67> ★111). {1、4、7、9、14、20}；{2、8、12、16、17、22}；{3、5、10、15、19、24}；{6、11、13、18、21、23、25}

[128] <68> ★112). {1、4、7、9、14、20}；{2、8、12、16、18、23}；{3、5、10、15、19、21}；{6、11、13、17、22、24、25}

[129] <69> ★117). {1、4、7、12、14、19}；{2、5、9、13、20}；{3、8、10、15、17、22、24}；{6、11、16、18、21、23、25}

[130] <70> ★118). {1、4、7、12、14、19}；{2、5、9、13、20}；{3、8、10、15、18、21、23}；{6、11、16、17、22、24、25}

[131] <71> ★119). {1、4、7、12、14、19}；{2、5、9、16、20}；{3、8、10、15、17、22、24}；{6、11、13、18、21、23、25}

[132] <72> ★120). {1、4、7、12、14、19}；{2、5、9、16、20}；{3、8、10、15、18、21、23}；{6、11、13、17、22、24、25}

[133] <73> ★121). {1、4、7、12、14、19}；{2、8、10、15、18、20}；{3、5、9、13、21、23}；{6、11、16、17、22、24、25}

[134] <74> ★122). {1、4、7、12、14、19}；{2、8、10、15、20、22}；{3、5、9、13、17、24}；{6、11、16、18、21、23、25}

[135] <75> ★123). {1、4、7、12、14、19}；{2、8、10、16、18、20}；{3、5、9、15、21、23}；{6、11、13、17、22、24、25}

[136] <76>★124). {1、4、7、12、14、19}; {2、8、10、16、20、22}; {3、5、9、15、17、24}; {6、11、13、18、21、23、25}
[137] <77>★149). {1、4、7、12、14、20}; {2、5、9、13、19}; {3、8、10、15、17、22、24}; {6、11、16、18、21、23、25}
[138] <78>★150). {1、4、7、12、14、20}; {2、5、9、13、19}; {3、8、10、15、18、21、23}; {6、11、16、17、22、24、25}
[139] <79>★151). {1、4、7、12、14、20}; {2、5、9、16、19}; {3、8、10、15、17、22、24}; {6、11、13、18、21、23、25}
[140] <80>★152). {1、4、7、12、14、20}; {2、5、9、16、19}; {3、8、10、15、18、21、23}; {6、11、13、17、22、24、25}

[141] <81>★153). {1、4、7、12、14、20}; {2、8、10、15、17、22}; {3、5、9、13、19、24}; {6、11、16、18、21、23、25}
[142] <82>★154). {1、4、7、12、14、20}; {2、8、10、15、18、23}; {3、5、9、13、19、21}; {6、11、16、17、22、24、25}
[143] <83>★155). {1、4、7、12、14、20}; {2、8、10、16、17、22}; {3、5、9、15、19、24}; {6、11、13、18、21、23、25}
[144] <84>★156). {1、4、7、12、14、20}; {2、8、10、16、18、23}; {3、5、9、15、19、21}; {6、11、13、17、22、24、25}

参考文献

[1]卡波边柯(Capobianco) M,莫鲁卓(Molluzzo) J. 图论的例和反例(Examples and Counter Examples in Graph Theory)[M]. 聂祖安,译. 长沙:湖南科学技术出版社,1988:10-11.
[2]冯纪先. "另一个25阶最大平面图"G'_{M25}的四色着色[C]//武汉市第三届学术年会电工理论学术研讨会论文集. 武汉:华中科技大学,2008:1-8.(见目录:2.11)
[3]冯纪先. "Heawood反例" $G_{M25.HCE}$的四色着色[J]. 数学的实践与认识,2010,():-.(见目录:2.12)
[4]冯纪先. "一个24阶平面图"G_{24}的"相近四色着色方案集A" [C]//第二十一届电工理论年会论文集. 南昌:南昌大学,2009:16-21.(见目录:2.13)

2.15 “一个25阶平面图”G_{25}的四色着色

【摘要】利用平面图着色的“降阶法”(指“移4度点法”),对一个一定拓扑结构的25阶平面图G_{25}进行了四色着色方案的求解。先逐点“降阶”,再按反序逐点“着色—升阶—着色”,从而得到了该G_{25}的一个“四色着色方案甲(Jia)”。在这个“四色着色方案甲(Jia)”的基础上,利用平面图着色的“多层次二色交换法”,就得到了该G_{25}的另外239个不同的四色着色方案,也即得到了该G_{25}的一个具有240(=1+239)个不同的四色着色方案的“相近四色着色方案集甲(Jia)”。文中对这个“集甲(Jia)”进行了分析,获得了一些有意义的结论。

【关键词】平面图;最大平面图;着色;四色着色方案;相近四色着色方案集;“降阶法”;“多层次二色交换法”

On Four - coloring of “a planar graph of 25 order” G_{25}

Abstract: In this paper, a “Four - Coloring Jia” of “a planar graph of 25 order” G_{25} is obtained with the “method of reduction of order” (“method of removal 4 degree point”, “simplified method of reduction of order”); and a “Near Four - Coloring Set Jia” (different 240 Four - Colorings) of G_{25} is obtained with the “method of multilayer Two - color interchange” too. This “Set Jia” is studied.

Keywords: planar graph; maximal planar graph; coloring; Four - coloring; near Four - coloring set; “method of reduction of order”; “method of multilayer Two - color interchange”

1 引言

本文内容为求解平面图(planar graph)的一个特例的四色着色方案。该特例即为如图1所示的“一个25阶的平面图”G_{25}。图1中,圆圈表示点,圈内的数字为点的标号。本文综合应用“降阶法”[1],求解得G_{25}的一个“四色着色方案甲(Jia)”。再以此“四色着色方案甲(Jia)”为基础,应用“多层次二色交换法”[2],求解得G_{25}的另外不同的239个四色着色方案,也就是获得了G_{25}的一个“相近四色着色方案集甲(Jia)”(含240(=1+239)个不同的四色着色方案)。求解的过程和结果,于以下各节中叙述。

拓扑结构如图1所示的25阶平面图G_{25},虽然其他各区的周长均为3,但仍有一个周长为

4 的区，即 C_4{⑰、⑲、㉓、⑳}。故该 G_{25} 不是最大平面图(maximal planar graph)。该 G_{25} 的点数 $n=25$；边数 $e=68$；区数 $r=45$；度数 $d=2e=136$。在如图 1 所示的 G_{25} 中，$n_1=n_2=n_3=0$，即该 G_{25} 无 1 度点、2 度点和 3 度点；4 度(最小度)点数 $n_4=2$，即点⑲和⑳；5 度点数 $n_5=15$；6 度点数 $n_6=3$，即点①、③和⑧；7 度(最大度)点数 $n_7=5$，即点②、④、⑤、⑥和⑦。故如图 1 所示 G_{25} 为"最小 4 度 25 阶平面图"min 4 G_{25}。

文献[3]中的图 1 为"Heawood 反例(Heawood's Counter Example)HCE" $G_{M25.HCE}$，是一个 25 阶最大平面图。将本文的图 1 与文献[3]中的图 1 相比较，即可看出，G_{25} 为 $G_{M25.HCE}$ 移去边⑲⑳所得的子图，即

$$G_{25}=G_{M25.HCE}-\{⑲⑳\}$$

$G_{M25.HCE}$ 为"最小 5 度 25 阶最大平面图"min 5 G_{M25}，直接用"降阶法"求得它的四色着色方案是困难的。为此，本文求出它的子图 G_{25} 的部分四色着色方案，从而可求得母图 $G_{M25.HCE}$ 的一些四色着色方案。

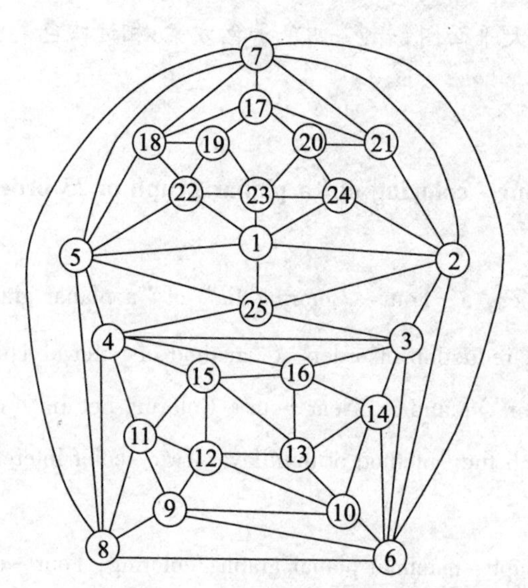

图 1 "一个 25 阶平面图" G_{25} ($=G_{M25.HCE}-\{⑲⑳\}$)

2 "一个 25 阶平面图" G_{25} 的四色着色方案

为了获得如图 1 所示 G_{25} 的四色着色方案，我们先进行逐点"降阶"，再按反序进行逐点"着色—升阶—着色"，直至得到 G_{25} 的一个四色着色方案。"降阶"的演算，在邻接矩阵上进行，如图 2 所示；"着色—升阶—着色"的运作，在逐步变化的拓扑结构图上进行，其过程和结果，如图 3 所示。

2.1 “降阶”的演算

图2中，上半部分为一个邻接矩阵，但已稍作变形，方括号被省去，矩阵的元素被放在小方格里，对角元素以“×”表示，元素“O”未标注出，矩阵左下部分的元素全省去了。当一个点被从拓扑结构图中移去后，与此点关联的所有的边，也就被移去，那么，在邻接矩阵里，相应的矩阵元素由“1”变为“1×”。

点	①	②	③	④	⑤	⑥	⑦	⑧	⑨	⑩	⑪	⑫	⑬	⑭	⑮	⑯	⑰	⑱	⑲	⑳	㉑	㉒	㉓	㉔	㉕	
①	×	1×			1×																	1×	1×	1×	1×	①
②		×	1×			1×	1×														1×			1×	1×	②
③			×	1×		1×								1×		1×									1×	③
④				×	1×			1×			1×				1×	1×									1×	④
⑤					×		1×											1×				1×			1×	⑤
⑥						×	1×	1×	1×	1×				1×												⑥
⑦							×	1×									1×	1×			1×					⑦
⑧								×	1×		1×															⑧
⑨									×	1×	1×	1×														⑨
⑩										×		1×	1	1												⑩
⑪											×	1×			1×											⑪
⑫												×	1×		1×											⑫
⑬													×	1	1×	1										⑬
⑭														×		1										⑭
⑮															×	1×										⑮
⑯																×										⑯
⑰																	×	1×	1×	1×	1×					⑰
⑱																		×	1×			1×				⑱
⑲																			×			1×	1×			⑲
⑳																				×	1×		1×	1×		⑳
㉑																					×			1×		㉑
㉒																						×	1×			㉒
㉓																							×	1×		㉓
㉔																								×		㉔
㉕																									×	㉕

点	①	②	③	④	⑤	⑥	⑦	⑧	⑨	⑩	⑪	⑫	⑬	⑭	⑮	⑯	⑰	⑱	⑲	⑳	㉑	㉒	㉓	㉔	㉕
度	6	7	6	7	7	7	7	6	5	5	5	5	5	5	5	5	5	5	4	4	5	5	5	5	5
	去⑳，　⑰、㉑、㉓、㉔各减一度																								
																	4			○	4		4	4	
	去㉔，　①、②、㉑、㉓各减一度																								
	5	6																		○	3		3	○	
	去㉑、㉓，　②、⑦、⑰；①、⑲、㉒各减一度																								
	4	5					6										3		3	○	○	4	○	○	
	去⑰、⑲，　⑦、⑱、⑲；⑰、⑱、㉒各减一度																								
							5										○	3	○	○	○	3	○	○	
	去⑱、㉒，　⑤、⑦、㉒；①、⑤、⑱各减一度																								
	3				5		4										○	○	○	○	○	○	○	○	
	去①，　②、⑤、㉕各减一度																								
	○	4			4												○	○	○	○	○	○	○	○	4
	去㉕，　②、③、④、⑤各减一度																								
	○	3	5	6	3												○	○	○	○	○	○	○	○	○
	去②、⑤，　③、⑥、⑦；④、⑦、⑧各减一度																								
	○	○	4	5	○	6	2	5									○	○	○	○	○	○	○	○	○
	去⑦，　⑥、⑧各减一度																								
	○	○			○	5	○	4									○	○	○	○	○	○	○	○	○
	去⑧，　④、⑥、⑨、⑪各减一度																								
	○	○		4	○	4	○	○	4		4						○	○	○	○	○	○	○	○	○
	去⑪，　④、⑨、⑫、⑮各减一度																								
	○	○		3	○		○	○	3		○	4			4		○	○	○	○	○	○	○	○	○
	去④、⑨，　③、⑮、⑯；⑥、⑩、⑫各减一度																								
	○	○	3	○	○	3	○	○	○	4	○	3			3	4	○	○	○	○	○	○	○	○	○
	去③、⑥、⑫、⑮，　⑥、⑭、⑯；③、⑩、⑭；⑩、⑬、⑮；⑫、⑬、⑯各减一度																								
	○	○	○	○	○	○	○	○	○	2	○	○	3	3	○	2	○	○	○	○	○	○	○	○	○
点	①		③		⑤		⑦		⑨		⑪		⑬		⑮		⑰		⑲		㉑		㉓		㉕

图 2　G_{25} 的“降阶”过程和结果

图 2 的下半部分，是一个表示在逐点“降阶”过程中各点的度数的变化表。该表以纵向朝下变化的数字来表达点的度数的变化。夹行内的文字，就是说明点的度数变化的原因和结果，即表示当移去某点后，哪些点的度数将如何变化。显然，当一个点被移去后，此点的度数即为

O,与此点邻接的所有的点的度数均各减一。

我们是在“邻接矩阵”和“度数变化表”中,进行“降阶”运作。“降阶”将一直降至图G_{25}变为其子图G_4或G_{M4}。由图2可见,G_4是由点⑩、⑬、⑭和⑯组成,点⑩和⑯是2度点,点⑬和⑭是3度点。“降阶”的过程和结果已表示在图2中,故略去细述。

2.2 “着色—升阶—着色”的运作

本文采用的四种颜色为:红(red)、黄(yellow)、蓝(blue)、绿(green)。又约定:红色点以“实线圆圈”表示;黄色点以“点线圆圈”表示;蓝色点以“划线圆圈”表示;绿色点以“点划线圆圈”表示。若一个点以数层不同的圆圈表达时,则表示该点在着色过程中换色数次。表达换色的顺序是“内先、外后”,故最内层的圆圈,表示该点最初的着色;最外层的圆圈,表示该点最后的着色,也即现时的着色。图3即按以上的约定作出。

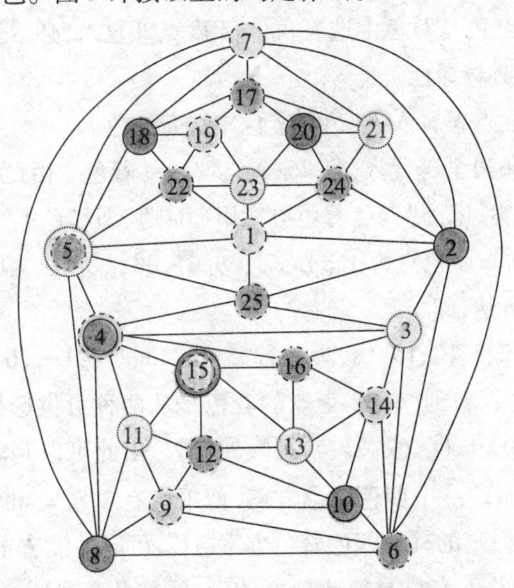

图3 G_{25}的“着色-升阶-着色”过程及“四色着色方案甲(jia)”

图3已把G_{25}的一个“四色着色方案甲(Jia)”表示出来,同时,图3也表达了G_{25}的“着色—升阶—着色”的过程。现结合图3,将各点着色的顺序和步骤叙述如下:

(1)首先,将G_4的四个点⑩、⑬、⑭和⑯置于图3中,它们之间的五条边,即G_4的五条边⑩⑬、⑩⑭、⑬⑭、⑬⑯和⑭⑯也就跟着置于图3中。将2度点⑩着红色;3度点⑬着黄色;3度点⑭着蓝色;2度点⑯在红色与绿色中,选着绿色。

注意:当一个点置入时,该点与已置入点之间的边,也就相应地同时置入。为了简便,后面在述及一个点的置入时,不再细述该点的相应的关联边的置入。

(2)接着,按“降阶”的反序,将3度点⑮置入,红色和蓝色中选着蓝色;将3度点⑫置入,必着绿色;将3度点⑥置入,黄色和绿色中选着绿色;再将3度点③置入,红色和黄色中选着黄色。

(3)继之,再按反序,3度点⑨置入,黄色与蓝色中选着蓝色;3度点④置入,必着红色。

(4)4 度点⑪置入,必着黄色。

(5)4 度点⑧置入。由于与点⑧相邻的四个点④、⑪、⑨和⑥已分别着红、黄、蓝、绿四色,故点④与点⑮需作“二色交换”,即点④由红色换成蓝色;点⑮由蓝色换成红色,此时点⑧即可着红色。

(6)2 度点⑦置入,黄色与蓝色中选着蓝色。

(7)3 度点⑤置入,黄色与绿色中选着绿色。3 度点②置入,必着红色。

(8)4 度点㉕置入。由于与点㉕相邻的四个点②、③、④和⑤已分着红、黄、蓝、绿四色,故点⑤需作“二色交换”,即点⑤由绿色换成黄色,此时,点㉕即着绿色。

(9)3 度点①置入,必着蓝色。

(10)3 度点㉒置入,红色与绿色中选着绿色;3 度点⑱置入,必着红色。

(11)3 度点⑲置入,黄色与蓝色中选着蓝色;3 度点⑰置入,黄色与绿色中选着绿色。

(12)3 度点㉓置入,红色与黄色中选着黄色;3 度点㉑置入,必着黄色。

(13)4 度点㉔置入,必着绿色。

(14)最后一个点 4 度点⑳置入,红色与蓝色中选着红色。

至此,25 个点及 68 条边全部置入,且 25 个点均一一着色。由此得到图 3,同时也就得到了一个 G_{25} 的四色着色方案,记为“四色着色方案甲(Jia)”,即红色点为②、⑧、⑩、⑮、⑱、⑳;黄色点为③、⑤、⑪、⑬、㉑、㉓;蓝色点为①、④、⑦、⑨、⑭、⑲;绿色点为⑥、⑫、⑯、⑰、㉒、㉔、㉕。用四个“点集的划分”来表达,即

{1、4、7、9、14、19};{2、8、10、15、18、20};{3、5、11、13、21、23};{6、12、16、17、22、24、25}。

从上述着色过程中可以看到,有 12 个点的着色是从两种可供选择的颜色中任选了一种。这 12 个点是⑯、⑮、⑥、③、⑨、⑦、⑤、㉒、⑲、⑰、㉓、⑳。由此可以判断,如图 1 所示的 G_{25},不只有“四色着色方案甲(Jia)”一个四色着色方案,似乎应有 2^{12}(=4096)个四色着色方案。本文不再用前面的方法求解 G_{25} 的其他四色着色方案。G_{25} 可能并没有 4096 个四色着色方案,那是因为点的颜色的选择,并不完全是彼此独立的,往往彼此是有联系的、有约束的,故有可能 G_{25} 的四色着色方案的总数应小于 4096 个。

3 相近四色着色方案集

我们求得了图 G_{25} 的一个“四色着色方案甲(Jia)”。现以这个“四色着色方案甲(Jia)”为起始,应用“多层次二色交换法”[2],进一步又求得了另外 239 个不同的图 G_{25} 的四色着色方案(求解过程略)。这 240(=1 +239)个相近四色着色方案,形成了一个“相近四色着色方案集”,记为“相近四色着色方案集甲(Jia)”。现将其以四个“点集划分”的形式,列述于附录中,四色着色方案的编号置于圆括号内。编号后面标以“★”号的四色着色方案,其点⑲与点⑳是异色的,共计有 84 个,约占总数 240 个的 35%。“四色着色方案甲(Jia)”在附录中的编号为(145)。

此外可以看到,参考文献[4]的附录 1 所列的 72 个相近四色着色方案,均未包含在本文附录所列的 240 个相近四色着色方案中。而参考文献[4]的附录 2 所列的 156 个相近四色着

色方案，却均包含在本文附录所列的240个相近四色着色方案中。为了查阅方便，本文附录中，也将参考文献[4]的附录2所列的编号（置单后圆括号内），全部标出。多出的84（=240-156）个四色着色方案，可将其视作是“新（Xin）”的，故在这84个四色着色方案前加了“X”号。因此，附有参考文献[4]的附录2的编号的156个相近四色着色方案中，其点⑰和点㉓必然异色；而注有“X”号的84个四色着色方案中，其点⑰和点㉓将是同色的，从本文附录中可看到，确实如此。再有，注有“X”号的84个四色着色方案中，未加“★”号的48个四色着色方案中，其点⑲和点⑳同色；加有“★”号的36个四色着色方案中，其点⑲和点⑳异色。

4 结语

“降阶法”适用于最大平面图，也适用于平面图，即适用于“最小4度最大平面图”min 4 G_{Mn}和“最小4度平面图” min 4 G_n。本文利用“降阶法”中的“简化降阶法”[1]，求得“一个25阶平面图”G_{25}（实为min 4 G_{25}）的一个“四色着色方案甲（Jia）”。本文只求了G_{25}的这一个四色着色方案。“多层次二色交换法”适用于最大平面图，也适用于平面图。本文又利用“多层次二色交换法”，以图G_{25}的“四色着色方案甲（Jia）”作为起始，求得图G_{25}的一个“相近四色着色方案集甲（Jia）”。该“集甲（Jia）”含有240个四色着色方案。本文也只求了G_{25}的这一个“相近四色着色方案集”。显然，很可能图G_{25}不止这一个“相近四色着色方案集甲（Jia）”，也即图G_{25}不止这240个四色着色方案。

附录："一个 25 阶平面图"G_{25}的"相近四色着色方案集甲(Jia)"(240 个集元)

(001) 001).{1、3、8、10、15、17};{2、5、9、13、19、20};{4、7、12、14、22、24};{6、11、16、18、21、23、25}

(002) 002).{1、3、8、10、15、17};{2、5、9、16、19、20};{4、7、12、14、22、24};{6、11、13、18、21、23、25}

(003) 003).{1、3、8、10、15、17};{2、5、11、13、19、20};{4、7、9、14、22、24};{6、12、16、18、21、23、25}

(004) 004).{1、3、8、10、15、17};{2、5、11、14、19、20};{4、7、9、13、22、24};{6、12、16、18、21、23、25}

(005) 005).{1、3、8、10、15、17};{2、5、12、14、19、20};{4、7、9、13、22、24};{6、11、16、18、21、23、25}

---

(006) 006).{1、3、8、10、15、17};{2、5、12、16、19、20};{4、7、9、14、22、24};{6、11、13、18、21、23、25}

(007)★ X {1、3、8、10、15、18、20};{2、5、9、13、17、23};{4、7、12、14、19、24};{6、11、16、21、22、25}

(008)★ X {1、3、8、10、15、18、20};{2、5、9、13、17、23};{4、7、12、14、22、24};{6、11、16、19、21、25}

(009)★ X {1、3、8、10、15、18、20};{2、5、9、16、17、23};{4、7、12、14、19、24};{6、11、13、21、22、25}

(010)★ X {1、3、8、10、15、18、20};{2、5、9、16、17、23};{4、7、12、14、22、24};{6、11、13、19、21、25}

---

(011)★ X {1、3、8、10、15、18、20};{2、5、11、13、17、23};{4、7、9、14、19、24};{6、12、16、21、22、25}

(012)★ X {1、3、8、10、15、18、20};{2、5、11、13、17、23};{4、7、9、14、22、24};{6、12、16、19、21、25}

(013)★ X {1、3、8、10、15、18、20};{2、5、11、14、17、23};{4、7、9、13、19、24};{6、12、16、21、22、25}

(014)★ X {1、3、8、10、15、18、20};{2、5、11、14、17、23};{4、7、9、13、22、24};{6、12、16、19、21、25}

(015)★ X {1、3、8、10、15、18、20};{2、5、12、14、17、23};{4、7、9、13、19、24};{6、11、16、21、22、25}

---

(016)★ X {1、3、8、10、15、18、20};{2、5、12、14、17、23};{4、7、9、13、22、24};{6、11、16、19、21、25}

(017)★ X {1、3、8、10、15、18、20};{2、5、12、16、17、23};{4、7、9、14、19、24};{6、11、13、21、22、25}

(018)★ X {1、3、8、10、15、18、20};{2、5、12、16、17、23};{4、7、9、14、22、24};{6、11、13、19、21、25}

(019) X {1、3、8、10、15、18、21};{2、5、9、13、17、23};{4、7、12、14、19、20};{6、11、16、22、24、25}

(020)★ X {1、3、8、10、15、18、21};{2、5、9、13、17、23};{4、7、12、14、19、24};{6、11、16、20、22、25}

---

(021)★ X {1、3、8、10、15、18、21};{2、5、9、13、17、23};{4、7、12、14、20、22};{6、11、16、19、24、25}

(022) X {1、3、8、10、15、18、21};{2、5、9、13、17、23};{4、7、12、14、22、24};{6、11、16、19、20、25}

(023) X {1、3、8、10、15、18、21};{2、5、9、13、19、20};{4、7、12、14、22、24};{6、11、16、17、23、25}

(024) 007).{1、3、8、10、15、18、21};{2、5、9、13、19、20};{4、7、12、14、23};{6、11、16、17、22、24、25}

(025) 008).{1、3、8、10、15、18、21};{2、5、9、13、23};{4、7、12、14、19、20};{6、11、16、17、22、24、25}

---

(026) X {1、3、8、10、15、18、21};{2、5、9、16、17、23};{4、7、12、14、19、20};{6、11、13、22、24、25}

(027)★ X {1、3、8、10、15、18、21};{2、5、9、16、17、23};{4、7、12、14、19、24};{6、11、13、20、22、25}

(028)★ X {1、3、8、10、15、18、21};{2、5、9、16、17、23};{4、7、12、14、20、22};{6、11、13、19、24、25}

(029) X {1、3、8、10、15、18、21};{2、5、9、16、17、23};{4、7、12、14、22、24};{6、11、13、19、20、25}

(030) X {1、3、8、10、15、18、21};{2、5、9、16、19、20};{4、7、12、14、22、24};{6、11、13、17、23、25}

---

(031) 009).{1、3、8、10、15、18、21};{2、5、9、16、19、20};{4、7、12、14、23};{6、11、13、17、22、24、25}

(032) 010).{1、3、8、10、15、18、21};{2、5、9、16、23};{4、7、12、14、19、20};{6、11、13、17、22、24、25}

(033) X {1、3、8、10、15、18、21};{2、5、11、13、17、23};{4、7、9、14、19、20};{6、12、16、22、24、25}

(034)★ X {1、3、8、10、15、18、21};{2、5、11、13、17、23};{4、7、9、14、19、24};{6、12、16、20、22、25}

(035)★ X {1、3、8、10、15、18、21};{2、5、11、13、17、23};{4、7、9、14、20、22};{6、12、16、19、24、25}

---

(036) X {1、3、8、10、15、18、21};{2、5、11、13、17、23};{4、7、9、14、22、24};{6、12、16、19、20、25}

(037) X {1、3、8、10、15、18、21};{2、5、11、13、19、20};{4、7、9、14、22、24};{6、12、16、17、23、25}

(038) 011).{1、3、8、10、15、18、21};{2、5、11、13、19、20};{4、7、9、14、23};{6、12、16、17、22、24、25}

(039) 012).{1、3、8、10、15、18、21};{2、5、11、13、23};{4、7、9、14、19、20};{6、12、16、17、22、24、25}

(040) X {1、3、8、10、15、18、21};{2、5、11、14、17、23};{4、7、9、13、19、20};{6、12、16、22、24、25}

---

(041)★ X {1、3、8、10、15、18、21};{2、5、11、14、17、23};{4、7、9、13、19、24};{6、12、16、20、22、25}

(042)★ X {1、3、8、10、15、18、21};{2、5、11、14、17、23};{4、7、9、13、20、22};{6、12、16、19、24、25}

(043) X {1、3、8、10、15、18、21};{2、5、11、14、17、23};{4、7、9、13、22、24};{6、12、16、19、20、25}

(044) X {1、3、8、10、15、18、21};{2、5、11、14、19、20};{4、7、9、13、22、24};{6、12、16、17、23、25}

(045) 013).{1、3、8、10、15、18、21};{2、5、11、14、19、20};{4、7、9、13、23};{6、12、16、17、22、24、25}

---

(046) 014).{1、3、8、10、15、18、21};{2、5、11、14、23};{4、7、9、13、19、20};{6、12、16、17、22、24、25}

(047) X {1、3、8、10、15、18、21};{2、5、12、14、17、23};{4、7、9、13、19、20};{6、11、16、22、24、25}

(048)★ X {1、3、8、10、15、18、21};{2、5、12、14、17、23};{4、7、9、13、19、24};{6、11、16、20、22、25}

(049)★ X {1、3、8、10、15、18、21};{2、5、12、14、17、23};{4、7、9、13、20、22};{6、11、16、19、24、25}

(050) X {1、3、8、10、15、18、21};{2、5、12、14、17、23};{4、7、9、13、22、24};{6、11、16、19、20、25}

---

(051) X {1、3、8、10、15、18、21};{2、5、12、14、19、20};{4、7、9、13、22、24};{6、11、16、17、23、25}

(052) 015).{1、3、8、10、15、18、21};{2、5、12、14、19、20};{4、7、9、13、23};{6、11、16、17、22、24、25}

(053) 016).{1、3、8、10、15、18、21};{2、5、12、14、23};{4、7、9、13、19、20};{6、11、16、17、22、24、25}

(054) X {1、3、8、10、15、18、21};{2、5、12、16、17、23};{4、7、9、14、19、20};{6、11、13、22、24、25}

(055)★ X {1、3、8、10、15、18、21};{2、5、12、16、17、23};{4、7、9、14、19、24};{6、11、13、20、22、25}

---

(056)★ X {1、3、8、10、15、18、21};{2、5、12、16、17、23};{4、7、9、14、20、22};{6、11、13、19、24、25}

(057) X {1、3、8、10、15、18、21};{2、5、12、16、17、23};{4、7、9、14、22、24};{6、11、13、19、20、25}

(058) X {1、3、8、10、15、18、21};{2、5、12、16、19、20};{4、7、9、14、22、24};{6、11、13、17、23、25}

(059) 017).{1、3、8、10、15、18、21};{2、5、12、16、19、20};{4、7、9、14、23};{6、11、13、17、22、24、25}

(060) 018).{1、3、8、10、15、18、21};{2、5、12、16、23};{4、7、9、14、19、20};{6、11、13、17、22、24、25}

---

(061) 019).{1、3、8、10、15、19、20};{2、5、9、13、17};{4、7、12、14、22、24};{6、11、16、18、21、23、25}

(062) X {1、3、8、10、15、19、20};{2、5、9、13、17、23};{4、7、12、14、22、24};{6、11、16、18、21、25}

(063) 020).{1、3、8、10、15、19、20};{2、5、9、16、17};{4、7、12、14、22、24};{6、11、13、18、21、23、25}

(064) X {1、3、8、10、15、19、20};{2、5、9、16、17、23};{4、7、12、14、22、24};{6、11、13、18、21、25}

(065) 021).{1、3、8、10、15、19、20};{2、5、11、13、17};{4、7、9、14、22、24};{6、12、16、18、21、23、25}

---

(066) X {1、3、8、10、15、19、20};{2、5、11、13、17、23};{4、7、9、14、22、24};{6、12、16、18、21、25}

(067) 022).{1、3、8、10、15、19、20};{2、5、11、14、17};{4、7、9、13、22、24};{6、12、16、18、21、23、25}

(068) X {1、3、8、10、15、19、20};{2、5、11、14、17、23};{4、7、9、13、22、24};{6、12、16、18、21、25}

(069) 023).{1、3、8、10、15、19、20};{2、5、12、14、17};{4、7、9、13、22、24};{6、11、16、18、21、23、25}

(070) X {1、3、8、10、15、19、20};{2、5、12、14、17、23};{4、7、9、13、22、24};{6、11、16、18、21、25}

---

(071) 024).{1、3、8、10、15、19、20};{2、5、12、16、17};{4、7、9、14、22、24};{6、11、13、18、21、23、25}

(072) X {1、3、8、10、15、19、20};{2、5、12、16、17、23};{4、7、9、14、22、24};{6、11、13、18、21、25}

(073)★ X {1、3、8、10、15、19、21};{2、5、9、13、17、23};{4、7、12、14、20、22};{6、11、16、18、24、25}

(074)★ X {1、3、8、10、15、19、21};{2、5、9、13、17、23};{4、7、12、14、22、24};{6、11、16、18、20、25}

(075)★ X {1、3、8、10、15、19、21};{2、5、9、16、17、23};{4、7、12、14、20、22};{6、11、13、18、24、25}

---

(076)★ X {1、3、8、10、15、19、21};{2、5、9、16、17、23};{4、7、12、14、22、24};{6、11、13、18、20、25}
(077)★ X {1、3、8、10、15、19、21};{2、5、11、13、17、23};{4、7、9、14、20、22};{6、12、16、18、24、25}
(078)★ X {1、3、8、10、15、19、21};{2、5、11、13、17、23};{4、7、9、14、22、24};{6、12、16、18、20、25}
(079)★ X {1、3、8、10、15、19、21};{2、5、11、14、17、23};{4、7、9、13、20、22};{6、12、16、18、24、25}
(080)★ X {1、3、8、10、15、19、21};{2、5、11、14、17、23};{4、7、9、13、22、24};{6、12、16、18、20、25}

(081)★ X {1、3、8、10、15、19、21};{2、5、12、14、17、23};{4、7、9、13、20、22};{6、11、16、18、24、25}
(082)★ X {1、3、8、10、15、19、21};{2、5、12、14、17、23};{4、7、9、13、22、24};{6、11、16、18、20、25}
(083)★ X {1、3、8、10、15、19、21};{2、5、12、16、17、23};{4、7、9、14、20、22};{6、11、13、18、24、25}
(084)★ X {1、3、8、10、15、19、21};{2、5、12、16、17、23};{4、7、9、14、22、24};{6、11、13、18、20、25}
(085) 025).{1、4、7、9、13};{2、5、11、14、19、20};{3、8、10、15、17、22、24};{6、12、16、18、21、23、25}

(086) 026).{1、4、7、9、13};{2、5、11、14、19、20};{3、8、10、15、18、21、23};{6、12、16、17、22、24、25}
(087) 027).{1、4、7、9、13};{2、5、12、14、19、20};{3、8、10、15、17、22、24};{6、11、16、18、21、23、25}
(088) 028).{1、4、7、9、13};{2、5、12、14、19、20};{3、8、10、15、18、21、23};{6、11、16、17、22、24、25}
(089)★ 029).{1、4、7、9、13、19};{2、5、11、14、20};{3、8、10、15、17、22、24};{6、12、16、18、21、23、25}
(090)★ 030).{1、4、7、9、13、19};{2、5、11、14、20};{3、8、10、15、18、21、23};{6、12、16、17、22、24、25}

(091)★ 031).{1、4、7、9、13、19};{2、5、12、14、20};{3、8、10、15、17、22、24};{6、11、16、18、21、23、25}
(092)★ 032).{1、4、7、9、13、19};{2、5、12、14、20};{3、8、10、15、18、21、23};{6、11、16、17、22、24、25}
(093)★ 033).{1、4、7、9、13、19};{2、8、12、14、18、20};{3、5、10、15、21、23};{6、11、16、17、22、24、25}
(094)★ 034).{1、4、7、9、13、19};{2、8、12、14、20、22};{3、5、10、15、17、24};{6、11、16、18、21、23、25}
(095)★ 035).{1、4、7、9、13、19};{2、8、14、15、18、20};{3、5、10、11、21、23};{6、12、16、17、22、24、25}

(096)★ 036).{1、4、7、9、13、19};{2、8、14、15、20、22};{3、5、10、11、17、24};{6、12、16、18、21、23、25}
(097) 037).{1、4、7、9、13、19、20};{2、5、11、14};{3、8、10、15、17、22、24};{6、12、16、18、21、23、25}
(098) 038).{1、4、7、9、13、19、20};{2、5、11、14};{3、8、10、15、18、21、23};{6、12、16、17、22、24、25}
(099) 039).{1、4、7、9、13、19、20};{2、5、11、14、17};{3、8、10、15、18、21、23};{6、12、16、22、24、25}
(100) 040).{1、4、7、9、13、19、20};{2、5、11、14、17};{3、8、10、15、22、24};{6、12、16、18、21、23、25}

(101) X {1、4、7、9、13、19、20};{2、5、11、14、17、23};{3、8、10、15、18、21};{6、12、16、22、24、25}
(102) X {1、4、7、9、13、19、20};{2、5、11、14、17、23};{3、8、10、15、18、24};{6、12、16、21、22、25}
(103) X {1、4、7、9、13、19、20};{2、5、11、14、17、23};{3、8、10、15、21、22};{6、12、16、18、24、25}
(104) X {1、4、7、9、13、19、20};{2、5、11、14、17、23};{3、8、10、15、22、24};{6、12、16、18、21、25}
(105) 041).{1、4、7、9、13、19、20};{2、5、11、14、23};{3、8、10、15、17、22、24};{6、12、16、18、21、25}

(106) 042).{1、4、7、9、13、19、20};{2、5、11、14、23};{3、8、10、15、18、21};{6、12、16、17、22、24、25}
(107) 043).{1、4、7、9、13、19、20};{2、5、12、14};{3、8、10、15、17、22、24};{6、11、16、18、21、23、25}
(108) 044).{1、4、7、9、13、19、20};{2、5、12、14};{3、8、10、15、18、21、23};{6、11、16、17、22、24、25}
(109) 045).{1、4、7、9、13、19、20};{2、5、12、14、17};{3、8、10、15、18、21、23};{6、11、16、22、24、25}
(110) 046).{1、4、7、9、13、19、20};{2、5、12、14、17};{3、8、10、15、22、24};{6、11、16、18、21、23、25}

(111) X {1、4、7、9、13、19、20};{2、5、12、14、17、23};{3、8、10、15、18、21};{6、11、16、22、24、25}
(112) X {1、4、7、9、13、19、20};{2、5、12、14、17、23};{3、8、10、15、18、24};{6、11、16、21、22、25}
(113) X {1、4、7、9、13、19、20};{2、5、12、14、17、23};{3、8、10、15、21、22};{6、11、16、18、24、25}
(114) X {1、4、7、9、13、19、20};{2、5、12、14、17、23};{3、8、10、15、22、24};{6、11、16、18、21、25}
(115) 047).{1、4、7、9、13、19、20};{2、5、12、14、23};{3、8、10、15、17、22、24};{6、11、16、18、21、25}

(116) 048).{1、4、7、9、13、19、20};{2、5、12、14、23};{3、8、10、15、18、21};{6、11、16、17、22、24、25}
(117) 049).{1、4、7、9、13、19、20};{2、8、12、14、17、22};{3、5、10、15、21、23};{6、11、16、18、24、25}
(118) 050).{1、4、7、9、13、19、20};{2、8、12、14、17、22};{3、5、10、15、24};{6、11、16、18、21、23、25}
(119) 051).{1、4、7、9、13、19、20};{2、8、12、14、18};{3、5、10、15、21、23};{6、11、16、17、22、24、25}
(120) 052).{1、4、7、9、13、19、20};{2、8、12、14、18、23};{3、5、10、15、17、24};{6、11、16、21、22、25}

---

(121) 053).{1、4、7、9、13、19、20};{2、8、12、14、18、23};{3、5、10、15、21};{6、11、16、17、22、24、25}
(122) 054).{1、4、7、9、13、19、20};{2、8、12、14、22};{3、5、10、15、17、24};{6、11、16、18、21、23、25}
(123) 055).{1、4、7、9、13、19、20};{2、8、14、15、17、22};{3、5、10、11、21、23};{6、12、16、18、24、25}
(124) 056).{1、4、7、9、13、19、20};{2、8、14、15、17、22};{3、5、10、11、24};{6、12、16、18、21、23、25}
(125) 057).{1、4、7、9、13、19、20};{2、8、14、15、18};{3、5、10、11、21、23};{6、12、16、17、22、24、25}

---

(126) 058).{1、4、7、9、13、19、20};{2、8、14、15、18、23};{3、5、10、11、17、24};{6、12、16、21、22、25}
(127) 059).{1、4、7、9、13、19、20};{2、8、14、15、18、23};{3、5、10、11、21};{6、12、16、17、22、24、25}
(128) 060).{1、4、7、9、13、19、20};{2、8、14、15、22};{3、5、10、11、17、24};{6、12、16、18、21、23、25}
(129)★ 061).{1、4、7、9、13、20};{2、5、11、14、19};{3、8、10、15、17、22、24};{6、12、16、18、21、23、25}
(130)★ 062).{1、4、7、9、13、20};{2、5、11、14、19};{3、8、10、15、18、21、23};{6、12、16、17、22、24、25}

---

(131)★ 063).{1、4、7、9、13、20};{2、5、12、14、19};{3、8、10、15、17、22、24};{6、11、16、18、21、23、25}
(132)★ 064).{1、4、7、9、13、20};{2、5、12、14、19};{3、8、10、15、18、21、23};{6、11、16、17、22、24、25}
(133)★ 065).{1、4、7、9、13、20};{2、8、12、14、17、22};{3、5、10、15、19、24};{6、11、16、18、21、23、25}
(134)★ 066).{1、4、7、9、13、20};{2、8、12、14、18、23};{3、5、10、15、19、21};{6、11、16、17、22、24、25}
(135)★ 067).{1、4、7、9、13、20};{2、8、14、15、17、22};{3、5、10、11、19、24};{6、12、16、18、21、23、25}

---

(136)★ 068).{1、4、7、9、13、20};{2、8、14、15、18、23};{3、5、10、11、19、21};{6、12、16、17、22、24、25}
(137) 069).{1、4、7、9、14};{2、5、11、13、19、20};{3、8、10、15、17、22、24};{6、12、16、18、21、23、25}
(138) 070).{1、4、7、9、14};{2、5、11、13、19、20};{3、8、10、15、18、21、23};{6、12、16、17、22、24、25}
(139) 071).{1、4、7、9、14};{2、5、12、16、19、20};{3、8、10、15、17、22、24};{6、11、13、18、21、23、25}
(140) 072).{1、4、7、9、14};{2、5、12、16、19、20};{3、8、10、15、18、21、23};{6、11、13、17、22、24、25}

---

(141)★ 073).{1、4、7、9、14、19};{2、5、11、13、20};{3、8、10、15、17、22、24};{6、12、16、18、21、23、25}
(142)★ 074).{1、4、7、9、14、19};{2、5、11、13、20};{3、8、10、15、18、21、23};{6、12、16、17、22、24、25}
(143)★ 075).{1、4、7、9、14、19};{2、5、12、16、20};{3、8、10、15、17、22、24};{6、11、13、18、21、23、25}
(144)★ 076).{1、4、7、9、14、19};{2、5、12、16、20};{3、8、10、15、18、21、23};{6、11、13、17、22、24、25}
(145)★ 077).{1、4、7、9、14、19};{2、8、10、15、18、20};{3、5、11、13、21、23};{6、12、16、17、22、24、25}

---

(146)★ 078).{1、4、7、9、14、19};{2、8、10、15、20、22};{3、5、11、13、17、24};{6、12、16、18、21、23、25}
(147)★ 079).{1、4、7、9、14、19};{2、8、12、16、18、20};{3、5、10、15、21、23};{6、11、13、17、22、24、25}
(148)★ 080).{1、4、7、9、14、19};{2、8、12、16、20、22};{3、5、10、15、17、24};{6、11、13、18、21、23、25}
(149) 081).{1、4、7、9、14、19、20};{2、5、11、13};{3、8、10、15、17、22、24};{6、12、16、18、21、23、25}
(150) 082).{1、4、7、9、14、19、20};{2、5、11、13};{3、8、10、15、18、21、23};{6、12、16、17、22、24、25}

---

(151) 083).{1、4、7、9、14、19、20};{2、5、11、13、17};{3、8、10、15、18、21、23};{6、12、16、22、24、25}
(152) 084).{1、4、7、9、14、19、20};{2、5、11、13、17};{3、8、10、15、22、24};{6、12、16、18、21、23、25}
(153) X {1、4、7、9、14、19、20};{2、5、11、13、17、23};{3、8、10、15、18、21};{6、12、16、22、24、25}
(154) X {1、4、7、9、14、19、20};{2、5、11、13、17、23};{3、8、10、15、18、24};{6、12、16、21、22、25}
(155) X {1、4、7、9、14、19、20};{2、5、11、13、17、23};{3、8、10、15、21、22};{6、12、16、18、24、25}

---

(156)　X {1、4、7、9、14、19、20}；{2、5、11、13、17、23}；{3、8、10、15、22、24}；{6、12、16、18、21、25}
(157)　085). {1、4、7、9、14、19、20}；{2、5、11、13、23}；{3、8、10、15、17、22、24}；{6、12、16、18、21、25}
(158)　086). {1、4、7、9、14、19、20}；{2、5、11、13、23}；{3、8、10、15、18、21}；{6、12、16、17、22、24、25}
(159)　087). {1、4、7、9、14、19、20}；{2、5、12、16}；{3、8、10、15、17、22、24}；{6、11、13、18、21、23、25}
(160)　088). {1、4、7、9、14、19、20}；{2、5、12、16}；{3、8、10、15、18、21、23}；{6、11、13、17、22、24、25}

---

(161)　089). {1、4、7、9、14、19、20}；{2、5、12、16、17}；{3、8、10、15、18、21、23}；{6、11、13、22、24、25}
(162)　090). {1、4、7、9、14、19、20}；{2、5、12、16、17}；{3、8、10、15、22、24}；{6、11、13、18、21、23、25}
(163)　X {1、4、7、9、14、19、20}；{2、5、12、16、17、23}；{3、8、10、15、18、21}；{6、11、13、22、24、25}
(164)　X {1、4、7、9、14、19、20}；{2、5、12、16、17、23}；{3、8、10、15、18、24}；{6、11、13、21、22、25}
(165)　X {1、4、7、9、14、19、20}；{2、5、12、16、17、23}；{3、8、10、15、21、22}；{6、11、13、18、24、25}

---

(166)　X {1、4、7、9、14、19、20}；{2、5、12、16、17、23}；{3、8、10、15、22、24}；{6、11、13、18、21、25}
(167)　091). {1、4、7、9、14、19、20}；{2、5、12、16、23}；{3、8、10、15、17、22、24}；{6、11、13、18、21、25}
(168)　092). {1、4、7、9、14、19、20}；{2、5、12、16、23}；{3、8、10、15、18、21}；{6、11、13、17、22、24、25}
(169)　093). {1、4、7、9、14、19、20}；{2、8、10、15、17、22}；{3、5、11、13、21、23}；{6、12、16、18、24、25}
(170)　094). {1、4、7、9、14、19、20}；{2、8、10、15、17、22}；{3、5、11、13、24}；{6、12、16、18、21、23、25}

---

(171)　095). {1、4、7、9、14、19、20}；{2、8、10、15、18}；{3、5、11、13、21、23}；{6、12、16、17、22、24、25}
(172)　096). {1、4、7、9、14、19、20}；{2、8、10、15、18、23}；{3、5、11、13、17、24}；{6、12、16、21、22、25}
(173)　097). {1、4、7、9、14、19、20}；{2、8、10、15、18、23}；{3、5、11、13、21}；{6、12、16、17、22、24、25}
(174)　098). {1、4、7、9、14、19、20}；{2、8、10、15、22}；{3、5、11、13、17、24}；{6、12、16、18、21、23、25}
(175)　099). {1、4、7、9、14、19、20}；{2、8、12、16、17、22}；{3、5、10、15、21、23}；{6、11、13、18、24、25}

---

(176)　100). {1、4、7、9、14、19、20}；{2、8、12、16、17、22}；{3、5、10、15、24}；{6、11、13、18、21、23、25}
(177)　101). {1、4、7、9、14、19、20}；{2、8、12、16、18}；{3、5、10、15、21、23}；{6、11、13、17、22、24、25}
(178)　102). {1、4、7、9、14、19、20}；{2、8、12、16、18、23}；{3、5、10、15、17、24}；{6、11、13、21、22、25}
(179)　103). {1、4、7、9、14、19、20}；{2、8、12、16、18、23}；{3、5、10、15、21}；{6、11、13、17、22、24、25}
(180)　104). {1、4、7、9、14、19、20}；{2、8、12、16、22}；{3、5、10、15、17、24}；{6、11、13、18、21、23、25}

---

(181)★　105). {1、4、7、9、14、20}；{2、5、11、13、19}；{3、8、10、15、17、22、24}；{6、12、16、18、21、23、25}
(182)★　106). {1、4、7、9、14、20}；{2、5、11、13、19}；{3、8、10、15、18、21、23}；{6、12、16、17、22、24、25}
(183)★　107). {1、4、7、9、14、20}；{2、5、12、16、19}；{3、8、10、15、17、22、24}；{6、11、13、18、21、23、25}
(184)★　108). {1、4、7、9、14、20}；{2、5、12、16、19}；{3、8、10、15、18、21、23}；{6、11、13、17、22、24、25}
(185)★　109). {1、4、7、9、14、20}；{2、8、10、15、17、22}；{3、5、11、13、19、24}；{6、12、16、18、21、23、25}

---

(186)★　110). {1、4、7、9、14、20}；{2、8、10、15、18、23}；{3、5、11、13、19、21}；{6、12、16、17、22、24、25}
(187)★　111). {1、4、7、9、14、20}；{2、8、12、16、17、22}；{3、5、10、15、19、24}；{6、11、13、18、21、23、25}
(188)★　112). {1、4、7、9、14、20}；{2、8、12、16、18、23}；{3、5、10、15、19、21}；{6、11、13、17、22、24、25}
(189)　113). {1、4、7、12、14}；{2、5、9、13、19、20}；{3、8、10、15、17、22、24}；{6、11、16、18、21、23、25}
(190)　114). {1、4、7、12、14}；{2、5、9、13、19、20}；{3、8、10、15、18、21、23}；{6、11、16、17、22、24、25}

---

(191)　115). {1、4、7、12、14}；{2、5、9、16、19、20}；{3、8、10、15、17、22、24}；{6、11、13、18、21、23、25}
(192)　116). {1、4、7、12、14}；{2、5、9、16、19、20}；{3、8、10、15、18、21、23}；{6、11、13、17、22、24、25}
(193)★　117). {1、4、7、12、14、19}；{2、5、9、13、20}；{3、8、10、15、17、22、24}；{6、11、16、18、21、23、25}
(194)★　118). {1、4、7、12、14、19}；{2、5、9、13、20}；{3、8、10、15、18、21、23}；{6、11、16、17、22、24、25}
(195)★　119). {1、4、7、12、14、19}；{2、5、9、16、20}；{3、8、10、15、17、22、24}；{6、11、13、18、21、23、25}

---

(196)★ 120).{1、4、7、12、14、19};{2、5、9、16、20};{3、8、10、15、18、21、23};{6、11、13、17、22、24、25}
(197)★ 121).{1、4、7、12、14、19};{2、8、10、15、18、20};{3、5、9、13、21、23};{6、11、16、17、22、24、25}
(198)★ 122).{1、4、7、12、14、19};{2、8、10、15、20、22};{3、5、9、13、17、24};{6、11、16、18、21、23、25}
(199)★ 123).{1、4、7、12、14、19};{2、8、10、16、18、20};{3、5、9、15、21、23};{6、11、13、17、22、24、25}
(200)★ 124).{1、4、7、12、14、19};{2、8、10、16、20、22};{3、5、9、15、17、24};{6、11、13、18、21、23、25}

---

(201) 125).{1、4、7、12、14、19、20};{2、5、9、13};{3、8、10、15、17、22、24};{6、11、16、18、21、23、25}
(202) 126).{1、4、7、12、14、19、20};{2、5、9、13};{3、8、10、15、18、21、23};{6、11、16、17、22、24、25}
(203) 127).{1、4、7、12、14、19、20};{2、5、9、13、17};{3、8、10、15、18、21、23};{6、11、16、22、24、25}
(204) 128).{1、4、7、12、14、19、20};{2、5、9、13、17};{3、8、10、15、22、24};{6、11、16、18、21、23、25}
(205) X {1、4、7、12、14、19、20};{2、5、9、13、17、23};{3、8、10、15、18、21};{6、11、16、22、24、25}

---

(206) X {1、4、7、12、14、19、20};{2、5、9、13、17、23};{3、8、10、15、18、24};{6、11、16、21、22、25}
(207) X {1、4、7、12、14、19、20};{2、5、9、13、17、23};{3、8、10、15、21、22};{6、11、16、18、24、25}
(208) X {1、4、7、12、14、19、20};{2、5、9、13、17、23};{3、8、10、15、22、24};{6、11、16、18、21、25}
(209) 129).{1、4、7、12、14、19、20};{2、5、9、13、23};{3、8、10、15、17、22、24};{6、11、16、18、21、25}
(210) 130).{1、4、7、12、14、19、20};{2、5、9、13、23};{3、8、10、15、18、21};{6、11、16、17、22、24、25}

---

(211) 131).{1、4、7、12、14、19、20};{2、5、9、16};{3、8、10、15、17、22、24};{6、11、13、18、21、23、25}
(212) 132).{1、4、7、12、14、19、20};{2、5、9、16};{3、8、10、15、18、21、23};{6、11、13、17、22、24、25}
(213) 133).{1、4、7、12、14、19、20};{2、5、9、16、17};{3、8、10、15、18、21、23};{6、11、13、22、24、25}
(214) 134).{1、4、7、12、14、19、20};{2、5、9、16、17};{3、8、10、15、22、24};{6、11、13、18、21、23、25}
(215) X {1、4、7、12、14、19、20};{2、5、9、16、17、23};{3、8、10、15、18、21};{6、11、13、22、24、25}

---

(216) X {1、4、7、12、14、19、20};{2、5、9、16、17、23};{3、8、10、15、18、24};{6、11、13、21、22、25}
(217) X {1、4、7、12、14、19、20};{2、5、9、16、17、23};{3、8、10、15、21、22};{6、11、13、18、24、25}
(218) X {1、4、7、12、14、19、20};{2、5、9、16、17、23};{3、8、10、15、22、24};{6、11、13、18、21、25}
(219) 135).{1、4、7、12、14、19、20};{2、5、9、16、23};{3、8、10、15、17、22、24};{6、11、13、18、21、25}
(220) 136).{1、4、7、12、14、19、20};{2、5、9、16、23};{3、8、10、15、18、21};{6、11、13、17、22、24、25}

---

(221) 137).{1、4、7、12、14、19、20};{2、8、10、15、17、22};{3、5、9、13、21、23};{6、11、16、18、24、25}
(222) 138).{1、4、7、12、14、19、20};{2、8、10、15、17、22};{3、5、9、13、24};{6、11、16、18、21、23、25}
(223) 139).{1、4、7、12、14、19、20};{2、8、10、15、18};{3、5、9、13、21、23};{6、11、16、17、22、24、25}
(224) 140).{1、4、7、12、14、19、20};{2、8、10、15、18、23};{3、5、9、13、17、24};{6、11、16、21、22、25}
(225) 141).{1、4、7、12、14、19、20};{2、8、10、15、18、23};{3、5、9、13、21};{6、11、16、17、22、24、25}

---

(226) 142).{1、4、7、12、14、19、20};{2、8、10、15、22};{3、5、9、13、17、24};{6、11、16、18、21、23、25}
(227) 143).{1、4、7、12、14、19、20};{2、8、10、16、17、22};{3、5、9、15、21、23};{6、11、13、18、24、25}
(228) 144).{1、4、7、12、14、19、20};{2、8、10、16、17、22};{3、5、9、15、24};{6、11、13、18、21、23、25}
(229) 145).{1、4、7、12、14、19、20};{2、8、10、16、18};{3、5、9、15、21、23};{6、11、13、17、22、24、25}
(230) 146).{1、4、7、12、14、19、20};{2、8、10、16、18、23};{3、5、9、15、17、24};{6、11、13、21、22、25}

---

(231) 147).{1、4、7、12、14、19、20};{2、8、10、16、18、23};{3、5、9、15、21};{6、11、13、17、22、24、25}
(232) 148).{1、4、7、12、14、19、20};{2、8、10、16、22};{3、5、9、15、17、24};{6、11、13、18、21、23、25}
(233)★ 149).{1、4、7、12、14、20};{2、5、9、13、19};{3、8、10、15、17、22、24};{6、11、16、18、21、23、25}
(234)★ 150).{1、4、7、12、14、20};{2、5、9、13、19};{3、8、10、15、18、21、23};{6、11、16、17、22、24、25}
(235)★ 151).{1、4、7、12、14、20};{2、5、9、16、19};{3、8、10、15、17、22、24};{6、11、13、18、21、23、25}

---

(236)★	152).	{1、4、7、12、14、20};{2、5、9、16、19};{3、8、10、15、18、21、23};{6、11、13、17、22、24、25}
(237)★	153).	{1、4、7、12、14、20};{2、8、10、15、17、22};{3、5、9、13、19、24};{6、11、16、18、21、23、25}
(238)★	154).	{1、4、7、12、14、20};{2、8、10、15、18、23};{3、5、9、13、19、21};{6、11、16、17、22、24、25}
(239)★	155).	{1、4、7、12、14、20};{2、8、10、16、17、22};{3、5、9、15、19、24};{6、11、13、18、21、23、25}
(240)★	156).	{1、4、7、12、14、20};{2、8、10、16、18、23};{3、5、9、15、19、21};{6、11、13、17、22、24、25}

参考文献

[1]冯纪先.四色着色的"简化降阶法"[J].汕头大学学报(自然科学版),2008,23(4):52-59.(见目录:2.07)

[2]冯纪先.最大平面图 G_M 的二色子图和二色交换[C]//第二十届电路与系统年会论文集.广州:华南理工大学,2007:770-777.(见目录:2.04)

[3]冯纪先."Heawood 反例 HCE" $G_{M25.HCE}$的四色着色[J].数学的实践与认识,2010,():-.(见目录:2.12)

[4]冯纪先."另一个25阶最大平面图" G'_{M25}的四色着色[C]//武汉市第三届学术年会电工理论学术研讨会论文集.武汉:华中科技大学,2008:1-8.(见目录:2.11)

2.16 平面图着色的“移边法”

【摘要】对“n 阶最小 5 度最大平面图”$\min5G_{Mn}$及“n 阶最小 5 度平面图”$\min5G_n$的四色着色方案的求解,提出了“移边法”。“移边法”的基本思想是,移去“n 阶最小 5 度最大平面图”$\min5G_{Mn}$或“n 阶最小 5 度平面图” $\min5G_n$中的一条两个端点均为 5 度的边,则得到它们各自相应的子图“n 阶最小 4 度平面图”$\min4G_n$。显然,被移去那条边的两个端点,在各自相应的子图中均为 4 度。这就可以对子图“n 阶最小 4 度平面图”$\min4G_n$,用“降阶法”(指“移 4 度点法”)求得子图“n 阶最小 4 度平面图”$\min4G_n$的一个(或多个)四色着色方案。以其中一个四色着色方案为起始,利用“多层次二色交换法”,即可得到该子图“n 阶最小 4 度平面图”$\min4G_n$的一个相应的“相近四色着色方案集”。在这个“集”中,被移去的边的两个端点是异色的那些四色着色方案,就是原母图“n 阶最小 5 度最大平面图”$\min5G_{Mn}$或“n 阶最小 5 度平面图”$\min5G_n$的部分四色着色方案。由此,原母图的四色着色方案就被求得,这就是“移边法”。文中以实例(“Heawood 反例 HCE”$G_{M25.HCE}$)验证了该方法的正确性和有效性;并得到了“Heawood 反例”的一些四色着色方案(计 84 个)。文中对所得结果进行了分析,获得了一些有意义的结论。

【关键词】平面图;着色;相近四色着色方案集;“降阶法”;“多层次二色交换法”;“Heawood 反例”

The “method of removal edge” for Four - coloring in planar graph

Abstract: This paper presents “method of removal edge”, in order that Four - colorings in planar graph and maximal planar graph are obtained with removal of a edge. The minimal degree point of these graphs is 5 degree point. Two end - points of the removed edge are 5 degree points. In the paper, a practical example (“Heawood's Counter - Example, HCE” $G_{M25.HCE}$) certify that this method is rational, effective and useful, and show that some Four - Colorings (kinds of 84) of $G_{M25.HCE}$ are found by this method.

Keywords: planar graph; coloring; near Four - coloring set; “method of reduction of order”; “method of multilayer Two - color interchange”; “Heawood's Counter - Example, HCE”

1 引言

1976 年,美国数学家 K. Appel、W. Haken 等证明了四色定理,即任何平面图都是 4 可着色的。因而,一个一定阶数(点数),且为一定拓扑结构的平面图,是具有一种或多种“四色着色方案”的。为了获得一定拓扑结构的 n 阶平面图 G_n的“四色着色方案”,本文提出一种方法,称为“移边法”。

n 阶最大平面图(maximal planar graph)G_{Mn}是一种在相同的 n 阶中边数最多,区数也最多,即"约束"最多的 n 阶平面图。它的每个区均为三边形 K_3(这是一个充要条件)。可以想见,n 阶最大平面图 G_{Mn}的着色问题能解决,其他一般 n 阶平面图 G_n的着色问题,也是可以解决的。求解 n 阶最大平面图 G_{Mn}的"四色着色方案"的方法,也是适用于求解其他一般 n 阶平面图 G_n的"四色着色方案"的。因而本文的研究对象主要是 n 阶最大平面图 G_{Mn}。

参考文献[1]~[4]中分别提出了 n 阶最大平面图 G_{Mn}着色的"移 3 度点法"、"移 4 度点法"和"C_3 分隔法"。这三种方法虽然不同,但均基于通过阶数较低的子图来获得阶数较高的母图的"四色着色方案",故可统称为最大平面图着色的"降阶法"。

当 n 阶最大平面图 G_{Mn}的最小度点的度数为 5,则称此种 G_{Mn}为"n 阶最小 5 度最大平面图",记为"min5G_{Mn}";当 n 阶平面图 G_n的最小度点的度数为 4,则称此种 G_n为"n 阶最小 4 度平面图",记为"min4G_n"。"移边法"的基本思想是,移去"n 阶最小 5 度最大平面图"min5G_{Mn}中的一条两个端点均为 5 度的边,则得到其相应的子图"n 阶最小 4 度平面图"min4G_n。子图 min4G_n中,被移去的那条边的两个端点均已成为 4 度。直接用"降阶法",无法求得母图 min5G_{Mn}的"四色着色方案"。可以间接用"移边法",通过子图 min4G_n而获得母图 min5G_{Mn}的"四色着色方案"。子图与母图的阶数相同,但子图的最小度点的度数小于母图的最小度点的度数一度,故"移边法"实为平面图着色的一种"降度法"。[5]

2 "移边法"

当 n≥4 时,n 阶最大平面图 G_{Mn},有[6]

$$\begin{cases} n = n_3 + n_4 + \cdots + n_i + \cdots + n_{n-1}, & n\geq 4; n\geq n_i\geq 0; n-1\geq i\geq 3 \quad (1) \\ 3n_3 + 2n_4 + n_5 = n_7 + 2n_8 + \cdots + (i-6)n_i + \cdots + (n-7)n_{n-1} + 12, & \\ & n\geq 4; n\geq n_i\geq 0; n-1\geq i\geq 3 \quad (2) \end{cases}$$

式中,n 为最大平面图 G_{Mn}的阶数(点数);n_i 为 i 度点的个数。(1)式和(2)式为 n 阶最大平面图 G_{Mn}的必要条件。

"n 阶最小 5 度最大平面图"min5G_{Mn}的最小度点的度数为 5,这种图不含有 3 度点和 4 度点(当然,1 度点和 2 度点也是没有的),即 $n_3 = n_4 = 0$,因而得

$$\begin{cases} n = n_5 + n_6 + \cdots + n_i + \cdots + n_{n-1}, & n\geq 12; n\geq n_i\geq 0; n-1\geq i\geq 5 \quad (3) \\ n_5 = n_7 + 2n_8 + \cdots + (i-6)n_i + \cdots + (n-7)n_{n-1} + 12, & \\ & n\geq 12; n\geq n_i\geq 0; n-1\geq i\geq 5 \quad (4) \end{cases}$$

(3)式和(4)式是"n 阶最小 5 度最大平面图"min5G_{Mn}的必要条件。由(3)式和(4)式可见,min5G_{Mn}中有着"大量的"5 度点,且"许多"5 度点彼此是相邻的。又,(2)式和(4)式中未含有 n_6。当然,在拓扑结构图中,是 $n\geq n_6\geq 0$ 的。关于 6 度点的个数 n_6 的估计,见另文《3 长 6 度∞阶完整正则平面图》。

如图 1 所示为一个"n 阶最小 5 度最大平面图"min5G_{Mn},图中圆圈表示点,圈内的数字为点的标号。设图 1 中标号为 i 与 k 的两个点 ⓘ 与 ⓚ 均为 5 度点(或其中只是一个点 ⓘ 或 ⓚ为 5 度点)。实际上,若要 ⓘ 、ⓙ 、ⓚ 、ⓛ 四个点均为 5 度点,也容易找到。

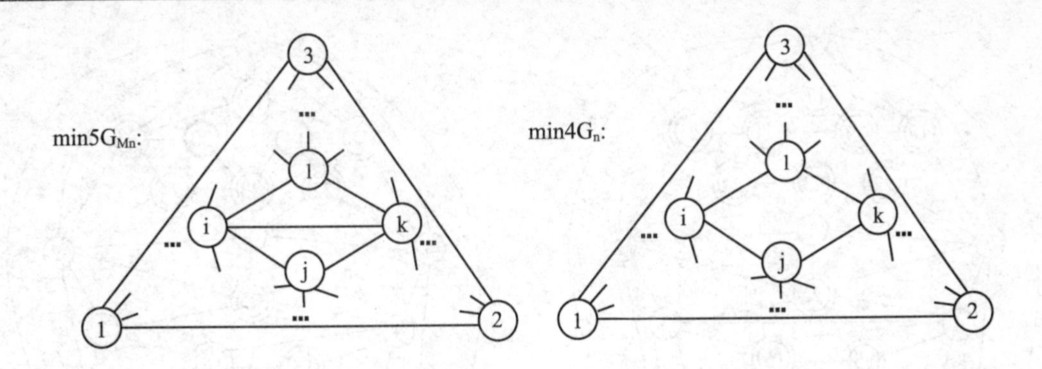

图 1 “n 阶最小 5 度最大平面图”　　　图 2 “n 阶最小 4 度平面图”

现将图 1 中的边 ⓘ ⓚ 移去,则得到母图“n 阶最小 5 度最大平面图”$\min5G_{Mn}$的子图“n 阶最小 4 度平面图” $\min4G_n$,如图 2 所示。故有:

$$\min4G_n = \min5G_{Mn} - \{ ⓘ ⓚ \} \tag{5}$$

子图“n 阶最小 4 度平面图” $\min4G_n$不是最大平面图,因为它已有了一个四边区,即四边形 C_4(ⓘ 、ⓙ 、ⓚ 、ⓛ)。图 2 中的点 ⓘ 与点 ⓚ 已是 4 度点(或其中只是一个点为 4 度点)。子图的阶数与母图的阶数还是一样的,没有变化。

既然子图 $\min4G_n$具有两个(或一个)4 度点,且又有着“大量的”相邻的 5 度点,则就可不断地利用“降阶法”[4]来“降阶”,即不断地移去 4 度点(甚至会有 3 度点),一直降至获得一个 G_4(或 G_{M4})的子图。然后,再按反序进行“着色—升阶—着色”的运作,直至获得子图 $\min4G_n$的一种“四色着色方案”。继之,以已求得的子图 $\min4G_n$的这个“四色着色方案”为起始,采用平面图着色的“多层次二色交换法”[7],相应地,即可求得子图 $\min4G_n$的一个“相近四色着色方案集”。在求得的子图 $\min4G_n$的这个“集”中,点 ⓘ 与点 ⓚ 异色的那些“四色着色方案”也就是母图 $\min5G_{Mn}$的“四色着色方案”。由此,就求出了母图 $\min5G_{Mn}$的一些“四色着色方案”,这就是“移边法”。母图“n 阶最小 5 度最大平面图”$\min5G_{Mn}$,直接用“降阶法”是无法获得它的“四色着色方案”的,采用“移边法”就可间接地求得它的部分“四色着色方案”,这往往可能不是母图 $\min5G_{Mn}$的全部“四色着色方案”。

3 实例:“Heawood 反例 HCE”$G_{M25.HCE}$

1879 年,Kempe 给出了“四色定理”的“证明”。1890 年,Heawood 采用一个例子,指出“Kempe 的证法”存在问题。该例,世称“Heawood 反例(Heawood’s Counter - Example),HCE”。其实,Heawood 并未说明也未证明“Heawood 反例”是非 4 可着色的。实际上,“Heawood 反例”应具有一种或多种四色着色方案的。

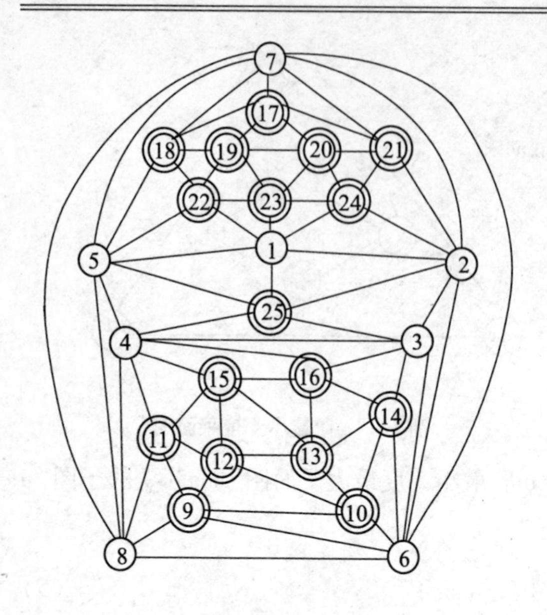

图 3 “Heawood 反例”$G_{M25.HCE}$

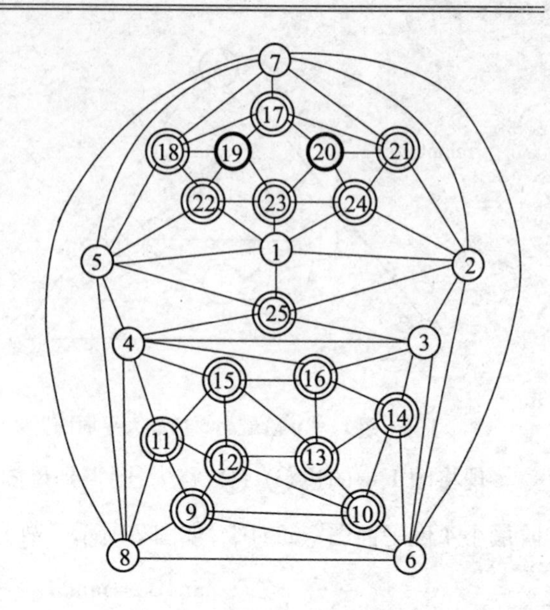

图 4 G_{25} ($=G_{M25.HCE}-\{$⑲⑳$\}$)

图 3 即是“Heawood 反例 HCE”$G_{M25.HCE}$,其中 5 度点用双线圆圈表示。图 3 与文献[8]中的图 1.12.3、文献[9]中的 figure2 - 15、文献[10]中的 Fig. 4,在拓扑结构上是完全一样的,且本文补足了 25 个点的标号。如图 3 所示 $G_{M25.HCE}$是一个 25 阶的,点的度数最小为 5 的最大平面图。其点数 $n=25$,边数 $e=3n-6=69$,区数 $r=2n-4=46$,度数 $d=6n-12=138$。如图 3 所示的 $G_{M25.HCE}$中,$n_3=n_4=0$,即无 3 度点和 4 度点;5 度(最小度)点数 $n_5=17$,即点⑨至点㉕;6 度点数 $n_6=3$,即点①、③和⑧;7 度(最大度)点数 $n_7=5$,即点②、④、⑤、⑥、⑦。5 度点数 n_5 占总点数 n 的 17/25 = 68%,“何其多也!”

由于“Heawood 反例 HCE” $G_{M25.HCE}$没有 3 度点,也没有 4 度点,当然就用不上“移 3 度点法”和“移 4 度点法”来求四色着色方案。像“Heawood 反例 HCE” $G_{M25.HCE}$这种点的最小度数为 5 的最大平面图,直接用“降阶法”来求得它的四色着色方案,是行不通的。我们可以采用本文所提出的“移边法”,间接地求得它的四色着色方案,其方法和过程如下所述。

首先,由图 3 可见,由于 5 度点“较多”,且形成了上、下两个“成堆”的地方。边⑫⑬和边⑲⑳都处在 5 度点的“包围”之中,这两条边,均可作为“被移去的边”的选项。我们任选边⑲⑳,将其从母图“Heawood 反例 HCE” $G_{M25.HCE}$ 中移去,则得到母图“Heawood 反例 HCE” $G_{M25.HCE}$的子图“一个 25 阶平面图”G_{25},如图 4 所示。图 4 就是文献[11]中的图 1,只是图 4 中,5 度点是用双线圆圈表示的;4 度点是用粗线圆圈表示的。这儿有:

$$G_{25}=G_{M25.HCE}-\{⑲⑳\} \tag{6}$$

意即母图 $G_{M25.HCE}$移去边⑲⑳,得到的子图,即为 G_{25}。

继之,对子图“一个 25 阶平面图”G_{25},采用“简化降阶法”[4](指“移 4 度点法”),求得子图 G_{25}的一个“四色着色方案甲(Jia)”。再以此“四色着色方案甲(Jia)”为基础,应用“多层次二色交换法”[7],求得子图 G_{25}的另外不同的 239 个四色着色方案,也就是获得了子图 G_{25}的一个

“相近四色着色方案集甲(Jia)”(含 240 = (1 + 239)个四色着色方案)。上面的工作已在参考文献[11]中完成。所求得的“相近四色着色方案集甲(Jia)”,以四个“点集划分”的形式,列在参考文献[11]的附录中。在该附录中,注有“★”号的四色着色方案的特点是,点⑲和点⑳是异色的。这就意味着点⑲和点⑳之间可以加一条边,从而该子图 G_{25} 的四色着色方案,相应地也就是母图 $G_{M25.HCE}$ 的四色着色方案。

最后,我们将参考文献[11]的附录中那些注有“★”号的子图 G_{25} 的四色着色方案取出,按顺序编上新号(置方括号内),列于本文的附录中;且将原编号(置圆括号内)保留、列出,以便核对。这样的四色着色方案共有 84 个,这就是母图“Heawood 反例 HCE” $G_{M25.HCE}$ 的四色着色方案。一般情况下,这可能只是母图 $G_{M25.HCE}$ 的部分四色着色方案。本文用“移边法”所求得的母图 $G_{M25.HCE}$ 的这些四色着色方案,约占子图 G_{25} 的那个“集甲(Jia)”的集元数的 $84 \div 240 \times 100\% = 35\%$。

4 结语

通过对图的拓扑结构的分析和实例(“Heawood 反例”)的验证,说明“移边法”还是能用来求解“最小 5 度最大平面图”的四色着色方案的。本文求得了“Heawood 反例”的 84 个四色着色方案,这就消除了一个误会:以为“Heawood 反例”是不存在四色着色方案的。实际上,任何平面图,包括“Heawood 反例”,都是符合“四色定理”的。

附录:“移边法”所得“Heawood 反例”$G_{M25.HCE}$的一些四色着色方案(共 84 个)

[01](007)★{1、3、8、10、15、18、20};{2、5、9、13、17、23};{4、7、12、14、19、24};{6、11、16、21、22、25}
[02](008)★{1、3、8、10、15、18、20};{2、5、9、13、17、23};{4、7、12、14、22、24};{6、11、16、19、21、25}
[03](009)★{1、3、8、10、15、18、20};{2、5、9、16、17、23};{4、7、12、14、19、24};{6、11、13、21、22、25}
[04](010)★{1、3、8、10、15、18、20};{2、5、9、16、17、23};{4、7、12、14、22、24};{6、11、13、19、21、25}
[05](011)★{1、3、8、10、15、18、20};{2、5、11、13、17、23};{4、7、9、14、19、24};{6、12、16、21、22、25}
[06](012)★{1、3、8、10、15、18、20};{2、5、11、13、17、23};{4、7、9、14、22、24};{6、12、16、19、21、25}
[07](013)★{1、3、8、10、15、18、20};{2、5、11、14、17、23};{4、7、9、13、19、24};{6、12、16、21、22、25}
[08](014)★{1、3、8、10、15、18、20};{2、5、11、14、17、23};{4、7、9、13、22、24};{6、12、16、19、21、25}
[09](015)★{1、3、8、10、15、18、20};{2、5、12、14、17、23};{4、7、9、13、19、24};{6、11、16、21、22、25}
[10](016)★{1、3、8、10、15、18、20};{2、5、12、14、17、23};{4、7、9、13、22、24};{6、11、16、19、21、25}
[11](017)★{1、3、8、10、15、18、20};{2、5、12、16、17、23};{4、7、9、14、19、24};{6、11、13、21、22、25}
[12](018)★{1、3、8、10、15、18、20};{2、5、12、16、17、23};{4、7、9、14、22、24};{6、11、13、19、21、25}
[13](020)★{1、3、8、10、15、18、21};{2、5、9、13、17、23};{4、7、12、14、19、24};{6、11、16、20、22、25}
[14](021)★{1、3、8、10、15、18、21};{2、5、9、13、17、23};{4、7、12、14、20、22};{6、11、16、19、24、25}
[15](027)★{1、3、8、10、15、18、21};{2、5、9、16、17、23};{4、7、12、14、19、24};{6、11、13、20、22、25}
[16](028)★{1、3、8、10、15、18、21};{2、5、9、16、17、23};{4、7、12、14、20、22};{6、11、13、19、24、25}
[17](034)★{1、3、8、10、15、18、21};{2、5、11、13、17、23};{4、7、9、14、19、24};{6、12、16、20、22、25}
[18](035)★{1、3、8、10、15、18、21};{2、5、11、13、17、23};{4、7、9、14、20、22};{6、12、16、19、24、25}
[19](041)★{1、3、8、10、15、18、21};{2、5、11、14、17、23};{4、7、9、13、19、24};{6、12、16、20、22、25}
[20](042)★{1、3、8、10、15、18、21};{2、5、11、14、17、23};{4、7、9、13、20、22};{6、12、16、19、24、25}
[21](048)★{1、3、8、10、15、18、21};{2、5、12、14、17、23};{4、7、9、13、19、24};{6、11、16、20、22、25}
[22](049)★{1、3、8、10、15、18、21};{2、5、12、14、17、23};{4、7、9、13、20、22};{6、11、16、19、24、25}
[23](055)★{1、3、8、10、15、18、21};{2、5、12、16、17、23};{4、7、9、14、19、24};{6、11、13、20、22、25}
[24](056)★{1、3、8、10、15、18、21};{2、5、12、16、17、23};{4、7、9、14、20、22};{6、11、13、19、24、25}
[25](073)★{1、3、8、10、15、19、21};{2、5、9、13、17、23};{4、7、12、14、20、22};{6、11、16、18、24、25}
[26](074)★{1、3、8、10、15、19、21};{2、5、9、13、17、23};{4、7、12、14、22、24};{6、11、16、18、20、25}
[27](075)★{1、3、8、10、15、19、21};{2、5、9、16、17、23};{4、7、12、14、20、22};{6、11、13、18、24、25}
[28](076)★{1、3、8、10、15、19、21};{2、5、9、16、17、23};{4、7、12、14、22、24};{6、11、13、18、20、25}
[29](077)★{1、3、8、10、15、19、21};{2、5、11、13、17、23};{4、7、9、14、20、22};{6、12、16、18、24、25}
[30](078)★{1、3、8、10、15、19、21};{2、5、11、13、17、23};{4、7、9、14、22、24};{6、12、16、18、20、25}
[31](079)★{1、3、8、10、15、19、21};{2、5、11、14、17、23};{4、7、9、13、20、22};{6、12、16、18、24、25}
[32](080)★{1、3、8、10、15、19、21};{2、5、11、14、17、23};{4、7、9、13、22、24};{6、12、16、18、20、25}
[33](081)★{1、3、8、10、15、19、21};{2、5、12、14、17、23};{4、7、9、13、20、22};{6、11、16、18、24、25}
[34](082)★{1、3、8、10、15、19、21};{2、5、12、14、17、23};{4、7、9、13、22、24};{6、11、16、18、20、25}
[35](083)★{1、3、8、10、15、19、21};{2、5、12、16、17、23};{4、7、9、14、20、22};{6、11、13、18、24、25}
[36](084)★{1、3、8、10、15、19、21};{2、5、12、16、17、23};{4、7、9、14、22、24};{6、11、13、18、20、25}
[37](089)★{1、4、7、9、13、19};{2、5、11、14、20};{3、8、10、15、17、22、24};{6、12、16、18、21、23、25}
[38](090)★{1、4、7、9、13、19};{2、5、11、14、20};{3、8、10、15、18、21、23};{6、12、16、17、22、24、25}
[39](091)★{1、4、7、9、13、19};{2、5、12、14、20};{3、8、10、15、17、22、24};{6、11、16、18、21、23、25}
[40](092)★{1、4、7、9、13、19};{2、5、12、14、20};{3、8、10、15、18、21、23};{6、11、16、17、22、24、25}
[41](093)★{1、4、7、9、13、19};{2、8、12、14、18、20};{3、5、10、15、21、23};{6、11、16、17、22、24、25}
[42](094)★{1、4、7、9、13、19};{2、8、12、14、20、22};{3、5、10、15、17、24};{6、11、16、18、21、23、25}

[43](095)★{1、4、7、9、13、19};{2、8、14、15、18、20};{3、5、10、11、21、23};{6、12、16、17、22、24、25}
[44](096)★{1、4、7、9、13、19};{2、8、14、15、20、22};{3、5、10、11、17、24};{6、12、16、18、21、23、25}
[45](129)★{1、4、7、9、13、20};{2、5、11、14、19};{3、8、10、15、17、22、24};{6、12、16、18、21、23、25}
[46](130)★{1、4、7、9、13、20};{2、5、11、14、19};{3、8、10、15、18、21、23};{6、12、16、17、22、24、25}
[47](131)★{1、4、7、9、13、20};{2、5、12、14、19};{3、8、10、15、17、22、24};{6、11、16、18、21、23、25}
[48](132)★{1、4、7、9、13、20};{2、5、12、14、19};{3、8、10、15、18、21、23};{6、11、16、17、22、24、25}
[49](133)★{1、4、7、9、13、20};{2、8、12、14、17、22};{3、5、10、15、19、24};{6、11、16、18、21、23、25}
[50](134)★{1、4、7、9、13、20};{2、8、12、14、18、23};{3、5、10、15、19、21};{6、11、16、17、22、24、25}
[51](135)★{1、4、7、9、13、20};{2、8、14、15、17、22};{3、5、10、11、19、24};{6、12、16、18、21、23、25}
[52](136)★{1、4、7、9、13、20};{2、8、14、15、18、23};{3、5、10、11、19、21};{6、12、16、17、22、24、25}
[53](141)★{1、4、7、9、14、19};{2、5、11、13、20};{3、8、10、15、17、22、24};{6、12、16、18、21、23、25}
[54](142)★{1、4、7、9、14、19};{2、5、11、13、20};{3、8、10、15、18、21、23};{6、12、16、17、22、24、25}
[55](143)★{1、4、7、9、14、19};{2、5、12、16、20};{3、8、10、15、17、22、24};{6、11、13、18、21、23、25}
[56](144)★{1、4、7、9、14、19};{2、5、12、16、20};{3、8、10、15、18、21、23};{6、11、13、17、22、24、25}
[57](145)★{1、4、7、9、14、19};{2、8、10、15、18、20};{3、5、11、13、21、23};{6、12、16、17、22、24、25}
[58](146)★{1、4、7、9、14、19};{2、8、10、15、20、22};{3、5、11、13、17、24};{6、12、16、18、21、23、25}
[59](147)★{1、4、7、9、14、19};{2、8、12、16、18、20};{3、5、10、15、21、23};{6、11、13、17、22、24、25}
[60](148)★{1、4、7、9、14、19};{2、8、12、16、20、22};{3、5、10、15、17、24};{6、11、13、18、21、23、25}
[61](181)★{1、4、7、9、14、20};{2、5、11、13、19};{3、8、10、15、17、22、24};{6、12、16、18、21、23、25}
[62](182)★{1、4、7、9、14、20};{2、5、11、13、19};{3、8、10、15、18、21、23};{6、12、16、17、22、24、25}
[63](183)★{1、4、7、9、14、20};{2、5、12、16、19};{3、8、10、15、17、22、24};{6、11、13、18、21、23、25}
[64](184)★{1、4、7、9、14、20};{2、5、12、16、19};{3、8、10、15、18、21、23};{6、11、13、17、22、24、25}
[65](185)★{1、4、7、9、14、20};{2、8、10、15、17、22};{3、5、11、13、19、24};{6、12、16、18、21、23、25}
[66](186)★{1、4、7、9、14、20};{2、8、10、15、18、23};{3、5、11、13、19、21};{6、12、16、17、22、24、25}
[67](187)★{1、4、7、9、14、20};{2、8、12、16、17、22};{3、5、10、15、19、24};{6、11、13、18、21、23、25}
[68](188)★{1、4、7、9、14、20};{2、8、12、16、18、23};{3、5、10、15、19、21};{6、11、13、17、22、24、25}
[69](193)★{1、4、7、12、14、19};{2、5、9、13、20};{3、8、10、15、17、22、24};{6、11、16、18、21、23、25}
[70](194)★{1、4、7、12、14、19};{2、5、9、13、20};{3、8、10、15、18、21、23};{6、11、16、17、22、24、25}
[71](195)★{1、4、7、12、14、19};{2、5、9、16、20};{3、8、10、15、17、22、24};{6、11、13、18、21、23、25}
[72](196)★{1、4、7、12、14、19};{2、5、9、16、20};{3、8、10、15、18、21、23};{6、11、13、17、22、24、25}
[73](197)★{1、4、7、12、14、19};{2、8、10、15、18、20};{3、5、9、13、21、23};{6、11、16、17、22、24、25}
[74](198)★{1、4、7、12、14、19};{2、8、10、15、20、22};{3、5、9、13、17、24};{6、11、16、18、21、23、25}
[75](199)★{1、4、7、12、14、19};{2、8、10、16、18、20};{3、5、9、15、21、23};{6、11、13、17、22、24、25}
[76](200)★{1、4、7、12、14、19};{2、8、10、16、20、22};{3、5、9、15、17、24};{6、11、13、18、21、23、25}
[77](233)★{1、4、7、12、14、20};{2、5、9、13、19};{3、8、10、15、17、22、24};{6、11、16、18、21、23、25}
[78](234)★{1、4、7、12、14、20};{2、5、9、13、19};{3、8、10、15、18、21、23};{6、11、16、17、22、24、25}
[79](235)★{1、4、7、12、14、20};{2、5、9、16、19};{3、8、10、15、17、22、24};{6、11、13、18、21、23、25}
[80](236)★{1、4、7、12、14、20};{2、5、9、16、19};{3、8、10、15、18、21、23};{6、11、13、17、22、24、25}
[81](237)★{1、4、7、12、14、20};{2、8、10、15、17、22};{3、5、9、13、19、24};{6、11、16、18、21、23、25}
[82](238)★{1、4、7、12、14、20};{2、8、10、15、18、23};{3、5、9、13、19、21};{6、11、16、17、22、24、25}
[83](239)★{1、4、7、12、14、20};{2、8、10、16、17、22};{3、5、9、15、19、24};{6、11、13、18、21、23、25}
[84](240)★{1、4、7、12、14、20};{2、8、10、16、18、23};{3、5、9、15、19、21};{6、11、13、17、22、24、25}

参考文献

[1]冯纪先. 最大平面图着色的“移3度点法”[C]//第十五届电路与系统年会论文集. 广州：华南理工大学,1999:254-258.(见目录:2.01)

[2]冯纪先. 最大平面图着色的“移4度点法”[C]//第十五届电路与系统年会论文集. 广州：华南理工大学,1999:259-263.(见目录:2.02)

[3]冯纪先. 最大平面图着色的“C_3分隔法”[C]//中国电机工程学会第六届电路理论及应用学术研讨会论文集. 南京:东南大学,2000:49-53.(见目录:2.03)

[4]冯纪先. 四色着色的“简化降阶法”[J]. 汕头大学学报(自然科学版),2008,23(4):52-59.(见目录:2.07)

[5]冯纪先. 平面图的四色着色—“降阶法”和“降度法”[C]//第二十一届电路与系统年会论文集. 天津:天津商业大学,2008:88-98.(见目录:2.22)

[6]L. A. 斯蒂恩(steen). 今日数学—随笔十二篇(MATHEMATICS TODAY—Twelve Informal Essays){K. 阿佩尔(Appel)、W. 黑肯(Haken). 第二部分(Part II)四色问题(The Four Color Problem)}[M]. 马继芳,译. 上海:上海科学技术出版社,1982:174-204.

[7]冯纪先. 最大平面图G_M的二色子图和二色交换[C]//第二十届电路与系统年会论文集. 广州:华南理工大学,2007:770-777.(见目录:2.04)

[8]M. 卡波边柯(Capobianco)、J. 莫鲁卓(Molluzzo)合著. 图论的例和反例(Examples and Counter Examples in Graph Theory)[M]. 聂祖安,译. 长沙:湖南科学技术出版社,1988:10-11.

[9]T. L. Saaty, P. C. Kainen. The Four Color Problem[M]. New York: McGraw-Hill International Book Company,1977:31-34.

[10]T. L. Saaty. Thirteen colorful variations on Gathrie's four-color conjecture[J]. The American Mathematical Monthly,79,No. 1,1972:2-43.

[11]冯纪先. “一个25阶平面图”G_{25}的四色着色[C]//第二十二届电路与系统年会论文集. 上海:复旦大学,2010:104-109.(见目录:2.15)

2.17 “另一个24阶平面图”G'_{24}的四色着色

【摘要】利用平面图着色的“降阶法”(指“移4度点法”),对一定拓扑结构的“另一个24阶平面图”G'_{24}进行了四色着色方案的求解。先逐点“降阶”,再按反序逐点“着色—升阶—着色”,从而得到了该G'_{24}的一个“四色着色方案子(Zi)”。在这个“四色着色方案子(Zi)”的基础上,利用平面图着色的“多层次二色交换法”,就得到了该G'_{24}的另外119个不同的四色着色方案,也即得到了该G'_{24}的,具有120(=1 +119)个不同的四色着色方案的一个“相近四色着色方案集子(Zi)”。文中对这个“集子(Zi)”进行了分析,获得了有意义的认识。

【关键词】平面图;着色;“降阶法”;“多层次二色交换法”;四色着色方案;相近四色着色方案集

On Four - coloring of “another planar graph of 24 order” G'_{24}

Abstract: In this paper, a “Four - Coloring Zi” of “Another Planar Graph of 24 Order”G'_{24} is obtained with the “method of reduction of order” (“method of removal 4 degree point”,“simplified method of reduction of order”); and a “Near Four - Coloring Set Zi”(different 120 Four - Colorings) of G'_{24} is obtained with the “method of multilayer Two - color interchange” too. This “Set Zi” is studied.

Keywords: planar graph; coloring; “method of reduction of order”; “method of multilayer Two - color interchange”; Four - coloring; near Four - coloring set

1 引言

文献[1]中的图1是“一个24阶平面图(planar graph)”G_{24},文献[1]中求解出G_{24}的一个“相近四色着色方案集A”(含G_{24}的288个不同的四色着色方案)。文献[1]中的图1G_{24},实为文献[2]中的图1“Heawood反例(Heawood’s Counter - Example),HCE”$G_{M25.HCE}$移去点㉕所得的子图,即

$$G_{24} = G_{M25.HCE} - \{㉕\} \tag{1}$$

本文的图1是“另一个24阶平面图”G'_{24}。图1中,圆圈表示点;圈内的数字是点的标号。本文为了求解该“另一个24阶平面图”G'_{24}的四色着色方案,综合应用“降阶法”[3],求解得该G'_{24}的一个“四色着色方案子(Zi)”。再以“四色着色方案子(Zi)”为基础,应用“多层次二色交换法”[4],求解得G'_{24}的另外119个不同的四色着色方案,也即得到了该G'_{24}的一个“相近四色着色方案集子(Zi)”(含120(=1 +119)个不同的四色着色方案)。求解的过程和结果,于以下各节中叙述。

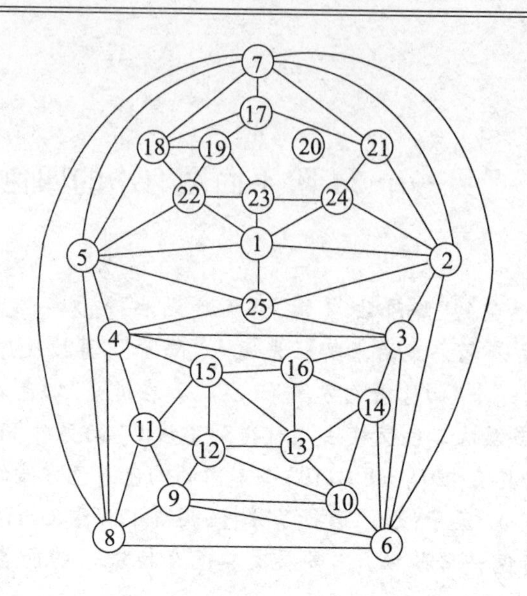

图 1 “另一个 24 阶平面图” G'_{24} ($= G_{M25.HCE} - \{⑳\}$)

拓扑结构如图 1 所示的“另一个 24 阶平面图” G'_{24}，虽然其他各区的周长均为 3，但还有一个周长为 5 的区，即 C_5 {⑰、⑲、㉓、㉔、㉑}。故该 G'_{24}不是最大平面图(maximal planar graph)。该 G'_{24}的点数 $n=24$；边数 $e=64$；区数 $r=42$；度数 $d=2e=128$。在如图 1 所示的 G'_{24}中，$n_1=n_2=n_3=0$，即该 G'_{24}无 1 度点、2 度点和 3 度点；4 度(最小度)点数 $n_4=5$，即点⑰、⑲、㉑、㉓和㉔；5 度点数 $n_5=11$，即点⑨、⑩、⑪、⑫、⑬、⑭、⑮、⑯、⑱、㉒和㉕；6 度点数 $n_6=3$，即点①、③和⑧；7 度(最大度)点数 $n_7=5$，即点②、④、⑤、⑥和⑦。故如图 1 所示 G'_{24}为“最小 4 度 24 阶平面图” $\min 4G_{24}$。

文献[2]中的图 1 为“Heawood 反例，HCE” $G_{M25.HCE}$，是一个 25 阶的最大平面图。将本文的图 1 与文献[2]中的图 1 相比较，即可看出，G'_{24}为母图 $G_{M25.HCE}$移去点⑳所得的子图，即

$$G'_{24} = G_{M25.HCE} - \{⑳\} \tag{2}$$

$G_{M25.HCE}$为“最小 5 度 25 阶最大平面图” $\min 5G_{M25}$，直接用“降阶法”求得它的四色着色方案是行不通的。为此，本文求出它的一个子图 G'_{24}的部分四色着色方案，从而就可求得 $G_{M25.HCE}$的一些个四色着色方案。

2 “另一个 24 阶平面图” G'_{24}的四色着色方案

为了获得如图 1 所示 G'_{24}的四色着色方案，我们先进行逐点“降阶”，再按反序进行逐点“着色—升阶—着色”，直至得到 G'_{24}的一个四色着色方案。“降阶”的演算，在邻接矩阵上进行，如图 2 所示；“着色—升阶—着色”的运作，在逐步变化的拓扑结构图上进行，其过程和结果，如图 3 所示。

2.1 “降阶”的演算

图 2 中，上半部分为一个邻接矩阵，但已稍作变形，方括号被省去，矩阵的元素被放在小方格里，对角元素以“×”表示，元素“0”未标注出。又，矩阵左下部分的元素，全都省去了。当一个点被从拓扑结构图中移去后，与此点关联的所有的边，也就被移去，那么，在邻接矩阵里，相应的矩阵元素由“1”变为“1×”。

图2的下半部分，是一个表示在逐点“降阶”过程中各点的度数的变化表。该表以纵向朝下变化的数字来表达点的度数的变化。夹行内的文字，就是说明点的度数变化的原因和结果，即表示当移去某点后，哪些点的度数将如何变化。显然，当一个点被移去后，此点的度数即为0，与此点邻接的所有的点的度数均各减一。

由此，我们是在“邻接矩阵”和“度数变化表”中进行“降阶”运作。“降阶”将一直降至图G'_{24}变为其子图G_4或子图G_{M4}。

由图2可见，G_4是由点⑨、⑩、⑫和⑬组成，点⑨和点⑬是2度点，点⑩和点⑫是3度点。“降阶”的过程和结果已表示在图2中，故略去细述。

点	①	②	③	④	⑤	⑥	⑦	⑧	⑨	⑩	⑪	⑫	⑬	⑭	⑮	⑯	⑰	⑱	⑲	⑳	㉑	㉒	㉓	㉔	㉕	
①	×	1×			1×															×		1×	1×	1×	1×	①
②		×	1×			1×	1×													×	1×			1×	1×	②
③			×	1×		1×								1×		1×				×					1×	③
④				×	1×			1×			1×				1×	1×				×					1×	④
⑤					×		1×	1×										1×		×		1×			1×	⑤
⑥						×	1×	1×	1×	1×				1×						×						⑥
⑦							×	1×									1×	1×		×	1×					⑦
⑧								×	1×		1×									×						⑧
⑨									×	1	1×	1								×						⑨
⑩										×		1	1	1×						×						⑩
⑪											×	1×			1×					×						⑪
⑫												×	1		1×					×						⑫
⑬													×	1×	1×	1×				×						⑬
⑭														×		1×				×						⑭
⑮															×	1×				×						⑮
⑯																×				×						⑯
⑰																	×	1×	1×	×	1×					⑰
⑱																		×	1×	×		1×				⑱
⑲																			×	×		1×	1×			⑲
⑳																				×	×	×	×	×	×	⑳
㉑																					×			1×		㉑
㉒																						×	1×			㉒
㉓																							×	1×		㉓
㉔																								×		㉔
㉕																									×	㉕

点	①	②	③	④	⑤	⑥	⑦	⑧	⑨	⑩	⑪	⑫	⑬	⑭	⑮	⑯	⑰	⑱	⑲	⑳	㉑	㉒	㉓	㉔	㉕
度	6	7	6	7	7	7	7	6	5	5	5	5	5	5	5	5	4	5	4	×	4	5	4	4	5
去㉔，　①、②、㉑、㉓各减一度																									
	5	6																		×	3		3	0	
去㉑、㉓，　②、⑦、⑰；①、⑲、㉒各减一度																									
	4	5					6										3		3	×	0	4	0	0	
去⑰、⑲，　⑦、⑱、⑲；⑰、⑱、㉒各减一度																									
							5										0	3	0	×	0	3	0	0	
去⑱、㉒，　⑤、⑦、㉒；①、⑤、⑱各减一度																									
	3				5		4										0	0	0	×	0	0	0	0	
去①，　②、⑤、㉕各减一度																									
	0	4			4												0	0	0	×	0	0	0	0	4
去㉕，　②、③、④、⑤各减一度																									
	0	3	5	6	3												0	0	0	×	0	0	0	0	0
去②、⑤，　③、⑥、⑦；④、⑦、⑧各减一度																									
	0	0	4	5	0	6	2	5									0	0	0	×	0	0	0	0	0
去⑦，　⑥、⑧各减一度																									
	0	0			0	5	0	4									0	0	0	×	0	0	0	0	0
去③，　④、⑥、⑭、⑯各减一度																									
	0	0	0	4	0	4	0							4		4	0	0	0	×	0	0	0	0	0
去④，　⑧、⑪、⑮、⑯各减一度																									
	0	0	0	0	0		0	3			4				4	3	0	0	0	×	0	0	0	0	0
去⑧、⑯，　⑥、⑨、⑪；⑬、⑭、⑮各减一度																									
	0	0	0	0	0	3	0	0	4		3		4	3	3	0	0	0	0	×	0	0	0	0	0
去⑥、⑪、⑭、⑮，　⑨、⑩、⑭；⑨、⑫、⑮；⑥、⑩、⑬；⑪、⑫、⑬各减一度																									
	0	0	0	0	0	0	0	0	2	3	0	3	2	0	0	0	0	0	0	×	0	0	0	0	0
点	①		③		⑤		⑦		⑨		⑪		⑬		⑮		⑰		⑲		㉑		㉓		㉕

图2　G'_{24}的“降阶”过程和结果

2.2　“着色—升阶—着色”的运作

本文采用的四种颜色为红(red)、黄(yellow)、蓝(blue)、绿(green)。又约定：红色点以“实线圆圈”表示；黄色点以“点线圆圈”表示；蓝色点以“划线圆圈”表示；绿色点以“点划线圆圈”

表示。若一个点以数层不同的圆圈表达时,则表示该点在着色过程中换色数次。表达换色的顺序是“内先、外后”,故最内层的圆圈,表示该点最初的着色;最外层的圆圈,表示该点最后的着色,也即现时的着色。图3即按以上的约定作出。

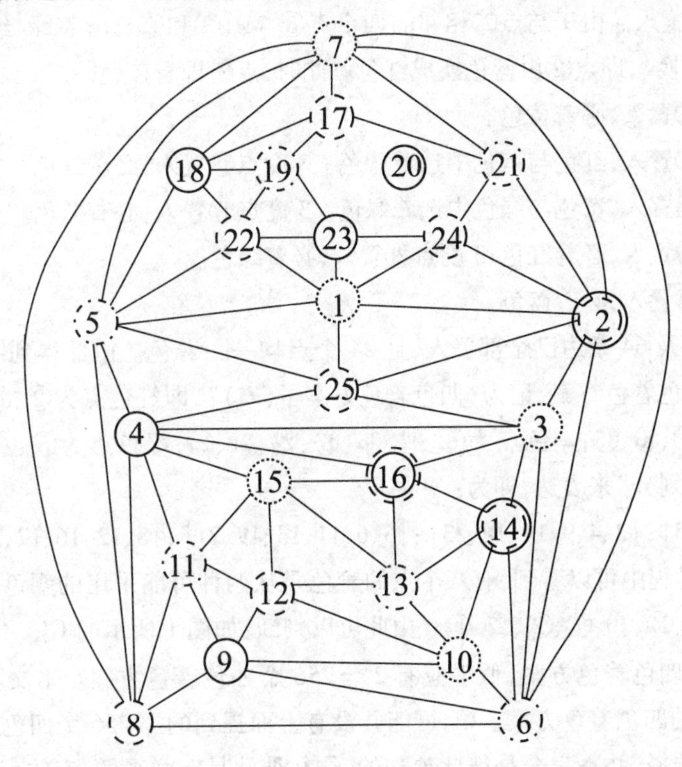

图3 G'_{24}的“着色—升阶—着色”过程及“四色着色方案子(Zi)”

图3已把G'_{24}的一个“四色着色方案子(Zi)”表示出来,同时,图3也表达了G'_{24}的“着色—升阶—着色”的过程。现结合图3,将各点着色的顺序和步骤叙述如下:

(1)首先,将G_4的四个点⑨、⑩、⑫和⑬置于图3中,它们之间的五条边,即G_4的五条边⑨⑩、⑨⑫、⑩⑫、⑩⑬和⑫⑬也就跟着置于图3中。将2度点⑨着红色;3度点⑩着黄色;3度点⑫着蓝色;2度点⑬在红色与绿色中,选着绿色。

注意:当一个点置入时,该点与已置入点之间的边,也就相应地同时置入。为了简便,下面在述及一个点的置入时,不再细述该点的相应的关联边的置入。

(2)接着,按“降阶”的反序,将3度点⑮置入,红色和黄色中选着黄色;将3度点⑭置入,红色与蓝色中选着蓝色;将3度点⑪置入,必着绿色;再将3度点⑥置入,也必着绿色。

(3)继之,3度点⑯置入,必着红色;再将3度点⑧置入,黄色与蓝色中选着蓝色。

(4)4度点④置入。由于与点④相邻的四个点⑧、⑪、⑮和⑯已分别着蓝、绿、黄、红四色,故点⑯与点⑭需作“二色交换”,即点⑯由红色换成蓝色、点⑭由蓝色换成红色。此时,点④即可着红色。

(5)4度点③置入,必着黄色。

(6)2度点⑦置入,红色与黄色中选着黄色。

(7)3度点⑤置入,必着绿色。

(8)3度点②置入,红色与蓝色中选着蓝色。

(9)4度点㉕置入。由于与点㉕相邻的四个点⑤、④、③和②已分着绿、红、黄、蓝四色,故点②需作“二色交换”,即点②由蓝色换成红色。此时,点㉕即着蓝色。

(10)3度点①置入,必着黄色。

(11)2度点㉒置入,红色与蓝色中选着蓝色。3度点⑱置入,必着红色。

(12)2度点⑲置入,黄色与绿色中选着绿色。3度点⑰置入,必着蓝色。

(13)3度点㉓置入,必着红色;3度点㉑置入,必着绿色。

(14)4度点㉔置入,必着蓝色。

至此,24个点及64条边已全部置入,且24个点均一一着色。由此得到图3,同时也就得到了一个G'_{24}的四色着色方案,记为“四色着色方案子(Zi)”,即红色点为②、④、⑨、⑭、⑱、㉓;黄色点为①、③、⑦、⑩、⑮;蓝色点为⑧、⑫、⑯、⑰、㉒、㉔、㉕;绿色点为⑤、⑥、⑪、⑬、⑲、㉑。若用四个“点集的划分”来表达,即为:

{1、3、7、10、15};{2、4、9、14、18、23};{5、6、11、13、19、21};{8、12、16、17、22、24、25}

从上述着色过程中可以看到,有八个点的着色是从两种可能采用的颜色中,任选了一种。这八个点是⑬、⑮、⑭、⑧、⑦、②、㉒、⑲。由此可以判断:如图1所示的G'_{24},不只有“四色着色方案子(Zi)”一个四色着色方案,似乎应有$2^8=256$个四色着色方案。本文不再用前面的方法,求解G'_{24}其他的四色着色方案。G'_{24}可能并没有上面提到的那256个四色着色方案。这是因为点的颜色的选择,并不完全是彼此独立的,往往彼此是有联系的、有约束的,故有可能G'_{24}的四色着色方案的总数会小于256个。

3 相近四色着色方案集

我们求得了图G'_{24}的一个“四色着色方案子(Zi)”。现以这个“四色着色方案子(Zi)”为起始,应用“多层次二色交换法”[4],进一步又求得了另外119个不同的图G'_{24}的四色着色方案(求解过程略)。这120(=1+119)个相近四色着色方案,形成了一个“相近四色着色方案集”,记为“相近四色着色方案集子(Zi)”。现将其以四个“点集划分”的形式,列述于附录中,四色着色方案的编号置于后半圆括号内。编号前标以“★”号的四色着色方案,其五个点⑰、⑲、㉑、㉓和㉔(在附录中,以红色的斜体数字表示这五个点的标号),共着了三种颜色。标以“★”号的四色着色方案共计有60个,恰巧为“相近四色着色方案集子(Zi)”所含四色着色方案数120个的一半。很显然,注以“★”号的四色着色方案中,可以移入一个着第四种颜色的点⑳。“四色着色方案子(Zi)”在附录中,编号为★028)。

请注意,一个“相近四色着色方案集”,是以“多层次二色交换法”作为运算的方法,针对一个一定拓扑结构的平面图而形成的。当两个阶数相同而拓扑结构不同的平面图,具有一个相同的四色着色方案时,这个四色着色方案在不同拓扑结构的平面图里,所属的“相近四色着色方案集”将是不同的。

4 结语

“降阶法”[3],适用于最大平面图,也适用于平面图。本文利用“降阶法”中的“简化降阶法”,求得了“另一个24阶平面图”G'_{24}的一个“四色着色方案子(Zi)”。本文只求了这一个四色着色方案。“多层次二色交换法”[4]适用于最大平面图,也适用于平面图。本文又利用“多层次二色交换法”,以图G'_{24}的“四色着色方案子(Zi)”作为起始,求得图G'_{24}的一个“相近四色着色方案集子(Zi)”。该“集子(Zi)”含有120个四色着色方案。本文也只求了这一个“相近四色着色方案集”。显然,很可能图G'_{24}不止这一个“相近四色着色方案集子(Zi)”,也即图G'_{24}不止这120个四色着色方案。

附录:"另一个24阶平面图"G'_{24}的"相近四色着色方案集子(Zi)"(120个集元)

★ 001).{1、3、7、9、13};{2、4、12、14、*17*、22};{5、6、11、16、*19*、*24*};{8、10、15、18、*21*、*23*、25}
★ 002).{1、3、7、9、13};{2、4、12、14、18、*23*};{5、6、11、16、*19*、*21*};{8、10、15、*17*、22、*24*、25}
003).{1、3、7、9、13、*19*};{2、4、12、14、*17*、22};{5、6、11、16、*21*、*23*};{8、10、15、18、*24*、25}
004).{1、3、7、9、13、*19*};{2、4、12、14、*17*、22};{5、6、11、16、*24*};{8、10、15、18、*21*、*23*、25}
★ 005).{1、3、7、9、13、*19*};{2、4、12、14、18};{5、6、11、16、*21*、*23*};{8、10、15、*17*、22、*24*、25}
006).{1、3、7、9、13、*19*};{2、4、12、14、18、*23*};{5、6、11、16、*17*、*24*};{8、10、15、*21*、22、25}
007).{1、3、7、9、13、*19*};{2、4、12、14、18、*23*};{5、6、11、16、*21*};{8、10、15、*17*、22、*24*、25}
★ 008).{1、3、7、9、13、*19*};{2、4、12、14、22};{5、6、11、16、*17*、*24*};{8、10、15、18、*21*、*23*、25}
★ 009).{1、3、7、9、15};{2、4、12、14、*17*、22};{5、6、11、13、*19*、*24*};{8、10、16、18、*21*、*23*、25}
★ 010).{1、3、7、9、15};{2、4、12、14、18、*23*};{5、6、11、13、*19*、*21*};{8、10、16、*17*、22、*24*、25}
011).{1、3、7、9、15、*19*};{2、4、12、14、*17*、22};{5、6、11、13、*21*、*23*};{8、10、16、18、*24*、25}
012).{1、3、7、9、15、*19*};{2、4、12、14、*17*、22};{5、6、11、13、*24*};{8、10、16、18、*21*、*23*、25}
★ 013).{1、3、7、9、15、*19*};{2、4、12、14、18};{5、6、11、13、*21*、*23*};{8、10、16、*17*、22、*24*、25}
014).{1、3、7、9、15、*19*};{2、4、12、14、18、*23*};{5、6、11、13、*17*、*24*};{8、10、16、*21*、22、25}
015).{1、3、7、9、15、*19*};{2、4、12、14、18、*23*};{5、6、11、13、*21*};{8、10、16、*17*、22、*24*、25}
★ 016).{1、3、7、9、15、*19*};{2、4、12、14、22};{5、6、11、13、*17*、*24*};{8、10、16、18、*21*、*23*、25}
★ 017).{1、3、7、10、11};{2、4、9、13、*17*、22};{5、6、12、16、*19*、*24*};{8、14、15、18、*21*、*23*、25}
★ 018).{1、3、7、10、11};{2、4、9、13、18、*23*};{5、6、12、16、*19*、*21*};{8、14、15、*17*、22、*24*、25}
019).{1、3、7、10、11、*19*};{2、4、9、13、*17*、22};{5、6、12、16、*21*、*23*};{8、14、15、18、*24*、25}
020).{1、3、7、10、11、*19*};{2、4、9、13、*17*、22};{5、6、12、16、*24*};{8、14、15、18、*21*、*23*、25}
★ 021).{1、3、7、10、11、*19*};{2、4、9、13、18};{5、6、12、16、*21*、*23*};{8、14、15、*17*、22、*24*、25}
022).{1、3、7、10、11、*19*};{2、4、9、13、18、*23*};{5、6、12、16、*17*、*24*};{8、14、15、*21*、22、25}
023).{1、3、7、10、11、*19*};{2、4、9、13、18、*23*};{5、6、12、16、*21*};{8、14、15、*17*、22、*24*、25}
★ 024).{1、3、7、10、11、*19*};{2、4、9、13、22};{5、6、12、16、*17*、*24*};{8、14、15、18、*21*、*23*、25}
★ 025).{1、3、7、10、15};{2、4、9、13、*17*、22};{5、6、11、16、*19*、*24*};{8、12、14、18、*21*、*23*、25}
★ 026).{1、3、7、10、15};{2、4、9、13、18、*23*};{5、6、11、16、*19*、*21*};{8、12、14、*17*、22、*24*、25}
★ 027).{1、3、7、10、15};{2、4、9、14、*17*、22};{5、6、11、13、*19*、*24*};{8、12、16、18、*21*、*23*、25}
★ 028).{1、3、7、10、15};{2、4、9、14、18、*23*};{5、6、11、13、*19*、*21*};{8、12、16、*17*、22、*24*、25}
029).{1、3、7、10、15、*19*};{2、4、9、13、*17*、22};{5、6、11、16、*21*、*23*};{8、12、14、18、*24*、25}
030).{1、3、7、10、15、*19*};{2、4、9、13、*17*、22};{5、6、11、16、*24*};{8、12、14、18、*21*、*23*、25}
★ 031).{1、3、7、10、15、*19*};{2、4、9、13、18};{5、6、11、16、*21*、*23*};{8、12、14、*17*、22、*24*、25}
032).{1、3、7、10、15、*19*};{2、4、9、13、18、*23*};{5、6、11、16、*17*、*24*};{8、12、14、*21*、22、25}
033).{1、3、7、10、15、*19*};{2、4、9、13、18、*23*};{5、6、11、16、*21*};{8、12、14、*17*、22、*24*、25}
★ 034).{1、3、7、10、15、*19*};{2、4、9、13、22};{5、6、11、16、*17*、*24*};{8、12、14、18、*21*、*23*、25}
035).{1、3、7、10、15、*19*};{2、4、9、14、*17*、22};{5、6、11、13、*21*、*23*};{8、12、16、18、*24*、25}
036).{1、3、7、10、15、*19*};{2、4、9、14、*17*、22};{5、6、11、13、*24*};{8、12、16、18、*21*、*23*、25}
★ 037).{1、3、7、10、15、*19*};{2、4、9、14、18};{5、6、11、13、*21*、*23*};{8、12、16、*17*、22、*24*、25}
038).{1、3、7、10、15、*19*};{2、4、9、14、18、*23*};{5、6、11、13、*17*、*24*};{8、12、16、*21*、22、25}
039).{1、3、7、10、15、*19*};{2、4、9、14、18、*23*};{5、6、11、13、*21*};{8、12、16、*17*、22、*24*、25}
★ 040).{1、3、7、10、15、*19*};{2、4、9、14、22};{5、6、11、13、*17*、*24*};{8、12、16、18、*21*、*23*、25}
★ 041).{1、3、7、11、13};{2、4、9、14、*17*、22};{5、6、12、16、*19*、*24*};{8、10、15、18、*21*、*23*、25}
★ 042).{1、3、7、11、13};{2、4、9、14、18、*23*};{5、6、12、16、*19*、*21*};{8、10、15、*17*、22、*24*、25}
043).{1、3、7、11、13、*19*};{2、4、9、14、*17*、22};{5、6、12、16、*21*、*23*};{8、10、15、18、*24*、25}

044). {1、3、7、11、13、*19*}；{2、4、9、14、*17*、22}；{5、6、12、16、*24*}；{8、10、15、18、*21*、*23*、25}

★ 045). {1、3、7、11、13、*19*}；{2、4、9、14、18}；{5、6、12、16、*21*、*23*}；{8、10、15、*17*、22、*24*、25}

046). {1、3、7、11、13、*19*}；{2、4、9、14、18、*23*}；{5、6、12、16、*17*、*24*}；{8、10、15、*21*、22、25}

047). {1、3、7、11、13、*19*}；{2、4、9、14、18、*23*}；{5、6、12、16、*21*}；{8、10、15、*17*、22、*24*、25}

★ 048). {1、3、7、11、13、*19*}；{2、4、9、14、22}；{5、6、12、16、*17*、*24*}；{8、10、15、18、*21*、*23*、25}

049). {1、3、8、10、15、*17*}；{2、4、9、13、18、*23*}；{5、6、11、16、*19*、*21*}；{7、12、14、22、*24*、25}

050). {1、3、8、10、15、*17*}；{2、4、9、13、18、*23*}；{5、6、12、16、*19*、*21*}；{7、11、14、22、*24*、25}

051). {1、3、8、10、15、*17*}；{2、4、9、14、18、*23*}；{5、6、11、13、*19*、*21*}；{7、12、16、22、*24*、25}

052). {1、3、8、10、15、*17*}；{2、4、9、14、18、*23*}；{5、6、12、16、*19*、*21*}；{7、11、13、22、*24*、25}

053). {1、3、8、10、15、*17*}；{2、4、12、14、18、*23*}；{5、6、11、13、*19*、*21*}；{7、9、16、22、*24*、25}

054). {1、3、8、10、15、*17*}；{2、4、12、14、18、*23*}；{5、6、11、16、*19*、*21*}；{7、9、13、22、*24*、25}

★ 055). {1、3、8、10、15、18}；{2、4、9、13、*17*、22}；{5、6、11、16、*21*、*23*}；{7、12、14、*19*、*24*、25}

★ 056). {1、3、8、10、15、18}；{2、4、9、13、*17*、22}；{5、6、12、16、*21*、*23*}；{7、11、14、*19*、*24*、25}

★ 057). {1、3、8、10、15、18}；{2、4、9、13、*17*、*23*}；{5、6、11、16、*19*、*21*}；{7、12、14、22、*24*、25}

★ 058). {1、3、8、10、15、18}；{2、4、9、13、*17*、*23*}；{5、6、12、16、*19*、*21*}；{7、11、14、22、*24*、25}

★ 059). {1、3、8、10、15、18}；{2、4、9、14、*17*、22}；{5、6、11、13、*21*、*23*}；{7、12、16、*19*、*24*、25}

★ 060). {1、3、8、10、15、18}；{2、4、9、14、*17*、22}；{5、6、12、16、*21*、*23*}；{7、11、13、*19*、*24*、25}

★ 061). {1、3、8、10、15、18}；{2、4、9、14、*17*、*23*}；{5、6、11、13、*19*、*21*}；{7、12、16、22、*24*、25}

★ 062). {1、3、8、10、15、18}；{2、4、9、14、*17*、*23*}；{5、6、12、16、*19*、*21*}；{7、11、13、22、*24*、25}

★ 063). {1、3、8、10、15、18}；{2、4、12、14、*17*、22}；{5、6、11、13、*21*、*23*}；{7、9、16、*19*、*24*、25}

★ 064). {1、3、8、10、15、18}；{2、4、12、14、*17*、22}；{5、6、11、16、*21*、*23*}；{7、9、13、*19*、*24*、25}

★ 065). {1、3、8、10、15、18}；{2、4、12、14、*17*、*23*}；{5、6、11、13、*19*、*21*}；{7、9、16、22、*24*、25}

★ 066). {1、3、8、10、15、18}；{2、4、12、14、*17*、*23*}；{5、6、11、16、*19*、*21*}；{7、9、13、22、*24*、25}

067). {1、3、8、10、15、18、*21*}；{2、4、9、13、*17*、22}；{5、6、11、16、*19*、*24*}；{7、12、14、*23*、25}

068). {1、3、8、10、15、18、*21*}；{2、4、9、13、*17*、22}；{5、6、11、16、*23*}；{7、12、14、*19*、*24*、25}

069). {1、3、8、10、15、18、*21*}；{2、4、9、13、*17*、22}；{5、6、12、16、*19*、*24*}；{7、11、14、*23*、25}

070). {1、3、8、10、15、18、*21*}；{2、4、9、13、*17*、22}；{5、6、12、16、*23*}；{7、11、14、*19*、*24*、25}

071). {1、3、8、10、15、18、*21*}；{2、4、9、13、*17*、*23*}；{5、6、11、16、*19*}；{7、12、14、22、*24*、25}

★ 072). {1、3、8、10、15、18、*21*}；{2、4、9、13、*17*、*23*}；{5、6、11、16、*19*、*24*}；{7、12、14、22、25}

073). {1、3、8、10、15、18、*21*}；{2、4、9、13、*17*、*23*}；{5、6、12、16、*19*}；{7、11、14、22、*24*、25}

★ 074). {1、3、8、10、15、18、*21*}；{2、4、9、13、*17*、*23*}；{5、6、12、16、*19*、*24*}；{7、11、14、22、25}

075). {1、3、8、10、15、18、*21*}；{2、4、9、13、*19*}；{5、6、11、16、*17*、*23*}；{7、12、14、22、*24*、25}

076). {1、3、8、10、15、18、*21*}；{2、4、9、13、*19*}；{5、6、12、16、*17*、*23*}；{7、11、14、22、*24*、25}

★ 077). {1、3、8、10、15、18、*21*}；{2、4、9、13、22}；{5、6、11、16、*17*、*23*}；{7、12、14、*19*、*24*、25}

★ 078). {1、3、8、10、15、18、*21*}；{2、4、9、13、22}；{5、6、12、16、*17*、*23*}；{7、11、14、*19*、*24*、25}

079). {1、3、8、10、15、18、*21*}；{2、4、9、14、*17*、22}；{5、6、11、13、*19*、*24*}；{7、12、16、*23*、25}

080). {1、3、8、10、15、18、*21*}；{2、4、9、14、*17*、22}；{5、6、11、13、*23*}；{7、12、16、*19*、*24*、25}

081). {1、3、8、10、15、18、*21*}；{2、4、9、14、*17*、22}；{5、6、12、16、*19*、*24*}；{7、11、13、*23*、25}

082). {1、3、8、10、15、18、*21*}；{2、4、9、14、*17*、22}；{5、6、12、16、*23*}；{7、11、13、*19*、*24*、25}

083). {1、3、8、10、15、18、*21*}；{2、4、9、14、*17*、*23*}；{5、6、11、13、*19*}；{7、12、16、22、*24*、25}

★ 084). {1、3、8、10、15、18、*21*}；{2、4、9、14、*17*、*23*}；{5、6、11、13、*19*、*24*}；{7、12、16、22、25}

085). {1、3、8、10、15、18、*21*}；{2、4、9、14、*17*、*23*}；{5、6、12、16、*19*}；{7、11、13、22、*24*、25}

★ 086). {1、3、8、10、15、18、*21*}；{2、4、9、14、*17*、*23*}；{5、6、12、16、*19*、*24*}；{7、11、13、22、25}

087). {1、3、8、10、15、18、*21*}；{2、4、9、14、*19*}；{5、6、11、13、*17*、*23*}；{7、12、16、22、*24*、25}

088). {1、3、8、10、15、18、*21*}；{2、4、9、14、*19*}；{5、6、12、16、*17*、*23*}；{7、11、13、22、*24*、25}

★ 089).{1、3、8、10、15、18、*21*};{2、4、9、14、22};{5、6、11、13、*17*、*23*};{7、12、16、*19*、*24*、25}
★ 090).{1、3、8、10、15、18、*21*};{2、4、9、14、22};{5、6、12、16、*17*、*23*};{7、11、13、*19*、*24*、25}
091).{1、3、8、10、15、18、*21*};{2、4、12、14、*17*、22};{5、6、11、13、*19*、*24*};{7、9、16、*23*、25}
092).{1、3、8、10、15、18、*21*};{2、4、12、14、*17*、22};{5、6、11、13、*23*};{7、9、16、*19*、*24*、25}
093).{1、3、8、10、15、18、*21*};{2、4、12、14、*17*、22};{5、6、11、16、*19*、*24*};{7、9、13、*23*、25}
094).{1、3、8、10、15、18、*21*};{2、4、12、14、*17*、22};{5、6、11、16、*23*};{7、9、13、*19*、*24*、25}
095).{1、3、8、10、15、18、*21*};{2、4、12、14、*17*、*23*};{5、6、11、13、*19*};{7、9、16、22、*24*、25}
★ 096).{1、3、8、10、15、18、*21*};{2、4、12、14、*17*、*23*};{5、6、11、13、*19*、*24*};{7、9、16、22、25}
097).{1、3、8、10、15、18、*21*};{2、4、12、14、*17*、*23*};{5、6、11、16、*19*};{7、9、13、22、*24*、25}
★ 098).{1、3、8、10、15、18、*21*};{2、4、12、14、*17*、*23*};{5、6、11、16、*19*、*24*};{7、9、13、22、25}
099).{1、3、8、10、15、18、*21*};{2、4、12、14、*19*};{5、6、11、13、*17*、*23*};{7、9、16、22、*24*、25}
100).{1、3、8、10、15、18、*21*};{2、4、12、14、*19*};{5、6、11、16、*17*、*23*};{7、9、13、22、*24*、25}
★ 101).{1、3、8、10、15、18、*21*};{2、4、12、14、22};{5、6、11、13、*17*、*23*};{7、9、16、*19*、*24*、25}
★ 102).{1、3、8、10、15、18、*21*};{2、4、12、14、22};{5、6、11、16、*17*、*23*};{7、9、13、*19*、*24*、25}
★ 103).{1、3、8、10、15、*19*、*21*};{2、4、9、13、18};{5、6、11、16、*17*、*23*};{7、12、14、22、*24*、25}
★ 104).{1、3、8、10、15、*19*、*21*};{2、4、9、13、18};{5、6、12、16、*17*、*23*};{7、11、14、22、*24*、25}
105).{1、3、8、10、15、*19*、*21*};{2、4、9、13、18、*23*};{5、6、11、16、*17*};{7、12、14、22、*24*、25}
★ 106).{1、3、8、10、15、*19*、*21*};{2、4、9、13、18、*23*};{5、6、11、16、*17*、*24*};{7、12、14、22、25}
107).{1、3、8、10、15、*19*、*21*};{2、4、9、13、18、*23*};{5、6、12、16、*17*};{7、11、14、22、*24*、25}
★ 108).{1、3、8、10、15、*19*、*21*};{2、4、9、13、18、*23*};{5、6、12、16、*17*、*24*};{7、11、14、22、25}
★ 109).{1、3、8、10、15、*19*、*21*};{2、4、9、14、18};{5、6、11、13、*17*、*23*};{7、12、16、22、*24*、25}
★ 110).{1、3、8、10、15、*19*、*21*};{2、4、9、14、18};{5、6、12、16、*17*、*23*};{7、11、13、22、*24*、25}
111).{1、3、8、10、15、*19*、*21*};{2、4、9、14、18、*23*};{5、6、11、13、*17*};{7、12、16、22、*24*、25}
★ 112).{1、3、8、10、15、*19*、*21*};{2、4、9、14、18、*23*};{5、6、11、13、*17*、*24*};{7、12、16、22、25}
113).{1、3、8、10、15、*19*、*21*};{2、4、9、14、18、*23*};{5、6、12、16、*17*};{7、11、13、22、*24*、25}
★ 114).{1、3、8、10、15、*19*、*21*};{2、4、9、14、18、*23*};{5、6、12、16、*17*、*24*};{7、11、13、22、25}
★ 115).{1、3、8、10、15、*19*、*21*};{2、4、12、14、18};{5、6、11、13、*17*、*23*};{7、9、16、22、*24*、25}
★ 116).{1、3、8、10、15、*19*、*21*};{2、4、12、14、18};{5、6、11、16、*17*、*23*};{7、9、13、22、*24*、25}
117).{1、3、8、10、15、*19*、*21*};{2、4、12、14、18、*23*};{5、6、11、13、*17*};{7、9、16、22、*24*、25}
★ 118).{1、3、8、10、15、*19*、*21*};{2、4、12、14、18、*23*};{5、6、11、13、*17*、*24*};{7、9、16、22、25}
119).{1、3、8、10、15、*19*、*21*};{2、4、12、14、18、*23*};{5、6、11、16、*17*};{7、9、13、22、*24*、25}
★ 120).{1、3、8、10、15、*19*、*21*};{2、4、12、14、18、*23*};{5、6、11、16、*17*、*24*};{7、9、13、22、25}

参考文献

[1]冯纪先."一个24阶平面图"G_{24}的一个"相近四色着色方案集A"[C]//第二十一届电工理论年会论文集.南昌:南昌大学,2009:16-21.(见目录:2.13)
[2]冯纪先."Heawood反例"$G_{M25.HCE}$的一些四色着色方案[C]//第二十一届电工理论年会论文集.南昌:南昌大学,2009:22-25.(见目录:2.14)
[3]冯纪先.四色着色的"简化降阶法"[J].汕头大学学报(自然科学版),2008,23(4):52-59.(见目录:2.07)
[4]冯纪先.最大平面图G_M的二色子图和二色交换[C]//第二十届电路与系统年会论文集.广州:华南理工大学,2007:770-777.(见目录:2.04)

2.18 平面图着色的“移5度点法”

【摘要】对点的最小度数为5度的n阶最大平面图G_{Mn}(“n阶最小5度最大平面图”$\min5G_{Mn}$)的拓扑结构做了分析和研究,由此提出了平面图着色的“移5度点法”。当一个一定拓扑结构的“n阶最小5度最大平面图”$\min5G_{Mn}$被移去一个5度点时,则得到它的一个子图,该子图的阶数较原母图(“n阶最小5度最大平面图”)的阶数减一阶,即为(n-1)阶。设在原母图中,被移去的5度点的五个相邻点中,至少有一个是5度点时,该子图就是一个“(n-1)阶最小4度平面图”$\min4G_{(n-1)}$。显然,该子图已非最大平面图,且其点的最小度数为4度。因此可以说子图相对母图,既“降阶”,又“降度”。由此,可以对该子图采用平面图着色的“降阶法”,求得子图的一个(或多个)四色着色方案。再以这个已被求得的四色着色方案为起始,利用“多层次二色交换法”,就可求得该子图的一个“相近四色着色方案集”。在该“集”里,有些四色着色方案中,与被移去的那个5度点相邻的五个点只共着了三种颜色。将这些四色着色方案拿来,再将第四种颜色赋予被移去的那个5度点,二者相配,即得到了相应的原母图的四色着色方案。由此,就形成了求解最大平面图的四色着色方案的“移5度点法”。这个方法对平面图也是适用的。文中以实例(“Heawood反例HCE”$G_{M25.HCE}$)验证了该方法的合理性和可用性;并得到了“Heawood反例”的一些四色着色方案(60个)。文中也分析了该法的特点,获得了一些有意义的结论。

【关键词】平面图;着色;“降阶法”;“降度法”;“多层次二色交换法”;相近四色着色方案集;“Heawood反例”

The “method of removal 5 degree point” for Four - coloring in planar graph

Abstract: This paper analyses plannar graph (Its minimal degree point is 5 degree point); Presents“ method of removal 5 degree point”, in order that Four - colorings in planar graph are obtained with removal of a 5 degree point. Five adjacent points of the removed 5 degree point are not less than one 5 degree point. In the paper, a practical example (“Heawood's Counter - Example, HCE”) $G_{M25.HCE}$ certify that this method is rational, effective and useful, and show that some Four - colorings (kinds of 60) of $G_{M25.HCE}$ are found by this method.

Keywords: planar graph; coloring; “method of reduction of order”; “method of reduction of degree”; “method of multilayer Two - color interchange”; near Four - coloring set; “Heawood's Counter - Example, HCE”

1 引言

1976年,美国数学家K. Appel、W. Haken等证明了四色定理,即任何平面图都是4可着色的。因而,一个一定阶数(点数)且为一定拓扑结构的平面图,是具有一个或多个“四色着色方案”的。为了获得一定拓扑结构的n阶平面图G_n的“四色着色方案”,本文提出一种方法,称为“移5度点法”。

n阶最大平面图(maximal planar graph)G_{Mn}是一种在相同的n阶中边数最多,区数也最多,即“约束”最多的n阶平面图。它的每个区均为三边形K_3(这是一个充要条件)。可以想见,n阶最大平面图G_{Mn}的着色问题能解决,其他一般n阶平面图G_n的着色问题,也是可以解决的。求解n阶最大平面图G_{Mn}的“四色着色方案”的方法,也是适用于求解其他一般n阶平面图G_n的“四色着色方案”的。因而本文的研究对象主要是n阶最大平面图G_{Mn}。

文献[1]~[4]中,分别提出了n阶最大平面图G_{Mn}着色的“移3度点法”、“移4度点法”和“C_3分隔法”。这三种方法虽然不同,但均基于通过阶数较低的子图来获得阶数较高的母图的“四色着色方案”,故可统称为最大平面图着色的“降阶法”。

文献[5]中所提出的“移边法”,是基于通过阶数与母图一样,但最小度点的度数较母图的最小度点的度数减了一度的子图,来获得母图的“四色着色方案”,故“移边法”实为一种“降度法”[6]。

当n阶最大平面图G_{Mn}的最小度点的度数为5,则称此种G_{Mn}为“n阶最小5度最大平面图”,记为“$\min5G_{Mn}$”;当n阶平面图G_n的最小度点的度数为4,则称此种G_n为“n阶最小4度平面图”,记为“$\min4G_n$”。“移5度点法”的基本思想是,移去“n阶最小5度最大平面图”$\min5G_{Mn}$中的一个5度点,该5度点的五个相邻点中,至少有一个相邻点为5度点。那么,当移去那个5度点时,所得到的子图中,至少有一个相邻点已为4度,即子图已为“(n-1)阶最小4度平面图”$\min4G_{(n-1)}$。直接用“降阶法”是无法求得母图$\min5G_{Mn}$的“四色着色方案”的。可以间接地用“移5度点法”,通过子图$\min4G_{(n-1)}$而获得母图$\min5G_{Mn}$的“四色着色方案”。子图$\min4G_{(n-1)}$的阶数较母图的阶数低了一阶;子图的最小度点的度数较母图的最小度点的度数小了一度。由此,“移5度点法”既可视作是一种“降阶法”,也可视作是一种“降度法”。

2 “移5度点法”

当n≥4时,n阶最大平面图G_{Mn},有[7]

$$\begin{cases} n = n_3 + n_4 + \cdots + n_i + \cdots + n_{n-1}, & n\geqslant 4; n\geqslant n_i\geqslant 0; n-1\geqslant i\geqslant 3 \quad (1) \\ 3n_3 + 2n_4 + n_5 = n_7 + 2n_8 + \cdots + (i-6)n_i + \cdots + (n-7)n_{n-1} + 12, & n\geqslant 4; n\geqslant n_i\geqslant 0; n-1\geqslant i\geqslant 3 \quad (2) \end{cases}$$

式中,n为最大平面图G_{Mn}的阶数(点数);n_i为i度点的个数。(1)式和(2)式为n阶最大平面图G_{Mn}的必要条件。

“n阶最小5度最大平面图”$\min5G_{Mn}$的最小度点的度数为5,这种图不含有3度点和4度点(当然,1度点和2度点也是没有的),即$n_3 = n_4 = 0$,因而得

$$\begin{cases} n = n_5 + n_6 + \cdots + n_i + \cdots + n_{n-1}, & n\geqslant 12; n\geqslant n_i\geqslant 0; n-1\geqslant i\geqslant 5 \quad (3) \\ n_5 = n_7 + 2n_8 + \cdots + (i-6)n_i + \cdots + (n-7)n_{n-1} + 12, & n\geqslant 12; n\geqslant n_i\geqslant 0; n-1\geqslant i\geqslant 5 \quad (4) \end{cases}$$

(3)式和(4)式是“n阶最小5度最大平面图”$\min5G_{Mn}$的必要条件。由(3)式和(4)式可见,$\min5G_{Mn}$中有着“大量的”5度点,且“许多”5度点彼此是相邻的。又,(2)式和(4)式中未含有n_6。当然,在拓扑结构图中,是$n\geqslant n_6\geqslant 0$的。关于6度点的个数$n_6$的估计,见另文《3长6度∞阶完整正则平面图》。

如图1所示为一个“n阶最小5度最大平面图”$\min5G_{Mn}$,图中圆圈表示点,圈内的数字为

点的标号。设图1中，标号为n的点ⓝ为5度点。又，与点ⓝ相邻的五个点为点(n-1)、点(n-2)、点(n-3)、点(n-4)和点(n-5)，且这五个点中，至少要有一个点为5度点，譬如点(n-1)为5度点(实际上，这五个点均为5度点的情况，也会碰到)。

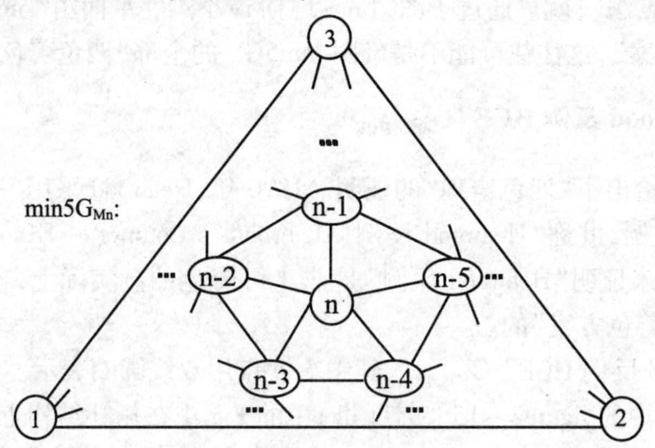

图1 “n阶最小5度最大平面图”

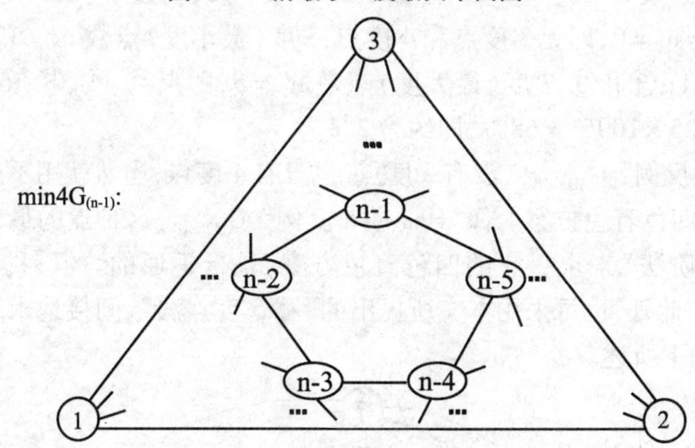

图2 “(n－1)阶最小4度平面图”

现将图1中的点ⓝ移去，相应地五条关联边也就移去，则得到母图“n阶最小5度最大平面图”$min5G_{Mn}$的子图“(n－1)阶最小4度平面图” $min4G_{(n-1)}$，如图2所示。故有

$$min4G_{(n-1)} = min5G_{Mn} - \{ⓝ\} \tag{5}$$

子图“(n－1)阶最小4度平面图” $min4G_{(n-1)}$已不是最大平面图，因为它已有了一个五边区，即五边形 C_5((n-1)、(n-2)、(n-3)、(n-4)、(n-5))。图2中，至少点(n-1)已是4度点(甚至，那五个点均是4度点的情况，也会存在)。又，子图的阶数已较母图的阶数降了一阶。

既然子图$min4G_{(n-1)}$至少具有一个4度点(甚至，具有五个4度点)，且又有着“大量的”彼此相邻的5度点，则就可不断地利用“降阶法”[4]来“降阶”，即不断地移去4度点(也可能会出现3度点，当然，也不断地移去)，一直降至获得一个G_4(或G_{M4})的子图。然后，再按反序进行“着色—升阶—着色”的运作，直至获得子图$min4G_{(n-1)}$的一个“四色着色方案”。继之，以已求得的子图$min4G_{(n-1)}$的这个“四色着色方案”为起始，采用平面图着色的“多层次二色交换法”[8]，相应地即可求得子图$min4G_{(n-1)}$的一个“相近四色着色方案集”。在求得的子图$min4G_{(n-1)}$的这个“集”中，五个点(n-1)、(n-2)、(n-3)、(n-4) 和(n-5)共着三色的那些“四色着色方案”可相应地作为母图 $min5G_{Mn}$的“四色着色方案”，只要将第四色赋予 5 度点ⓝ即可。由此，就求出了母图 $min5G_{Mn}$的一些“四色着色方案”，这就是“移 5 度点法”。

母图“n 阶最小 5 度最大平面图”$min5G_{Mn}$，直接用“降阶法”是无法获得它的“四色着色方案”的，采用“移 5 度点法”，就可通过子图“(n-1)阶最小 4 度平面图” $min4G_{(n-1)}$间接求得它的部分“四色着色方案”，这往往可能不是母图 $min5G_{Mn}$的全部“四色着色方案”。

3 实例：“Heawood 反例 HCE”$G_{M25.HCE}$

1879 年，Kempe 给出了“四色定理“的证明。1890 年，Heawood 采用一个例子，指出 Kempe 的证法存在问题。该例，世称“Heawood 反例(Heawood's Counter - Example)，HCE”。其实，Heawood 并未说明也未证明“Heawood 反例”是非 4 可着色的。实际上，“Heawood 反例”应具有一个或多个“四色着色方案”的。

图 3 即“Heawood 反例 HCE” $G_{M25.HCE}$，其中 5 度点用双线圆圈表示。图 3 与文献[9]中的图 1.12.3、文献[10]中的 figure2 - 15、文献[11]中的 Fig. 4 在拓扑结构上是完全一样的，且本文补足了 25 个点的标号。如图 3 所示 $G_{M25.HCE}$是一个 25 阶的，点的度数最小为 5 的最大平面图。其点数 $n=25$，边数 $e=3n-6=69$，区数 $r=2n-4=46$，度数 $d=6n-12=138$。如图 3 所示的 $G_{M25.HCE}$中，$n_3=n_4=0$，即无 3 度点和 4 度点；5 度(最小度)点数 $n_5=17$，即点⑨至点㉕；6 度点数 $n_6=3$，即点①、③和⑧；7 度(最大度)点数 $n_7=5$，即点②、④、⑤、⑥、⑦。5 度点数 n_5占总点数 n 的 $17\div25\times100\%=68\%$，即约为 2/3。

由于“Heawood 反例” $G_{M25.HCE}$，没有 3 度点，也没有 4 度点，当然就用不到“移 3 度点法”和“移 4 度点法”来求四色着色方案。像“Heawood 反例” $G_{M25.HCE}$这种点的最小度数为 5 的最大平面图，直接用“降阶法”来求得它的四色着色方案，是行不通的。但，我们可以采用“移边法”[5]间接地来求。此外，也可采用本文所提出的“移 5 度点法”，间接地求得它的四色着色方案，其方法和过程如下所述。

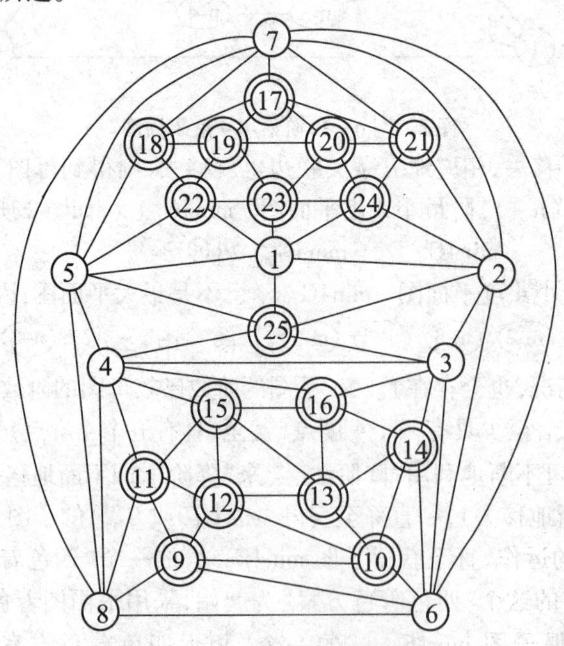

图 3 “Heawood 反例”$G_{M25.HCE}$

首先,由图3可见,由于5度点(双线圆圈)“较多”,且形成了上下两个“成堆”的地方。点⑫、点⑬、点⑲、点⑳四个5度点,均各在不同的五个5度点的“包围”之中,即它们各自的五个相邻点均是5度点。因而点⑫、⑬、⑲、⑳四个点,均可作为“被移去的5度点”的选项。我们任选点⑳,将其从母图“Heawood反例”$G_{M25.HCE}$中移去,点⑳所关联的五条边也同时被移去,则得到母图“Heawood反例”$G_{M25.HCE}$的子图“另一个24阶平面图”G'_{24},如图4所示。图4就是文献[12]中的图1,只是在图4中,5度点是用双线圆圈表示的、4度点是用粗线圆圈表示的。这儿有:

$$G'_{24} = G_{M25.HCE} - \{⑳\} \tag{6}$$

意即:母图$G_{M25.HCE}$移去点⑳及其相应的关联边,得到的子图,即为G'_{24}。

继之,对子图“另一个24阶平面图”G'_{24},采用“简化降阶法”[4](指“移4度点法”),求得子图G'_{24}的一个“四色着色方案子(Zi)”。再以此“四色着色方案子(Zi)”为基础,应用“多层次二色交换法”[8],求解得子图G'_{24}的另外不同的119个四色着色方案,也就是获得了子图G'_{24}的一个“相近四色着色方案集子(Zi)”(含120(=1+119)个不同的四色着色方案)。这些工作,已在文献[12]中完成。所求得的“相近四色着色方案集子(Zi)”,以四个“点集划分”的形式,列在文献[12]的附录中。在该附录中,注有“★”号的四色着色方案的特点是,点⑰、⑲、㉑、㉓、㉔五个点(用红色的斜体数字表示)只共着三色。这就意味着在子图G'_{24}中,可以加入一个5度点⑳,并着第四色。由此,相应地就得到了母图$G_{M25.HCE}$的四色着色方案。

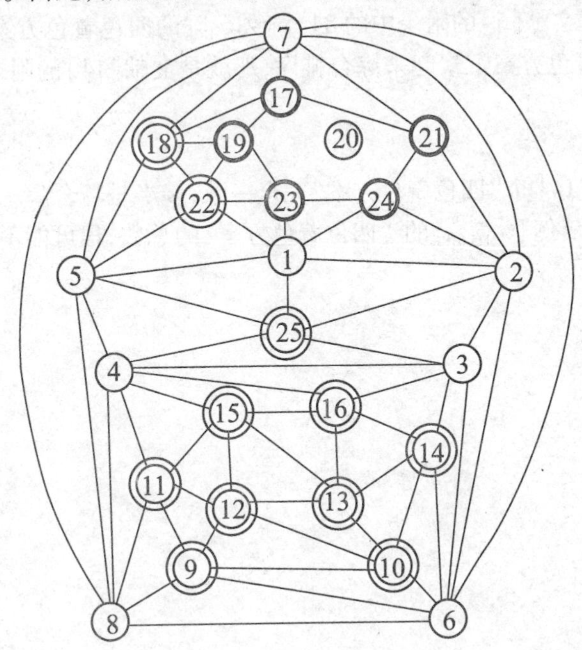

图4 “另一个24阶平面图”G'_{24}(=$G_{M25.HCE}$ − {⑳})

最后,我们将文献[12]的附录中那些注有“★”号的子图G'_{24}的四色着色方案取出,并将点⑳(用蓝色的粗体数字表示)加入,着第四色。重新排序,编以新号(置方括号内),列于本文的附录中;且将原编号(置圆括号内)保留、列出,以便核对。这样的四色着色方案共有60个,这就是母图“Heawood反例”$G_{M25.HCE}$的四色着色方案。一般情况下,这可能只是母图$G_{M25.HCE}$的部分四色着色方案。

本文用“移5度点法”所求得的母图$G_{M25.HCE}$的这些四色着色方案,约占子图G'_{24}的那个“集子(Zi)”的60÷120×100%=50%。

4 结语

通过对图的拓扑结构的分析和实例("Heawood 反例")的验证,说明"移 5 度点法"如同"移边法"一样,也还是能用来求解"最小 5 度最大平面图"的"四色着色方案"的。

本文("移 5 度点法")求得了"Heawood 反例"$G_{M25.HCE}$的 60 个"四色着色方案"。从附录中可以看到,这些"四色着色方案",一部分"方案"是:点①、③、⑦同色;另一部分"方案"是:点①、③、⑧同色,且点②、④ 同他色。文献[5]("移边法")求得了"Heawood 反例"$G_{M25.HCE}$的 84 个"四色着色方案"。从文献[5]的附录中可以看到,那些"四色着色方案",一部分"方案"是:点①、③、⑧同色,而点②、⑤ 同它色;另一部分"方案"是:点①、④、⑦同色。由此可见,两文(本文和文献[5])中所得的结果($G_{M25.HCE}$的"四色着色方案")没有重复,故合在一起,共有 60 + 84 = 144 个"四色着色方案"。

文献[13]("对角线变换法")求得了"Heawood 反例"$G_{M25.HCE}$的 84 个"四色着色方案"。文献[14](利用一个给出的"四色着色方案")求得了"Heawood 反例"$G_{M25.HCE}$的 72 个"四色着色方案"。两文献(文献[13]和文献[14])中所得的结果,有 12 个"四色着色方案"是重复的,故合在一起共有 84 + 72 - 12 = 144 个"四色着色方案",已将其列于文献[14]的附录中。

对比前后两个"Heawood 反例"$G_{M25.HCE}$的 144 个"四色着色方案",发现它们两者之间完全一致。也就是说,若把文献[5]的附录中的 84 个 $G_{M25.HCE}$的四色着色方案,和本文的附录中的 60 个 $G_{M25.HCE}$的四色着色方案汇聚起来综合排序,那就是文献[14]的附录中的 144 个 $G_{M25.HCE}$的四色着色方案。

"在下"感到:

第一, 前、后两个 144 个"四色着色方案"完全一致,多半是巧合。

第二,"Heawood 反例"$G_{M25.HCE}$的"四色着色方案"的总数,很可能不止 144 个。

附录:"移5度点法"所得"Heawood反例" $G_{M25.HCE}$的一些四色着色方案(共60个)

[01](005)★{1、3、7、9、13、*19*};{2、4、12、14、18、**20**};{5、6、11、16、*21*、*23*};{8、10、15、*17*、22、*24*、25}

[02](008)★{1、3、7、9、13、*19*};{2、4、12、14、**20**、22};{5、6、11、16、*17*、*24*};{8、10、15、18、*21*、*23*、25}

[03](001)★{1、3、7、9、13、**20**};{2、4、12、14、*17*、22};{5、6、11、16、*19*、*24*};{8、10、15、18、*21*、*23*、25}

[04](002)★{1、3、7、9、13、**20**};{2、4、12、14、18、*23*};{5、6、11、16、*19*、*21*};{8、10、15、*17*、22、*24*、25}

[05](013)★{1、3、7、9、15、*19*};{2、4、12、14、18、**20**};{5、6、11、13、*21*、*23*};{8、10、16、*17*、22、*24*、25}

[06](016)★{1、3、7、9、15、*19*};{2、4、12、14、**20**、22};{5、6、11、13、*17*、*24*};{8、10、16、18、*21*、*23*、25}

[07](009)★{1、3、7、9、15、**20**};{2、4、12、14、*17*、22};{5、6、11、13、*19*、*24*};{8、10、16、18、*21*、*23*、25}

[08](010)★{1、3、7、9、15、**20**};{2、4、12、14、18、*23*};{5、6、11、13、*19*、*21*};{8、10、16、*17*、22、*24*、25}

[09](021)★{1、3、7、10、11、*19*};{2、4、9、13、18、**20**};{5、6、12、16、*21*、*23*};{8、14、15、*17*、22、*24*、25}

[10](024)★{1、3、7、10、11、*19*};{2、4、9、13、**20**、22};{5、6、12、16、*17*、*24*};{8、14、15、18、*21*、*23*、25}

[11](017)★{1、3、7、10、11、**20**};{2、4、9、13、*17*、22};{5、6、12、16、*19*、*24*};{8、14、15、18、*21*、*23*、25}

[12](018)★{1、3、7、10、11、**20**};{2、4、9、13、18、*23*};{5、6、12、16、*19*、*21*};{8、14、15、*17*、22、*24*、25}

[13](031)★{1、3、7、10、15、*19*};{2、4、9、13、18、**20**};{5、6、11、16、*21*、*23*};{8、12、14、*17*、22、*24*、25}

[14](034)★{1、3、7、10、15、*19*};{2、4、9、13、**20**、22};{5、6、11、16、*17*、*24*};{8、12、14、18、*21*、*23*、25}

[15](037)★{1、3、7、10、15、*19*};{2、4、9、14、18、**20**};{5、6、11、13、*21*、*23*};{8、12、16、*17*、22、*24*、25}

[16](040)★{1、3、7、10、15、*19*};{2、4、9、14、**20**、22};{5、6、11、13、*17*、*24*};{8、12、16、18、*21*、*23*、25}

[17](025)★{1、3、7、10、15、**20**};{2、4、9、13、*17*、22};{5、6、11、16、*19*、*24*};{8、12、14、18、*21*、*23*、25}

[18](026)★{1、3、7、10、15、**20**};{2、4、9、13、18、*23*};{5、6、11、16、*19*、*21*};{8、12、14、*17*、22、*24*、25}

[19](027)★{1、3、7、10、15、**20**};{2、4、9、14、*17*、22};{5、6、11、13、*19*、*24*};{8、12、16、18、*21*、*23*、25}

[20](028)★{1、3、7、10、15、**20**};{2、4、9、14、18、*23*};{5、6、11、13、*19*、*21*};{8、12、16、*17*、22、*24*、25}

[21](045)★{1、3、7、11、13、*19*};{2、4、9、14、18、**20**};{5、6、12、16、*21*、*23*};{8、10、15、*17*、22、*24*、25}

[22](048)★{1、3、7、11、13、*19*};{2、4、9、14、**20**、22};{5、6、12、16、*17*、*24*};{8、10、15、18、*21*、*23*、25}

[23](041)★{1、3、7、11、13、**20**};{2、4、9、14、*17*、22};{5、6、12、16、*19*、*24*};{8、10、15、18、*21*、*23*、25}

[24](042)★{1、3、7、11、13、**20**};{2、4、9、14、18、*23*};{5、6、12、16、*19*、*21*};{8、10、15、*17*、22、*24*、25}

[25](055)★{1、3、8、10、15、18、**20**};{2、4、9、13、*17*、22};{5、6、11、16、*21*、*23*};{7、12、14、*19*、*24*、25}

[26](056)★{1、3、8、10、15、18、**20**};{2、4、9、13、*17*、22};{5、6、12、16、*21*、*23*};{7、11、14、*19*、*24*、25}

[27](057)★{1、3、8、10、15、18、**20**};{2、4、9、13、*17*、*23*};{5、6、11、16、*19*、*21*};{7、12、14、22、*24*、25}

[28](058)★{1、3、8、10、15、18、**20**};{2、4、9、13、*17*、*23*};{5、6、12、16、*19*、*21*};{7、11、14、22、*24*、25}

[29](059)★{1、3、8、10、15、18、**20**};{2、4、9、14、*17*、22};{5、6、11、13、*21*、*23*};{7、12、16、*19*、*24*、25}

[30](060)★{1、3、8、10、15、18、**20**};{2、4、9、14、*17*、22};{5、6、12、16、*21*、*23*};{7、11、13、*19*、*24*、25}

[31](061)★{1、3、8、10、15、18、**20**};{2、4、9、14、*17*、*23*};{5、6、11、13、*19*、*21*};{7、12、16、22、*24*、25}

[32](062)★{1、3、8、10、15、18、**20**};{2、4、9、14、*17*、*23*};{5、6、12、16、*19*、*21*};{7、11、13、22、*24*、25}

[33](063)★{1、3、8、10、15、18、**20**};{2、4、12、14、*17*、22};{5、6、11、13、*21*、*23*};{7、9、16、*19*、*24*、25}

[34](064)★{1、3、8、10、15、18、**20**};{2、4、12、14、*17*、22};{5、6、11、16、*21*、*23*};{7、9、13、*19*、*24*、25}

[35](065)★{1、3、8、10、15、18、**20**};{2、4、12、14、*17*、*23*};{5、6、11、13、*19*、*21*};{7、9、16、22、*24*、25}

[36](066)★{1、3、8、10、15、18、**20**};{2、4、12、14、*17*、*23*};{5、6、11、16、*19*、*21*};{7、9、13、22、*24*、25}

[37](072)★{1、3、8、10、15、18、*21*};{2、4、9、13、*17*、*23*};{5、6、11、16、*19*、*24*};{7、12、14、**20**、22、25}

[38](074)★{1、3、8、10、15、18、*21*};{2、4、9、13、*17*、*23*};{5、6、12、16、*19*、*24*};{7、11、14、**20**、22、25}

[39](077)★{1、3、8、10、15、18、*21*}；{2、4、9、13、**20**、22}；{5、6、11、16、*17*、*23*}；{7、12、14、*19*、*24*、25}

[40](078)★{1、3、8、10、15、18、*21*}；{2、4、9、13、**20**、22}；{5、6、12、16、*17*、*23*}；{7、11、14、*19*、*24*、25}

[41](084)★{1、3、8、10、15、18、*21*}；{2、4、9、14、*17*、*23*}；{5、6、11、13、*19*、*24*}；{7、12、16、**20**、22、25}

[42](086)★{1、3、8、10、15、18、*21*}；{2、4、9、14、*17*、*23*}；{5、6、12、16、*19*、*24*}；{7、11、13、**20**、22、25}

[43](089)★{1、3、8、10、15、18、*21*}；{2、4、9、14、**20**、22}；{5、6、11、13、*17*、*23*}；{7、12、16、*19*、*24*、25}

[44](090)★{1、3、8、10、15、18、*21*}；{2、4、9、14、**20**、22}；{5、6、12、16、*17*、*23*}；{7、11、13、*19*、*24*、25}

[45](096)★{1、3、8、10、15、18、*21*}；{2、4、12、14、*17*、*23*}；{5、6、11、13、*19*、*24*}；{7、9、16、**20**、22、25}

[46](098)★{1、3、8、10、15、18、*21*}；{2、4、12、14、*17*、*23*}；{5、6、11、16、*19*、*24*}；{7、9、13、**20**、22、25}

[47](101)★{1、3、8、10、15、18、*21*}；{2、4、12、14、**20**、22}；{5、6、11、13、*17*、*23*}；{7、9、16、*19*、*24*、25}

[48](102)★{1、3、8、10、15、18、*21*}；{2、4、12、14、**20**、22}；{5、6、11、16、*17*、*23*}；{7、9、13、*19*、*24*、25}

[49](103)★{1、3、8、10、15、*19*、*21*}；{2、4、9、13、18、**20**}；{5、6、11、16、*17*、*23*}；{7、12、14、22、*24*、25}

[50](104)★{1、3、8、10、15、*19*、*21*}；{2、4、9、13、18、**20**}；{5、6、12、16、*17*、*23*}；{7、11、14、22、*24*、25}

[51](106)★{1、3、8、10、15、*19*、*21*}；{2、4、9、13、18、*23*}；{5、6、11、16、*17*、*24*}；{7、12、14、**20**、22、25}

[52](108)★{1、3、8、10、15、*19*、*21*}；{2、4、9、13、18、*23*}；{5、6、12、16、*17*、*24*}；{7、11、14、**20**、22、25}

[53](109)★{1、3、8、10、15、*19*、*21*}；{2、4、9、14、18、**20**}；{5、6、11、13、*17*、*23*}；{7、12、16、22、*24*、25}

[54](110)★{1、3、8、10、15、*19*、*21*}；{2、4、9、14、18、**20**}；{5、6、12、16、*17*、*23*}；{7、11、13、22、*24*、25}

[55](112)★{1、3、8、10、15、*19*、*21*}；{2、4、9、14、18、*23*}；{5、6、11、13、*17*、*24*}；{7、12、16、**20**、22、25}

[56](114)★{1、3、8、10、15、*19*、*21*}；{2、4、9、14、18、*23*}；{5、6、12、16、*17*、*24*}；{7、11、13、**20**、22、25}

[57](115)★{1、3、8、10、15、*19*、*21*}；{2、4、12、14、18、**20**}；{5、6、11、13、*17*、*23*}；{7、9、16、22、*24*、25}

[58](116)★{1、3、8、10、15、*19*、*21*}；{2、4、12、14、18、**20**}；{5、6、11、16、*17*、*23*}；{7、9、13、22、*24*、25}

[59](118)★{1、3、8、10、15、*19*、*21*}；{2、4、12、14、18、*23*}；{5、6、11、13、*17*、*24*}；{7、9、16、**20**、22、25}

[60](120)★{1、3、8、10、15、*19*、*21*}；{2、4、12、14、18、*23*}；{5、6、11、16、*17*、*24*}；{7、9、13、**20**、22、25}

参考文献

[1]冯纪先. 最大平面图着色的“移 3 度点法”[C]//第十五届电路与系统年会论文集. 广州：华南理工大学,1999:254－258.(见目录:2.01)

[2]冯纪先. 最大平面图着色的“移 4 度点法”[C]//第十五届电路与系统年会论文集. 广州：华南理工大学,1999:259－263.(见目录:2.02)

[3]冯纪先. 最大平面图着色的“C_3 分隔法”[C]//中国电机工程学会第六届电路理论及应用学术研讨会论文集. 南京:东南大学,2000:49－53.(见目录:2.03)

[4]冯纪先. 四色着色的“简化降阶法”[J]. 汕头大学学报(自然科学版),2008,23(4):52－59.(见目录:2.07)

[5]冯纪先. 平面图着色的“移边法”[C]// 第二十二届电路与系统年会论文集. 上海:复旦大学,2010:110－115.(见目录:2.16)

[6]冯纪先. 平面图的四色着色—“降阶法”和”降度法”[C]//第二十一届电路与系统年会论文集. 天津:天津商业大学,2008:88－98.(见目录:2.22)

[7]L. A. 斯蒂恩(steen). 今日数学—随笔十二篇(MATHEMATICS TODAY－Twelve Informal Essays){K. 阿佩尔(Appel)、W. 黑肯(Haken). 第二部分(Part II)四色问题(The Four Color Problem)}[M]. 马继芳,译. 上海:上海科学技术出版社,1982:174－204.

[8]冯纪先. 最大平面图 G_M 的二色子图和二色交换[C]//第二十届电路与系统年会论文集. 广州:华南理工大学,2007:770－777.(见目录:2.04)

[9]M. 卡波边柯(Capobianco)、J. 莫鲁卓(Molluzzo)合著. 图论的例和反例(Examples and Counter Examples in Graph Theory)[M]. 聂祖安,译. 长沙:湖南科学技术出版社,1988:10－11.

[10]T. L. Saaty, P. C. Kainen. The Four Color Froblem[M]. New York: McGraw－Hill International Book Company, 1977:31－34.

[11]T. L. Saaty. Thirteen colorful variations on Gathrie's four－color conjecture[J]. The American Mathematical Monthly, 79, No. 1, 1972:2－43.

[12]冯纪先."另一个24阶平面图" G'_{24} 的四色着色[C]//第二十三届电工理论年会论文集. 武汉:华中科技大学,2011:41－46.(见目录:2.17)

[13]冯纪先."Heawood 反例 HCE" $G_{M25.HCE}$ 的四色着色[J]//(待发表).(见目录:2.12)

[14]冯纪先."Heawood 反例" $G_{M25.HCE}$ 的一些四色着色方案[C]//第二十一届电工理论年会论文集. 南昌:南昌大学,2009:22－25.(见目录:2.14)

2.19 “Hamilton 绕行世界之对偶图”$G_{M12.ico}$的相近四色着色方案集

【摘要】分析了“Hamilton 绕行世界图”(即“正十二面体的平面嵌入图”$G_{20.dod}$)、“Hamilton 绕行世界之对偶图”(即“正二十面体的平面嵌入图”$G_{M12.ico}$)和“一个 12 阶最大平面图”G_{M12}的拓扑结构的特点。以已求得的$G_{M12.ico}$的 6 个四色着色方案为基础,利用“多层次二色交换法”,分别求得了$G_{M12.ico}$的 6 个相近四色着色方案集,各“集”的集元数均为一。这儿,没有获得任何新的$G_{M12.ico}$的四色着色方案。对所得结果,作了研究、讨论,获得了有意义的认识。

【关键词】最大平面图;“正十二面体的平面嵌入图”;“正二十面体的平面嵌入图”;四色着色方案;“多层次二色交换法”;相近四色着色方案集

The near Four - coloring sets of “Dual Graph of Hamilton’s Rounding the World” $G_{M12.ico}$

Abstract: The properties of topological structure in the“Graph on Hamilton’s Rounding the world” (“graph embedded in plane on regular dodecahedron (solid with Twelve - face)”) $G_{20.dod}$, the “Dual Graph of Hamilton’s Rounding the World”(“graph embedded in plane on regular icosahedron (solid with Twenty - face)”) $G_{M12.ico}$ and “a maximal planar graph of 12 order” G_{M12} are analysed. With 6 Four - colorings of the $G_{M12.ico}$, the 6 near Four - coloring sets of the $G_{M12.ico}$ are obtained respectively, using “method of multilayer Two - color interchange”. There are not the other Four - colorings of the $G_{M12.ico}$ in the 6 “sets”. New Four - colorings of the $G_{M12.ico}$ are not obtained. The solutions are studied.

Keywords: maximal planar graph; “graph embedded in plane on regular dodecahedron”; “graph embedded in plane on regular icosahedron”; Four - coloring; “method of multilayer Two - color interchange”; near Four - coloring set

1 引言

文献[1]中述及,一个一定拓扑结构的 n 阶最大平面图G_{Mn},当其最小度点为 3 度点或 4 度点时,可用“降阶法”,至少可求得它的一个“四色着色方案”。

文献[2]中述及,当已知一个一定拓扑结构的 n 阶最大平面图G_{Mn}的一个“四色着色方案”时,以这个“四色着色方案”为基础,利用“多层次二色交换法”,通过一定层次的二色交换,可求得包含这个“四色着色方案”在内的一个“相近四色着色方案集”。该“集”的集元,可以为一个(当然,就是这个“四色着色方案”);也可能为多个。显然,至少是一个。

文献[3]中述及,一个一定拓扑结构的 n 阶最大平面图 G_{Mn},当其最小度点为5度点时,尚无法直接求解其“四色着色方案”。但,可先行求解它的“孪生图”G_{Mn}^{T}(其最小度点已为4度点)的“四色着色方案”以及G_{Mn}^{T}的“相近四色着色方案集”。G_{Mn}^{T}的“集”中存在与G_{Mn}共有的交集,从而可以间接地求得G_{Mn}的一些“四色着色方案”。在这些文献中,曾对几个具体的例子进行了推演和验证,并获得了一定的结果。

文献[3]中又述及,间接获得的G_{Mn}的那些“四色着色方案”,其每一个“四色着色方案”必然包含在G_{Mn}的某一个“相近四色着色方案集”中。于是,可以在间接获得的每一个“四色着色方案”的基础上,利用“多层次二色交换法”,分别求得其所属的G_{Mn}的“相近四色着色方案集”。这样,在这些G_{Mn}的“集”里,很可能会分别得到新的其他的G_{Mn}的“四色着色方案”。本文即对一个例子——“Hamilton 绕行世界之对偶图” $G_{M12.ico}$[4],求解其“相近四色着色方案集”。

2 “Hamilton 绕行世界之对偶图”——“正二十面体的平面嵌入图”$G_{M12.ico}$

图1为“Hamilton 绕行世界图”,即文献[4]中之图1.5。图1实为“正十二面体的平面嵌入图”(“graph embedded in plane on regular dodecahedron (Solid with Twelve - Face)”),其点数 $n=20$,边数 $e=30$,区数 $r=12$,度数 $d=60$,记为$G_{20.dod}$。图1中每个点的度数均为3,每个区的边数均为5,故图1可称为“3度5长20阶完整正则平面图”[5]。图1为非最大平面图。

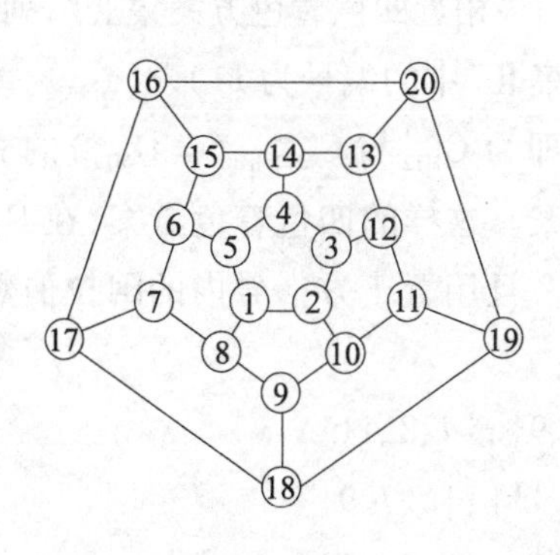

图1 “Hamilton 绕行世界图”$G_{20.dod}$

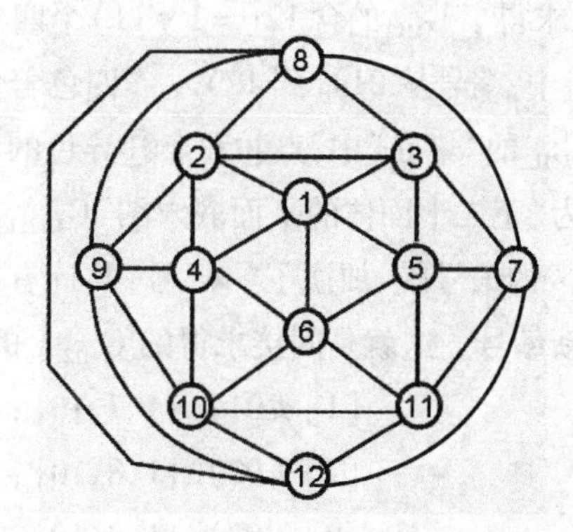

图2 “Hamilton 绕行世界之对偶图”$G_{M12.ico}$

图2为“Hamilton 绕行世界之对偶图”,即文献[3]中之图5。图2实为“正二十面体的平面嵌入图”(“graph embedded in plane on regular icosahedron (Solid with Twenty - Face)”),图中圆圈表示点,圈内的数字为点的标号,其点数 $n=12$,边数 $e=3n-6=30$,区数 $r=2n-4=20$,度数 $d=6n-12=60$,记为$G_{M12.ico}$。图2中每个点的度数均为5,每个区的边数均为3,故图2可称为“5度3长12阶完整正则平面图”[5]。图2是最大平面图,且为“最小5度最大平面图”,故又可称为“5度12阶正则最大平面图”[6]。图1与图2组成一对“互对偶图”[5]。

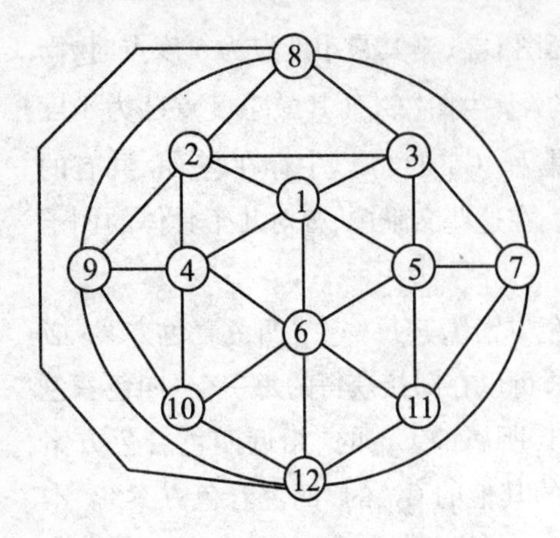

图3 “一个12阶最大平面图”G_{M12}

图3为“一个12阶最大平面图”G_{M12}[1-3,7]，即文献[3]中之图4。图3的点数 $n=12$，边数 $e=3n-6=30$，区数 $r=2n-4=20$，度数 $d=6n-12=60$。图3无3度点，即 $n_3=0$；其4度点（最小度点）为点⑩和⑪，即 $n_4=2$；5度点为点①、②、③、④、⑤、⑦、⑧和⑨，即 $n_5=8$；6度点（最大度点）为点⑥和⑫，即 $n_6=2$。相对于四边形 C_4（⑥、⑩、⑫、⑪），图3 G_{M12} 的孪生图 G_{M12}^T[3]，就是图2所示“Hamilton 绕行世界之对偶图”，也即“正二十面体的平面嵌入图” $G_{M12.ico}$，故有

$$G_{M12}^T = G_{M12.ico}; \qquad G_{M12.ico}^T = G_{M12}。$$

图2和图3组成一对“孪生图对”[3]。

3 “正二十面体的平面嵌入图”$G_{M12.ico}$的四色着色方案

在文献[7]中，利用“降阶法”，求出了图3所示“一个12阶最大平面图” G_{M12} 的一个“四色着色方案Ⅱ”。

在文献[2]中，以“四色着色方案Ⅱ”为基础，利用“多层次二色交换法”，经6个层次的二色交换，求出了图3所示“一个12阶最大平面图” G_{M12} 的另外11个不同的四色着色方案。也就是，求得了 G_{M12} 的含12（=1+11）个四色着色方案的一个“相近四色着色方案集Ⅱ”，列于文献[2]中，编号从01).到12).。“四色着色方案Ⅱ”，在“集Ⅱ”中的编号为11).。

G_{M12} 的“集Ⅱ”中，点⑩和点⑪异色的四色着色方案，即为 G_{M12} 与 $G_{M12.ico}$（$=G_{M12}^T$）的交集，也即为“正二十面体的平面嵌入图”$G_{M12.ico}$ 的四色着色方案。这样的四色着色方案，在 G_{M12} 的“集Ⅱ”的编号前，加注了“★”号，共计有6个，列述于下。且用置于方括号内的阿拉伯数字，重作新编号。这就是间接求得的 $G_{M12.ico}$ 的四色着色方案：

[1]★01).{1、7、10}；{2、5、12}；{3、6、9}；{4、8、11}

[2]★02).{1、8、10}；{2、5、12}；{3、4、11}；{6、7、9}

[3]★03).{1、8、10}；{2、6、7}；{3、9、11}；{4、5、12}

[4]★10).{1、8、11}；{2、5、10}；{3、4、12}；{6、7、9}

[5]★11).{1、8、11}；{2、7、10}；{3、6、9}；{4、5、12}

[6]★12).{1、9、11}；{2、6、7}；{3、4、12}；{5、8、10}

4 “正二十面体的平面嵌入图”$G_{M12.ico}$中的6个相近四色着色方案集

现求解 $G_{M12.ico}$ 已求得的6个四色着色方案中的每一个四色着色方案，在 $G_{M12.ico}$ 中所隶属的“相近四色着色方案集”，以及这些“集”所含有的那些其他新的四色着色方案。本文中所用的四色是红（red）、黄（yellow）、蓝（blue）和绿（green）。拓扑结构图中，约定：点用圆表示，红点为“实线圆”（real circle）；黄点为“点线圆”（dot circle）；蓝点为“划线圆”（stroke circle）；绿点为“点划线圆”（dot－stroke circle），圆内的数字是点的标号。又约定：红黄边用橙色（orange）

“点线”(dot line);红蓝边用紫色(purple)“划线”(stoke line);红绿边用棕色(brown)“点划线”(dot - stroke line);蓝绿边用黑色(black)“粗线”(thick line);黄绿边用翠色(jade)“锯齿线”(sawtooth line);黄蓝边用白色(white)“双线”(double line)表示。

在一个四色着色方案中,各“点集”的着色可以是任意的。不失一般性,我们安排第 1 个“点集”着红色;第 2 个“点集”着黄色;第 3 个“点集”着蓝色;第 4 个“点集”着绿色。在这样的安排下,按上述的约定,前所得的“正二十面体的平面嵌入图”$G_{M12.ico}$的 6 个四色着色方案,其各自的 3 种“二色子图对”[2],也即各自的 6 个“二色子图”均已表示在图 4 中。

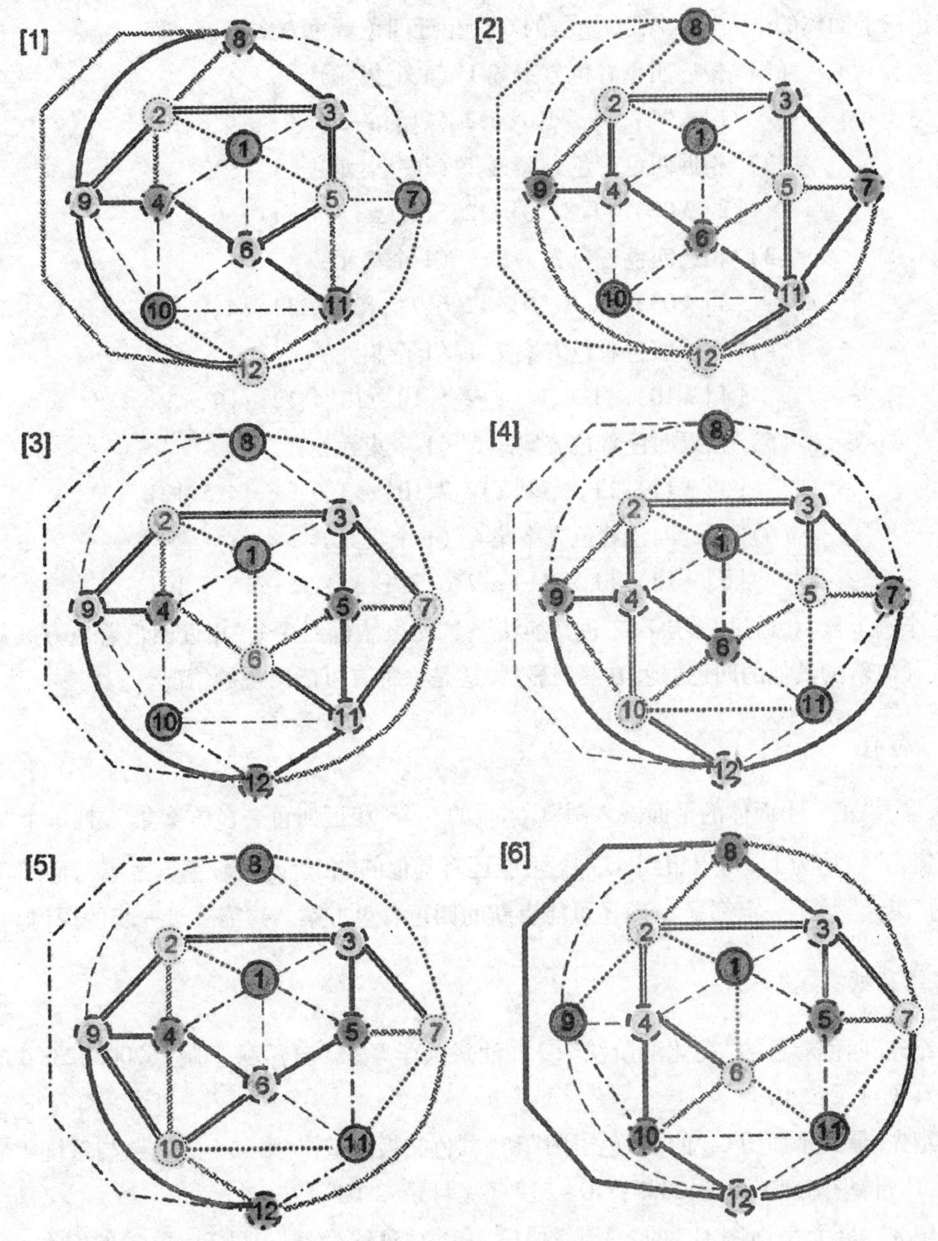

图 4 $G_{M12.ico}$的 6 个四色着色方案的 3 种“二色子图对”

由图 4 可见,$G_{M12.ico}$的四色着色方案[1]中,6 个二色子图的连通支数均为 1,即 $k_{ry}=k_{rb}=k_{rg}=k_{bg}=k_{yg}=k_{yb}=1$ 。故 6 个二色子图均不能作二色交换,不能获得另外不同的四色着色方案。也即,在 $G_{M12.ico}$中,得到的第 1 个“相近四色着色方案集 1”,其含有的“集元”只有一个,就是“四色着色方案[1]”。

由图 4 又可看到,$G_{M12.ico}$的其他 5 个四色着色方案中,其各自的 6 个二色子图的连通支数,统统为 1。这也就得到了与第 1 个“四色着色方案[1]”同样的结果,即每个“集”中均只含有一个“集元”。因此获得了“集元”均只有一个的 6 个 “相近四色着色方案集”,列述于下。

“正二十面体的平面嵌入图”$G_{M12.ico}$的 6 个相近四色着色方案集:

(1)“相近四色着色方案集 1”(1 个集元)

[1]★01).{1、7、10};{2、5、12};{3、6、9};{4、8、11}

(2)“相近四色着色方案集 2”(1 个集元)

[2]★02).{1、8、10};{2、5、12};{3、4、11};{6、7、9}

(3)“相近四色着色方案集 3”(1 个集元)

[3]★03).{1、8、10};{2、6、7};{3、9、11};{4、5、12}

(4)“相近四色着色方案集 4”(1 个集元)

[4]★10).{1、8、11};{2、5、10};{3、4、12};{6、7、9}

(5)“相近四色着色方案集 5”(1 个集元)

[5]★11).{1、8、11};{2、7、10};{3、6、9};{4、5、12}

(6)“相近四色着色方案集 6”(1 个集元)

[6]★12).{1、9、11};{2、6、7};{3、4、12};{5、8、10}

这个例子显示,通过“多层次二色交换法”,这儿虽然得到 6 个“相近四色着色方案集”,但未得到任何新的其他的四色着色方案。显然,这是一种有可能出现的情况。

5 结语

求得了“正二十面体的平面嵌入图”$G_{M12.ico}$的 6 个“相近四色着色方案集”,且每个“集”所含的“集元”数均为 1。可以想到,$G_{M12.ico}$可能还有其他的“相近四色着色方案集”,而那些“集”所含的“集元”数不一定都是 1,即还可能有新的四色着色方案。这需要进一步的探讨。

参考文献

[1]冯纪先. 四色着色的“简化降阶法”[J]. 汕头大学学报(自然科学版),2008,23(4):52-59.(见目录:2.07)

[2]冯纪先. 最大平面图 G_M 的“二色子图”和“二色交换”[C]//第二十届电路与系统年会论文集. 广州:华南理工大学,2007:770-777.(见目录:2.04)

[3]冯纪先. 最大平面图 G_M 的“孪生图”G_M^T 和“对角线变换”DT[J]. 数学的实践与认识,2010,40(11):165-173.(见目录:2.10)

[4]哈拉里(Harary)F. 图论(Graph Theory)[M]. 李慰萱,译. 上海:上海科学技术出版社,

1980:4－5.
[5]冯纪先. 简单完整正则平面图[J]. 数学的实践与认识,2005,35(1):106－111.(见目录:1.02)
[6]冯纪先. 正则最大平面图[C]//第十二届电工理论年会论文集. 长沙:国防科学技术大学,1999:222－227.(见目录:1.01)
[7]冯纪先.“一个12阶最大平面图”G_{M12}的四色着色[C]//第十九届电工理论年会论文集. 合肥:安徽大学,2007:241－246.(见目录:2.05)

2.20 “Appel 与 Haken 之例” $G_{M25.AHE}$的相近四色着色方案集

【摘要】分析了“Appel 与 Haken 之例” $G_{M25.AHE}$和“一个 25 阶最大平面图” G_{M25}的拓扑结构的特点。以已求得的 $G_{M25.AHE}$的 148(=88 +60)个四色着色方案为基础,利用“多层次二色交换法”,分别求得了 $G_{M25.AHE}$的两个相近四色着色方案集:“相近四色着色方案集 a”(含 152 个 $G_{M25.AHE}$的四色着色方案)和“相近四色着色方案集 b”(含 112 个 $G_{M25.AHE}$的四色着色方案)。获得了 116(=64 +52)个新的 $G_{M25.AHE}$的四色着色方案。故,共计为 264(=152 +112)个 $G_{M25.AHE}$的四色着色方案。对所得结果,作了分析、研究,获得了有意义的认识。

【关键词】最大平面图;“Appel 与 Haken 之例”;四色着色方案;“多层次二色交换法”; 相近四色着色方案集

The near Four – coloring sets of “Appel and Haken’s Example” $G_{M25.AHE}$

Abstract: The properties of topological structure in “Appel and Haken’s Example” $G_{M25.AHE}$ and “ a maximal planar graph of 25 order” G_{M25} are analysed. With 148(=88 +60) Four – colorings of the $G_{M25.AHE}$, the 2 near Four – coloring sets: “Near Four – coloring Set a” (152 Four – colorings of the $G_{M25.AHE}$) and “Near Four – coloring Set b” (112 Four – colorings of the $G_{M25.AHE}$) of the $G_{M25.AHE}$ are obtained, using “method of multilayer Two – color interchange”. The sum of 152 and 112 is 264. In it, the 116(=264 –148 =64 +52) new Four – colorings of the $G_{M25.AHE}$ are obtained. The solutions are studied.

Keywords: maximal planar graph; “Appel and Haken’s Example”; Four – coloring; “method of multilayer Two – color interchange”; near Four – coloring set

1 引言

文献[1]中述及,一个一定拓扑结构的 n 阶最大平面图 G_{Mn},当其最小度点为 3 度点或 4 度点时,可用“降阶法”,至少可求得它的一个“四色着色方案”。

文献[2]中述及,当已知一个一定拓扑结构的 n 阶最大平面图 G_{Mn}的一个“四色着色方案”时,以这个“四色着色方案”为基础,利用“多层次二色交换法”,通过一定层次的二色交换,可求得包含这个“四色着色方案”在内的一个“相近四色着色方案集”。该“集”的集元,可以为一个(当然,就是这个“四色着色方案”);也可能为多个。显然,至少是一个。

文献[3]中述及,一个一定拓扑结构的 n 阶最大平面图 G_{Mn},当其最小度点为 5 度点时,尚无法直接求解其“四色着色方案”。但,可先行求解它的“孪生图” G^{T}_{Mn}(其最小度点已为 4 度点)的“四色着色方案”以及 G^{T}_{Mn}的“相近四色着色方案集”。G^{T}_{Mn}的“集”中存在与 G_{Mn}共有的交集，从而可以间接地求得 G_{Mn} 的一些“四色着色方案”。在这些文献中，曾对几个具体的例子，进行了推演和验证，并获得了一定的结果。

文献[3]中又述及，间接获得的 G_{Mn} 的那些“四色着色方案”，其每一个“四色着色方案”，必然包含在 G_{Mn} 的某一个“相近四色着色方案集”中。于是，可以在间接获得的每一个“四色着色方案”的基础上，利用“多层次二色交换法”，分别求得其所属的 G_{Mn} 的“相近四色着色方案集”。这样，在这些 G_{Mn} 的“集”里，很可能会分别得到新的其他的 G_{Mn} 的“四色着色方案”。本文即对一个例子——“Appel 与 Haken 之例” $G_{M25.AHE}$，求解其“相近四色着色方案集”。

2 “Appel 与 Haken 之例” $G_{M25.AHE}$

图 1 为“Appel 与 Haken 之例” $G_{M25.AHE}$，即文献[3]中之图 7。图 1 所示 $G_{M25.AHE}$ 实为一个 25 阶的最大平面图，图中圆圈表示点，圈内的数字为点的标号。图 1 的点数 $n=25$，边数 $e=3n-6=69$，区数 $r=2n-4=46$，度数 $d=6n-12=138$。其 5 度（最小度）点数 $n_5=15$（5 度点数 n_5 占总点数 n 的 15/25 = 60%），6 度点数 $n_6=8$，7 度点数 $n_7=1$，8 度（最大度）点数 $n_8=1$，其余点数均为 0。

图 2 为“一个 25 阶最大平面图” G_{M25}，即文献[1]中之图 5；文献[2]中之图 2；文献[3]中之图 6；文献[4]中之图 2；文献[5]中之图 1。图 2 所示的 G_{M25} 的点数 $n=25$，边数 $e=3n-6=69$，区数 $r=2n-4=46$，度数 $d=6n-12=138$。该图无 3 度点，即 $n_3=0$；4 度点（最小度点）仅为点①，即 $n_4=1$；5 度点数 $n_5=13$；6 度点数 $n_6=9$；7 度点为点⑮，即 $n_7=1$；8 度点（最大度点）为点④，即 $n_8=1$。

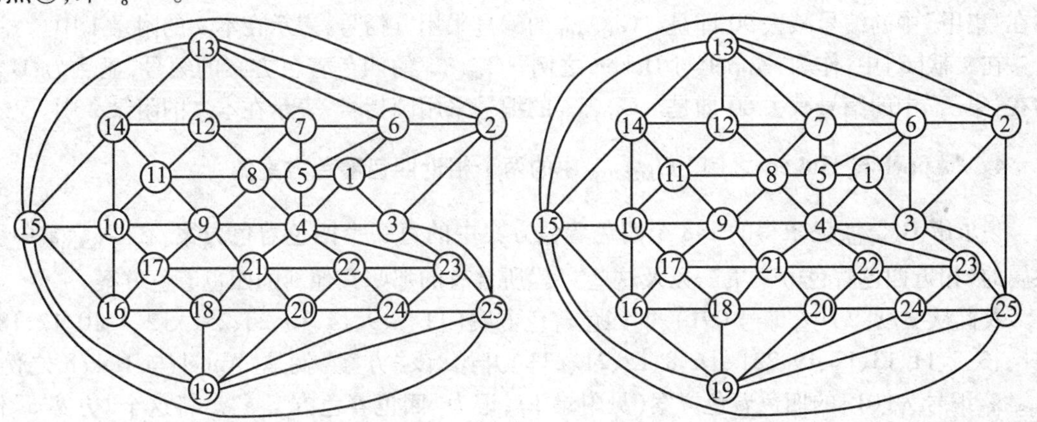

图 1 “Appel 和 Haken 之例” $G_{M25.AHE}$　　　图 2 “一个 25 阶最大平面图” G_{M25}

由图 1 和图 2 可看到，相对于四边形 C_4（①、③、②、⑥），图 1 和图 2，互为对方的孪生图，也即，图 1 和图 2 组成一对“孪生图对”[3]。

3 “Appel 与 Haken 之例” $G_{M25.AHE}$ 的四色着色方案

由于“Appel 与 Haken 之例” $G_{M25.AHE}$ 是一个“最小 5 度最大平面图”，尚无法直接求解其“四色着色方案”，故间接地通过图 2 所示的它的孪生图“一个 25 阶最大平面图” G_{M25} 来求。

文献[4]利用“降阶法”，已求得图 2 所示“一个 25 阶最大平面图” G_{M25} 的一个四色着色方案，即“四色着色方案甲”：{1、2、8、10、19、21、23}；{3、5、11、13、16、24}；{4、7、14、17、20、25}；

{6、9、12、15、18、22}。

文献[2]利用“多层次二色交换法”,以“四色着色方案甲”为基础,求出了G_{M25}另外不同的177个四色着色方案,也就是求得了G_{M25}的含有178(=1+177)个四色着色方案的一个相近四色着色方案集,即“相近四色着色方案集甲”。这个“集甲”,以四个“点集划分”的形式按顺序表述于文献[2]中的附录中。“四色着色方案甲”在“集甲”中的编号为050).。在“集甲”中,点①与点②异色的四色着色方案共有88个,即编号从091).到178).,占总数的88/178≈50%。这儿,就为“Appel与Haken之例”$G_{M25.AHE}$求得了88个四色着色方案。

又,文献[1]利用“降阶法”,求出了图2所示“一个25阶最大平面图”G_{M25}的另一个四色着色方案,即“四色着色方案乙”:{1、2、7、10、19、21、23};{3、5、9、12、15、18、24};{4、11、13、17、20、25};{6、8、14、16、22}。

文献[5]利用“多层次二色交换法”,以“四色着色方案乙”为基础,求出了G_{M25}的另外不同的119个四色着色方案,也就是求得了G_{M25}的含有120(=1+119)个四色着色方案的另一个相近四色着色方案集,即“相近四色着色方案集乙”。这个“集乙”,以四个“点集划分”的形式按顺序表述于文献[5]中的附录中。“四色着色方案乙”在“集乙”中的编号为020).。在“集乙”中,点①与点②异色的四色着色方案共有60个,即编号从061).到120).,占总数的60/120=50%。这儿,又为“Appel与Haken之例”$G_{M25.AHE}$求得了60个四色着色方案。

这样,文献[2]和文献[5]共为“Appel与Haken之例”$G_{M25.AHE}$求得了148(=88+60)个四色着色方案。

在文献[2]中,作为“Appel与Haken之例”$G_{M25.AHE}$的四色着色方案的编号,显然为:G_{M25}的在“集甲”中的编号减去90即是。$G_{M25.AHE}$的编号采用方括号,表示在本文的附录1中。

在文献[5]中,作为“Appel与Haken之例”$G_{M25.AHE}$的四色着色方案的编号,显然为:G_{M25}的在“集乙”中的编号减去60即是。$G_{M25.AHE}$的编号采用圆括号,表示在本文的附录2中。

4 “Appel与Haken之例”$G_{M25.AHE}$中的两个相近四色着色方案集

现求解$G_{M25.AHE}$已求得的148个四色着色方案中的每一个四色着色方案,在$G_{M25.AHE}$中所隶属的“相近四色着色方案集”,以及这些“集”所含有的那些其他新的四色着色方案。

我们从文献[2]中,编号091).的四色着色方案({1、7、9、14、16、20、25};{2、4、10、12、18、24};{3、5、11、13、17、19、22};{6、8、15、21、23})开始,该“方案”就是“Appel与Haken之例”$G_{M25.AHE}$编号为[01]的四色着色方案(见附录1),记为“四色着色方案a”。将这个“方案a”作为基础,利用“多层次二色交换法”,经9个层次的二色交换,获得了包含“方案a”在内的,$G_{M25.AHE}$的一个相近四色着色方案集,记为“相近四色着色方案集a”(推演过程略)。

该“集a”有如下几个特点:

(a.1)除“四色着色方案a”外,另外求得了151个不同的四色着色方案,也即得到了含有152(=1+151)个四色着色方案的,$G_{M25.AHE}$的一个“相近四色着色方案集a”,列于本文附录1。

(a.2)“集a”中包含了$G_{M25.AHE}$已求得的,从编号[01]到编号[88]的88个文献[2]中的四色着色方案(见本文附录1,附录1中保留了88个原编号)。

(a.3)此外,“集a”中又增加了64个新(汉语拼音:xin)的四色着色方案。在附录1中,这些新“方案”的前面,加注了“X”符号。可见原四色着色方案加新四色着色方案,总计为152(=88+64)个四色着色方案。

(a.4)文献[5]中,从编号(01).到编号(60).的60个$G_{M25.AHE}$的四色着色方案(见附录2),均未包含在“相近四色着色方案集 a”中。

我们又从文献[5]中,编号061).的四色着色方案({1、8、10、13、19、21、23};{2、4、7、11、16、20};{3、5、9、12、15、18、24};{6、14、17、22、25})开始,该“方案”就是“Appel 与 Haken 之例” $G_{M25.AHE}$编号为(01)的四色着色方案(见附录2),记为“四色着色方案 b”。将这个“方案b”作为基础,利用“多层次二色交换法”,经6个层次的二色交换,获得了包含“方案 b”在内的,$G_{M25.AHE}$的另一个相近四色着色方案集,记为“相近四色着色方案集 b”(推演过程略)。

该“集 b”有如下几个特点:

(b.1)除“四色着色方案 b”外,另外求得了111个不同的四色着色方案,也即得到了含有112(=1+111)个四色着色方案的,$G_{M25.AHE}$的一个“相近四色着色方案集 b”,列于本文附录2。

(b.2)“集 b”中包含了$G_{M25.AHE}$已求得的,从编号(01)到编号(60)的60个文献[5]中的四色着色方案(见本文附录2,附录2中保留了60个原编号)。

(b.3)此外,“集 b”中又增加了52个新的四色着色方案。在附录2中,这些新“方案”的前面,加注了“X”符号。可见原四色着色方案加新四色着色方案,总计为112(=60+52)个四色着色方案。

(b.4)文献[2]中,从编号[01]到编号[88]的88个$G_{M25.AHE}$的四色着色方案(见附录1),均不包含在“相近四色着色方案集 b”中。

5 结语

文献[4]和文献[1]分别求出了,“一个25阶最大平面图” G_{M25}的两个四色着色方案,即“四色着色方案甲”和“四色着色方案乙”。根据“方案甲”和“方案乙”,文献[2]和文献[5]又分别求出了G_{M25}的两个相近四色着色方案集,即“相近四色着色方案集甲”(含178个G_{M25}的四色着色方案)和“相近四色着色方案集乙”(含120个G_{M25}的四色着色方案)。由此,按“孪生图对”的关系,就分别获得了“Appel 与 Haken 之例” $G_{M25.AHE}$的88个和60个四色着色方案。本文利用“多层次二色交换法”,根据这88个和60个四色着色方案,分别求出了$G_{M25.AHE}$的64个新的和52个新的四色着色方案。也即分别求出了$G_{M25.AHE}$的两个相近四色着色方案集,即“相近四色着色方案集 a”(含152(=88+64)个$G_{M25.AHE}$的四色着色方案)和“相近四色着色方案集 b”(含112(=60+52)个$G_{M25.AHE}$的四色着色方案)。故本文总共获得了$G_{M25.AHE}$的264(=152+112)个四色着色方案。

可以推想,极有可能$G_{M25.AHE}$不只是这两个集:“集 a”和“集 b”,也即,极有可能$G_{M25.AHE}$不只是这264个四色着色方案。

附录1 “Appel 与 Haken 之例” $G_{M25.AHE}$的“相近四色着色方案集 a”(152 个集元)

001 >.［01］{1、7、9、14、16、20、25}；{2、4、10、12、18、24}；{3、5、11、13、17、19、22}；{6、8、15、21、23}

002 >. X {1、7、9、14、16、20、25}；{2、4、10、12、18、24}；{3、6、8、15、17、22}；{5、11、13、19、21、23}

003 >. X {1、7、9、14、16、20、25}；{2、5、10、12、19、21、23}；{3、6、8、15、17、22}；{4、11、13、18、24}

004 >. X {1、7、9、14、16、20、25}；{2、5、10、12、19、21、23}；{3、6、8、15、18、22}；{4、11、13、17、24}

005 >.［02］{1、7、9、14、16、20、25}；{2、5、10、12、19、21、23}；{3、8、13、17、22}；{4、6、11、15、18、24}

006 >.［03］{1、7、9、14、16、20、25}；{2、5、10、12、19、21、23}；{3、8、13、18、22}；{4、6、11、15、17、24}

007 >.［04］{1、7、9、14、16、20、25}；{2、5、10、12、21、23}；{3、8、13、17、19、22}；{4、6、11、15、18、24}

008 >.［05］{1、7、9、14、16、20、25}；{2、5、11、19、21、23}；{3、8、10、13、18、22}；{4、6、12、15、17、24}

009 >.［06］{1、7、9、14、16、20、25}；{2、5、12、19、21、23}；{3、8、10、13、18、22}；{4、6、11、15、17、24}

010 >.［07］{1、7、9、14、16、20、25}；{2、8、10、19、21、23}；{3、5、11、13、17、22}；{4、6、12、15、18、24}

011 >.［08］{1、7、9、14、16、20、25}；{2、8、10、19、21、23}；{3、5、11、13、18、22}；{4、6、12、15、17、24}

012 >.［09］{1、7、9、14、16、20、25}；{2、8、10、21、23}；{3、5、11、13、17、19、22}；{4、6、12、15、18、24}

013 >. X {1、7、9、14、16、22}；{2、5、10、12、19、21、23}；{3、6、8、15、18、24}；{4、11、13、17、20、25}

014 >. X {1、7、9、14、16、22、25}；{2、4、10、12、18、24}；{3、5、11、13、19、21}；{6、8、15、17、20、23}

015 >. X {1、7、9、14、16、22、25}；{2、4、10、12、18、24}；{3、6、8、15、17、20}；{5、11、13、19、21、23}

016 >. X {1、7、9、14、16、22、25}；{2、5、10、12、19、21、23}；{3、6、8、15、17、20}；{4、11、13、18、24}

017 >. X {1、7、9、14、16、22、25}；{2、5、10、12、19、21、23}；{3、6、8、15、18、24}；{4、11、13、17、20}

018 >.［10］{1、7、9、14、16、22、25}；{2、5、10、12、19、21、23}；{3、8、13、17、20}；{4、6、11、15、18、24}

019 >.［11］{1、7、9、14、16、22、25}；{2、5、10、12、19、21、23}；{3、8、13、18、24}；{4、6、11、15、17、20}

020 >.［12］{1、7、9、14、16、22、25}；{2、5、11、17、20、23}；{3、8、10、13、19、21}；{4、6、12、15、18、24}

021 >.［13］{1、7、9、14、16、22、25}；{2、5、11、19、21、23}；{3、8、10、13、18、24}；{4、6、12、15、17、20}

022 >.［14］{1、7、9、14、16、22、25}；{2、5、12、17、20、23}；{3、8、10、13、19、21}；{4、6、11、15、18、24}

023 >.［15］{1、7、9、14、16、22、25}；{2、5、12、19、21、23}；{3、8、10、13、18、24}；{4、6、11、15、17、20}

024 >.［16］{1、7、9、14、16、22、25}；{2、8、10、19、21、23}；{3、5、11、13、17、20}；{4、6、12、15、18、24}

025 >.［17］{1、7、9、14、16、22、25}；{2、8、10、19、21、23}；{3、5、11、13、18、24}；{4、6、12、15、17、20}

026 >. X {1、7、9、14、16、24}；{2、5、10、12、19、21、23}；{3、6、8、15、18、22}；{4、11、13、17、20、25}

027 >. X {1、7、9、14、18、22}；{2、5、10、12、19、21、23}；{3、6、8、15、17、24}；{4、11、13、16、20、25}

028 >.［18］{1、7、9、14、18、22、25}；{2、4、10、12、19}；{3、5、11、13、16、21、24}；{6、8、15、17、20、23}

029 >. X {1、7、9、14、18、22、25}；{2、5、10、12、19、21、23}；{3、6、8、15、17、20}；{4、11、13、16、24}

030 >. X {1、7、9、14、18、22、25}；{2、5、10、12、19、21、23}；{3、6、8、15、17、24}；{4、11、13、16、20}

031 >.［19］{1、7、9、14、18、22、25}；{2、5、10、12、19、21、23}；{3、8、13、16、20}；{4、6、11、15、17、24}

032 >.［20］{1、7、9、14、18、22、25}；{2、5、10、12、19、21、23}；{3、8、13、16、24}；{4、6、11、15、17、20}

033 >.［21］{1、7、9、14、18、22、25}；{2、5、10、12、19、23}；{3、8、13、16、21、24}；{4、6、11、15、17、20}

034 >.［22］{1、7、9、14、18、22、25}；{2、5、11、16、20、23}；{3、8、10、13、19、21}；{4、6、12、15、17、24}

035 >.［23］{1、7、9、14、18、22、25}；{2、5、12、16、20、23}；{3、8、10、13、19、21}；{4、6、11、15、17、24}

036 >.［24］{1、7、9、14、18、22、25}；{2、8、10、19、21、23}；{3、5、11、13、16、20}；{4、6、12、15、17、24}

037 >.［25］{1、7、9、14、18、22、25}；{2、8、10、19、21、23}；{3、5、11、13、16、24}；{4、6、12、15、17、20}

038 >.［26］{1、7、9、14、18、22、25}；{2、8、10、19、23}；{3、5、11、13、16、21、24}；{4、6、12、15、17、20}

039 >. X {1、7、9、14、18、24}；{2、5、10、12、19、21、23}；{3、6、8、15、17、22}；{4、11、13、16、20、25}

040 >. X {1、7、9、15、18、22}；{2、5、10、12、19、21、23}；{3、6、8、14、16、24}；{4、11、13、17、20、25}

041 >. X {1、7、9、15、18、22}；{2、5、10、12、19、21、23}；{3、6、8、14、17、24}；{4、11、13、16、20、25}

042 >. X {1、7、9、15、18、22}；{2、5、10、12、19、23}；{3、6、8、14、16、21、24}；{4、11、13、17、20、25}

043 >.［27］{1、7、9、15、18、22}；{2、8、14、17、19、23}；{3、5、11、13、16、21、24}；{4、6、10、12、20、25}

044 >. X {1、7、9、15、18、23};{2、5、10、12、19、22};{3、6、8、14、16、21、24};{4、11、13、17、20、25}

045 >. X {1、7、9、15、18、23};{2、5、10、12、21、24};{3、6、8、14、17、19、22};{4、11、13、16、20、25}

046 >.[28]{1、7、9、15、18、23};{2、8、14、16、21、24};{3、5、11、13、17、19、22};{4、6、10、12、20、25}

047 >.[29]{1、7、9、15、18、23};{2、8、14、17、19、22};{3、5、11、13、16、21、24};{4、6、10、12、20、25}

048 >. X {1、7、9、15、18、24};{2、5、10、12、19、21、23};{3、6、8、14、16、22};{4、11、13、17、20、25}

049 >. X {1、7、9、15、18、24};{2、5、10、12、19、21、23};{3、6、8、14、17、22};{4、11、13、16、20、25}

050 >. X {1、7、9、15、18、24};{2、5、10、12、21、23};{3、6、8、14、17、19、22};{4、11、13、16、20、25}

051 >.[30]{1、7、9、15、18、24};{2、8、14、16、21、23};{3、5、11、13、17、19、22};{4、6、10、12、20、25}

052 >.[31]{1、7、9、15、20、23};{2、4、10、12、18、24};{3、5、11、13、17、19、22};{6、8、14、16、21、25}

053 >. X {1、7、9、15、20、23};{2、4、10、12、18、24};{3、6、8、14、17、19、22};{5、11、13、16、21、25}

054 >.[32]{1、7、9、15、20、23};{2、8、14、16、21、24};{3、5、11、13、17、19、22};{4、6、10、12、18、25}

055 >.[33]{1、7、9、15、20、23};{2、8、14、17、19、22};{3、5、11、13、16、21、24};{4、6、10、12、18、25}

056 >.[34]{1、7、11、15、17、20、23};{2、4、10、12、18、24};{3、5、9、13、19、22};{6、8、14、16、21、25}

057 >. X {1、7、11、15、17、20、23};{2、4、10、12、18、24};{3、6、8、14、19、21};{5、9、13、16、22、25}

058 >.[35]{1、7、11、15、17、20、23};{2、5、9、14、19、22};{3、8、13、16、21、24};{4、6、10、12、18、25}

059 >.[36]{1、7、11、15、17、20、23};{2、8、14、16、21、24};{3、5、9、13、19、22};{4、6、10、12、18、25}

060 >. X {1、7、11、15、21、23};{2、4、10、12、18、24};{3、6、8、14、17、19、22};{5、9、13、16、20、25}

061 >. X {1、7、11、15、21、24};{2、5、9、12、16、20、23};{3、6、8、14、17、19、22};{4、10、13、18、25}

062 >.[37]{1、7、11、15、21、24};{2、5、9、14、16、20、23};{3、8、13、17、19、22};{4、6、10、12、18、25}

063 >.[38]{1、7、11、17、22、25};{2、5、9、14、16、20、23};{3、8、10、13、19、21};{4、6、12、15、18、24}

064 >.[39]{1、7、11、18、22、25};{2、5、9、14、16、20、23};{3、8、10、13、19、21};{4、6、12、15、17、24}

065 >.[40]{1、7、14、17、22、25};{2、5、9、12、16、20、23};{3、8、10、13、19、21};{4、6、11、15、18、24}

066 >.[41]{1、7、14、18、22、25};{2、5、9、12、16、20、23};{3、8、10、13、19、21};{4、6、11、15、17、24}

067 >.[42]{1、8、10、13、18、22、25};{2、4、7、11、17、19};{3、5、12、15、21、24};{6、9、14、16、20、23}

068 >.[43]{1、8、10、13、18、22、25};{2、4、7、11、17、19};{3、5、14、16、21、24};{6、9、12、15、20、23}

069 >. X {1、8、10、13、18、22、25};{2、4、7、11、17、19};{3、6、12、15、21、24};{5、9、14、16、20、23}

070 >. X {1、8、10、13、18、22、25};{2、4、7、11、17、19};{3、6、14、16、21、24};{5、9、12、15、20、23}

071 >.[44]{1、8、10、13、18、22、25};{2、4、7、14、17、19};{3、5、11、15、21、24};{6、9、12、16、20、23}

072 >.[45]{1、8、10、13、18、22、25};{2、4、7、14、17、19};{3、5、11、16、21、24};{6、9、12、15、20、23}

073 >. X {1、8、10、13、18、22、25};{2、4、7、14、17、19};{3、6、11、15、21、24};{5、9、12、16、20、23}

074 >. X {1、8、10、13、18、22、25};{2、4、7、14、17、19};{3、6、11、16、21、24};{5、9、12、15、20、23}

075 >. X {1、8、10、13、18、22、25};{2、5、9、12、16、20、23};{3、6、11、15、21、24};{4、7、14、17、19}

076 >. X {1、8、10、13、18、22、25};{2、5、9、12、16、20、23};{3、6、14、19、21};{4、7、11、15、17、24}

077 >.[46]{1、8、10、13、18、22、25};{2、5、9、12、16、20、23};{3、7、11、15、21、24};{4、6、14、17、19}

078 >.[47]{1、8、10、13、18、22、25};{2、5、9、12、16、20、23};{3、7、14、19、21};{4、6、11、15、17、24}

079 >. X {1、8、10、13、18、22、25};{2、5、9、12、19、23};{3、6、14、16、21、24};{4、7、11、15、17、20}

080 >.[48]{1、8、10、13、18、22、25};{2、5、9、12、19、23};{3、7、14、16、21、24};{4、6、11、15、17、20}

081 >. X {1、8、10、13、18、22、25};{2、5、9、14、16、20、23};{3、6、12、15、21、24};{4、7、11、17、19}

082 >. X {1、8、10、13、18、22、25};{2、5、9、14、16、20、23};{3、6、12、19、21};{4、7、11、15、17、24}

083 >.[49]{1、8、10、13、18、22、25};{2、5、9、14、16、20、23};{3、7、11、15、21、24};{4、6、12、17、19}

084 >.[50]{1、8、10、13、18、22、25};{2、5、9、14、16、20、23};{3、7、11、19、21};{4、6、12、15、17、24}

085 >. X {1、8、10、13、18、22、25};{2、5、9、14、19、23};{3、6、12、16、21、24};{4、7、11、15、17、20}

086 >.[51]{1、8、10、13、18、22、25};{2、5、9、14、19、23};{3、7、11、16、21、24};{4、6、12、15、17、20}

087 >.[52]{1、8、10、13、18、22、25};{2、5、11、19、21、23};{3、7、9、14、16、20};{4、6、12、15、17、24}

088 >.[53]{1、8、10、13、18、22、25};{2、5、11、19、21、23};{3、7、9、14、16、24};{4、6、12、15、17、20}

089 >. X {1、8、10、13、18、22、25} ; {2、5、12、19、21、23} ; {3、6、9、14、16、20} ; {4、7、11、15、17、24}

090 >. X {1、8、10、13、18、22、25} ; {2、5、12、19、21、23} ; {3、6、9、14、16、24} ; {4、7、11、15、17、20}

091 >. [54] {1、8、10、13、18、22、25} ; {2、5、12、19、21、23} ; {3、7、9、14、16、20} ; {4、6、11、15、17、24}

092 >. [55] {1、8、10、13、18、22、25} ; {2、5、12、19、21、23} ; {3、7、9、14、16、24} ; {4、6、11、15、17、20}

093 >. X {1、8、10、13、18、22、25} ; {2、5、14、19、21、23} ; {3、6、9、12、16、20} ; {4、7、11、15、17、24}

094 >. X {1、8、10、13、18、22、25} ; {2、5、14、19、21、23} ; {3、6、9、12、16、24} ; {4、7、11、15、17、20}

095 >. [56] {1、8、10、13、18、22、25} ; {2、7、9、14、16、20、23} ; {3、5、11、15、21、24} ; {4、6、12、17、19}

096 >. [57] {1、8、10、13、18、22、25} ; {2、7、9、14、16、20、23} ; {3、5、11、19、21} ; {4、6、12、15、17、24}

097 >. [58] {1、8、10、13、18、22、25} ; {2、7、9、14、16、20、23} ; {3、5、12、15、21、24} ; {4、6、11、17、19}

098 >. [59] {1、8、10、13、18、22、25} ; {2、7、9、14、16、20、23} ; {3、5、12、19、21} ; {4、6、11、15、17、24}

099 >. [60] {1、8、10、13、18、22、25} ; {2、7、9、14、19、23} ; {3、5、11、16、21、24} ; {4、6、12、15、17、20}

100 >. [61] {1、8、10、13、18、22、25} ; {2、7、9、14、19、23} ; {3、5、12、16、21、24} ; {4、6、11、15、17、20}

101 >. [62] {1、8、10、13、18、22、25} ; {2、7、11、19、21、23} ; {3、5、9、14、16、20} ; {4、6、12、15、17、24}

102 >. [63] {1、8、10、13、18、22、25} ; {2、7、11、19、21、23} ; {3、5、9、14、16、24} ; {4、6、12、15、17、20}

103 >. [64] {1、8、10、13、18、22、25} ; {2、7、14、19、21、23} ; {3、5、9、12、16、20} ; {4、6、11、15、17、24}

104 >. [65] {1、8、10、13、18、22、25} ; {2、7、14、19、21、23} ; {3、5、9、12、16、24} ; {4、6、11、15、17、20}

105 >. X {1、8、10、13、21、25} ; {2、5、9、12、16、20、23} ; {3、6、14、17、19、22} ; {4、7、11、15、18、24}

106 >. [66] {1、8、10、13、21、25} ; {2、5、9、12、16、20、23} ; {3、7、14、17、19、22} ; {4、6、11、15、18、24}

107 >. X {1、8、10、13、21、25} ; {2、5、9、14、16、20、23} ; {3、6、12、17、19、22} ; {4、7、11、15、18、24}

108 >. [67] {1、8、10、13、21、25} ; {2、5、9、14、16、20、23} ; {3、7、11、17、19、22} ; {4、6、12、15、18、24}

109 >. [68] {1、8、10、13、21、25} ; {2、7、9、14、16、20、23} ; {3、5、11、17、19、22} ; {4、6、12、15、18、24}

110 >. [69] {1、8、10、13、21、25} ; {2、7、9、14、16、20、23} ; {3、5、12、17、19、22} ; {4、6、11、15、18、24}

111 >. [70] {1、8、10、18、22、25} ; {2、4、7、14、17、19} ; {3、5、11、13、16、21、24} ; {6、9、12、15、20、23}

112 >. [71] {1、8、10、18、22、25} ; {2、7、9、14、16、20、23} ; {3、5、11、13、19、21} ; {4、6、12、15、17、24}

113 >. [72] {1、8、10、18、22、25} ; {2、7、9、14、19、23} ; {3、5、11、13、16、21、24} ; {4、6、12、15、17、20}

114 >. [73] {1、8、10、21、25} ; {2、7、9、14、16、20、23} ; {3、5、11、13、17、19、22} ; {4、6、12、15、18、24}

115 >. X {1、8、13、16、20、25} ; {2、5、10、12、19、21、23} ; {3、6、9、14、18、22} ; {4、7、11、15、17、24}

116 >. [74] {1、8、13、16、20、25} ; {2、5、10、12、19、21、23} ; {3、7、9、14、18、22} ; {4、6、11、15、17、24}

117 >. X {1、8、13、16、22、25} ; {2、5、10、12、19、21、23} ; {3、6、9、14、18、24} ; {4、7、11、15、17、20}

118 >. [75] {1、8、13、16、22、25} ; {2、5、10、12、19、21、23} ; {3、7、9、14、18、24} ; {4、6、11、15、17、20}

119 >. [76] {1、8、13、17、19、22} ; {2、5、9、14、16、20、23} ; {3、7、11、15、21、24} ; {4、6、10、12、18、25}

120 >. [77] {1、8、13、17、19、22} ; {2、7、9、14、16、20、23} ; {3、5、11、15、21、24} ; {4、6、10、12、18、25}

121 >. X {1、8、13、17、20、25} ; {2、5、10、12、19、21、23} ; {3、6、9、14、16、22} ; {4、7、11、15、18、24}

122 >. [78] {1、8、13、17、20、25} ; {2、5、10、12、19、21、23} ; {3、7、9、14、16、22} ; {4、6、11、15、18、24}

123 >. X {1、8、13、17、22、25} ; {2、5、9、14、16、20、23} ; {3、6、10、12、19、21} ; {4、7、11、15、18、24}

124 >. X {1、8、13、17、22、25} ; {2、5、10、12、19、21、23} ; {3、6、9、14、16、20} ; {4、7、11、15、18、24}

125 >. [79] {1、8、13、17、22、25} ; {2、5、10、12、19、21、23} ; {3、7、9、14、16、20} ; {4、6、11、15、18、24}

126 >. [80] {1、8、13、17、22、25} ; {2、7、9、14、16、20、23} ; {3、5、10、12、19、21} ; {4、6、11、15、18、24}

127 >. X {1、8、13、18、22、25} ; {2、5、9、14、16、20、23} ; {3、6、10、12、19、21} ; {4、7、11、15、17、24}

128 >. X {1、8、13、18、22、25} ; {2、5、10、12、19、21、23} ; {3、6、9、14、16、20} ; {4、7、11、15、17、24}

129 >. X {1、8、13、18、22、25} ; {2、5、10、12、19、21、23} ; {3、6、9、14、16、24} ; {4、7、11、15、17、20}

130 >. [81] {1、8、13、18、22、25} ; {2、5、10、12、19、21、23} ; {3、7、9、14、16、20} ; {4、6、11、15、17、24}

131 >. [82] {1、8、13、18、22、25} ; {2、5、10、12、19、21、23} ; {3、7、9、14、16、24} ; {4、6、11、15、17、20}

132 >. [83] {1、8、13、18、22、25} ; {2、7、9、14、16、20、23} ; {3、5、10、12、19、21} ; {4、6、11、15、17、24}

133 >. [84] {1、8、14、16、21、25} ; {2、4、7、10、18、24} ; {3、5、11、13、17、19、22} ; {6、9、12、15、20、23}

134 >. [85] {1、8、15、17、20、23}；{2、7、9、14、19、22}；{3、5、11、13、16、21、24}；{4、6、10、12、18、25}

135 >. [86] {1、8、15、21、24}；{2、7、9、14、16、20、23}；{3、5、11、13、17、19、22}；{4、6、10、12、18、25}

136 >. [87] {1、9、12、15、20、23}；{2、4、7、10、18、24}；{3、5、11、13、17、19、22}；{6、8、14、16、21、25}

137 >. X {1、9、12、15、20、23}；{2、4、7、10、18、24}；{3、6、8、14、17、19、22}；{5、11、13、16、21、25}

138 >. X {1、9、12、15、20、23}；{2、4、7、11、17、19}；{3、6、8、14、16、21、24}；{5、10、13、18、22、25}

139 >. [88] {1、9、12、15、20、23}；{2、4、7、14、17、19}；{3、5、11、13、16、21、24}；{6、8、10、18、22、25}

140 >. X {1、9、13、16、20、25}；{2、5、10、12、19、21、23}；{3、6、8、14、17、22}；{4、7、11、15、18、24}

141 >. X {1、9、13、16、20、25}；{2、5、10、12、19、21、23}；{3、6、8、14、18、22}；{4、7、11、15、17、24}

142 >. X {1、9、13、16、20、25}；{2、5、10、12、21、23}；{3、6、8、14、17、19、22}；{4、7、11、15、18、24}

143 >. X {1、9、13、16、22、25}；{2、5、10、12、19、21、23}；{3、6、8、14、17、20}；{4、7、11、15、18、24}

144 >. X {1、9、13、16、22、25}；{2、5、10、12、19、21、23}；{3、6、8、14、18、24}；{4、7、11、15、17、20}

145 >. X {1、9、13、18、22、25}；{2、5、10、12、19、21、23}；{3、6、8、14、16、20}；{4、7、11、15、17、24}

146 >. X {1、9、13、18、22、25}；{2、5、10、12、19、21、23}；{3、6、8、14、16、24}；{4、7、11、15、17、20}

147 >. X {1、9、13、18、22、25}；{2、5、10、12、19、23}；{3、6、8、14、16、21、24}；{4、7、11、15、17、20}

148 >. X {1、10、13、18、22、25}；{2、4、7、11、17、19}；{3、6、8、14、16、21、24}；{5、9、12、15、20、23}

149 >. X {1、10、13、18、22、25}；{2、5、9、12、16、20、23}；{3、6、8、14、19、21}；{4、7、11、15、17、24}

150 >. X {1、10、13、18、22、25}；{2、5、9、12、19、23}；{3、6、8、14、16、21、24}；{4、7、11、15、17、20}

151 >. X {1、10、13、21、25}；{2、5、9、12、16、20、23}；{3、6、8、14、17、19、22}；{4、7、11、15、18、24}

152 >. X {1、11、13、16、21、25}；{2、4、7、10、18、24}；{3、6、8、14、17、19、22}；{5、9、12、15、20、23}

附录2 “Appel 与 Haken 之例”$G_{M25.AHE}$的“相近四色着色方案集 b”(112 个集元)

001).(01) {1、8、10、13、19、21、23}；{2、4、7、11、16、20}；{3、5、9、12、15、18、24}；{6、14、17、22、25}

002).(02) {1、8、10、13、19、21、23}；{2、4、7、11、16、20}；{3、5、12、15、17、24}；{6、9、14、18、22、25}

003). X {1、8、10、13、19、21、23}；{2、4、7、11、16、20}；{3、6、9、12、15、18、24}；{5、14、17、22、25}

004). X {1、8、10、13、19、21、23}；{2、4、7、11、16、20}；{3、6、12、15、17、24}；{5、9、14、18、22、25}

005).(03) {1、8、10、13、19、21、23}；{2、4、7、11、16、24}；{3、5、9、12、15、18、22}；{6、14、17、20、25}

006).(04) {1、8、10、13、19、21、23}；{2、4、7、11、16、24}；{3、5、12、15、17、20}；{6、9、14、18、22、25}

007). X {1、8、10、13、19、21、23}；{2、4、7、11、16、24}；{3、6、9、12、15、18、22}；{5、14、17、20、25}

008). X {1、8、10、13、19、21、23}；{2、4、7、11、16、24}；{3、6、12、15、17、20}；{5、9、14、18、22、25}

009).(05) {1、8、10、13、19、21、23}；{2、4、7、11、17、20}；{3、5、9、12、15、18、24}；{6、14、16、22、25}

010).(06) {1、8、10、13、19、21、23}；{2、4、7、11、17、20}；{3、5、12、15、18、24}；{6、9、14、16、22、25}

011). X {1、8、10、13、19、21、23}；{2、4、7、11、17、20}；{3、6、9、12、15、18、24}；{5、14、16、22、25}

012). X {1、8、10、13、19、21、23}；{2、4、7、11、17、20}；{3、6、12、15、18、24}；{5、9、14、16、22、25}

013).(07) {1、8、10、13、19、21、23}；{2、4、7、11、17、24}；{3、5、9、12、15、18、22}；{6、14、16、20、25}

014).(08) {1、8、10、13、19、21、23}；{2、4、7、11、17、24}；{3、5、12、15、18、22}；{6、9、14、16、20、25}

015). X {1、8、10、13、19、21、23}；{2、4、7、11、17、24}；{3、6、9、12、15、18、22}；{5、14、16、20、25}

016). X {1、8、10、13、19、21、23}；{2、4、7、11、17、24}；{3、6、12、15、18、22}；{5、9、14、16、20、25}

017).(09) {1、8、10、13、19、21、23}；{2、4、7、11、18、24}；{3、5、12、15、17、20}；{6、9、14、16、22、25}

018).(10) {1、8、10、13、19、21、23}；{2、4、7、11、18、24}；{3、5、12、15、17、22}；{6、9、14、16、20、25}

019). X {1、8、10、13、19、21、23}；{2、4、7、11、18、24}；{3、6、12、15、17、20}；{5、9、14、16、22、25}

020). X {1、8、10、13、19、21、23}；{2、4、7、11、18、24}；{3、6、12、15、17、22}；{5、9、14、16、20、25}

021).(11) {1、8、10、13、19、21、23}；{2、4、7、14、16、20}；{3、5、9、12、15、18、24}；{6、11、17、22、25}

022).(12) {1、8、10、13、19、21、23}；{2、4、7、14、16、20}；{3、5、11、15、17、24}；{6、9、12、18、22、25}

023). X {1、8、10、13、19、21、23}；{2、4、7、14、16、20}；{3、6、9、12、15、18、24}；{5、11、17、22、25}

024). X {1、8、10、13、19、21、23}；{2、4、7、14、16、20}；{3、6、11、15、17、24}；{5、9、12、18、22、25}

025).(13){1、8、10、13、19、21、23}；{2、4、7、14、16、24}；{3、5、9、12、15、18、22}；{6、11、17、20、25}

026).(14){1、8、10、13、19、21、23}；{2、4、7、14、16、24}；{3、5、11、15、17、20}；{6、9、12、18、22、25}

027).　X　{1、8、10、13、19、21、23}；{2、4、7、14、16、24}；{3、6、9、12、15、18、22}；{5、11、17、20、25}

028).　X　{1、8、10、13、19、21、23}；{2、4、7、14、16、24}；{3、6、11、15、17、20}；{5、9、12、18、22、25}

029).(15){1、8、10、13、19、21、23}；{2、4、7、14、17、20}；{3、5、9、12、15、18、24}；{6、11、16、22、25}

030).(16){1、8、10、13、19、21、23}；{2、4、7、14、17、20}；{3、5、11、15、18、24}；{6、9、12、16、22、25}

031).　X　{1、8、10、13、19、21、23}；{2、4、7、14、17、20}；{3、6、9、12、15、18、24}；{5、11、16、22、25}

032).　X　{1、8、10、13、19、21、23}；{2、4、7、14、17、20}；{3、6、11、15、18、24}；{5、9、12、16、22、25}

033).(17){1、8、10、13、19、21、23}；{2、4、7、14、17、24}；{3、5、9、12、15、18、22}；{6、11、16、20、25}

034).(18){1、8、10、13、19、21、23}；{2、4、7、14、17、24}；{3、5、11、15、18、22}；{6、9、12、16、20、25}

035).　X　{1、8、10、13、19、21、23}；{2、4、7、14、17、24}；{3、6、9、12、15、18、22}；{5、11、16、20、25}

036).　X　{1、8、10、13、19、21、23}；{2、4、7、14、17、24}；{3、6、11、15、18、22}；{5、9、12、16、20、25}

037).(19){1、8、10、13、19、21、23}；{2、4、7、14、18、24}；{3、5、11、15、17、20}；{6、9、12、16、22、25}

038).(20){1、8、10、13、19、21、23}；{2、4、7、14、18、24}；{3、5、11、15、17、22}；{6、9、12、16、20、25}

039).　X　{1、8、10、13、19、21、23}；{2、4、7、14、18、24}；{3、6、11、15、17、20}；{5、9、12、16、22、25}

040).　X　{1、8、10、13、19、21、23}；{2、4、7、14、18、24}；{3、6、11、15、17、22}；{5、9、12、16、20、25}

041).　X　{1、8、10、13、19、21、23}；{2、5、9、12、16、22}；{3、6、11、15、18、24}；{4、7、14、17、20、25}

042).(21){1、8、10、13、19、21、23}；{2、5、9、12、16、22}；{3、7、11、15、18、24}；{4、6、14、17、20、25}

043).　X　{1、8、10、13、19、21、23}；{2、5、9、12、16、24}；{3、6、11、15、18、22}；{4、7、14、17、20、25}

044).(22){1、8、10、13、19、21、23}；{2、5、9、12、16、24}；{3、7、11、15、18、22}；{4、6、14、17、20、25}

045).　X　{1、8、10、13、19、21、23}；{2、5、9、12、18、22}；{3、6、11、15、17、24}；{4、7、14、16、20、25}

046).(23){1、8、10、13、19、21、23}；{2、5、9、12、18、22}；{3、7、11、15、17、24}；{4、6、14、16、20、25}

047).　X　{1、8、10、13、19、21、23}；{2、5、9、12、18、24}；{3、6、11、15、17、22}；{4、7、14、16、20、25}

048).(24){1、8、10、13、19、21、23}；{2、5、9、12、18、24}；{3、7、11、15、17、22}；{4、6、14、16、20、25}

049).　X　{1、8、10、13、19、21、23}；{2、5、9、14、16、22}；{3、6、12、15、18、24}；{4、7、11、17、20、25}

050).(25){1、8、10、13、19、21、23}；{2、5、9、14、16、22}；{3、7、11、15、18、24}；{4、6、12、17、20、25}

051).　X　{1、8、10、13、19、21、23}；{2、5、9、14、16、24}；{3、6、12、15、18、22}；{4、7、11、17、20、25}

052).(26){1、8、10、13、19、21、23}；{2、5、9、14、16、24}；{3、7、11、15、18、22}；{4、6、12、17、20、25}

053).　X　{1、8、10、13、19、21、23}；{2、5、9、14、18、22}；{3、6、12、15、17、24}；{4、7、11、16、20、25}

054).(27){1、8、10、13、19、21、23}；{2、5、9、14、18、22}；{3、7、11、15、17、24}；{4、6、12、16、20、25}

055).　X　{1、8、10、13、19、21、23}；{2、5、9、14、18、24}；{3、6、12、15、17、22}；{4、7、11、16、20、25}

056).(28){1、8、10、13、19、21、23}；{2、5、9、14、18、24}；{3、7、11、15、17、22}；{4、6、12、16、20、25}

057).　X　{1、8、10、13、19、21、23}；{2、5、11、16、22}；{3、6、9、12、15、18、24}；{4、7、14、17、20、25}

058).　X　{1、8、10、13、19、21、23}；{2、5、11、16、24}；{3、6、9、12、15、18、22}；{4、7、14、17、20、25}

059).　X　{1、8、10、13、19、21、23}；{2、5、11、17、22}；{3、6、9、12、15、18、24}；{4、7、14、16、20、25}

060).　X　{1、8、10、13、19、21、23}；{2、5、11、17、24}；{3、6、9、12、15、18、22}；{4、7、14、16、20、25}

061).　X　{1、8、10、13、19、21、23}；{2、5、14、16、22}；{3、6、9、12、15、18、24}；{4、7、11、17、20、25}

062).　X　{1、8、10、13、19、21、23}；{2、5、14、16、24}；{3、6、9、12、15、18、22}；{4、7、11、17、20、25}

063).　X　{1、8、10、13、19、21、23}；{2、5、14、17、22}；{3、6、9、12、15、18、24}；{4、7、11、16、20、25}

064).　X　{1、8、10、13、19、21、23}；{2、5、14、17、24}；{3、6、9、12、15、18、22}；{4、7、11、16、20、25}

065).(29){1、8、10、13、19、21、23}；{2、7、9、14、16、22}；{3、5、11、15、18、24}；{4、6、12、17、20、25}

066).(30){1、8、10、13、19、21、23}；{2、7、9、14、16、22}；{3、5、12、15、18、24}；{4、6、11、17、20、25}

067).(31){1、8、10、13、19、21、23}；{2、7、9、14、16、24}；{3、5、11、15、18、22}；{4、6、12、17、20、25}

068).(32){1、8、10、13、19、21、23}；{2、7、9、14、16、24}；{3、5、12、15、18、22}；{4、6、11、17、20、25}

069).(33){1、8、10、13、19、21、23}；{2、7、9、14、18、22}；{3、5、11、15、17、24}；{4、6、12、16、20、25}

070).(34){1、8、10、13、19、21、23};{2、7、9、14、18、22};{3、5、12、15、17、24};{4、6、11、16、20、25}
071).(35){1、8、10、13、19、21、23};{2、7、9、14、18、24};{3、5、11、15、17、22};{4、6、12、16、20、25}
072).(36){1、8、10、13、19、21、23};{2、7、9、14、18、24};{3、5、12、15、17、22};{4、6、11、16、20、25}
073).(37){1、8、10、13、19、21、23};{2、7、11、16、22};{3、5、9、12、15、18、24};{4、6、14、17、20、25}
074).(38){1、8、10、13、19、21、23};{2、7、11、16、24};{3、5、9、12、15、18、22};{4、6、14、17、20、25}
075).(39){1、8、10、13、19、21、23};{2、7、11、17、22};{3、5、9、12、15、18、24};{4、6、14、16、20、25}
076).(40){1、8、10、13、19、21、23};{2、7、11、17、24};{3、5、9、12、15、18、22};{4、6、14、16、20、25}
077).(41){1、8、10、13、19、21、23};{2、7、14、16、22};{3、5、9、12、15、18、24};{4、6、11、17、20、25}
078).(42){1、8、10、13、19、21、23};{2、7、14、16、24};{3、5、9、12、15、18、22};{4、6、11、17、20、25}
079).(43){1、8、10、13、19、21、23};{2、7、14、17、22};{3、5、9、12、15、18、24};{4、6、11、16、20、25}
080).(44){1、8、10、13、19、21、23};{2、7、14、17、24};{3、5、9、12、15、18、22};{4、6、11、16、20、25}
081). X {1、8、10、13、19、22};{2、5、11、16、21、23};{3、6、9、12、15、18、24};{4、7、14、17、20、25}
082). X {1、8、10、13、19、22};{2、5、14、16、21、23};{3、6、9、12、15、18、24};{4、7、11、17、20、25}
083).(45){1、8、10、13、19、22};{2、7、11、16、21、23};{3、5、9、12、15、18、24};{4、6、14、17、20、25}
084).(46){1、8、10、13、19、22};{2、7、14、16、21、23};{3、5、9、12、15、18、24};{4、6、11、17、20、25}
085). X {1、8、10、13、19、23};{2、5、11、16、21、24};{3、6、9、12、15、18、22};{4、7、14、17、20、25}
086). X {1、8、10、13、19、23};{2、5、14、16、21、24};{3、6、9、12、15、18、22};{4、7、11、17、20、25}
087).(47){1、8、10、13、19、23};{2、7、11、16、21、24};{3、5、9、12、15、18、22};{4、6、14、17、20、25}
088).(48){1、8、10、13、19、23};{2、7、14、16、21、24};{3、5、9、12、15、18、22};{4、6、11、17、20、25}
089). X {1、8、10、13、21、23};{2、5、11、17、19、22};{3、6、9、12、15、18、24};{4、7、14、16、20、25}
090). X {1、8、10、13、21、23};{2、5、14、17、19、22};{3、6、9、12、15、18、24};{4、7、11、16、20、25}
091).(49){1、8、10、13、21、23};{2、7、11、17、19、22};{3、5、9、12、15、18、24};{4、6、14、16、20、25}
092).(50){1、8、10、13、21、23};{2、7、14、17、19、22};{3、5、9、12、15、18、24};{4、6、11、16、20、25}
093). X {1、8、10、13、21、24};{2、5、11、17、19、23};{3、6、9、12、15、18、22};{4、7、14、16、20、25}
094). X {1、8、10、13、21、24};{2、5、14、17、19、23};{3、6、9、12、15、18、22};{4、7、11、16、20、25}
095).(51){1、8、10、13、21、24};{2、7、11、17、19、23};{3、5、9、12、15、18、22};{4、6、14、16、20、25}
096).(52){1、8、10、13、21、24};{2、7、14、17、19、23};{3、5、9、12、15、18、22};{4、6、11、16、20、25}
097). X {1、8、10、19、21、23};{2、4、7、14、16、20};{3、6、9、12、15、18、24};{5、11、13、17、22、25}
098). X {1、8、10、19、21、23};{2、4、7、14、16、24};{3、6、9、12、15、18、22};{5、11、13、17、20、25}
099). X {1、8、10、19、21、23};{2、4、7、14、17、20};{3、6、9、12、15、18、24};{5、11、13、16、22、25}
100). X {1、8、10、19、21、23};{2、4、7、14、17、24};{3、6、9、12、15、18、22};{5、11、13、16、20、25}
101). X {1、8、14、16、20、25};{2、4、7、11、17、24};{3、6、9、12、15、18、22};{5、10、13、19、21、23}
102). X {1、8、14、16、22、25};{2、4、7、11、17、20};{3、6、9、12、15、18、24};{5、10、13、19、21、23}
103). X {1、8、14、17、20、25};{2、4、7、11、16、24};{3、6、9、12、15、18、22};{5、10、13、19、21、23}
104). X {1、8、14、17、22、25};{2、4、7、11、16、20};{3、6、9、12、15、18、24};{5、10、13、19、21、23}
105).(53){1、10、13、19、21、23};{2、4、7、11、16、20};{3、5、9、12、15、18、24};{6、8、14、17、22、25}
106).(54){1、10、13、19、21、23};{2、4、7、11、16、24};{3、5、9、12、15、18、22};{6、8、14、17、20、25}
107).(55){1、10、13、19、21、23};{2、4、7、11、17、20};{3、5、9、12、15、18、24};{6、8、14、16、22、25}
108).(56){1、10、13、19、21、23};{2、4、7、11、17、24};{3、5、9、12、15、18、22};{6、8、14、16、20、25}
109).(57){1、11、13、16、20、25};{2、4、7、14、17、24};{3、5、9、12、15、18、22};{6、8、10、19、21、23}
110).(58){1、11、13、16、22、25};{2、4、7、14、17、20};{3、5、9、12、15、18、24};{6、8、10、19、21、23}
111).(59){1、11、13、17、20、25};{2、4、7、14、16、24};{3、5、9、12、15、18、22};{6、8、10、19、21、23}
112).(60){1、11、13、17、22、25};{2、4、7、14、16、20};{3、5、9、12、15、18、24};{6、8、10、19、21、23}

参考文献

[1]冯纪先. 四色着色的"简化降阶法"[J]. 汕头大学学报(自然科学版),2008,23(4):52-59.(见目录:2.07)

[2]冯纪先. 最大平面图 G_M 的"二色子图"和"二色交换"[C]//第二十届电路与系统年会论文集. 广州:华南理工大学,2007:770-777.(见目录:2.04)

[3]冯纪先. 最大平面图 G_M 的"孪生图"G_M^T 和对角线变换 DT[J]. 数学的实践与认识,2010,40(11):165-173.(见目录:2.10)

[4]冯纪先. "一个25阶最大平面图" G_{M25}的四色着色[C]//全国电工理论与新技术学术年会CTATEE'07论文集. 长沙:湖南大学,2007:99-102.(见目录:2.06)

[5]冯纪先. "一个25阶最大平面图" G_{M25}的"相近四色着色方案集乙"[C]//(待发表)(见目录:2.08)

2.21 “Heawood 反例”$G_{M25.HCE}$的相近四色着色方案集

【摘要】分析了“Heawood 反例”$G_{M25.HCE}$和“另一个25阶最大平面图”G'_{M25}的拓扑结构的特点。以已求得的$G_{M25.HCE}$的144个四色着色方案为基础,利用“多层次二色交换法”,求得了$G_{M25.HCE}$的32个“相近四色着色方案集”,即“相近四色着色方案集α”(1个集元);“相近四色着色方案集β”(1个集元);……;“相近四色着色方案集αη”(6个集元)和“相近四色着色方案集αθ”(48个集元),没有得到新的其他的$G_{M25.HCE}$的四色着色方案。对所得结果,进行了分析、讨论,获得了有意义的认识。

【关键词】最大平面图;“Heawood 反例”;四色着色方案;“多层次二色交换法”;相近四色着色方案集

The near Four - coloring sets of “Heawood's Counter-Example” $G_{M25.HCE}$

Abstract: The properties of topological structure in “Heawood's Counter-Example” $G_{M25.HCE}$ and “Another Maximal Planar Graph” G'_{M25} are analysed. With 144 Four - colorings of the $G_{M25.HCE}$, the 32 near Four - coloring sets: “Near Four - coloring Set α”(1 Four - coloring); “Near Four - coloring Set β”(1 Four - coloring); …… ; “Near Four - coloring Set αη”(6 Four - colorings) and “Near Four - coloring Set αθ”(48 Four - colorings) of the $G_{M25.HCE}$ are obtained, using “method of multiplayer Two - color interchange”. There are not the other Four - colorings of the $G_{M25.HCE}$ in the 32 “Sets”. New Four - colorings of the $G_{M25.HCE}$ are not obtained. The solutions are studied.

Keywords: maximal planar graph; “Heawood's Counter-Example”; Four - coloring; “method of multiplayer Two - color interchange”; near Four - coloring set

1 引言

文献[1]中述及,一个一定拓扑结构的n阶最大平面图G_{Mn},当其最小度点为3度点或4度点时,可用“降阶法”,至少可求得它的一个“四色着色方案”。

文献[2]中述及,当已知一个一定拓扑结构的n阶最大平面图G_{Mn}的一个“四色着色方案”时,以这个“四色着色方案”为基础,利用“多层次二色交换法”,通过一定层次的二色交换,可求得包含这个“四色着色方案”在内的一个“相近四色着色方案集”。该“集”的集元,可以为一个(当然,就是这个“四色着色方案”);也可能为多个。显然,至少是一个。

文献[3]中述及,一个一定拓扑结构的n阶最大平面图G_{Mn},当其最小度点为5度点时,尚无法直接求解其“四色着色方案”。但可先行求解它的“孪生图”G^T_{Mn}(其最小度点已为4度点)的“四色着色方案”以及G^T_{Mn}的“相近四色着色方案集”。G^T_{Mn}的“集”中存在与G_{Mn}共有的交集,从而可以间接地求得G_{Mn}的一些“四色着色方案”。在这些文献中,曾对几个具体的例子,进行了推演和验证,并获得了一定的结果。

文献[3]中又述及,间接获得的 G_{Mn} 的那些“四色着色方案”,其每一个“四色着色方案”,必然包含在 G_{Mn} 的某一个“相近四色着色方案集”中。于是,可以在间接获得的每一个“四色着色方案”的基础上,利用“多层次二色交换法”,分别求得其所属的 G_{Mn} 的“相近四色着色方案集”。这样,在这些 G_{Mn} 的“集”里,很可能会分别得到新的其他的 G_{Mn} 的“四色着色方案”。本文即对一个例子——“Heawood 反例”(Heawood ' s Counter-Example) $G_{M25.HCE}$,求解其“相近四色着色方案集”。

2 “Heawood 反例” $G_{M25.HCE}$

图 1 为“Heawood 反例” $G_{M25.HCE}$,即文献[4]中之图 1。图 1 所示 $G_{M25.HCE}$ 实为一个 25 阶的最大平面图,图中圆圈表示点,圈内的数字是点的标号。图 1 中 $G_{M25.HCE}$ 的点数 $n=25$,边数 $e=3n-6=69$,区数 $r=2n-4=46$,度数 $d=6n-12=138$。图 1 所示 $G_{M25.HCE}$ 中,$n_3=n_4=0$,即无 3 度点和 4 度点;5 度(最小度)点数 $n_5=17$,即点⑨至点㉕(5 度点数 n_5 占总点数 n 的 17/25 =68%);6 度点数 $n_6=3$,即点①、③和⑧;7 度(最大度)点数 $n_7=5$,即点②、④、⑤、⑥和⑦。图 1 所示 $G_{M25.HCE}$ 属“最小 5 度最大平面图”。

图 2 为“另一个 25 阶最大平面图” G'_{M25},即文献[4]中之图 2;文献[5]中之图 1。图 2 所示 G'_{M25} 的点数 $n=25$,边数 $e=3n-6=69$,区数 $r=2n-4=46$,度数 $d=6n-12=138$。图 2 中 G'_{M25} 的 3 度点数 $n_3=0$,即无 3 度点;4 度(最小度)点数 $n_4=2$,即点⑲和⑳;5 度点数 $n_5=13$;6 度点数 $n_6=5$,即点①、③、⑧、⑰和㉓;7 度(最大度)点数 $n_7=5$,即点②、④、⑤、⑥和⑦。图 2 所示 G'_{M25} 属“最小 4 度最大平面图”。

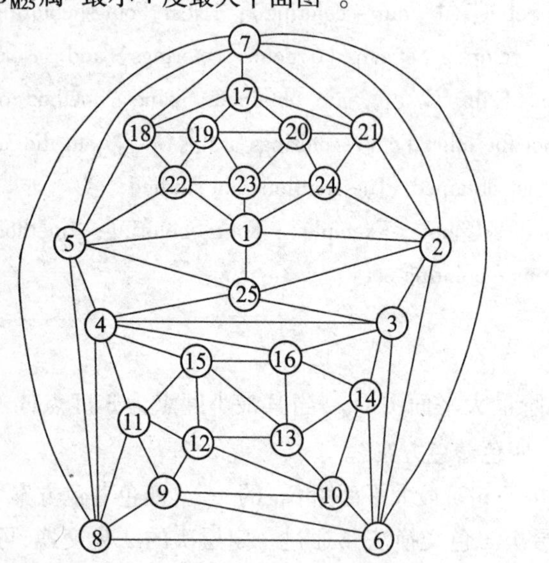

图 1 “Heawood 反例 HCE” $G_{M25.HCE}$

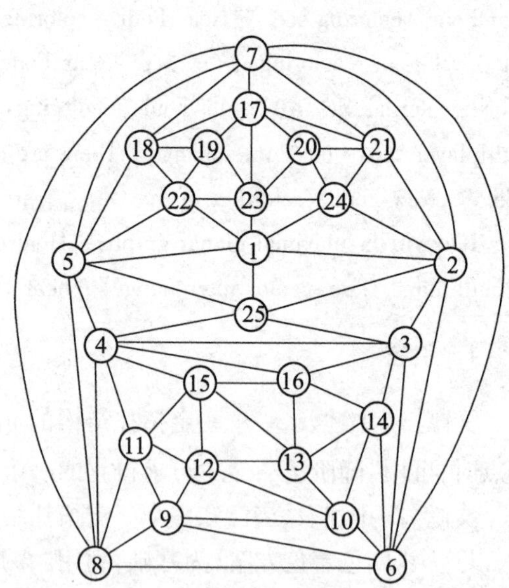

图 2 “另一个 25 阶最大平面图” G'_{M25}

由图 1 和图 2 可看到,相对于四边形 C_4(⑰、⑲、㉓、⑳),图 1 与图 2,互为对方的孪生图,也即,图 1 与图 2 组成一对“孪生图对”[3]。

图 3 为“一个 24 阶平面图” G_{24},即文献[6]中之图 1。图 3 为非最大平面图,其 G_{24} 有一个区的周长为 5,该区的周界为 G_5(①、②、③、④、⑤)。图 3 中,G_{24} 的点数 $n=24$,边数 $e=64$,区

数 r = 42，度数 d = 128。又，图 3 中，$n_3 = n_4 = 0$，即无 3 度点和 4 度点；5 度（最小度）点数 n_5 = 18；6 度点数 $n_6 = 4$；7 度（最大度）点数 $n_7 = 2$。图 3 所示 G_{24}属“最小 5 度平面图”。

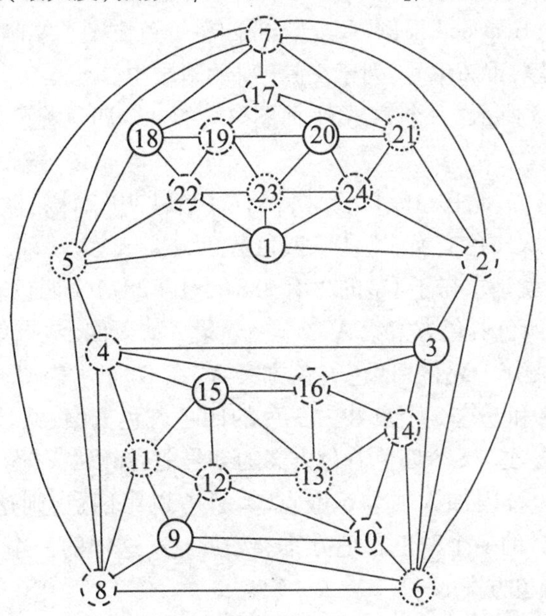

图 3 “一个 24 阶平面图”G_{24}（着“四色着色方案 A”）

比较图 1 与图 3 即可看到，图 3 实为图 1 移去点㉕所得的子图，即 $G_{24} = G_{M25.HCE} - \{㉕\}$。

3 “Heawood 反例” $G_{M25.HCE}$的四色着色方案

由于“Heawood 反例”$G_{M25.HCE}$是一个“最小 5 度最大平面图”，尚无法直接求解其四色着色方案，故间接地通过图 2 所示的它的孪生图“另一个 25 阶最大平面图”G'_{M25}来求。

故而文献[5]利用“降阶法”，求出了图 2 所示“另一个 25 阶最大平面图”G'_{M25}的两个四色着色方案，即

“四色着色方案一”：

{1、3、7、10、15、20}；{2、4、9、13、18、23}；{5、6、11、16、19、21}；{8、12、14、17、22、24、25}；

“四色着色方案二”：

{1、4、7、9、13、19、20}；{2、5、12、14、23}；{3、8、10、15、17、22、24}；{6、11、16、18、21、25}。

又，文献[5]利用“多层次二色交换法”，以“四色着色方案一”为基础，求出了 G'_{M25}另外不同的 71 个四色着色方案，也就是求得了 G'_{M25}的含 72（ =1 +71）个四色着色方案的一个相近四色着色方案集，即“相近四色着色方案集一”。这个“集一”，以四个“点集划分”的形式按顺序表述于文献[5]中的附录 1 中。G'_{M25}的“四色着色方案一”在 G'_{M25}的“集一”中的编号为★048）。在“集一”中，点⑲与点⑳是异色的四色着色方案，共计有 36 个，它们的编号前标以“★”号。

文献[5]又利用“多层次二色交换法”，以“四色着色方案二”为基础，求出了 G'_{M25}另外不同的 155 个四色着色方案，也就是又求得了 G'_{M25}的含 156（ =1 +155）个四色着色方案的又一个相近四色着色方案集，即“相近四色着色方案集二”。这个“集二”，也以四个“点集划分”的形式按顺序表述于文献[5]中的附录 2 中。G'_{M25}的“四色着色方案二”在 G'_{M25}的“集二”中的编号为 047）。在“集二”中，点⑲与点⑳是异色的四色着色方案，共计有 48 个，它们的编号前标以

“★”号。

由此，文献[5]总共获得 G'_{M25} 的，标“★”号的（即点⑲与点⑳异色的）四色着色方案 84（=36+48）个。这些，就是“Heawood 反例”$G_{M25.HCE}$ 的四色着色方案。文献[4]将这 84 个 $G_{M25.HCE}$ 的四色着色方案综合排序，重新编号，列于文献[4]的附录中。

有关文献提供了图 3 所示“一个 24 阶平面图”G_{24} 的一个四色着色方案，记为“四色着色方案 A”：

{1、3、9、15、18、20}；{2、8、10、16、17、22}；{4、7、12、14、19、24}；{5、6、11、13、21、23}。

文献[6]利用“多层次二色交换法”，以“四色着色方案 A”为基础，求出了 G_{24} 另外不同的 287 个四色着色方案，也就是求得了 G_{24} 的含有 288（=1+287）个四色着色方案的一个相近四色着色方案集，即“相近四色着色方案集 A”。这个“集 A”，以四个“点集划分”的形式，按顺序表述于文献[6]中的附录中。G_{24} 的“四色着色方案 A”在 G_{24} 的“集 A”中的编号为 115）.。在“集 A”中点①、②、③、④和⑤这 5 个点共占三色的四色着色方案，共计有 72 个（恰好是总数 288 的 1/4（=72/288））。这 72 个四色着色方案的编号前，标以“★”号。这样，若在图 3 所示 G_{24} 的 C_5（①、②、③、④、⑤）内加入一个 5 度点㉕，且着以第四色，则这样的一个四色着色方案，就为图 1 所示 $G_{M25.HCE}$ 的一个四色着色方案。如此，G_{24} 这样的一个四色着色方案，就对应着 $G_{M25.HCE}$ 的一个四色着色方案。

因此，文献[6]就求得了 $G_{M25.HCE}$ 的 72 个四色着色方案。

可以发现，文献[5]所求得的 84 个 $G_{M25.HCE}$ 的四色着色方案，与文献[6]所求得的 72 个 $G_{M25.HCE}$ 的四色着色方案，有 12 个是重复的。

那么，文献[5]和文献[6]共计求得了 $G_{M25.HCE}$ 的 144（=84+72−12）个四色着色方案。文献[7]中将这 144 个四色着色方案，综合排序，重新编号（置方括号内），列于文献[7]的附录中。

顺便提及，非常巧合的是，在后来的继续工作里，利用“移边法”和“移 5 度点法”，共同求出了 $G_{M25.HCE}$ 的，与文献[7]中所列的完全相同的，一模一样的 144 个四色着色方案。使人感到，是太巧了！抑或，有其内在规律？!

4 “Heawood 反例”$G_{M25.HCE}$ 中的 32 个相近四色着色方案集

现求解 $G_{M25.HCE}$ 已求得的 144 个四色着色方案中的每一个四色着色方案，在 $G_{M25.HCE}$ 中所隶属的“相近四色着色方案集”，以及这些“集”所含有的那些其他新的四色着色方案，现分述如下。

1）我们从文献[7]中编号[001]的 $G_{M25.HCE}$ 的四色着色方案（{1、3、7、9、13、19}；{2、4、12、14、18、20}；{5、6、11、16、21、23}；{8、10、15、17、22、24、25}）开始，该“方案”记为“四色着色方案 α（第 1 个小写希腊字母）”。将这个“方案 α”作为基础，利用“多层次二色交换法”[2]，获得了包含“方案 α”在内的，$G_{M25.HCE}$ 的第 1 个相近四色着色方案集，记为“相近四色着色方案集 α”。但按“方案 α”着色的 $G_{M25.HCE}$ 的拓扑结构图上可以看到，其 3 种“二色子图对”的 6 个“二色子图”的连通支数均为 1，即 $k_{ry}=k_{rb}=k_{rg}=k_{bg}=k_{yg}=k_{yb}=1$。故这 6 个二色子图均不能作二色交换，而获得另外不同的新的四色着色方案。也即，在 $G_{M25.HCE}$ 中，得到的第 1 个“相近四色着色方案集 α”，其含有的“集元”只有一个，就是“四色着色方案 α”。现将这个结果列写于附录中。

2)文献[7]中的,从编号[002]到编号[024]的$G_{M25.HCE}$的23个四色着色方案,按小写希腊字母表的顺序,分别记为“四色着色方案β”、“四色着色方案γ”、……、“四色着色方案ω”。将它们作为基础,分别利用“多层次二色交换法”,获得了$G_{M25.HCE}$的23个相近四色着色方案集,分别记为“相近四色着色方案集β”、“相近四色着色方案集γ”、……、“相近四色着色方案集ω”。但,它们各自的3种“二色子图对”的6个“二色子图”的连通支数统统为1,故它们都与“相近四色着色方案集α”一样,其含有的“集元”均只有一个,不能获得另外不同的新的四色着色方案。这样的结果,顺序地列写于附录中。

3)记文献[7]中编号[025]的四色着色方案为“四色着色方案αα(双希腊字母)”。“方案αα”中,G_{ry}的$k_{ry}=1$;G_{bg}的$k_{bg}=2$,$\therefore n_{I}=2$。G_{rb}的$k_{rb}=1$;G_{yg}的$k_{yg}=2$,$\therefore n_{II}=2$。G_{rg}的$k_{rg}=1$;G_{yb}的$k_{yb}=1$,$\therefore n_{III}=1$。所以“方案αα”可以进行二色交换。将此“方案αα”为基础,利用“多层次二色交换法”,经4个层次的二色交换,获得了包含“方案αα”在内的,$G_{M25.HCE}$的第25个相近四色着色方案集,即“相近四色着色方案集αα”(推演过程略,下均如此)。“集αα”含有6个“集元”,即文献[7]中编号为[025]、[026]、[029]、[030]、[033]和[034]的6个四色着色方案,没有获得任何另外的新的四色着色方案,所得结果列写于附录。

4)记文献[7]中编号[027]的四色着色方案为“四色着色方案αβ”。“方案αβ”与“方案αα”的情况类似,以“方案αβ”为基础,经4个层次的二色交换,获得了含有6个四色着色方案的第26个“相近四色着色方案集αβ”。“集αβ”含有文献[7]中编号为[027]、[028]、[031]、[032]、[035]和[036]的6个四色着色方案,没有获得任何另外的新的四色着色方案,所得结果列写于附录。

5)记文献[7]中编号[037]的四色着色方案为“四色着色方案αγ”。在“方案αγ”中,G_{ry}的$k_{ry}=1$;G_{bg}的$k_{bg}=2$,$\therefore n_{I}=2$。G_{rb}的$k_{rb}=1$;G_{yg}的$k_{yg}=2$,$\therefore n_{II}=2$。G_{rg}的$k_{rg}=2$;G_{yb}的$k_{yb}=2$,$\therefore n_{III}=4$。故“方案αγ”可以进行二色交换。将此“方案αγ”为基础,经5个层次的二色交换,获得了含有36个四色着色方案的第27个“相近四色着色方案集αγ”。“集αγ”含有文献[7]中编号为[037]—[048]、[061]—[072]和[085]—[096]的36个四色着色方案,没有包含任何新的四色着色方案,所得结果列写于附录。

6)记文献[7]中编号[049]的四色着色方案为“四色着色方案αδ”。“方案αδ”中,$k_{ry}=1$,$k_{bg}=2$,$\therefore n_{I}=2$;$k_{rb}=1$,$k_{yg}=2$,$\therefore n_{II}=2$;$k_{rg}=1$;$k_{yb}=1$,$\therefore n_{III}=1$。故“方案αδ”可作二色交换。将此“方案αδ”为基础,经4个层次的二色交换,获得了含有6个四色着色方案的第28个“相近四色着色方案集αδ”。“集αδ”含有文献[7]中编号为[049]、[050]、[053]、[054]、[057]和[058]的6个四色着色方案,不含新的四色着色方案,所得结果列写于附录。

7)记文献[7]中编号[051]的四色着色方案为“四色着色方案αε”。“方案αε”与“方案αδ”的情况类似,以“方案αε”为基础,经4个层次的二色交换,获得了含文献[7]中编号为[051]、[052]、[055]、[056]、[059]和[060]的6个四色着色方案的,第29个“相近四色着色方案集αε”。所得结果列写于附录。

8)记文献[7]中编号[073]的四色着色方案为“四色着色方案αζ”。“方案αζ”与“方案αδ”的情况类似,以“方案αζ”为基础,经4个层次的二色交换,获得了含文献[7]中编号为[073]、[074]、[077]、[078]、[081]和[082]的6个四色着色方案的,第30个“相近四色着色方案集αζ”。所得结果列写于附录。

9)记文献[7]中编号[075]的四色着色方案为“四色着色方案αη”。“方案αη”与“方案

$\alpha\delta$”的情况类似，以“方案 $\alpha\eta$”为基础，经4个层次的二色交换，获得了含文献[7]中编号为[075]、[076]、[079]、[080]、[083]和[084]的6个四色着色方案的，第31个“相近四色着色方案集 $\alpha\eta$”。所得结果列写于附录。

10）记文献[7]中编号[097]的四色着色方案为“四色着色方案 $\alpha\theta$”。“方案 $\alpha\theta$”中，G_{ry} 的 $k_{ry}=3$；G_{bg} 的 $k_{bg}=2$，$\therefore n_{I}=8$。G_{rb} 的 $k_{rb}=1$；G_{yg} 的 $k_{yg}=2$，$\therefore n_{II}=2$。G_{rg} 的 $k_{rg}=1$；G_{yb} 的 $k_{yb}=2$，$\therefore n_{III}=2$。故“方案 $\alpha\theta$”可作二色交换。以“方案 $\alpha\theta$”为基础，利用“多层次二色交换法”，经5个层次的二色交换，获得了含文献[7]中编号为[097]—[144]的48个四色着色方案的，第32个“相近四色着色方案集 $\alpha\theta$”，其中未包含任何新的四色着色方案。所得结果列写于附录。

5 结语

文献[8]中所列一例——“一个19阶星型最大平面图”$G_{M19.S}$ 是唯一4可着色的，即该图 $G_{M19.S}$ 只有一个“四色着色方案”。该“方案”所隶属的 $G_{M19.S}$ 的“相近四色着色方案集”，也就为唯一的。该“集”所含有的“集元”，当然也就只有一个，就是该“方案”。

文献[9]中所列一例是“Hamilton 绕行世界之对偶图”，即“正二十面体之平面嵌入图”$G_{M12.ico}$。该图 $G_{M12.ico}$ 通过“对角线变换法”，获得6个四色着色方案。再利用“多层次二色交换法”，获得这6个“方案”所分别隶属的6个 $G_{M12.ico}$ 的“相近四色着色方案集”。该6个“集”的“集元数”均为1。此例就未得到新的其他的 $G_{M12.ico}$ 的四色着色方案。

文献[10]中所列一例是“Apple 与 Haken 之例”$G_{M25.AHE}$。该图 $G_{M25.AHE}$ 通过“对角线变换法”，获得148个 $G_{M25.AHE}$ 的四色着色方案。再利用“多层次二色交换法”，获得这148个“方案”所分别隶属的两个 $G_{M25.AHE}$ 的“相近四色着色方案集”，即“集a”（含152个“方案”）和“集b”（含112个“方案”）。故共计获得264（=152+112）个 $G_{M25.AHE}$ 的四色着色方案。此例获得116（=264-148）个新的 $G_{M25.AHE}$ 的四色着色方案。

本文所列一例是“Heawood 反例”$G_{M25.HCE}$。该图 $G_{M25.HCE}$ 通过“对角线变换法”等方法，获得144个 $G_{M25.HCE}$ 的四色着色方案。再利用“多层次二色交换法”，获得这144个“方案”所分别隶属的32个 $G_{M25.HCE}$ 的“相近四色着色方案集”。其中，24个“集”的“集元数”为1，6个“集”的“集元数”为6，1个“集”的“集元数”为36，1个“集”的“集元数”为48。没有得到新的 $G_{M25.HCE}$ 的四色着色方案。

综合观察4个实例可以看到，一个“相近四色着色方案集”所含有的“集元数”，取决于四色着色方案的6个二色子图的拓扑结构。一个n阶最大平面图 G_{Mn}，所存在的“相近四色着色方案集”和“四色着色方案”的数目，显然与 G_{Mn} 的拓扑结构有关。

附录:“Heawood 反例”$G_{M25.HCE}$中的 32 个相近四色着色方案集(共 144 个四色着色方案)

第 01 个:“相近四色着色方案集 α”(1 个集元)

[001]{1、3、7、9、13、19};{2、4、12、14、18、20};{5、6、11、16、21、23};{8、10、15、17、22、24、25}

第 02 个:“相近四色着色方案集 β”(1 个集元)

[002]{1、3、7、9、13、19};{2、4、12、14、20、22};{5、6、11、16、17、24};{8、10、15、18、21、23、25}

第 03 个:“相近四色着色方案集 γ”(1 个集元)

[003]{1、3、7、9、13、20};{2、4、12、14、17、22};{5、6、11、16、19、24};{8、10、15、18、21、23、25}

第 04 个:“相近四色着色方案集 δ”(1 个集元)

[004]{1、3、7、9、13、20};{2、4、12,14,18,23};{5,6,11,16,19,21};{8,10,15,17,22,24,25}

第 05 个:“相近四色着色方案集 ε”(1 个集元)

[005]{1、3、7、9、15、19};{2、4、12、14、18、20};{5、6、11、13、21、23};{8、10、16、17、22、24、25}

第 06 个:“相近四色着色方案集 ζ”(1 个集元)

[006]{1、3、7、9、15、19};{2、4、12、14、20、22};{5、6、11、13、17、24};{8、10、16、18、21、23、25}

第 07 个:“相近四色着色方案集 η”(1 个集元)

[007]{1、3、7、9、15、20};{2、4、12、14、17、22};{5、6、11、13、19、24};{8、10、16、18、21、23、25}

第 08 个:“相近四色着色方案集 θ”(1 个集元)

[008]{1、3、7、9、15、20};{2、4、12、14、18、23};{5、6、11、13、19、21};{8、10、16、17、22、24、25}

第 09 个:“相近四色着色方案集 ι”(1 个集元)

[009]{1、3、7、10、11、19};{2、4、9、13、18、20};{5、6、12、16、21、23};{8、14、15、17、22、24、25}

第 10 个:“相近四色着色方案集 κ”(1 个集元)

[010]{1、3、7、10、11、19};{2、4、9、13、20、22};{5、6、12、16、17、24};{8、14、15、18、21、23、25}

第 11 个:“相近四色着色方案集 λ”(1 个集元)

[011]{1、3、7、10、11、20};{2、4、9、13、17、22};{5、6、12、16、19、24};{8、14、15、18、21、23、25}

第 12 个:“相近四色着色方案集 μ”(1 个集元)

[012]{1、3、7、10、11、20};{2、4、9、13、18、23};{5、6、12、16、19、21};{8、14、15、17、22、24、25}

第 13 个:“相近四色着色方案集 ν”(1 个集元)

[013]{1、3、7、10、15、19};{2、4、9、13、18、20};{5、6、11、16、21、23};{8、12、14、17、22、24、25}

第 14 个:“相近四色着色方案集 ξ”(1 个集元)

[014]{1、3、7、10、15、19};{2、4、9、13、20、22};{5、6、11、16、17、24};{8、12、14、18、21、23、25}

第 15 个:“相近四色着色方案集 ο”(1 个集元)

[015]{1、3、7、10、15、19};{2、4、9、14、18、20};{5、6、11、13、21、23};{8、12、16、17、22、24、25}

第 16 个:“相近四色着色方案集 π”(1 个集元)

[016]{1、3、7、10、15、19};{2、4、9、14、20、22};{5、6、11、13、17、24};{8、12、16、18、21、23、25}

第 17 个:“相近四色着色方案集 ρ”(1 个集元)

[017]{1、3、7、10、15、20};{2、4、9、13、17、22};{5、6、11、16、19、24};{8、12、14、18、21、23、25}

第 18 个:“相近四色着色方案集 σ”(1 个集元)

[018]{1、3、7、10、15、20};{2、4、9、13、18、23};{5、6、11、16、19、21};{8、12、14、17、22、24、25}

第 19 个:“相近四色着色方案集 τ”(1 个集元)

[019]{1、3、7、10、15、20};{2、4、9、14、17、22};{5、6、11、13、19、24};{8、12、16、18、21、23、25}

第 20 个:“相近四色着色方案集 υ”(1 个集元)

[020]{1、3、7、10、15、20};{2、4、9、14、18、23};{5、6、11、13、19、21};{8、12、16、17、22、24、25}

第 21 个:“相近四色着色方案集 φ”(1 个集元)

[021]{1、3、7、11、13、19};{2、4、9、14、18、20};{5、6、12、16、21、23};{8、10、15、17、22、24、25}

第22个："相近四色着色方案集 χ"（1个集元）

[022]{1、3、7、11、13、19}；{2、4、9、14、20、22}；{5、6、12、16、17、24}；{8、10、15、18、21、23、25}

第23个："相近四色着色方案集 ψ"（1个集元）

[023]{1、3、7、11、13、20}；{2、4、9、14、17、22}；{5、6、12、16、19、24}；{8、10、15、18、21、23、25}

第24个："相近四色着色方案集 ω"（1个集元）

[024]{1、3、7、11、13、20}；{2、4、9、14、18、23}；{5、6、12、16、19、21}；{8、10、15、17、22、24、25}

第25个："相近四色着色方案集 αα"（6个集元）

[025]{1、3、8、10、15、18、20}；{2、4、9、13、17、22}；{5、6、11、16、21、23}；{7、12、14、19、24、25}
[026]{1、3、8、10、15、18、20}；{2、4、9、13、17、22}；{5、6、12、16、21、23}；{7、11、14、19、24、25}
[029]{1、3、8、10、15、18、20}；{2、4、9、14、17、22}；{5、6、11、13、21、23}；{7、12、16、19、24、25}
[030]{1、3、8、10、15、18、20}；{2、4、9、14、17、22}；{5、6、12、16、21、23}；{7、11、13、19、24、25}
[033]{1、3、8、10、15、18、20}；{2、4、12、14、17、22}；{5、6、11、13、21、23}；{7、9、16、19、24、25}
[034]{1、3、8、10、15、18、20}；{2、4、12、14、17、22}；{5、6、11、16、21、23}；{7、9、13、19、24、25}

第26个："相近四色着色方案集 αβ"（6个集元）

[027]{1、3、8、10、15、18、20}；{2、4、9、13、17、23}；{5、6、11、16、19、21}；{7、12、14、22、24、25}
[028]{1、3、8、10、15、18、20}；{2、4、9、13、17、23}；{5、6、12、16、19、21}；{7、11、14、22、24、25}
[031]{1、3、8、10、15、18、20}；{2、4、9、14、17、23}；{5、6、11、13、19、21}；{7、12、16、22、24、25}
[032]{1、3、8、10、15、18、20}；{2、4、9、14、17、23}；{5、6、12、16、19、21}；{7、11、13、22、24、25}
[035]{1、3、8、10、15、18、20}；{2、4、12、14、17、23}；{5、6、11、13、19、21}；{7、9、16、22、24、25}
[036]{1、3、8、10、15、18、20}；{2、4、12、14、17、23}；{5、6、11、16、19、21}；{7、9、13、22、24、25}

第27个："相近四色着色方案集 αγ"（36个集元）

[037]{1、3、8、10、15、18、20}；{2、5、9、13、17、23}；{4、7、12、14、19、24}；{6、11、16、21、22、25}
[038]{1、3、8、10、15、18、20}；{2、5、9、13、17、23}；{4、7、12、14、22、24}；{6、11、16、19、21、25}
[039]{1、3、8、10、15、18、20}；{2、5、9、16、17、23}；{4、7、12、14、19、24}；{6、11、13、21、22、25}
[040]{1、3、8、10、15、18、20}；{2、5、9、16、17、23}；{4、7、12、14、22、24}；{6、11、13、19、21、25}
[041]{1、3、8、10、15、18、20}；{2、5、11、13、17、23}；{4、7、9、14、19、24}；{6、12、16、21、22、25}
[042]{1、3、8、10、15、18、20}；{2、5、11、13、17、23}；{4、7、9、14、22、24}；{6、12、16、19、21、25}
[043]{1、3、8、10、15、18、20}；{2、5、11、14、17、23}；{4、7、9、13、19、24}；{6、12、16、21、22、25}
[044]{1、3、8、10、15、18、20}；{2、5、11、14、17、23}；{4、7、9、13、22、24}；{6、12、16、19、21、25}
[045]{1、3、8、10、15、18、20}；{2、5、12、14、17、23}；{4、7、9、13、19、24}；{6、11、16、21、22、25}
[046]{1、3、8、10、15、18、20}；{2、5、12、14、17、23}；{4、7、9、13、22、24}；{6、11、16、19、21、25}
[047]{1、3、8、10、15、18、20}；{2、5、12、16、17、23}；{4、7、9、14、19、24}；{6、11、13、21、22、25}
[048]{1、3、8、10、15、18、20}；{2、5、12、16、17、23}；{4、7、9、14、22、24}；{6、11、13、19、21、25}
[061]{1、3、8、10、15、18、21}；{2、5、9、13、17、23}；{4、7、12、14、19、24}；{6、11、16、20、22、25}
[062]{1、3、8、10、15、18、21}；{2、5、9、13、17、23}；{4、7、12、14、20、22}；{6、11、16、19、24、25}
[063]{1、3、8、10、15、18、21}；{2、5、9、16、17、23}；{4、7、12、14、19、24}；{6、11、13、20、22、25}
[064]{1、3、8、10、15、18、21}；{2、5、9、16、17、23}；{4、7、12、14、20、22}；{6、11、13、19、24、25}
[065]{1、3、8、10、15、18、21}；{2、5、11、13、17、23}；{4、7、9、14、19、24}；{6、12、16、20、22、25}
[066]{1、3、8、10、15、18、21}；{2、5、11、13、17、23}；{4、7、9、14、20、22}；{6、12、16、19、24、25}
[067]{1、3、8、10、15、18、21}；{2、5、11、14、17、23}；{4、7、9、13、19、24}；{6、12、16、20、22、25}
[068]{1、3、8、10、15、18、21}；{2、5、11、14、17、23}；{4、7、9、13、20、22}；{6、12、16、19、24、25}
[069]{1、3、8、10、15、18、21}；{2、5、12、14、17、23}；{4、7、9、13、19、24}；{6、11、16、20、22、25}
[070]{1、3、8、10、15、18、21}；{2、5、12、14、17、23}；{4、7、9、13、20、22}；{6、11、16、19、24、25}
[071]{1、3、8、10、15、18、21}；{2、5、12、16、17、23}；{4、7、9、14、19、24}；{6、11、13、20、22、25}
[072]{1、3、8、10、15、18、21}；{2、5、12、16、17、23}；{4、7、9、14、20、22}；{6、11、13、19、24、25}

[085]{1、3、8、10、15、19、21};{2、5、9、13、17、23};{4、7、12、14、20、22};{6、11、16、18、24、25}

[086]{1、3、8、10、15、19、21};{2、5、9、13、17、23};{4、7、12、14、22、24};{6、11、16、18、20、25}

[087]{1、3、8、10、15、19、21};{2、5、9、16、17、23};{4、7、12、14、20、22};{6、11、13、18、24、25}

[088]{1、3、8、10、15、19、21};{2、5、9、16、17、23};{4、7、12、14、22、24};{6、11、13、18、20、25}

[089]{1、3、8、10、15、19、21};{2、5、11、13、17、23};{4、7、9、14、20、22};{6、12、16、18、24、25}

[090]{1、3、8、10、15、19、21};{2、5、11、13、17、23};{4、7、9、14、22、24};{6、12、16、18、20、25}

[091]{1、3、8、10、15、19、21};{2、5、11、14、17、23};{4、7、9、13、20、22};{6、12、16、18、24、25}

[092]{1、3、8、10、15、19、21};{2、5、11、14、17、23};{4、7、9、13、22、24};{6、12、16、18、20、25}

[093]{1、3、8、10、15、19、21};{2、5、12、14、17、23};{4、7、9、13、20、22};{6、11、16、18、24、25}

[094]{1、3、8、10、15、19、21};{2、5、12、14、17、23};{4、7、9、13、22、24};{6、11、16、18、20、25}

[095]{1、3、8、10、15、19、21};{2、5、12、16、17、23};{4、7、9、14、20、22};{6、11、13、18、24、25}

[096]{1、3、8、10、15、19、21};{2、5、12、16、17、23};{4、7、9、14、22、24};{6、11、13、18、20、25}

第28个:“相近四色着色方案集αδ”(6个集元)

[049]{1、3、8、10、15、18、21};{2、4、9、13、17、23};{5、6、11、16、19、24};{7、12、14、20、22、25}

[050]{1、3、8、10、15、18、21};{2、4、9、13、17、23};{5、6、12、16、19、24};{7、11、14、20、22、25}

[053]{1、3、8、10、15、18、21};{2、4、9、14、17、23};{5、6、11、13、19、24};{7、12、16、20、22、25}

[054]{1、3、8、10、15、18、21};{2、4、9、14、17、23};{5、6、12、16、19、24};{7、11、13、20、22、25}

[057]{1、3、8、10、15、18、21};{2、4、12、14、17、23};{5、6、11、13、19、24};{7、9、16、20、22、25}

[058]{1、3、8、10、15、18、21};{2、4、12、14、17、23};{5、6、11、16、19、24};{7、9、13、20、22、25}

第29个:“相近四色着色方案集αε”(6个集元)

[051]{1、3、8、10、15、18、21};{2、4、9、13、20、22};{5、6、11、16、17、23};{7、12、14、19、24、25}

[052]{1、3、8、10、15、18、21};{2、4、9、13、20、22};{5、6、12、16、17、23};{7、11、14、19、24、25}

[055]{1、3、8、10、15、18、21};{2、4、9、14、20、22};{5、6、11、13、17、23};{7、12、16、19、24、25}

[056]{1、3、8、10、15、18、21};{2、4、9、14、20、22};{5、6、12、16、17、23};{7、11、13、19、24、25}

[059]{1、3、8、10、15、18、21};{2、4、12、14、20、22};{5、6、11、13、17、23};{7、9、16、19、24、25}

[060]{1、3、8、10、15、18、21};{2、4、12、14、20、22};{5、6、11、16、17、23};{7、9、13、19、24、25}

第30个:“相近四色着色方案集αζ”(6个集元)

[073]{1、3、8、10、15、19、21};{2、4、9、13、18、20};{5、6、11、16、17、23};{7、12、14、22、24、25}

[074]{1、3、8、10、15、19、21};{2、4、9、13、18、20};{5、6、12、16、17、23};{7、11、14、22、24、25}

[077]{1、3、8、10、15、19、21};{2、4、9、14、18、20};{5、6、11、13、17、23};{7、12、16、22、24、25}

[078]{1、3、8、10、15、19、21};{2、4、9、14、18、20};{5、6、12、16、17、23};{7、11、13、22、24、25}

[081]{1、3、8、10、15、19、21};{2、4、12、14、18、20};{5、6、11、13、17、23};{7、9、16、22、24、25}

[082]{1、3、8、10、15、19、21};{2、4、12、14、18、20};{5、6、11、16、17、23};{7、9、13、22、24、25}

第31个:“相近四色着色方案集αη”(6个集元)

[075]{1、3、8、10、15、19、21};{2、4、9、13、18、23};{5、6、11、16、17、24};{7、12、14、20、22、25}

[076]{1、3、8、10、15、19、21};{2、4、9、13、18、23};{5、6、12、16、17、24};{7、11、14、20、22、25}

[079]{1、3、8、10、15、19、21};{2、4、9、14、18、23};{5、6、11、13、17、24};{7、12、16、20、22、25}

[080]{1、3、8、10、15、19、21};{2、4、9、14、18、23};{5、6、12、16、17、24};{7、11、13、20、22、25}

[083]{1、3、8、10、15、19、21};{2、4、12、14、18、23};{5、6、11、13、17、24};{7、9、16、20、22、25}

[084]{1、3、8、10、15、19、21};{2、4、12、14、18、23};{5、6、11、16、17、24};{7、9、13、20、22、25}

第32个:“相近四色着色方案集αθ”(48个集元)

[097]{1、4、7、9、13、19};{2、5、11、14、20};{3、8、10、15、17、22、24};{6、12、16、18、21、23、25}

[098]{1、4、7、9、13、19};{2、5、11、14、20};{3、8、10、15、18、21、23};{6、12、16、17、22、24、25}

[099]{1、4、7、9、13、19};{2、5、12、14、20};{3、8、10、15、17、22、24};{6、11、16、18、21、23、25}

[100]{1、4、7、9、13、19};{2、5、12、14、20};{3、8、10、15、18、21、23};{6、11、16、17、22、24、25}

[101]{1、4、7、9、13、19};{2、8、12、14、18、20};{3、5、10、15、21、23};{6、11、16、17、22、24、25}
[102]{1、4、7、9、13、19};{2、8、12、14、20、22};{3、5、10、15、17、24};{6、11、16、18、21、23、25}
[103]{1、4、7、9、13、19};{2、8、14、15、18、20};{3、5、10、11、21、23};{6、12、16、17、22、24、25}
[104]{1、4、7、9、13、19};{2、8、14、15、20、22};{3、5、10、11、17、24};{6、12、16、18、21、23、25}
[105]{1、4、7、9、13、20};{2、5、11、14、19};{3、8、10、15、17、22、24};{6、12、16、18、21、23、25}
[106]{1、4、7、9、13、20};{2、5、11、14、19};{3、8、10、15、18、21、23};{6、12、16、17、22、24、25}
[107]{1、4、7、9、13、20};{2、5、12、14、19};{3、8、10、15、17、22、24};{6、11、16、18、21、23、25}
[108]{1、4、7、9、13、20};{2、5、12、14、19};{3、8、10、15、18、21、23};{6、11、16、17、22、24、25}
[109]{1、4、7、9、13、20};{2、8、12、14、17、22};{3、5、10、15、19、24};{6、11、16、18、21、23、25}
[110]{1、4、7、9、13、20};{2、8、12、14、18、23};{3、5、10、15、19、21};{6、11、16、17、22、24、25}
[111]{1、4、7、9、13、20};{2、8、14、15、17、22};{3、5、10、11、19、24};{6、12、16、18、21、23、25}
[112]{1、4、7、9、13、20};{2、8、14、15、18、23};{3、5、10、11、19、21};{6、12、16、17、22、24、25}
[113]{1、4、7、9、14、19};{2、5、11、13、20};{3、8、10、15、17、22、24};{6、12、16、18、21、23、25}
[114]{1、4、7、9、14、19};{2、5、11、13、20};{3、8、10、15、18、21、23};{6、12、16、17、22、24、25}
[115]{1、4、7、9、14、19};{2、5、12、16、20};{3、8、10、15、17、22、24};{6、11、13、18、21、23、25}
[116]{1、4、7、9、14、19};{2、5、12、16、20};{3、8、10、15、18、21、23};{6、11、13、17、22、24、25}
[117]{1、4、7、9、14、19};{2、8、10、15、18、20};{3、5、11、13、21、23};{6、12、16、17、22、24、25}
[118]{1、4、7、9、14、19};{2、8、10、15、20、22};{3、5、11、13、17、24};{6、12、16、18、21、23、25}
[119]{1、4、7、9、14、19};{2、8、12、16、18、20};{3、5、10、15、21、23};{6、11、13、17、22、24、25}
[120]{1、4、7、9、14、19};{2、8、12、16、20、22};{3、5、10、15、17、24};{6、11、13、18、21、23、25}
[121]{1、4、7、9、14、20};{2、5、11、13、19};{3、8、10、15、17、22、24};{6、12、16、18、21、23、25}
[122]{1、4、7、9、14、20};{2、5、11、13、19};{3、8、10、15、18、21、23};{6、12、16、17、22、24、25}
[123]{1、4、7、9、14、20};{2、5、12、16、19};{3、8、10、15、17、22、24};{6、11、13、18、21、23、25}
[124]{1、4、7、9、14、20};{2、5、12、16、19};{3、8、10、15、18、21、23};{6、11、13、17、22、24、25}
[125]{1、4、7、9、14、20};{2、8、10、15、17、22};{3、5、11、13、19、24};{6、12、16、18、21、23、25}
[126]{1、4、7、9、14、20};{2、8、10、15、18、23};{3、5、11、13、19、21};{6、12、16、17、22、24、25}
[127]{1、4、7、9、14、20};{2、8、12、16、17、22};{3、5、10、15、19、24};{6、11、13、18、21、23、25}
[128]{1、4、7、9、14、20};{2、8、12、16、18、23};{3、5、10、15、19、21};{6、11、13、17、22、24、25}
[129]{1、4、7、12、14、19};{2、5、9、13、20};{3、8、10、15、17、22、24};{6、11、16、18、21、23、25}
[130]{1、4、7、12、14、19};{2、5、9、13、20};{3、8、10、15、18、21、23};{6、11、16、17、22、24、25}
[131]{1、4、7、12、14、19};{2、5、9、16、20};{3、8、10、15、17、22、24};{6、11、13、18、21、23、25}
[132]{1、4、7、12、14、19};{2、5、9、16、20};{3、8、10、15、18、21、23};{6、11、13、17、22、24、25}
[133]{1、4、7、12、14、19};{2、8、10、15、18、20};{3、5、9、13、21、23};{6、11、16、17、22、24、25}
[134]{1、4、7、12、14、19};{2、8、10、15、20、22};{3、5、9、13、17、24};{6、11、16、18、21、23、25}
[135]{1、4、7、12、14、19};{2、8、10、16、18、20};{3、5、9、15、21、23};{6、11、13、17、22、24、25}
[136]{1、4、7、12、14、19};{2、8、10、16、20、22};{3、5、9、15、17、24};{6、11、13、18、21、23、25}
[137]{1、4、7、12、14、20};{2、5、9、13、19};{3、8、10、15、17、22、24};{6、11、16、18、21、23、25}
[138]{1、4、7、12、14、20};{2、5、9、13、19};{3、8、10、15、18、21、23};{6、11、16、17、22、24、25}
[139]{1、4、7、12、14、20};{2、5、9、16、19};{3、8、10、15、17、22、24};{6、11、13、18、21、23、25}
[140]{1、4、7、12、14、20};{2、5、9、16、19};{3、8、10、15、18、21、23};{6、11、13、17、22、24、25}
[141]{1、4、7、12、14、20};{2、8、10、15、17、22};{3、5、9、13、19、24};{6、11、16、18、21、23、25}
[142]{1、4、7、12、14、20};{2、8、10、15、18、23};{3、5、9、13、19、21};{6、11、16、17、22、24、25}
[143]{1、4、7、12、14、20};{2、8、10、16、17、22};{3、5、9、15、19、24};{6、11、13、18、21、23、25}
[144]{1、4、7、12、14、20};{2、8、10、16、18、23};{3、5、9、15、19、21};{6、11、13、17、22、24、25}

参考文献

[1]冯纪先.四色着色的“简化降阶法”[J].汕头大学学报(自然科学版),2008,23(4):52－59.(见目录:2.07)

[2]冯纪先.最大平面图 G_M 的“二色子图”和“二色交换”[C]//第二十届电路与系统年会论文集.广州:华南理工大学,2007:770－777.(见目录:2.04)

[3]冯纪先. 最大平面图 G_M 的“孪生图”G_M^T和“对角线变换”DT[J].数学的实践与认识,2010,40(11):165－173.(见目录:2.10)

[4]冯纪先.“Heawood 反例 HCE”$G_{M25.HCE}$的四色着色[J].数学的实践与认识,2010,( ):－.(见目录:2.12)

[5]冯纪先.“另一个 25 阶最大平面图”G'_{M25}的四色着色[J].数学的实践与认识,2010,( ):－.(见目录:2.11)

[6]冯纪先.“一个 24 阶平面图”G_{24}的“相近四色着色方案集 A”[C]//第二十一届电工理论年会论文集.南昌:南昌大学,2009:16－21.(见目录:2.13)

[7]冯纪先.“Heawood 反例 HCE”$G_{M25.HCE}$的一些四色着色方案[C]//第二十一届电工理论年会论文集.南昌:南昌大学,2009:22－25.(见目录:2.14)

[8]冯纪先.最大平面图着色的“移 3 度点法”[C]//第十五届电路与系统年会论文集,广州:华南理工大学,1999:254－258.(见目录:2.01)

[9]冯纪先.“Hamilton 绕行世界之对偶图” $G_{M12.ico}$的相近四色着色方案集[C]//(待发表)(见目录:2.19)

[10]冯纪先.“Apple 与 Haken 之例”$G_{M25.AHE}$的相近四色着色方案集[C]//(待发表)(见目录:2.20)

2.22 平面图四色着色的“降阶法”和“降度法”

【摘要】“四种颜色就够了！”，即任何平面图都是4可着色的。为了获得平面图的四色着色方案，经分析、归纳，概括地提出了二类四色着色方法，即“降阶法”和“降度法”。两个例子验证了这二类四色着色方法的合理性、有效性和可用性。同时也显示出这样一个情况，对任何平面图而言，综合利用上述四色着色方法，就可以找到一个，或多个，甚至“大量的”四色着色方案。

【关键词】平面图；最大平面图；着色；四色着色方案；“降阶法”；“降度法”

On Four - coloring of planar graph——
“ method of reduction of order ” and “method of reduction of degree”

Abstract: “Four - colors suffice!”, every planer graph is four colorable. This paper presents “method of reduction of order ” and “ method of reduction of degree ”, in order that Four - colorings of planar graph and maximal planar graph are obtained. In the paper, two practical examples certify, these methods are rational, effective and useful, and show that one or more Four - colorings of every planar graph are always found by these methods.

Keywords: planar graph; maximal planar graph; coloring; Four - coloring; “method of reduction of order”; “method of reduction of degree”

1 引言

1976年，美国数学家K. Appel和W. Haken等证明了“四色定理”，即任何平面图都是4可着色的。本文则研究如何对平面图进行四色着色，即如何求出平面图的四色着色方案，为此，经分析、归纳，提出了“降阶法”和“降度法”。可以看到，综合利用“降阶法”和“降度法”，就可以对任何平面图求出它的一个、或多个、甚至“许多个”四色着色方案。

一定阶数（点数）n的最大平面图（maximal planar graph）G_{Mn}是一种边数e最多，区数r也最多，因而是一种“约束”最多的平面图。可以想见，最大平面图G_{Mn}的着色问题能解决，一般平面图的着色问题也是能解决的，因而研究G_{Mn}是更有普遍意义的。

为了求得最大平面图G_{Mn}的四色着色方案，必须先对G_{Mn}的拓扑结构进行相应的分析，取得一定的认识。故首先将从拓扑结构上，提出最大平面图G_{Mn}的一种分类。

2 平面图G_n的一种分类

当$n<\infty$时，n阶最大平面图G_{Mn}总含有等于或小于5度的点。当$n>3$时，n阶最大平面图G_{Mn}总含有等于或大于3度的点[1][2]。因而，当$3<n<\infty$时，n阶最大平面图G_{Mn}的最小度

点的度数有三种情况:第一种是3度;第二种是4度;第三种是5度,三者必居其一。故,可按最小度点的度数来划分n阶最大平面图G_{Mn}:

第一种,当G_{Mn}的最小度点的度数为3,则称此种G_{Mn}为“最小3度最大平面图”,记为“min $3G_{Mn}$”。显然此时min$3G_{Mn}$中,可能含有4度点,也可能含有5度点。总之此时$n_3 \neq 0$,即$n_3 \geqslant 1$。

第二种,当G_{Mn}的最小度点的度数为4,则称此种G_{Mn}为“最小4度最大平面图”,记为“min $4G_{Mn}$”。显然此时min $4G_{Mn}$中,可能含有5度点,但不可能含有3度点。故此时$n_3 = 0$;$n_4 \neq 0$,即$n_4 \geqslant 1$。

第三种,当G_{Mn}的最小度点的度数为5,则称此种G_{Mn}为“最小5度最大平面图”,记为“min $5G_{Mn}$”。显然此时min $5G_{Mn}$中,既不可能含有3度点,也不可能含有4度点。故此时,$n_3 = 0$;$n_4 = 0$;$n_5 \neq 0$,即$n_5 \geqslant 1$。

类似地,也可按最小度点的度数来划分n阶一般平面图G_n,那就有5种:

1)“最小1度平面图”,记为“min $1G_n$”;

2)“最小2度平面图”,记为“min $2G_n$”;

3)“最小3度平面图”,记为“min $3G_n$”;

4)“最小4度平面图”,记为“min $4G_n$”;

5)“最小5度平面图”,记为“min $5G_n$”;

3 n阶最大平面图G_{Mn}的四色着色的方法

一般来说,一个n阶最大平面图G_{Mn}的阶数越高,即点数越多,四色着色方案的求取就越复杂一些。所以,“降阶法”(本文杜撰的英文术语为“method of reduction of order”)的基本思想是,将G_{Mn}变成有关的低阶子图,先求出低阶子图的四色着色方案,经推演,再得到G_{Mn}的四色着色方案。已提出了如下的四色着色方法:“C_3分隔法”(英文术语拟用“method of separation by C_3”)、“移3度点法”(试用“method of removal of 3 degree point”)、“移4度点法”(“method of removal of 4 degree point”)和“移5度点法”(“method of removal of 5 degree point”)。

另外,本文又提出了“降度法”(英文术语试用“method of reduction of degree”。这儿,首先是指“对角线变换法”(拟用“method of diagonal transformation”);其次是指“移边法”(“method of removal of edge”)。前者通过“变换C_4的对角线”;后者通过“移去一条边”,使最小度点为5度的n阶最大平面图G_{Mn},变成最小度点为4度的n阶最大平面图或最小度点为4度的n阶平面图的子图,最后,得到G_{Mn}的四色着色方案。这就是“降度法”的基本思想。

现将各个方法分述于以下各小节中。

3.1 “降阶法”

3.1.1 “C_3分隔法”

若n阶最大平面图G_{Mn}中,有三个点i、j、k连成一个三点圈C_3,C_3内有n_I个点,$n > n_I > 0$;C_3外有n_E个点,$n > n_E > 0$,如图1所示。显然$n_I + 3 + n_E = n$。图1中点①、②、③构成的一个三点圈,为无限区。我们可以将G_{Mn}分隔成两个子图,一个叫“内子图”G_{MI}(Internal Subgraph),如图2所示;另一个叫“外子图”G_{ME}(External Subgraph),如图3所示。且,$G_{MI} = G_{Mn} - \{C_3$外

的点｝；$G_{ME}=G_{Mn}-$｛C_3 内的点｝。

通过上述“分隔”的操作后，先求出“内子图” G_{MI}的四色着色方案，再求出“外子图” G_{ME}的四色着色方案，将二者合在一起即得 n 阶最大平面图 G_{Mn}的四色着色方案。论文《最大平面图着色的“C_3 分隔法”》[3]，对“C_3 分隔法”有较详细的分析和论述，且有实例的验证。

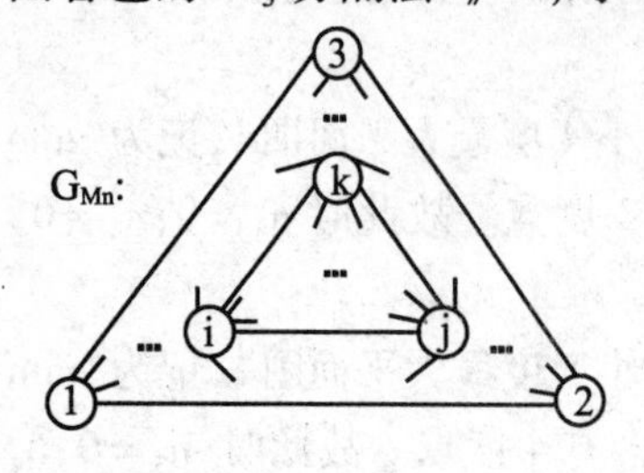

图1　n 阶最大平面图 G_{Mn}

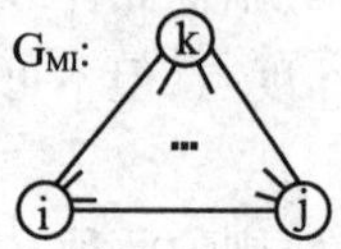

图2　$(3+n_I)$阶最大平面图

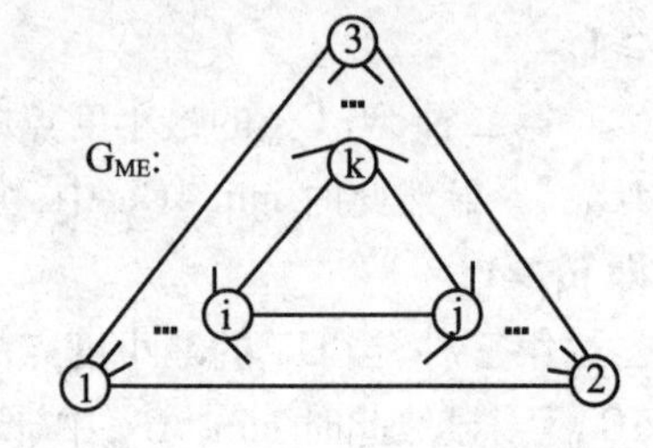

图3　$(3+n_E)$阶最大平面图

3.1.2 “移 3 度点法”

若 n 阶最大平面图 G_{Mn}是第一种最大平面图，即为“最小 3 度最大平面图” min $3G_{Mn}$，其最小度点即 3 度点为点 l，与点 l 相邻的点为 i、j、k，如图 4 所示。我们可以移去 3 度点 l，得(n－1)阶的最大平面图 G_{ME}，如图 5 所示，且 $G_{ME}=G_{Mn}-$｛3 度点 l｝。

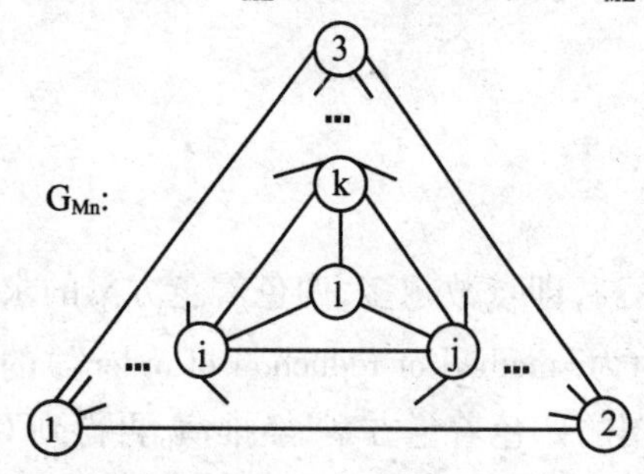

图4　n 阶最大平面图 G_{Mn}

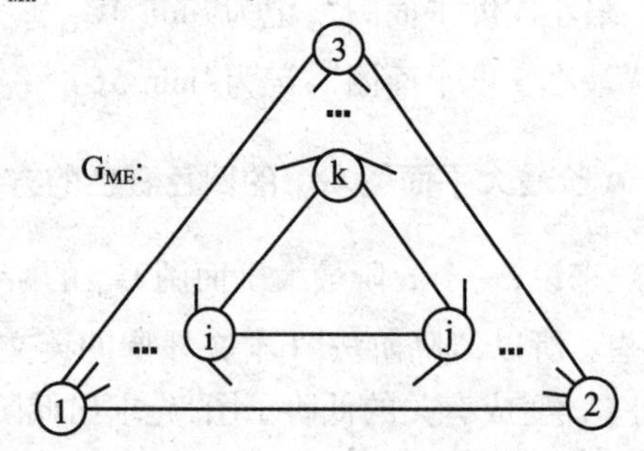

图5　(n－1)阶最大平面图

通过上述“移去 3 度点”的操作后，先求出(n－1)阶最大平面图 G_{ME}的四色着色方案。再将 3 度点 l 放回 C_3(i、j、k)内，给点 l 着有别于点 i、j、k 所着色的第四色，即得 n 阶最大平面图 G_{Mn}的四色着色方案。“移 3 度点法”实为“C_3 分隔法”的特例，即 $n_I=1$。论文《最大平面图着色的“移 3 度点法”》[4]，对“移 3 度点法”有较详细的分析和论述，且有实例的验证。

3.1.3 “移 4 度点法”

若 n 阶最大平面图 G_{Mn}是第二种最大平面图，即为“最小 4 度最大平面图” min $4G_{Mn}$，其最小度点即 4 度点为点 m，与点 m 相邻的点为 i、j、k、l，如图 6 所示。我们可以移去 4 度点 m，再添加四边形 C_4(i、j、k、l)的对角线 ik，作为附加边(也可添加四边形 C_4 的另一对角线 jl，作为附加边)，得(n－1)阶最大平面图 $G_{M(n-1)}$，如图 7 所示，且 $G_{M(n-1)}=G_{Mn}-$｛4 度点 m｝＋边 ik。

通过上述“移去 4 度点，添加对角线作附加边”的操作后，先求出(n－1)阶最大平面图 $G_{M(n-1)}$的四色着色方案。继之移去对角线 ik，有时尚需进行“二色交换”，使点 i、k 同色，或点 j、l 同色。再将点 m 放回 C_4(i、j、k、l)内，给点 m 着有别于点 i、j、k、l 四个点所着三色以外的第四色，即得 n 阶最大平面图 G_{Mn} 的四色着色方案。论文《最大平面图着色的“移 4 度点法”》[5]，对“移 4 度点法”有较详细的分析和论述，且有实例的验证。

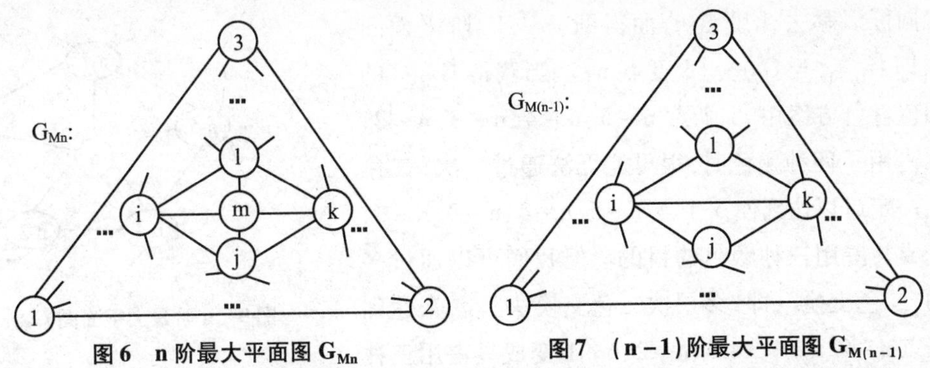

图6 n阶最大平面图 G_{Mn}

图7 (n－1)阶最大平面图 $G_{M(n-1)}$

另外,若n阶最大平面图 G_{Mn} 是第二种最大平面图,即为"最小4度最大平面图"min4G_{Mn},其最小度点即4度点为点m,与点m相邻的点为i、j、k、l,如图6所示。我们可以移去4度点m,但不添加任何附加边,则得(n－1)阶的平面图 $G_{(n-1)}$,如图8所示,即 $G_{(n-1)} = G_{Mn}$ －{4度点m}。

通过上述"移去4度点"的操作后,先求出(n－1)阶平面图 $G_{(n-1)}$ 的四色着色方案。有时尚需进行"二色交换",使点i、k同色,或点j、l同色。再将点m放回 C_4(i、j、k、l)内,给点m着有别于点i、j、k、l四个点所着三色以外的第四色,即得n阶最大平面图 G_{Mn} 的四色着色方案。此外,在此求解过程中,"降阶"的运作是利用图的邻接矩阵;"升阶、着色"的运作是利用变化的拓扑结构图。如上所述的"降阶法",称为"简化降阶法"。"简化降阶法"的求解过程较"移4度点法"的"降阶法"的求解过程,要简单得多。论文《四色着色的"简化降阶法"》[6],对"简化降阶法"有较详细的分析和论述,且有实例的验证。

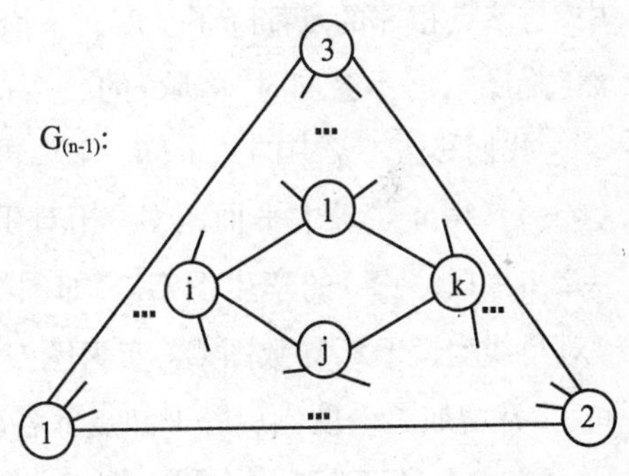

图8 (n－1)阶平面图 $G_{(n-1)}$

3.1.4 "移5度点法"

若n阶最大平面图 G_{Mn} 是第三种最大平面图,即为"最小5度最大平面图"min5G_{Mn}。我们移去一个5度点,则可得一子图,为(n－1)阶的平面图 $G_{(n-1)}$,即 $G_{(n-1)} = G_{Mn}$ －{一个5度点(其5个相邻点中,至少有一个点为5度点)}。由于min5G_{Mn} 中含有较多的5度点,我们可以选这样一个5度点被移去,即该5度点的5个相邻点中,至少有一个是5度点。这样,在 $G_{(n-1)}$ 中,该相邻点将为4度点,那么 $G_{(n-1)}$ 将是min4 $G_{(n-1)}$。这就可以求出 $G_{(n-1)}$ 的一个四色着色方案,再通过"多层次二色交换法"[7],就可获得 $G_{(n-1)}$ 的一个"相近四色着色方案集"。利用在该"集"中,与被移去的那个5度点相邻的5个点只共占用3色的四色着色方案,移入着第四色的该5度点后,即获得 G_{Mn} 的四色着色方案。论文《平面图着色的"移5度点法"》[8],对"移5度点法"有较详细分析和论述,以及实例的验证。

3.2 "降度法"

3.2.1 "降度法"的形成

若n阶最大平面图 G_{Mn} 是第三种最大平面图,也就是"最小5度最大平面图" min5G_{Mn},其最小度点即5度点为点n。与点n相邻的5个点为n－5、n－4、n－3、n－2和n－1,如图9所示。与图1、图4 、图6相比,图9中的n阶最大平面图 G_{Mn},未将无限区 C_3(①、②、③)画出。

我们可以移去5度点n,而得到(n-1)阶平面图$G_{(n-1)}$,即$G_{(n-1)} = G_{Mn} - \{5度点n\}$。当获得$G_{(n-1)}$的一个四色着色方案中,5个点n-5、n-4、n-3、n-2、n-1共占用了四种颜色时,很可能无法通过一次"二色交换",一定可以达到使5个点n-5、n-4、n-3、n-2、n-1变成共占用三种颜色的目的。但我们可以通过多层次的"二色交换",即"多层次二色交换法"[7],来达到使5个点n-5、n-4、n-3、n-2、n-1变成只占用三种颜色的目的。此时,当将被移去的5度点n放回原处后,着第四色,就能得到G_{Mn}的四色着色方案,这就形成了最大平面图着色的"移5度点法"。又,实际上该法也为一种"降度法"。极易看到,"降阶"实际上也连带含有了"降度",因为当G_{Mn}移去一个点后所得到的子图$G_{(n-1)}$中,与该点相邻的点都降了一度。下面提出的"降度法"是另外一类"降度"的方法,那就是,虽然"降度",但不会同时"降阶"的。

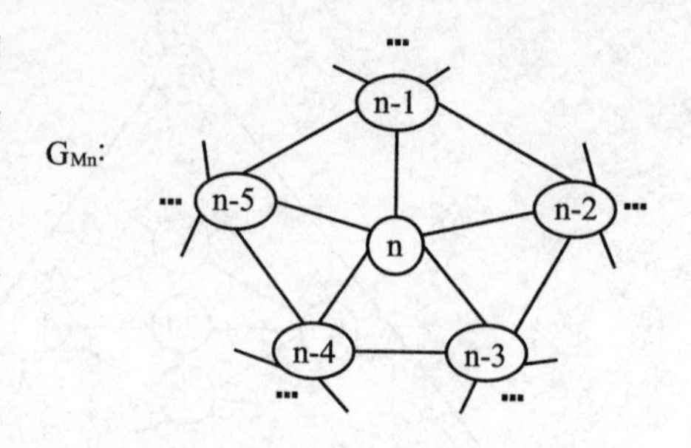

图9　n阶最大平面图G_{Mn}

我们移去G_{Mn}中的边n(n-1),再添加边(n-2)(n-5),得n阶最大平面图G_{Mn}相对于四边形C_4(n、n-2、n-1、n-5)的孪生图G_{Mn}^T,如图10所示。这儿,"对角线变换DT"导致图G_{Mn}变为图G_{Mn}^T,点n-2和点n-5各增加了一度,点n-1和点n各减少了一度。由于点n由5度变为4度,可见,图G_{Mn}是"最小5度最大平面图";而图G_{Mn}^T则为"最小4度最大平面图"。论文《最大平面图G_M的孪生图G_M^T和对角线变换DT》[9],对"孪生图对"有较详细的分析及论述,且有实例的验证。

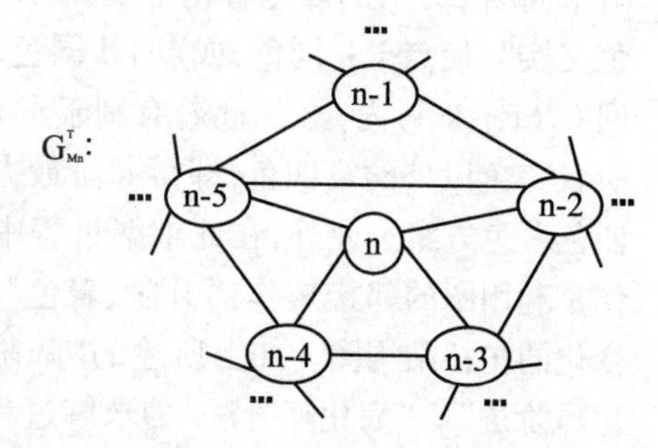

图10　n阶最大平面图G_{Mn}的孪生图G_{Mn}^T

通过上述"降度"的操作后,可先按"移4度点法"、"简化降阶法"等方法,求出图G_{Mn}^T的四色着色方案,再用"多层次二色交换法"获得G_{Mn}^T的"许多",甚至"大量"的"相近四色着色方案",即G_{Mn}^T的一个"相近四色着色方案集"。该"集"中,点n-1与点n异色的四色着色方案,即为G_{Mn}的四色着色方案。由此形成了最大平面图着色的"对角线变换法",这是"降度法"的一种。论文《最大平面图G_M的二色子图和二色交换》[7],对"多层次二色交换法"及"相近四色着色方案集"有较详细的分析及论述,且有实例的验证。

3.2.2 "对角线变换法"(——"降度法"之一)的特点

文献[1]中性质9表示,当n≥4时,n阶最大平面图G_{Mn}有

$$3n_3+2n_4+n_5=n_7+2n_8+\cdots+(i-6)n_i+\cdots+(n-7)n_{n-1}+12,$$
$$n\geq4;n\geq n_i\geq0;n-1\geq i\geq3 \qquad (1)$$

式中:n为最大平面图G_{Mn}的阶数(点数);n_i为i度点的个数。(1)式为n阶最大平面图G_{Mn}的必要条件。由式可见,6度点的个数n_6未出现在(1)式中,因而,n_6不对(1)式的左右平衡产

生影响和作用。但从拓扑结构上讲,n 中所含的 n_6 有一个上限,论文《3 长 6 度∞阶完整正则平面图》[10]探讨了这方面的问题。

“最小 5 度最大平面图” min $5G_{Mn}$的最小度点的度数为 5,这种图不含有 3 度点和 4 度点,即 $n_3=n_4=0$,因而得

$$n_5=n_7+2n_8+\cdots+(i-6)n_i+\cdots+(n-7)n_{n-1}+12,$$

$$n\geqslant 12;n\geqslant n_i\geqslant 0;n-1\geqslant i\geqslant 5 \qquad (2)$$

(2)式为 n 阶“最小 5 度最大平面图” min $5G_{Mn}$的必要条件,由(2)式可见:

Ⅰ:(2)式可视作 n_5 的表达式,那就是在 min $5G_{Mn}$中,有一个 7 度点就必须有一个 5 度点来使(2)式左右平衡;有一个 8 度点就要有两个 5 度点来“作伴”;有一个 9 度点就会有三个 5 度点来“相陪”;……;此外,还要“外加”12 个 5 度点。由此可见,min $5G_{Mn}$中有着“大量”的 5 度点,且“许多”5 度点彼此是相邻的。因而,我们可在图 9 所示的 G_{Mn}的 5 度点“成堆的地方”选择 n-1 点和 n 点。经“对角线变换”后,所得图 10 所示的 G_{Mn}^T中点 n-1 和点 n 均为 4 度点。当进一步移去点 n-1 和点 n 后,点 n-4、点 n-3、…等成为 4 度点,甚至点 n-5 和点 n-2 也成为 4 度点。一批、一批的移去 4 度点,一批、一批的相应的点降度,那就不断地有 4 度点出现,有时也有 3 度点出现,“降阶”过程得以延续,直至得到 G_{M4}。因此,要得到 G_{Mn}^T的四色着色方案是完全可以的。

Ⅱ:若 $n_3=n_4=0$,则由(2)式可知,当 $n_6=0$,且 $n_7=n_8=\cdots=0$ 时,作为一个特例,此时,n $=n_5=12$,即“最小 5 度最大平面图” min $5G_{Mn}$的阶数(点数)n=12。显然,这也就是“最小 5 度最大平面图”的最小的阶数(点数)n,可写为 min $5G_{Mn}$(minimal n) = min $5G_{Mn}$(min. n) = min$5G_{M12}$,其 12 个点的度数均为 5。实际上,这儿阶数(点数)n 最小的“最小 5 度最大平面图”即为“5 度 12 阶正则最大平面图”,也即为“3 长 5 度 12 阶完整正则平面图”[9],其实,这也就是“正二十面体的平面嵌入图”。

3.2.3 应用“对角线变换法”的二个实例

3.2.3.1 实例 1.“正二十面体的平面嵌入图”

图 11 所示,为一个阶数为 12,也即是阶数最小的“最小 5 度最大平面图” min $5G_{M12}$,且实为一个“5 度 12 阶正则最大平面图”(必为 12 阶)。从拓扑结构看,图 11 实际上就是文献[11]中的图 7.4.1 及图 9.4.5,也就是文献[9]中图 5,故图 11 就是“正二十面体的平面嵌入图”。该图点数 n=12,边数 e=3n-6=30,区数 r=2n-4=20,度数 d=6n-12;$n_5=n=12$。

为了求得 min$5G_{M12}$的四色着色方案,我们先作出它的孪生图,即如图 12 所示的 min $5G_{M12}^T$。这相当于在 C_4(⑥、⑩、⑫、⑪)中,将对角线⑩⑪变换成对角线⑥⑫。图 12 实为文献[9]中的图4,也即文献[7]中的图1。文献[7]中求出了图12 所示 min $5G_{M12}^T$的12 种四色着色方案。其中有 6 种四色着色方案中的点⑩与点⑪是异色的,即为编号是 01)、02)、03)、10)、11)、12)的 6 种,恰巧占了一半。此 6 种四色着色方案,即为阶数最小的“最小 5 度最大平面

图” min $5G_{M12}$的所有可能的四色着色方案中的 6 种(四个点集划分),现转录于下。

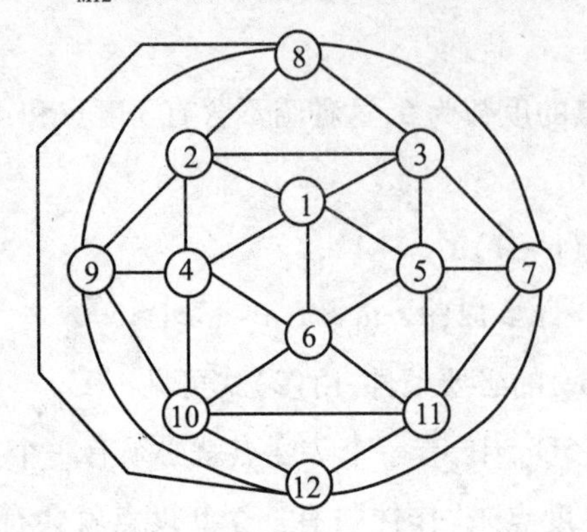

图 11 “最小 5 度最大平面图”min $5G_{M12}$
(“正二十面体的平面嵌入图”)

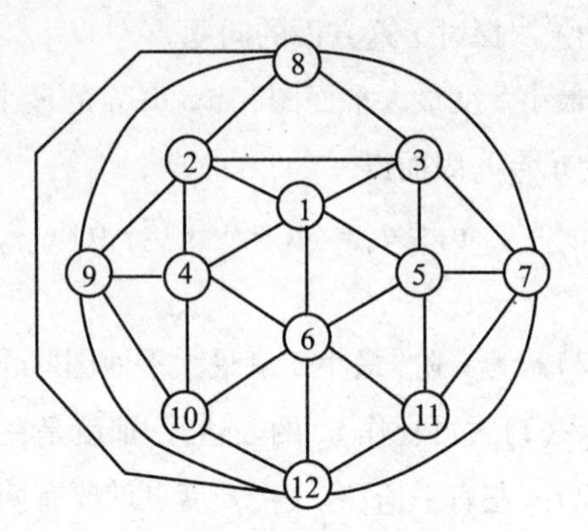

图 12 min$5G_{M12}$的孪生图 min $5G^{T}_{M12}$

阶数最小的“最小 5 度最大平面图”(“正二十面体的平面嵌入图”)的四色着色方案:

[1]★01).{1、7、10};{2、5、12};{3、6、9};{4、8、11}
[2]★02).{1、8、10};{2、5、12};{3、4、11};{6、7、9}
[3]★03).{1、8、10};{2、6、7};{3、9、11};{4、5、12}
[4]★10).{1、8、11};{2、5、10};{3、4、12};{6、7、9}
[5]★11).{1、8、11};{2、7、10};{3、6、9};{4、5、12}
[6]★12).{1、9、11};{2、6、7};{3、4、12};{5、8、10}

3.2.3.2 实例 2.“Appel 与 Haken 之例”

图 13 所示,为一个阶数为 25 的“最小 5 度最大平面图” min $5G_{M25}$。从拓扑结构上看,图 13 就是文献[12]中的图 13,也就是文献[9]中的图 7,故图 13 就是“Appel 与 Haken 之例”(Appel and Haken's Example, AHE)$G_{M25.AHE}$。该图,点数 $n=25$,边数 $e=3n-6=69$,区数 $r=2n-4=46$,度数 $d=6n-12=138$;$n_3=n_4=0$,$n_5=15$,$n_6=8$,$n_7=1$,$n_8=1$,$n_9=n_{10}=\cdots=0$。

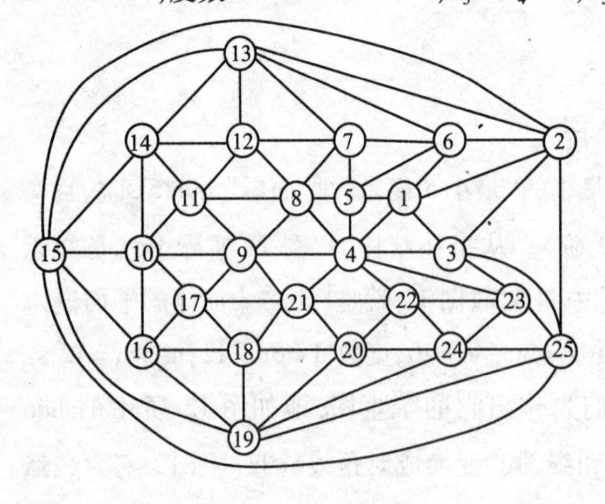

图 13 “最小 5 度最大平面图”min $5G_{M25}$
(即“Appel 与 Haken 之例”$G_{M25.AHE}$)

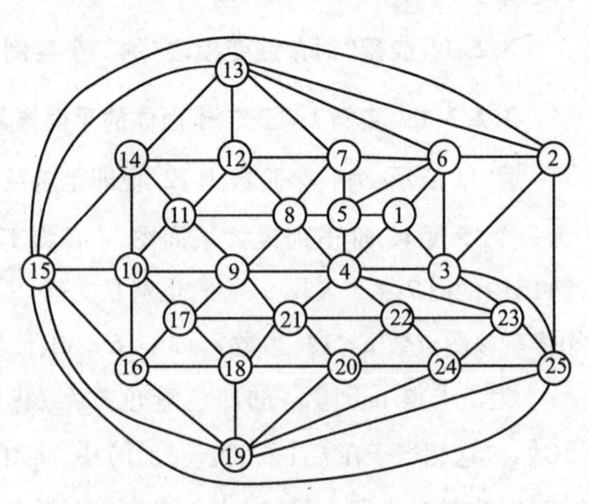

图 14 min $5G_{M25}$的孪生图 min $5G^{T}_{M25}$

为了求得 min $5G_{M25}$ 的四色着色方案，我们先作出它的孪生图 min $5G_{M25}^{T}$，即如图 14 所示的。这相当于在四边形 C_4（①、③、②、⑥）中，将对角线①②变换成⑥③。图 14 实为文献[9]中的图 6，也即文献[7]中的图 2。文献[7]中求出了图 14 所示的 min $5G_{M25}^{T}$ 的 178 种四色着色方案（一个 min$5G_{M25}^{T}$ 的“相近四色着色方案集甲”）。在其中的 88 种四色着色方案中，其点①与点②是异色的，也就是编号为 091）. 到 178）. 的 88 种，几乎占了一半。此 88 种四色着色方案，即为“最小 5 度最大平面图” min $5G_{M25}$（“Appel 与 Haken 之例” $G_{M25.AHE}$）的所有可能的四色着色方案中的 88 种（四个点集划分），现载于文献[9]中的附录中。

3.2.4　“移边法”（——“降度法”之二）

若 n 阶最大平面图 G_{Mn} 是第三种最大平面图，即为“最小 5 度最大平面图” min$5G_{Mn}$。我们可以移去至少有一个端点为 5 度点的一条边，则得到的子图为 n 阶平面图 G_n，即

$$G_n = G_{Mn} - \{一条边(其端点,至少一个为5度)\}。$$

这样，在 G_n 中，有一个点或两个点（即被移去的边的端点）为 4 度点。那么，G_n 就是“最小 4 度平面图” min $4G_n$。这就至少可以求得 G_n 的一个四色着色方案，再通过“多层次二色交换法”，就可获得 G_n 的一个“相近四色着色方案集”。在该“集”中，被移去的边的两个端点异色的四色着色方案，即为 G_{Mn} 的四色着色方案。如上所述获得 G_{Mn} 的四色着色方案的方法，可称为“移边法”。在“移边法”中，子图 G_n 未“降阶”，只是被移去的边的两个端点均降了一度，故“移边法”是一种“降度法”。论文《平面图着色的“移边法”》[13]，对“移边法”有较详细的分析和论述，以及实例的验证。

4　结语

本文按最小度点的度数，将 n 阶最大平面图 G_{Mn} 分成三类：即“最小 3 度最大平面图” min $3G_{Mn}$、“最小 4 度最大平面图” min $4G_{Mn}$ 和“最小 5 度最大平面图” min $5G_{Mn}$。对这三类最大平面图，分别给出了求得四色着色方案的方法。因此可以说，对任何 n 阶最大平面图 G_{Mn}，就可以求出它的一个，或多个，甚至“很多”个四色着色方案，但所求得的四色着色方案，有可能只是其所有四色着色方案的一部分，而不是全部。

类似的，按最小度点的度数，就可将 n 阶一般平面图 G_n 分为五类。n 阶最大平面图 G_{Mn} 的四色着色方案可以求得，那么 n 阶一般平面图 G_n 的四色着色方案也是可以求得的。后者，即 G_n 可能含有 1 度点和 2 度点，那就通过“移去 1 度点”和“移去 2 度点”来“降阶”，即可用所谓“移 1 度点法”和“移 2 度点法”来求解。G_n 较 G_{Mn} 的“约束”要少，因而求取四色着色方案应该更“容易”些。这儿，可以对任何 n 阶平面图 Gn，求得它的一个，或多个四色着色方案，但很有可能不是其全部的四色着色方案。

若已知一个有一定拓扑结构的 n 阶平面图 G_n（或最大平面图 G_{Mn}）的一个或一些四色着色方案，那么其中的每一个四色着色方案，均可通过“多层次二色交换法”，求得该四色着色方案在 G_n（或 G_{Mn}）中，所隶属的 G_n（或 G_{Mn}）的一个“相近四色着色方案集”。该“集”的“集元”

数可能为1、或大于1。由此，就有可能得到G_n（或G_{Mn}）的未知的新的四色着色方案。

文献[3]和文献[4]中列举了同一个例子，即“19阶星型最大平面图”$G_{M19.S}$。由运算结果可知，$G_{M19.S}$只具有1个相近四色着色方案集，且该“集”只含有1个“集元”。也就是说，$G_{M19.S}$是唯一4可着色的。

文献[14]求出了“Hamilton绕行世界之对偶图”$G_{M12.ico}$的6个相近四色着色方案集，且每个“集”均只含一个“集元”。$G_{M12.ico}$可能不只是这6个“集”，也即$G_{M12.ico}$可能不只是这6个四色着色方案。

文献[15]求出了“Appel与Haken之例”$G_{M25.AHE}$的2个相近四色着色方案集，它们各含152个和112个“集元”。$G_{M25.AHE}$可能不只是这2个“集”，也即$G_{M25.AHE}$可能不只是这264（=152+112）个四色着色方案。这儿，原来已知的四色着色方案是148个，通过“多层次二色交换法”，就得到了未知的新的四色着色方案116（=264-148）个。

文献[16]求出了“Heawood反例”$G_{M25.HCE}$的32个相近四色着色方案集。它们各含或1个、或6个、或更多个“集元”不等，总共的“集元”的个数是144。$G_{M25.HCE}$可能不只是这32个“集”。这儿的情况是，原来已知的四色着色方案就是144个，在求得的32个“集”中，未获得任何新的四色着色方案，这当然是有可能出现的情况之一。

参考文献

[1]冯纪先. 最大平面图的度[C]//第十七届电路与系统年会论文集. 大连：大连海事大学，2002：VI-5-VI-9.（见目录：1.04）

[2]冯纪先. 最大平面图的最小度点和最大度点[C]//第十九届电路与系统年会论文集. 合肥：中国科技大学，2005：VIII-616-VIII-620.（见目录：1.05）

[3]冯纪先. 最大平面图着色的“C_3分隔法”[C]//中国电机工程学会第六届电路理论学术研讨会论文集. 南京：东南大学，2000：49-53.（见目录：2.03）

[4]冯纪先. 最大平面图着色的“移3度点法”[C]//第十五届电路与系统年会论文集. 广州：华南理工大学，1999：254-258.（见目录：2.01）

[5]冯纪先. 最大平面图着色的“移4度点法”[C]//第十五届电路与系统年会论文集. 广州：华南理工大学，1999：259-263.（见目录：2.02）

[6]冯纪先. 四色着色的“简化降阶法”[J]. 汕头大学学报（自然科学版），2008，23（4）：52-59.（见目录：2.07）

[7]冯纪先. 最大平面图G_M的二色子图和二色交换[C]//第二十届电路与系统年会论文集. 广州：华南理工大学，2007：770-777.（见目录：2.04）

[8]冯纪先. 平面图着色的“移5度点法”[C]//第二十三届电工理论年会论文集. 武汉：华中科技大学，2011：35-40.（见目录：2.18）

[9]冯纪先. 最大平面图G_M的“孪生图”G_M^T和“对角线变换”DT[J]. 数学的实践与认识，2010，40（11）：165-173.（见目录：2.10）

[10]冯纪先. 3长6度∞阶完整正则平面图[C]//第十五届电工理论年会论文集. 武汉：华中

科技大学,2003:12－15.(见目录:1.07)

[11]卡波边柯(Capobianco) M,莫鲁卓(Molluzzo) J.图论的例和反例(Examples and Counter Examples in Graph Theory)[M]. 聂祖安,译. 长沙:湖南科学技术出版社,1988:114、152.

[12]斯蒂恩(Steen) L A.今日数学——随笔十二篇(MATHEMATICS TODAY——Twelve Informal Essays){阿佩尔(Appel) K,黑肯(Haken) W.第二部分(Part II)四色问题(Four－color problem)}[M]. 马继芳,译.上海:上海科学技术出版社,1982:174－204.

[13]冯纪先. 平面图着色的“移边法”[C]//第二十二届电路与系统年会论文集.上海:复旦大学,2010:110－115.(见目录:2.16)

[14]冯纪先.“Hamilton 绕行世界之对偶图” $G_{M12.ico}$ 的相近四色着色方案集[C]//(待发表)(见目录:2.19)

[15]冯纪先.“Appel 与 Haken 之例” $G_{M25.AHE}$ 的相近四色着色方案集[C]//(待发表)(见目录:2.20)

[16]冯纪先.“Heawood 反例” $G_{M25.HCE}$ 的相近四色着色方案集[C]//(待发表)(见目录:2.21)

后　记

此书是学习和研究图论的心得与认识,也是利用退休时光的结果。

本人一直热爱数学,喜欢学习数学。数学是最容易明辨是非,区分真伪的。数学像一座“水晶宫”,是那样的纯真而透明,端庄而美丽,丰富又简练,变幻又永恒。

在工作中,我接触到了图论。图论是一种“二元关系”,其平面图可用图形来具体形象地表达,非常好看。我又喜爱彩画,因此对平面图的着色问题就产生了非常大的兴趣,尤其特别关心的是平面图的“四色着色”问题。由于我长期从事的是技术工作,难免形成了“总要把它做出来”的习惯。故而对求解平面图的“四色着色方案”很感兴趣。总是在想,是否还有些什么方法,能把它们求出来。图的着色是与图的结构密切相关的,是取决于图的结构的。要研究图的着色,就要首先弄清楚图的结构的特点,所以我也对图的结构问题产生了很大的兴趣,很想探个究竟。兴趣是最好的老师,兴趣往往在不经意之间使人产生无惧的动力。

要认识世界,就必须先去实践。只有通过对事物的实践,才能真正地、深刻地认识它。我在对平面图的结构与着色的研究中,通过实践,有了心得,有了认识,就写成文章。这些文章的内容之间,彼此是相互关联的。将这些文章顺理成章地汇在一起,就构成一个整体,形成了本书。但我也知道,有些问题尚需进一步的研究,新的方法还要不断地去探索。

本书在写作和成书过程中,得到亲人们的大力支持和无私帮助,在此向她们致以衷心的感谢!

最后,谨以此书献给我的父亲冯省知,我的母亲范志愚。冯省知系东汉“大树将军”阳夏侯冯异之后代(《南通冯氏家谱》,上海图书馆藏)。范志愚系北宋文正公范仲淹——忠宣公范纯仁之后代(《南通地方志》,南通图书馆藏)。本人深知,冯异、范仲淹等,这些先人,都具有人格的魅力。他们的思想境界、品德操行、与人生业绩,永远值得我们后人崇敬和学习。

冯纪先

2012 年 4 月

图书在版编目（CIP）数据

平面图的结构与着色/冯纪先著．—北京：学苑出版社，2012.10

ISBN 978－7－5077－4134－6

Ⅰ．①平…　Ⅱ．①冯…　Ⅲ．①平面图－研究　Ⅳ．①O157.5

中国版本图书馆 CIP 数据核字（2012）第 258323 号

责任编辑：郑泽英

封面设计：刘雪娇

出版发行：学苑出版社

社　　址：北京市丰台区南方庄 2 号院 1 号楼

邮政编码：100079

网　　址：www.book001.com

电子邮箱：xueyuan@public.bta.net.cn

销售电话：010－67675512、67678944、67601101（邮购）

经　　销：全国新华书店

印 刷 厂：北京长阳汇文印刷厂

开本尺寸：787mm×1092mm　1/16

印　　张：17.25

字　　数：260 千字

版　　次：2012 年 12 月北京第 1 版

印　　次：2012 年 12 月北京第 1 次印刷

定　　价：42.00 元